新編高麗史全文

세가9책

충선왕-충정왕

目　次

『高麗史』卷三十三 世家卷三十三

[輔國崇祿大夫·議政府左贊成·知集賢殿經筵春秋館成均事·世子賓客·臣金宗瑞奉敎撰]

正憲大夫·工曹判書·集賢殿大提學·知經筵春秋館事兼成均大司成·臣鄭麟趾奉敎修

忠宣王 一

忠宣·□□□[宣孝大]王,[1] 諱璋, 字仲昻, 古諱謜, 蒙古諱益智禮普化.[2] 忠烈王長子, 母曰齊國大長公主, 忠烈王元年乙亥九月丁酉[30日]生, 三年正月, 册王爲世子.

九年二月, 忠烈將獵于忠淸道, 時王年九歲, 忽泣下, 乳母請其故, 答曰, "今玆百姓困窮, 又當東作之時, 父王何爲遠獵?". 曹義珣以告, 忠烈曰, "小兒怪哉? 獵期已定, 不能聽". 未幾, 公主得疾, 忠烈不果行. ○又見人衣破布衫負柴入于宮門, 使問之. 對曰, "將作署其人也". 王曰, "我美衣服, 而百姓若此, 於心安乎?" 又有宮奴, 取里中兒紙鳶以獻, 問, "汝安得此?". 以實對, 王曰, "取諸人, 獻於我, 何哉?" 卽命還之. 常謂行李別監魏璇曰,[3] "奇怪妖妄, 皆所不取. 但可以前修之事, 告我耳?". [都僉議贊成事]廉承益嘗進相師天一, 天一相王曰, "慈眼不喜鷹犬". 朴義在側, 王顧曰, "每以鷹犬, 從臾吾君者, 此老狗也". 義慚靦而退.[4]

十三年九月, 忠烈在燕, 召王入朝. 十月, 全羅道王旨別監權宜, 以銀四十斤·虎皮二十領, 獻王, 以助行李之費, 王曰, "此物皆剝民斂[斂]怨, 非吾所欲?", 遣人, 悉還其主.

十四年八月 [庚辰[28日]:追加],[5] 以聖節, 宴于大殿, 宋人作戲, 忠烈召王觀之, 王辭不入, 時王年十四. 嘗踞內僚元奕膝上, 從容相語, 奕謂王曰, "人主不宜聽察. 殿下

---

1) 忠宣이라는 謚號는 1344년(충목왕 복위년) 12월 22일 元이 使臣을 보내와 忠宣王과 忠肅王의 謚册을 내릴 때 받은 것이고, 1357년(공민왕6) 윤9월 22일 宣孝라는 謚號가 추가되었으나 반영되지 못하였다. 또 恭愍王의 경우를 통해 볼 때 王은 大王으로 고쳐야 옳게 될 것이다.

2) 충선왕의 이름인 益智禮普化[Ijil-Buqa)는 亦只里不花로도 표기되었다(『秘書監志』 권2, 祿秩, 忙古歹養老俸).

3) 魏璇은 圓鑑國師 冲止의 막내 동생이다(『圓鑑國師語錄』, 季弟樞院堂[密直司堂後官]璇後聞, …).

4) 世子가 朴義에게 한 말은 열전37, 朴義에도 수록되어 있다

5) 世祖 쿠빌라이[忽必烈]의 誕日은 8월 28일이다.

聰明大過，宜小寬容”. 王作色曰，“汝輩使我癡暗，持弄掌上，如軟餠乎?”. 奕懼.[6)]

十五年五月壬午[4日]，王聞前博士康煦死，問左右曰，“莫是燃頭燃臂，以救王疾者歟?”. 對曰，“然”. 王曰，“凡人臣事上之道，在忠勤盡節. 燃頭燃臂，乃浮屠之事，非君子之所爲也. 而煦乃媚上，敢行非禮，雖死何惜”. 聞者歎服.

[十六年十一月，如元:追加].

十七年九月，帝授王特進·上柱國·高麗國王世子，賜金印[~~銀印~~].[7)]

十八年[五月戊戌[7日]，世子至自元:追加]. 七月丙戌[27日]，如元. 九月，帝御紫檀殿引見，問本國事. 王奏對詳明. 十月，帝召王入寢殿，問曰，“讀何書?”，奏云，“讀通鑑”. 帝曰，“歷代帝王，誰爲賢明”. 對曰，“漢之高祖，唐之太宗”. 帝又問曰，“漢祖·唐宗，孰與寡人?”. 對曰，“臣年少，何足以知之”. 帝曰，“然，問於宰相以來?”.

二十一年八月戊午[16日],[8)] 至自元，帝[成宗]册爲儀同三司·上柱國·高麗國王世子·領都僉議使司，賜兩臺銀印. 誥曰，“幼禀義方，夙標令器，緊我家之自出，爲藩輔之具瞻. 逮事先皇，恭勤備著，預聞庶議，聲譽加隆. 爰寵賁於儀章，仍峻升於命秩，敍其勞，詔其舊，宜懿戚特優. 子惟孝，臣惟忠，尙成規恪守，毋愆素履，茂對榮光”. 九月甲申[13日]，署事于都僉議□[使]司. 十二月癸卯[4日]，如元.

二十二年十一月壬辰[27日]，王以白馬八十一匹，獻于帝，納幣，遂尙晋王甘麻剌[剌]之女. 癸巳[28日]，又以白馬八十一匹，獻于太后，太后以羊七百頭·酒五百甕，宴王. 帝與太后臨軒，諸王·公主·百官侍宴. 甲午[29日]，以白馬八十一匹獻晋王，仍以酒三百甕·羊四百頭，宴.

[以下의 記事는 忠烈王 世家篇 24年으로 移動되었음]

忠烈王三十三年[二月:追加],[9)] 皇姪愛育黎拔力八達太子及右丞相答剌罕[~~答剌罕~~]·院使別不花，與王定策，迎立懷寧王海山. 左丞相阿忽台·平章[平章政事]八都馬辛等，謀奉安西王阿難達爲亂，太子知其謀，先一日，執阿忽台等，使大王都剌[~~都剌~~]·院使別不花

---

6) 上은 延世大學本과 東亞大學本에는 土로 되어 있으나 오자일 것이다(東亞大學 2008년 9책 395面).

7) 金印은 『원사』에는 銀印으로 되어 있는데，후자가 옳을 것이다(→충렬왕 4년 7월 21일의 脚注 ; 충렬왕 21년 8월 16일).

8) 二十一年은 延世大學本과 東亞大學本에는 三十一年으로 되어 있으나 오자일 것이다(東亞大學 2008년 9책 396面).

9) 이 기사는 二月에 일어난 사실이므로 二月을 추가하였다(『원사』 권22, 본기22, 무종1, 大德 11년 春).

及王，按誅之.

五月[甲子朔]，[甲申[21日]:追加][10]，皇姪懷寧王，即皇帝位，是謂武宗.

三十四年五月戊寅[20日]，元以定策功，封瀋陽王，制曰，咨，爾推忠揆義協謀[協謀]佐運功臣·開府儀同三司·征東行中書省左丞相·駙馬王璋，世祖外孫，先朝貴壻，方朕纘承之始，寔參翊贊之功. 以賞善罰惡之至公，保孝父忠君之大節，可特授開府儀同三司·太子太傅·上柱國·駙馬都尉，進封瀋陽王.

○又令入中書省，參議政事，賜金虎符·玉帶·七寶帶·碧鈿金帶及黃金五百兩·銀五千兩.

○皇后[答己]·皇太子[愛育黎拔力八達]亦寵待，所賜珍寶錦綺，未可勝計.

[秋]七月[丁巳朔大盡,庚申]，己巳[13日]，忠烈王薨.

辛未[15日]，遣□[都]僉議評理金利用[金延壽]如元，告喪.[11]

[乙酉[29日]，以雞林府判官張問爲安東都護府判官追加].[12]

[某日，以慶尙道提察使鄭肅文，仍番:慶尙道營主題名記].

八月[丁亥朔小盡,辛酉]，乙未[9日]，市街長廊成.

○□[前]王命罷近侍·茶房.

[壬寅[16日]，月食:天文3轉載].[13]

壬子[26日]，□[前]王自元來，奔喪，在途星行，十餘日乃至.[14] 先詣殯殿，入哭設奠，

---

10) 이는『원사』권22, 본기22, 무종1, 大德 11년 5월 甲申에 의거하였다.

11) 金利用은 金延壽의 改名인데, 그 시기는 충렬왕 33년 10월 15일에서 34년 7월 15일의 사이이다. 또 金利用의 보고가 武宗에게 전해진 것은 9월 1일(丙辰)이었던 것 같다.
- 『원사』권22, 본기22, 武宗1, 至大 1년 9월 丙辰朔, "高麗國王王昛卒".

12) 이는 다음의 자료에 의거하였다.
- 『동도역세제자기』, "安東都護府到任, 戊申七月二十九日, 雞林府移任".

13) 이날 일본의 교토에서도 월식이 있었다. 이날은 율리우스력의 1308년 9월 1일이고, 월식 현상이 심했던 때의 世界時[標準時]는 9시 53분, 食分은 0.37이었다(渡邊敏夫 1979年 483面).
- 『師守記』, 康永 4년 8월, "十四日乙丑, … 德治三年八月十六日, 月蝕, 九分, … 十四日乙丑, 駒牽當月蝕例, … 德治三年八月十六日, 今夜月蝕, 戌剋出現也, 御讀經了, 被行駒牽".

14) 이때 고려정부가 7월 15일 使臣을 몽골제국에 파견하여 충렬왕의 薨去를 告하였고, 大都에서 訃音을 들은 충선왕은 8월 26일 開京에 도착하였다. 7월이 大盡(30일)이므로 사신의 파견에서 충선왕의 도착까지 41일이 소요된 것으로 驛馬가 매우 빠르게 질주하였던 것 같다. 이 시기보다 道路, 驛馬 事情이 크게 발전했을 1740년(숙종46, 庚子) 燕京에 파견된 李宜顯의 경우, 漢城에서

百官以玄冠素服侍立, 次詣仁明太后[忠烈王妃]殿, 設祭.

[→壬子, 瀋陽王自元來, 奔喪, 詣殯殿, 入哭設奠. 百官以玄冠素服, 侍立:禮6國恤轉載].

癸丑[27日], □[前]王幸壽寧宮, 率百官, 隷[肄]即位儀.[15]

○賜□[守]政丞崔有渰玉帶, [知密直司事]朴景亮[朴瑄·知申事?]權漢功·[左承旨]金之兼·[司憲執義]崔誠之·[司憲執義]李彦忠~~[李彦沖]~~等鞓帶.[16]

甲寅[28日], [秋分]. □[前]王服紫袍, 設灌頂道場于康安殿, 詣景靈殿, 告嗣位. 遂乘輿, 至壽寧宮即位, 受群臣朝賀, 班序尙右, 文西武東. 禮未畢, 天大雷電, 雨雹. 旣霽,[17] 僉議司[都僉議使司]享王, 諸君·宰臣·軍官·忽赤, 皆獻白馬.[18]

[→甲寅, 瀋陽王服紫袍, 詣景靈殿, 告嗣位, 遂至壽寧宮, 即位. 是爲忠宣王:禮6國恤轉載].

[→是日, 上迎入王師丁午闕內竝坐龍床. 尋加禪敎各宗山門道伴揚攝調提之號, 仍委差共議僧政事:追加].[19]

[某日, 復置密直司, 加置判司事:百官1密直司轉載].[20] [是時, 復置軍簿司, 稱摠部:百官1兵曹轉載].[21]

義州까지 23일(歸還 13일), 鴨綠江에서 燕京까지 32일(귀환 28일)이 소요되었고, 또 1732년의 경우(영조8, 壬子)는 前者가 39일(17일), 後者가 30일(27일)이 경과하였다고 한다(『陶谷集』 권30, 庚子·壬子燕行雜識).

15) 隷는 肄(肄習, 演習)의 誤字일 것이다.

16) 朴景亮(抄軍奴 祿大의 子, 趙仁規의 外孫壻, 忠宣王 趙妃의 女兄弟의 壻)은 朴瑄의 改名인데(열전37, 朴景亮), 충렬왕 34년 5월 20일에서 같은 해 8월 27일 사이에 개명하였다. 또 이와 관련된 기사로 다음이 있다. 또 이 시기에 朴景亮의 친족인 抄奴 출신의 金泰가 몽골제국의 宦官인 李淑의 후원으로 南海縣令에 임명되었다고 한다.

- 열전21, 崔誠之, "及忠烈薨, 忠宣自元奔喪, 率百官肄即位儀, 賜[崔]誠之鞓帶. 常與權漢功等, 召見無時".
- 열전37, 朴景亮, "又以其族抄奴金泰, 補南海縣令, 泰元嬖宦李淑友壻也. 國人言, 自今抄之路開矣".
- 열전38, 權漢功, "及[忠烈]王薨, 忠宣還國, 賜鞓帶, 常出入禁闥, 召見無時".

17) 이때의 天氣는 지7, 오행1, 雷電에 "大雷電, 雨雹"으로 되어 있다.

18) 이 기사와 관련된 자료로 다음이 있다.

- 지33, 食貨2, 農桑, "[忠烈]三十四年八月, 忠宣復位".
- 지36, 兵2, 驛站, "[忠烈]三十四年八月, 忠宣王即位".

19) 이는 다음의 자료에 의거하였다.

- 『동문선』 권68, 靈鳳山龍巖寺重創記, "至大元年戊申秋, 瀋王即祚之日, 請師上龍床並坐. 又進禪敎各宗山門道伴揚攝調提之號, 仍委差共議事".

20) 이는 다음의 자료를 전재하여 적절히 變改하였다.

- 지30, 百官1, 密直司, "[忠烈]三十四年, 忠宣□[王]罷, 及即位復之, 加置判司事".

21) 이는 다음의 자료를 전재하여 적절히 變改하였다.

[是月頃, 陞桂陽都護府爲吉州牧, 江寧都護府爲益州牧, 水原都護府爲水州牧, 益興都護府爲原州牧, 知瑞山郡事官爲瑞州牧, 金寧都護府爲金州牧,[22) 興安都護府爲星州牧, 安東大都護府爲福州牧, 禮州爲禮州牧, 交州爲淮州牧, 東州爲牧, 碩州爲溫州牧. 又改慶興都護府爲江陵府, 又以文宗誕生之地, 陞安山監務官爲知安山郡事官:地理志轉載].[23)]

[○□□[前王]分遣大臣, 括諸道民戶, 咨議僉議贊成事金台鉉爲楊廣水吉道計點使·行水州牧使. 諸道報僉議司受指畫, 每回牒曰, "當依楊廣水吉道所爲行之". 故諸道皆取法:列傳23轉載].[24)]

[○以[匡靖大夫·僉議中護]蔡禑爲雞林府尹兼計點使, 郭元振爲雞林府判官, 李椿爲永州副使:追加].[25)]

[某日, 復置慶尙道永州判官, 以李善爲永州判官:追加].[26)]

· 지30, 百官1, 兵曹, "[忠烈]三十四年, 忠宣併于選部, 後改摠部".

22) 이때 平壤道存撫使·行平壤府尹 李彥冲(李彥忠)이 慶尙道鎭邊使·行金州牧使에 임명되었던 것 같다(李彥冲墓誌銘, 具山祐 2018년b).

· 『신증동국여지승람』 권32, 김해도호부, 名宦, "李彥仲[李彥冲], 爲牧".

23) 이들 牧의 昇格은 다음의 자료에 의거하였다.

· 水州·東州牧의 경우는 승격의 시기가 분명하지 않으나 餘他 郡縣의 陞降과 비교할 때 이때로 추측된다.

· 『경상도지리지』, 尙州道, 星州牧官, "太尉王時, 至大己酉, 升爲星州牧". 이에서 1309년(충선왕 1)으로 되어 있으나 오류일 것이다.

· 지11, 지리2, 金州에는 "忠烈王十九年, 降爲縣, 三十四年, 陞爲金州牧"으로 되어 있으나 "忠烈王十九年, 降爲縣, □□□□□□□□[尋復爲金寧都護府], 三十四年, 陞爲金州牧"일 것이다.

· 『경상도지리지』, 安東道, 安東大都護府, "忠宣王至元[至大]戊申, 改爲福州牧". 이에서 至元은 至大로 바꾸어야 옳게 된다.

· 지12, 지리3, 交州, "忠烈王三十四年, 以鐵嶺口子, 把截有功, 陞淮州牧".
또 延安府(碩州)가 溫州牧으로 승격한 것에 대한 다른 자료도 있다.

· 『延安府誌』, 守臣, "副使鄭掾丁未[忠烈王33年]任, 淸白, 其年, 改邑號爲溫州牧. 牧使朴全之, 戊申[34年]任".

· 「朴全之墓誌銘」, "至至大戊申, 以檢校評理, 出爲溫州牧使, 此非貶也. 太尉王降書曰, 慰其淸寒也".

24) 이는 다음의 기사를 전재하였다.

· 열전23, 金台鉉, "尋爲咨議贊成事. 忠宣卽位, 分遣大臣, 括諸道民戶, 台鉉爲楊廣水吉道計點使·行水州牧使. 諸道報僉議司受指畫, 每回牒曰, 當依楊廣水吉道所爲行之. 故諸道皆取法".

· 「金台鉉墓誌銘」, "至大戊申, 忠烈王上昇, 德陵卽位, 分遣大臣諸道, 計點民俗, 欲成戶籍, 以公爲楊廣水吉道計點使·行水州牧使. 諸道牒報僉議司承受條□[畫], 僉議無所定擬回文□[文], 當依楊廣水吉, 諸道定體施行, 故皆遣僚佐來, 取法焉".

25) 이는 『동도역세제자기』; 『영천선생안』에 의거하였다.

26) 이는 『영천선생안』에 의거하였다.

九月丙辰□**朔**大盡,壬戌, 幸壽寧宮, 僉議司~~都僉議使司~~享王.[27]

[某日, 賜養賢庫銀五十斤, 令藝文館, 召致郡縣有茂才者, 給牒, 任以訓導:節要·選擧2學校轉載].

乙丑10日, 杖讞部議郎韓仲熙於宮門, 人莫知其罪. 旣而, 召仲熙慰撫之.[28]

庚午15日, 王祭殯殿, 又祭仁明仁明太后殿, 遂幸神孝寺, 爲帝祝釐.

戊寅23日, 幸神孝寺, 遂幸王輪寺. 住持仁照進茶, 繼以肉膳.

己卯24日, 命藝文詞伯吳詗吳漢卿等,[29] 改諸宮及內僚官名, 又改宮主爲翁主.[30]

[→改掖庭局, 爲內謁司, 置伯二人正三品, 令二人從三品, 正二人正四品, 副正二人從四品, 僕二人正五品, 謁者二人從五品, 丞二人正六品, 直長二人從六品, 內殿崇班四人正七品, 東頭供奉官四人·西頭供奉官四人, 並從七品, 右侍禁四人·左侍禁四人, 並正八品, 右班殿直四人·左班殿直四人, 並從八品, 內班從事四人從九品:百官2掖庭局轉載].

壬午27日, 幸龍化池, **都僉議**中護金深享王.

癸未28日, 飯僧尼二千二百餘人於壽寧宮.

甲申29日, [霜降]. 百官賀王誕日,[31] 各獻茶果, 典儀寺不及, 書雲觀梨一器而已, 典儀兼官李彦忠李彦沖·書雲提點崔誠之, 並徵銀一斤.

[是月庚辰25日, 帝以高麗國王王璋嗣高麗王:追加].[32]

□**冬**十月丙戌朔大盡,癸亥, 丁亥2日, 又飯僧尼于壽寧宮.[33]

戊子3日, 以選部銓注多誤, 追典書至散郎俸米, 始令□**都**僉議宰臣, 同選部議政.

己丑4日, 貼榜中門曰, "除王輪住持仁照·龍岩**龍巖**住持用宣·仙巖住持若宏及崔湍·權漢功·金之兼[34]·金士元·崔誠之·桓頤·吳玄良·姜邦彦·李珍·姜融·趙通·曹頔·曹

27) 丙辰에 朔이 탈락되었다.

28) 韓仲熙는 『경상도영주제명기』에는 1314년(충숙왕1, 甲寅) 秋冬番慶尙道提察使가 되어 다음 해 春夏番, 秋冬番을 連任[仍番]하였던 韓冲熙로 표기되어 있는데 오자일 것이다(『동문선』 권68, 靈鳳山龍巖寺重創記, 朴全之 撰).

29) 吳詗의 初名은 吳漢卿이었으나 1298년(충렬왕24) 7월 14일에서 1308년(충선왕 복위년) 9월 24일 사이에 改名하였다(열전22, 吳詗).

30) 이와 관련된 기사로 지31, 百官2, 內職, "忠宣王改宮主, 爲翁主"가 있다.

31) 충선왕의 誕日은 9월 30일인데, 月次의 大小로 인해 하루 전인 29일을 생일로 정한 것 같다(→충렬왕 33년 9월 29일의 脚注).

32) 이는 다음의 자료에 의거하였다.

· 『원사』 권22, 본기22, 무종1, 大德 11년 9월, "庚辰, 以高麗國王王璋嗣高麗王".

33) 이 기사의 冒頭에 冬이 탈락되었다.

碩·崔玄·鄭子羽·崔仲公·文岾·司憲執義?李伯謙外，餘人，非特召不得入".[35)]

○又飯僧于壽寧宮.

○謁高陵忠烈王妃，以卜地不吉，囚相地者密直副使致仕姜軒·故贊成事伍允孚壻姜美及外孫二人于巡軍~~巡軍萬戶府~~. 遂如新陵，賜酒護作官及工徒，勞之.[36)]

○始令五部點戶.

庚寅5日，洛浪君~~樂浪君~~金琿邀王,[37)] 享于男山書齋.[38)] 於是，宰樞·僧徒，日進膳，爭極豪侈.[39)]

辛卯6日，王祭殯殿，遂幸壽寧宮.[40)]

○瀋陽路人享王.

癸巳8日，王祭殯殿,[41)] 遂幸同知密直司事金文衍家，與淑昌院妃，相對移時，[人始訝之:節要轉載]，妃文衍妹也.[42)]

---

34) 金之兼은 『고려사절요』 권23에는 金之謙으로 되어 있다(盧明鎬 等編 2016년 589面). 이후 『고려사절요』에서는 모두 後者로 정리되어 있지만, 『고려사』에서는 1314년(충숙왕1) 1월 13일까지는 金之兼으로, 1328년(충숙왕15) 8월 26일부터는 金之謙으로 되어 있다. 그 사이에 前者가 後者로 改名이 되었는지, 아니면 乙亥字로 『고려사』를 組版할 때, 兼字가 부족하여 謙字로 代替하였을 가능성도 있다.

35) ~~添字~~는 『고려사절요』 권23에서 달리 표기된 글자이다. 또 崔玄은 崔安道의 父로 추측되는데, 그는 匡靖大夫·檢校僉議評理·上護軍에 이르렀다고 하는데, 그는 아들 崔安道와 함께 충선왕을 燕邸에서 侍從하였던 것 같다. 여기에서 燕邸는 大都[燕京]에 設置된 諸王[諸侯]의 邸, 곧 高麗王과 그 隨從臣들이 거주하던 邸宅을 가리킨다.

- 「崔安道墓誌銘」, "公幼穎, 隨朝請□□大夫公玄, 事太尉瀋王于京邸, 遂通三國語, 叙爲先王官屬, 而股事久, 用其勞, 賜田一百結, 東俗, 以五畝減百弓爲結, 斛除一斗爲苫, 文昌侯云, 奴婢一十口".
- 열전37, 폐행2, 崔安道, "崔安道, 小字那海. 其先海州人, 徙居龍州, 安道母宮婢. 以內僚, 事忠宣於燕邸, 遂通蒙漢語".
- 『자치통감』 권13, 漢紀5, 高后 7년(bc181) 1월, "… 太后以故召趙王, 趙王至, 置邸, 不得見[胡三省注, 言置之趙邸也. 師古曰, 郡國朝宿之舍, 在京師者率名邸. 邸至也, 言所歸至也], 令衛圍守之, 弗與食, 其群臣或竊饋, 輒捕論之".

36) 巡軍은 巡軍萬戶府의 略稱이다.

37) ~~添字~~는 『고려사절요』 권23에 의거한 것인데, 金琿이 敬順王의 後裔[慶州金氏]이기에 그렇게 고쳐야 옳게 될 것이다(盧明鎬 等編 2016년 590面).

38) 男山書齋는 開城府 동쪽에 위치한 善竹橋 인근에 있는 男山의 書齋를 가리키는 것 같다(→고종 7년 4월 1일의 脚注, 우왕 14년 6월 3일).

39) 金琿이 충선왕을 私第에 초청한 것은 그의 열전에도 수록되어 있다.

- 열전16, 金慶孫, 琿, "又與淑妃連戚, 忠宣亦寵遇之. 嘗請王, 宴于男山書齋, 因事淑妃甚勤, 晩年封拜, 皆由妃也".

40) 이와 같은 기사로 다음이 있다.

- 지18, 禮6, 國恤, "九月~~十月~~辛卯王祭殯殿. 癸巳祭殯殿, 乙未王祭殯殿, 大斂, 三臨盡哀. 百官皆縞素, 停朝市". 이에서 九月은 十月의 오류이다.

41) 이 구절은 지18, 禮6, 國恤에도 수록되어 있다.

甲午[9日], 大行王睟容來自元, 王率百官, 出迎于郊, 入安于殯殿.

翌日[乙未10日], 王祭殯殿, 大斂[大斂], 三臨盡哀, 百官皆縞素, 停朝市.[43)]

○是日, 宿定安君許琮第.[44)]

丙申[11日], 有司議上大行王謚[謚], 王不可曰, "有上國, 在我且請之. 竹册·玉册, 亦合於禮乎?". 於是, 但上號曰純誠守正上昇大王.

丁酉[12日], 葬□[于]慶陵. □[靈]柩初發,[45)] 王衰麻絰, 手擎香爐, 步至十川橋, 乃乘肩輿, 至山陵. 葬訖, 大臨乃還, 先世所未嘗行也. [舊例, 中丞署名, 封玄宮, 俗傳封陵者不吉. 是日, 執義李彥忠辭焉,[46)] 王命執義崔誠之押封, 且曰, "前程不在我乎?". 誠之卽實也:節要轉載]. 遂設釋服道場于西普通□[院], 奉安睟容于魂殿, 號曰靈眞殿.

[→丁酉, 葬于慶陵, 諸司設奠道次, 祖送梓宮. 初發, 王衰麻絰, 手擎香爐, 步至十川橋, 乃乘肩輿, 至山陵. 葬訖, 率百官, 大臨, 侍魂輿而返, 安於靈眞殿:禮6國恤轉載].[47)]

戊戌[13日], 王視事.

己亥[14日], 元皇太子[愛育黎拔力八達]遣使□[來], 賀卽位.

---

42) 이와 같은 기사가 열전2, 忠烈王妃, 淑昌院妃金氏에도 수록되어 있다. 또 移時는 잠시 만나는 것[一會]을 의미한다

· 『후한서』 권64, 吳祐傳第54, "… 後擧孝廉, 將行, 郡中有祖道, 祐越壇共小史雍丘黃眞歡語移時, 與結友而別". 여기에서 祖道는 멀리 行次하는 길[遠行道中]에서 어떤 不祥事가 없도록 祭祀를 올리는 것과 그에 이은 餞別宴을 가리킨다(→목종 11년 10월 某日의 脚注).

43) 이 기사는 지18, 禮6, 國恤에도 수록되어 있다.

44) 定安君 琮(혹은 悰, 許珙의 孫)은 충렬왕이 宮闕에서 養育하였다고 한 것으로 보아 入養되어 賜姓받았던 것 같다. 그래서 姓氏를 稱하지 않고 있는데, 1308년(충선왕 복위년) 10월 10일(乙未)과 21일(丙午)에는 許琮으로 기록되어 있지만, 1323년(충숙왕10) 10월 16일(甲戌), 1324년(충숙왕11) 2월 11일(丁卯), 1329년(충숙왕16) 10월 16일(己亥) 등에는 姓氏가 기록되어 있지 않아 一貫性을 잃고 있다.

· 열전18, 許珙, 悰[琮], "忠烈養之宮中, 及長, 尙忠宣女壽春翁主. 悰[琮], 少長富貴, 能守禮好施".

· 「許琮墓誌銘」, "… 績善有慶, 名以義定, 可寶可宗, 故易爲琮, 齊長公主, 幼而抱哺, 及長成人, 令尙壽春, 忠宣作后, …". 이 문장은 李齊賢이 찬한 墓誌銘이지만, 墓誌는 없고 銘만 남아 있기에 설명이 필요하다. '績善有慶'은 許琮이 許珙과 廉承益의 內外孫임을, '齊長公主'는 忠烈王妃 齊國長公主를, '令尙壽春, 忠宣作后'은 許琮이 忠宣王女 壽春翁主와 婚姻하여 定安大君에 책봉된 것을 각각 가리킨다.

45) 添字는 禮志6, 國恤과 『고려사절요』 권23에 의거하였다.

46) 李彥忠은 열전21, 崔誠之에는 李彥冲으로 달리 표기되어 있다(盧明鎬 等編 2016년 590面).

47) 이 기사의 冒頭에 十月丁酉로 되어 있으나 그 앞에 있는 九月이 十月의 오류이므로 이곳에서의 十月은 삭제되어야 한다[校正事由].

庚子15日, [立冬]. 王如妙蓮寺, 謁仁明太后眞.

○召諸道務農使李厚·陸希贄·崔伯倫等,[48] 諭之曰, "予所以置典農司者, 欲法漢常平倉, 與民糶糴, 以周其急, 非以私之也. 且國無三年之蓄, 國非其國, 如有緩急, 猝索於民, 欲民之無怨而集事得乎. 凡民匿于豪强之家者, 日益富逸, 孑遺殘民, 困於賦歛賦斂, 此專是奉使者, 徇私背公之致也, 予甚憫之. 爾其各體予意, 痛革其弊. 其有不從者, 隨其所犯, 處決然後, 申報僉議府都僉議使司".

[□□是時, 置典農司, 其司員吏, 出使者皆稱務農鹽鐵使, 尋改爲儲積倉:百官1典農寺轉載], [又置有備倉:裵廷芝墓誌追加].[49]

辛丑16日, 親設消災道場于外院外帝釋院?.

甲辰19日, 宰臣前商議都僉議司事?元灌元瓘享王於壽寧宮.

丙午21日, 幸定安君許琮第, 置酒, [爲琮入宅也:節要轉載]. 是日, 納故平陽公昡之妻許氏許珙之女, [號曰順妃:節要轉載].[50]

丁未22日, 王如神孝寺, 設大行王百日齋.

己酉24日, 幸同知密直司事金文衍家, 蒸淑昌院妃.[51]

[翌日庚戌25日, 監察糾正禹倬, 白衣持斧束藁, 上書諫, 近臣展疏不敢讀, 倬厲聲曰, "卿爲近臣, 未能格非, 而逢惡至此, 卿知其罪耶?". 左右震慄, 王有慚色:節要轉載].[52] 未幾, 進封爲淑妃.

辛亥26日, 元遣使來, 詔曰, "緊爾東藩, 世守臣職, 子承父爵, 典制具存. 近, 高麗王王昛遺奏, 以其子王璋襲爵, 朕惟王璋, 親惟聖祖之甥, 懿乃宗姬之壻, 嘉謀偉績, 俱有可稱. 久侍闕庭, 備殫忠力, 特授征東行中書省右丞相·高麗國王, 依前開

---

48) 이해에 鄭肅文이 春夏番·秋冬番의 慶尙道按廉使[提察使]로 在職하였고, 崔伯倫(崔白倫]은 前年(충렬왕33)의, 陸希贄[陸希瑣]는 明年(충선왕1)의 慶尙道按察使였다(『慶尙道營主題名記』, 이에서 崔白倫과 陸希瑣는 崔伯倫과 陸希贄의 오자일 것이다). 이를 통해 볼 때 위의 諸道 務農使(원래의 勸農使)는 按廉使[按察使]가 兼職하였음을 알 수 있다.

49) 이와 관련된 기사로 다음이 있다.

- 열전21, 裵廷芝, "忠宣受禪, 授護軍. 王謂富國莫先於農, 設典農司·有備倉, 以廷芝幹其事".
- 「裵廷芝墓誌銘」, "王謂富國莫先乎農也, 設典農司, 荒政不可不備也, 立有備倉, 公皆掌其初創之事, 甚稱上旨".

50) 이와 같은 기사로 다음이 있는데, 許氏가 順妃로 册封된 것은 1309년(충선왕1, 至大)이다(→1309년 是年의 脚注).

- 열전2, 忠宣王妃, 順妃許氏, "中贊珙之女. 嘗嫁平陽公昡, 生三男四女. 昡死, 忠烈王三十四年, 忠宣納之, 及卽位, 册爲順妃".

51) 이와 유사한 기사가 열전2, 忠烈王妃, 淑昌院妃金氏에도 수록되어 있다.

52) 이 기사는 열전22, 禹倬에도 수록되어 있다.

府儀同三司·太子太師·上柱國·駙馬都尉·瀋陽王. 自今以始, 益謹畏天之戒, 勉修事上之誠. 群工庶職, 各守常規, 士庶緇黃, 無失其業".

甲寅29日, 帝及太后武宗母荅己遣使來, 宴王.

乙卯30日, [小雪]. 皇太子愛育黎拔力八達所遣使臣, 又宴王.

[是月, 驪興君閔漬撰'楡岾寺事蹟記'跋:追加].[53]

十一月丙辰朔大盡,甲子, [戊午3日, 朝霧:五行3轉載].

己未4日, 宴元使, 贈銀甁百口·苧布二百匹·綾百餘匹.

甲子9日, 命停八關會. [王, 自前月己酉24日, 移御金文衍家, 淑妃, 日夜嫵媚百態, 王惑之, 不親聽政. 因有是命:節要轉載].[54]

辛未16日, 王在同知密直司事金文衍家.

○百官會梨峴新宮, 王下敎曰, "肇自祖王, 統合三韓, 臣服述職者尙矣, 逮我父王, 上國顧遇, 更異於前, 獲承釐降, 厚沐寵光. 孤亦入侍, 繼爲駙馬, 歷衛三朝, 于今十有九年. 越於年前, 仰憑皇帝·皇太后·皇太子, 奮庸熙載, 肅淸四海, 至於本國, 奸佞之儔, 亦皆蕩除, 內外安寧. 孤乃請欲歸寧父王, 上天不吊, 未獲少延, 尅日奔喪, 何嗟及矣. 皇帝哀予小子, 乃許愼終繼襲之命, 尋遣使臣, 仍授征東行中書省右丞相·高麗國王, 依前開府儀同三司·駙馬都尉·瀋陽王. 噫, 聖恩重大, 王位難虛, 承先父之遺訓, 追臣民之推戴, 以否德就位, 兢兢業業, 不敢遑寧. 追惟祖王, 開創之初, 法度悉備, 降及後代, 漸致陵夷. 又近, 奸臣得志, 愚弄國柄, 毁綱隳紀, 公私田民, 倂爲所奪, 人民艱食, 官廩空虛, 私門富溢, 孤甚痛之. 庸是, 擇遣使人, 點數民田, 均租定賦, 遹追前式. 此盖一爲國用周備, 一爲俸祿贍給, 一爲民產豊足. 況司牧之初, 宜加異澤, 自至大元年十月十一月十六日黎明以前,[55] 除不忠不孝, 謀故殺人外, 咸宥除之.

一. 祖王以降, 歷代祖先, 宜加上德號.[56]

一. 城隍幷國內名山·大川, 載在祀典者, 並宜加號.

一. 圓丘·籍田·社稷, 乃國家徼福之所, 宜令有司, 營立齋廚, 祭膳之設, 要當蠲潔.

---

53) 이는 다음의 자료에 의거하였다(郭丞勳 2021년 307面).
 ·『楡岾寺本末寺誌』, 楡岾寺事蹟記跋, "至大元年十月日, 夢庵老野雲閔漬 跋".

54) 이와 유사한 기사가 열전2, 忠烈王妃, 淑昌院妃金氏에도 수록되어 있다.

55) 十月은 十一月의 오자이다.

56) 이때 덧붙여진[加上] 尊號[德號]는『고려사』에 반영되어 있지 않다.

一. 寢園及祖宗墳墓, 務在敬崇, 邇來有司怠慢, 至有傾頹毁者. 今特設典儀寺, 全爲斯任, 其寢園, 一新營構, 諸墳墓, 更加完補, 置看守人戶, 禁樵採放火.

一. 大成至聖文宣王, 百代之師, 春秋釋奠, 朔望祭享, 諸儒聚會, 宜加精潔.

一. 孝子·順孫·節婦·烈女, 旌表門閭, 許加分職.

一. 地理國師道詵·儒宗弘儒侯薛聰·文昌侯崔致遠, 並宜加號.

一. 諸衙門, 隨時沿革, 不拘一體. 況本國, 官多虛設, 名存實少, 今商酌時便, 或併或省, 宜加勤恪, 各供爾職.

一. 先於至元十二年忠烈1年, 欽蒙世祖皇帝, 遣阿禿因來,[57] 傳聖旨, 又於至元二十八年忠烈17年, 予與鄭可臣·柳淸臣柳庇等,[58] 詣紫檀殿裏, 親奉世祖皇帝聖旨云, 同姓不得通婚, 天下之通理. 況爾國識會文字, 行夫子之道, 不應要同姓. 時有李守丘, 傳說柳淸臣, 又傳譯鄭可臣, 本國因循, 未還遽革耳. 自今, 若宗親娶同姓者, 以違背聖旨論, 宜娶累世宰相之女爲室, 宰相之男, 可聽娶宗世之女. 若家世卑微, 不在此限. 新羅王孫金琿一家, 亦爲順敬太后叔伯之宗, 彥陽金氏一宗, 定安任太后一宗, 慶源李太后·安山金太后·鐵原崔氏·海州崔氏·孔岩許氏·平康蔡氏·淸州李氏·唐城供氏·黃驪閔氏·橫川趙氏·坡平尹氏·平壤趙氏並累代功臣宰相之宗, 可世爲婚媾, 男尙宗女, 女爲宗妃. 文武兩班之家, 不得娶同姓, 外家四寸, 亦聽求婚.

一. 自至元二十七年忠烈16年至大德元年忠烈23年, 自大德二年至于今, 侍從臣僚, 多負勞苦, 其功可賞, 宜別錄敍用.

一. 大德三年忠烈25年, 本國無賴之徒, 將欲構亂, 萬戶忽刺歹忽剌歹·金忻等, 先知其謀, 有能整亂, 其功可賞, 宜別錄敍用.[59]

一. 大德七年忠烈29年春, 奸臣·侫豎, 至行在香水園, 謀爲不利於孤, 評理朴景亮·劉福和·洪詵·許有全·李連松·姜融·李珍·摠郞李蒨·趙通等, 奮義忘生, 力沮奸謀, 忠勤特異. 朴景亮宜別錄敍用, 其親子及堂兄弟姉妹, 至于子孫, 一皆爲良, 劉福和·洪詵·許有全·李連松·姜融·李珍·李蒨·趙通等, 尤加敍用, 延及子孫.[60]

一. 大德九年忠烈31年冬, 本國宰相洪子藩·崔有渰·柳淸臣·金深·金利用等, 圖安宗社, 重義輕身, 偕赴朝廷, 論列利害, 爲孤請還, 其功殊異, 宜別綠敍用.[61]

---

57) 阿禿因은 충렬왕 1년 10월 13일(庚戌)에는 岳脫衍(嶽都因, Atuin)으로 달리 표기되어 있다.

58) 柳淸臣은 柳庇의 改名인데(열전38, 柳淸臣), 1298년(충렬왕24) 8월 6일(庚申)에서 1308년(충선왕 복위년) 11월 16일(辛未) 사이에 柳淸臣으로 개명하였던 것 같다.

59) 이와 같은 기사가 열전17, 金方慶, 忻에도 수록되어 있다.

60) 이 기사는 열전37, 폐행2, 朴景亮에도 수록되어 있다. 또 趙通은 明年(己酉, 충선왕1) 溫州牧使 朴全之의 後任으로 到任하였다(『延安府誌』, 守臣).

[□一. 祖王[聖祖]苗裔, 無名者, 雖挾二十二女, 例以一戶一名, 許初職. 已入仕者, 別錄敍用, 屬南班者, 改東班, 勿差國仙, 亦免充軍. 祖王親兄弟內玄孫之玄孫之孫·外玄孫之玄孫之子及歷代先王內玄孫之玄孫之子·外玄孫之玄孫, 例以一戶一名, 許初職:選擧3祖宗苗裔轉載].[62]

[□一. 祖王代[聖祖代]六功臣·壁上功臣·顯王南幸時侍奉功臣等, 內外玄孫之玄孫, 歷代配享功臣, 內外玄孫之曾孫, 例以戶一名, 許初職. 祖王代[聖祖代]衛社功臣金樂·金哲·申崇謙, 及成王代功臣徐熙, 顯王代功臣河拱辰·盧戩·楊規等, 內外玄孫之玄孫, 例以一戶一名, 許初職. 仁王代功臣崔思全奮策救難, 其功重大, 其內外玄孫之孫, 別錄敍用, 父王代己巳年[乙巳年]及四年隨從臣僚, 功勞旣着, 宜加錄用, 延及子孫:選擧3功臣子孫轉載].[63]

[一. 市肆商賈, 貿遷有無, 資生. 在前, 迎送國贐宴禮, 諸色官, 虛給文契, 取用百物, 不還其直, 甚者, 公然攬奪, 怨讟不少. 宜令各司, 檢考文契, 如數歸還, 今後, 盡行雇買, 不得騷擾:食貨2借貸轉載].

[一. 外方民吏, 無因, 科斂煩重, 至有轉賣男女, 貸物納官. 積年未還, 實可哀矜, 宜速公還其直, 付其父母:食貨2借貸轉載].

[一. 諸州·府·郡·縣轉稅, 及常徭·雜貢·諸寶米, 各驛柴炭貢, 如有欠少, 宜限一年, 勿徵:食貨3恩免之制轉載].

[一. 七十以上, 無守護者, 其子孫犯罪流配, 宜以罪之輕重, 移免孝養:食貨3鰥寡孤獨賑貸之制轉載].

[一. 八十以上, 篤疾癈疾, 不能自存者, 隨其所望, 勿論親踈, 許一名免役護養, 若無親踈護養. 宜令東·西大悲院, 聚會安集, 公給口粮, 差官提調:食貨3鰥寡孤獨賑貸之制轉載].

---

61) 이와 같은 기사로 다음이 있다.

- 열전17, 金深, "教曰, 宰相洪子藩·崔有渰·柳淸臣·金深·金利用等, 圖安社稷, 重義輕身, 偕赴朝廷, 論列利害, 爲孤請還, 其功殊異, 宜特敍用".
- 열전18, 洪子藩, "後教云, 子藩功在社稷, 帶礪難忘, 可贈推誠同德翊戴功臣·壁上三韓三重大匡".

62) 祖王은 1275년(충렬왕1) 10월 25일 大元蒙古國의 압제에 의해 관제 개혁이 이루어지기 이전에 祖代로 表記되기도 한 太祖代, 곧 聖祖代의 改書일 것이다.

63) 己巳年은 乙巳年의 오자일 것이다. 충렬왕대에는 己巳年이 없고 乙巳年(1305, 충렬왕31)이 있는데, 이해의 11월에 忠宣王이 大都에서 王惟紹·宋璘 등이 誣告할 것으로 판단하고 右丞相 塔剌罕(哈剌哈孫答剌罕, 達罕, Qara Qas Darqan)에게 부탁하여 帝命으로 洪子藩·崔有渰·柳庇(柳淸臣의 初名)·金深·金延壽(金利用의 初名) 등을 부르게 하였다(→충렬왕 31년 11월 16일).

[□¯. 西海道岊嶺, 至七站, 及會源^會原^·耽羅,[64] 指沿路站戶, 頃在東征時, 以各道人戶, 幷流移人物, 限年入居, 至今因循未遞, 或有物故, 令本邑, 充其數, 馬匹亦如之, 怨咨尤甚. 令有司, 擇選當差者, 以充站役, 其各邑人戶, 並許還本:兵2站驛轉載].

[□¯. 船軍旣屬本司, 如有冒受鈞旨, 以圖免役者, 卽便斷罪配島:兵3船軍轉載].

[一. 提察之任, 在於察吏問民. 往往守令, 貪汚不法, 至於民吏所犯, 可決杖者, 反徵銀物, 以充其欲, 各道提察, 不加糾劾. 其令各道, 考其徵物, 各還其人, 續議守令賢否, 以聞:刑法1職制轉載].

[一. 權勢之家, 奸猾之類, 造作文契, 奪人奴婢田丁, 其主告官, 官司畏勢, 因循不決, 使告者積怨. 宜令官司, 速決無滯, 詐僞者, 罪之:刑法1職制轉載].

[一. 外方奴婢, 各有本役, 權勢之家, 冒受賜牌, 宜一切禁斷:刑法2奴婢轉載].

[一. 四件奴婢[四件奴婢, 曰寄上, 曰投屬, 曰先王所嘗賜與, 及人相貿易者,]若有藏閃不出者, 徵銀二斤, 以其奴婢, 准數充役:刑法2奴婢轉載].

[一. 申椿奴婢, 盡數根捉, 四件奴婢, 一體使用":刑法2奴婢轉載].[65]

○是日, 下批判, 檢校之職, 益繁矣.[66]

○又下旨于典農司,

一. 本司所畜米穀, 但爲備荒而已, 間有無職之人, 冒求購受, 爲費不細. 其前後所下賜米鈞旨, 盡行封置毋給.

一. 賜給田租, 已納到司者, 雖有還給鈞旨, 勿用聽受.

一. 豪勢之家, 始以賜給, 占籍土田, 因稱祖業者, 及其足丁, 剩於本數者, 令各道務農使, 盡行打量, 納租本司.

一. 京畿八縣, 祿科·口分田外, 其餘田租, 疾早收畜.

一. 東西積倉, 用船軍·其人各一百名及諸色匠人, 從宜營造.

一. 農元倉·東積倉·西積倉, 令伍尉·隊正失職者九十名, 輪日直守, 有政, 當加敍用.

[□¯. 農桑, 衣食之本, 宜有司勸課, 不至曠損. 無賴之徒, 不得縱牛馬, 食踐禾

---

64) ~~添字~~와 같이 고쳐야 옳게 될 것이다.

65) 지39, 刑法2, 奴婢의 原文에는 以上 3件의 記事 冒頭에 三十四年으로 되어 있는데, 이는 三十四年十月에서 十月이 생략된 것이다.

66) 批判은 大元蒙古國의 壓制 以前에 帝王의 詔勅, 宣勅, 制書 등과 같은 王言이 諸侯國의 王言으로 格下된 용어이다. 곧 批勅·批注·批命 등과 범주를 같이 하는 것으로 王旨·敎旨·王命·敎令 등으로도 표기되었던 것 같다.

稼. 其遭水旱去處, 各道提察檢聞, 可蠲免一年租賦":食貨2農桑轉載].

壬申[17日], 王如元,[67)] 命齊安大君淑, 權署征東省事.[68)]

[乙亥[20日], 熒惑·氐星相犯. 鎭星與辰星同舍:天文3轉載].

閏[十一]月[丙戌朔小盡,甲子], [某日, 禁外從兄弟通婚:節要轉載].

[→憲司請, 禁外家四寸通婚:刑法1奸非轉載].

壬辰[7日], 元遣直省舍人帖哥歹來, 頒詔.[69)]

[→元遣直省舍人帖哥歹等來, 頒赦:節要轉載].

[○熒惑犯上相行:天文3轉載].

[戊申[23日], 月入氐星行:天文3轉載].

[庚戌[25日], 心星度月, 與鎭星同舍:天文3轉載].

[是月頃, 以金起爲雞林府醫師:追加].[70)]

十二月[乙卯朔大盡,乙丑], 戊午[4日], 遣□□[檢校]評理趙璉如元, 賀正.[71)] 以王命, 賫'世代編年節要'幷'金鏡錄', 以進.[72)]

[己未[5日], 心星與熒惑·鎭星, 同舍:天文3轉載].

[甲子[10日], 月犯熒惑:天文3轉載].

癸未[29日], 禁嫌名, 改漳州爲漣州, 彰善爲興善, 章德爲興德, 章山爲慶山, 璋島爲寧源, 璋項寺爲弘濟寺, 幷禁韓·樟二字.

[冬某月, 以[藝文春秋館檢閱]李齊賢爲齊安府直講:追加].[73)]

---

67) 이때 承旨 權準이 隨從하였다(「權準墓誌銘」, "其冬從朝于京").

68) 이 기사는 열전3, 顯宗王子, 平壤公基에도 수록되어 있다.

69) 이때 몽골제국이 반포한 詔書의 내용이 무엇인지는 알 수 없으나 前月(11월) 14일(己巳)과 그 이후에 이루어진 右丞相·左丞相의 임명에 관한 것으로 추측된다(『원사』 권22, 본기22, 무종1, 至大 1년 10월 己巳·권112, 표6상, 宰相年表).

70) 이는 『동도역세제자기』, "醫判金起, 戊申十二月到任"에 의거하였다.

71) 評理는 檢校評理로 고쳐야 옳게 될 것이다. 趙璉은 明年(충선왕1) 4월 19일 同知密直司事에, 3년 4월 21일 都僉議評理에 각각 임명되었다.

72) '金鏡錄'이 지닌 뜻[意義, 含意]는 다음과 같다.

· 『자치통감』 권214, 唐紀30, 玄宗改元 24년(736) 8월, "壬子[5日], 千秋節, 群臣皆獻寶鏡. [中書令]張九齡以爲鏡自照見形容, 以人自照見吉凶. 乃述前世興廢之源, 爲書五卷, 謂之'千秋金鏡錄', 上之. 上賜書褒美".

73) 이는 「李齊賢墓誌銘」(『목은문고』 권16)에 의거하였다.

[是年, 設開城府尹以下官, 掌都城內, 別置開城縣, 掌城外:地理志轉載].

[○改稱按察使爲提察使:追加].[74)]

[○以商議知都僉議司事元瓘爲僉議中護·行民部典書·領典儀等事:追加].[75)]

[○以前密直副使金元祥爲檢校評理:列傳38金元祥轉載].[76)]

[○以中郎將裴廷芝爲弘信軍護軍, 尋爲鷹揚軍護軍:追加].[77)]

[○以典理摠郎崔雲爲左右衛大護軍:追加].[78)]

[○以版圖正郎金廷美爲民部議郎·試內府令兼繕工副令·都津長, 充開城少尹, 兼豊儲·廣興倉·義盈庫濟用司事, 凡錢穀出納, 皆委怡廷美:列傳21金怡轉載].

[○以郎將元善之爲奉善大夫·攝左右衛護軍:追加].[79)]

[○以前通禮門祗候蔡洪哲爲司醫副正:追加].[80)]

[○以羅州牧使閔頔爲典儀副令:列傳21閔頔轉載].

[○以左正言尹宣佐爲右思補兼讞部散郎:追加].[81)]

[○以散員崔安道爲郎將:追加].[82)]

[○以金開物爲監察史, □尋改典符寺丞:列傳19金開物轉載].

[○以檢校評理朴全之爲溫州牧使, 尋以金子興代之, 張子同爲溫州司錄:追加].[83)]

[○元以金深爲鎭國上將軍·高麗兵馬都元帥:追加].[84)]

[○以武德將軍·高麗軍萬戶府上萬戶羅益禧爲神虎衛護軍兼僉議中事:追加].[85)]

---

74) 이는 다음의 자료에 의거하였다.
- 『慶尙道營主題名記』, "元武宗至大元年戊申忠烈34年, 是年, 改按察使爲提察使".

75) 이는 「元瓘墓誌銘」에 의거하였다.

76) 原文에는 "… 進密直副使, 忠宣卽位, 拜檢校評理"로 되어 있으나 "… 進密直副使咨議密直司事·密直副使, 忠宣卽位復位, 拜檢校評理"로 고쳐야 옳게 될 것이다. 이때 金元祥이 前知申事로서 咨議密直司事·密直副使에 임명된 것은 1304년(충렬왕30) 3월 27일이고, 檢校評理에 임명된 것은 1308년(충선왕 복위년)이기 때문이다.

77) 이는 「裴廷芝墓誌銘」에 의거하였다.

78) 이는 「崔雲墓誌銘」에 의거하였다.

79) 이는 「元善之墓誌銘」에 의거하였다.

80) 이는 다음의 자료에 의거하였다.
- 「蔡洪哲墓誌銘」, "德陵素知其名, 至大戊申新政焉, 賢將大用公, 公臥益堅, 强而後起 卽除司醫副正".
- 열전21, 蔡洪哲, "忠宣素知其名, 及卽位, 將大用, 强起之, 除司醫副正".

81) 이는 「尹宣佐墓誌銘」에 의거하였다.

82) 이는 「崔安道墓誌銘」에 의거하였다.

83) 이는 『연안부지』; 「朴全之墓誌銘」에 의거하였다.

84) 이는 「金深墓誌銘」에 의거하였다.

85) 이는 「羅益禧墓誌銘」에 의거하였다.

[○鎭國上將軍·管高麗軍萬戶金忻，以父遺命，辭萬戶，授兄子□[金]承用:列傳17金忻轉載].

[是年頃，□[王]以□[安]珦扈從入朝，不久而還，嗛之，將罪于器，會赦免:列傳18安于器轉載].

[○以[僉議贊成事]李混爲大詞伯，加壁上三韓. 未幾，混爲淑妃所構，貶淮州牧使，又貶禮州牧使. 召還，拜僉議政丞致仕:追加].[86]

[是年頃，忠宣在元，資用闕乏，衆議以爲，就富豪借錢，令本國償之. 怡[金廷美]曰，"本國素無蓄積，近因父王赴都，府藏罄盡，且歛民間，公私俱匱，今官自稱貸，而欲令民償之，如小民何?"，從之:列傳21金怡轉載].

己酉[忠宣王]元年，元至大二年，[西曆1309年]

1309년 2월 11일(Gre2월 19일)에서 1310년 1월 31일(Gre2월 8일)까지, 354일

春正月乙酉朔[大盡,建丙寅]，王在元.

[甲辰[20日]，太白·歲星同舍:天文3轉載].

戊申[24日]，遣檢校評理金元祥如元，賀皇太子誕日.

[庚戌[26日]，月與太白同舍:天文3轉載].

[某日，以陸希贇爲慶尙道提察使:慶尙道營主題名記].[87]

[是月頃，以李堅爲雞林府法曹:追加].[88]

二月乙卯□[~~朔~~小盡,建丁卯]，王傳旨，立榷鹽法.[89]

---

86) 이는 다음의 자료를 전재하였다. 또 이때 李混은 禮州에서 舞鼓를 만들었다고 한다.

- 열전21, 李混, "及忠宣還，國事皆令藝文館申奏故，拜混大詞伯，加壁上三韓. 未幾，爲淑妃所構，貶淮州牧使，又貶禮州牧使. 召還，拜僉議政丞致仕".
- 지25, 樂2, 舞鼓, "侍中[~~政丞~~]李混，謫宦寧海[禮州]，乃得海上浮査，制爲舞鼓，其聲宏壯. 其舞變轉，翩翩然雙蝶繞花，矯矯然二龍爭珠，最樂部之奇者也". 여기에서 ~~添字~~와 같이 고쳐야 옳게 될 것이다.

87) 原文에는 陸希璸로 되어 있으나 오자일 것이다.

88) 이는 『동도역세제자기』에 의거하였다.

89) 乙卯에 朔이 탈락되었고, 이와 관된 자료로 다음이 있다.

- 『삼봉집』 권7, '朝鮮經國典'上，賦典，塩法，"塩出於海，而民用之不可無者也. 前朝自忠宣王立

[→王傳旨曰, "古者, 榷鹽之法, 所以備國用也. 本國諸宮院·寺社及權勢之家, 私置鹽盆, 以專其利, 國用何由可贍. 今將內庫·常積倉·都鹽院·安國社, 及諸宮院·內外寺社, 所有鹽盆, 盡行入官. 估價銀一斤六十四碩, 銀一兩四碩, 布一匹二碩, 以此爲例. 令用鹽者, 皆赴義鹽倉, 和買. 郡縣人, 皆從本管官司, 納布受鹽. 若有私置鹽盆, 及私相貿易者, 嚴行治罪":節要轉載].[90)]

[○於是, 始令郡縣, 發民爲鹽戶, 又令營置鹽倉, 民甚苦之. [楊廣道, 塩盆一百二十六, 塩戶二百三十一, 慶尙道, 塩盆一百七十四, 塩戶一百九十五, 全羅道, 塩盆一百二十六, 塩戶二百二十, 平壤道, 塩盆九十八, 塩戶一百二十二, 江陵道, 塩盆四十三, 塩戶七十五, 西海道, 塩盆塩戶, 幷四十九:食貨2塩法轉載]. 諸道鹽價布, 歲入四萬匹:節要轉載].[91)]

[丁丑[23日], 京城民家八十戶火:五行1火災轉載].

戊寅[24日], 命撰'忠憲王實錄'[高宗].

[庚辰[26日], 歲星犯危:天文3轉載].[92)]

[是月頃, 元右丞相禿忽魯等, 以災變乞罷免, 允之:追加].[93)]

三月[甲申朔小盡,建戊辰], [戊子[5日], 月入東井:天文3轉載].

癸巳[10日], 命檢校[都僉議]中護裴挺·內府令姜融, 重新康安·延慶二宮. 中外公私屋材, 並令官收, 以供營構, 朝野怨之, 尋罷康安宮之役. 及延慶宮上樑, 倣上國之制, 百官皆賀, 用銀·絹·紵布爲幣, 宴六品以上. 殿宇廊廡, 凡四百一十楹, 挺之指畫也.

[→重新康安·延慶二宮, 令郡縣, 送民爲夫, 其數不可紀. 宰臣議發兩宮營造夫, 見任宰相及諸君, 日出三名, 致仕宰相及見任三品, 日出二名, 四品以下, 出有差, 是謂品從. 又以其人爲夫. 其人者, 主宮室修營, 官府使令之役, 郡縣吏之子, 必經

塩法, 使民納布受塩, 以資國用, 及其法弊, 布入於官, 塩不及已, 民甚苦之. 殿下卽位, 首降德音, 一革前朝弊法, 每沿海州郡, 置塩場而官爲煮塩, 聽民將其所有之物, 或布或米, 無論精粗多寡, 親就鹽所, 稱時價之高低, 計直受塩, 然後納價物焉. …".

90) 이 기사의 銀 1斤=塩 64石, 銀 1量=塩 4石을 통해 고려시대의 斤과 量의 관계가 中原과 같이 1斤=16量임을 알 수 있다고 한다. 또 1근의 무게는 약 640g정도였다고 한다(李宗峯 2016년 151面·166面).

91) 이때의 平壤道는 西北面을 指稱하는 것일 뿐이고, 실제로 西北面이 平壤道로 改編, 改稱된 것은 아닐 것이다.

92) 原文에서 庚辰 앞에 二月이 탈락되었다.

93) 이는 다음의 자료에 의거하였다.

· 『원사』 권25, 본기25, 인종, 延祐 1년 1월 庚戌, "中書省臣禿忽魯等, 以災變乞罷免, 不允".

· 『원사』 권112, 표6상, 宰相年表, 右丞相, "延祐元年, 禿忽魯, 正月至二月".

是役, 然後得補吏職:兵3工役軍轉載].

戊戌[15日], 毁梨峴新宮.

甲辰[21日], 元宣政院遣人來, 督造船. 時皇太后[答己]欲營佛寺, 洪福源之孫重喜·重慶等奏,[94] 白頭山多美材, 若發瀋陽軍二千, 伐之, 流下鴨綠江, 使高麗舟載以輸便. 於是, 遣遼陽省宣使劉顯等來, 令本國造船百艘, 輸米三千石, 弊不可言. 是時, 二宮之役方興, 造船之事又急, 西海·交州·楊廣之民, 尤受其害.

丁未[24日], 傳旨曰, "流竄之人, 皆免放, 唯吳演·梁麟, 徙置鎭邊. 前者, 各衙門併省之時士大夫多無故失職, 或有勞, 降官者. 予惟念之不置, 可依舊勾當. 又新設衙門官吏, 各勤其職, 毋致廢弛, 又前所革近侍·茶房·三官·五軍, 皆復之".

○時洪重喜以擅改官號, 訴于中書省, 故有是命.

[○□[又]傳旨曰, "典農司所收, 諸寺社及有卷功臣田租, 皆還給, 其餘田租, 移入龍門倉, 以米三百石, 分賜大藏都監·禪源社":食貨1租稅轉載].[95]

戊申[25日], [同知密直司事·]大司憲趙瑞還自元, 帝以參理金深爲高麗都元帥, 瑞爲副元帥.[96] [時, 深女, 入侍於帝, 得幸. 瑞女, 亦被選, 適元寵臣, 故拜:節要轉載].

---

94) 重喜[萬]와 重慶은 모두 附元輩 洪茶丘의 아들이다(周采赫 2009년 296面).

95) 이는 다음의 기사를 전재하였는데, 大藏都監은 1392년 8월 2일(辛亥)까지 存續했다고 하는데, 이후의 행방은 알 수 없다.

- 지32, 식화1, 租稅, "後元年三月, 傳旨曰, 典農司所收諸寺社及有卷功臣田租, 皆還給, 其餘田租, 移入龍門倉, 以米三百石, 分賜大藏都監·禪源社". 이 기사는 '忠宣王二年十一月' 다음에 收錄되어 있다. 이는 『고려사』를 편찬할 때 轉寫 또는 組版할 때 발생한 오류일 것이다.
- 『태조실록』 권1, 1년 8월 辛亥[2日], "都堂請罷大藏都監".
- 『태조실록』 권14, 7년 5월, "丙辰[10日], 幸龍山江, □[over]大藏經板輸自江華禪源寺". 여기에서 ~~添字~~가 추가되어야 좋을 것이다.

96) 이때 金深은 鎭國上將軍(從2品)·高麗兵馬都元帥에 임명되었다(→충선왕 즉위년 是年). 또 이와 관련된 기사로 다음이 있다. 이에서 高麗國都元帥, 副元帥는 高麗都元帥府의 征東都元帥, 副元帥 또는 高麗軍萬戶, 副萬戶의 약칭일 것이다.

- 열전17, 金周鼎, 深, "元授高麗都元帥, 以其女達麻實里得幸於帝, 故有是拜. 女後封皇后, 深自私第入摠部開宣, 以行省所在國王·右丞相水精鈇鉞等儀仗, 陳於馬前. 開宣畢, 三官五軍入庭羅拜, 識者以爲僭禮".
- 열전18, 趙仁規, 瑞, "累遷同知密直□□[司事], 入賀千秋節, 帝授懷遠大將軍·高麗國副元帥, 賜三珠虎符. 瑞女適元寵相也兒吉尼, 故有是命. 及還, 王亦拜檢校贊成事, 加壁上三韓·三重大匡·大司憲, 封平壤君. 瑞與都元帥金深上官, 用行省丞相儀仗, 人譏犯禮".
- 「金深規墓誌銘」, "元貞元年乙未, 宣授武略將軍·高麗軍右軍萬戶□[府]副萬戶, … [大德]九年乙巳, 宣授武德將軍·高麗右軍□[府]萬戶是也".~~添字~~는 생략된 글자이다.
- 「趙仁規墓誌銘」, "… 生五男四女, 男一曰瑞, 以羽林登第, 今爲銀靑光祿大夫·知樞密院事·寶文閣大學士·上將軍·宣授高麗軍征東左副元帥, …". 여기에서 고려의 官爵은 後世에 改書한 것이다.

己酉[26日], 元以受尊號, 遣宦者王家奴來, 頒詔.[97]

是月, 元太后[答己]幸五臺山, 王扈從.[98]

夏四月[癸丑朔大盡,建己巳], 甲子[12日], [高麗都元帥府]右軍千戶金暹·左軍千戶鄭琦, 押船五十艘, 發禮成江, [如元:節要轉載]. 宣政院所遣使臣監送.

己巳[17日], 元樞密院遣水軍千戶常仲信來, 督造船.

辛未[19日], 以崔有渰△[爲]守□[都]僉議政丞·監春秋館事·大寧君, [咨議都僉議司事]印侯爲贊成事·平陽君, 柳淸臣·朴義·金深△[並]爲贊成事,[99] 權永·金利用△[並]爲評理, [咨議贊成事·行水州牧使]金台鉉△[爲]判三司事, 金文衍△[爲]判密直司事, 元瓘爲密直使, [同知密直司事]趙瑞△[爲檢校贊成事·]知密直司事, 李瑚·趙璉·鄭之衍△△[並爲]同知密直司事, [檢校評理]金元祥·權漢功·李連松·李公甫·朴侶△[並]爲密直副使, 宋英·趙雲卿爲三司右·左使. 於是, 密直·重房, 皆復舊. [淸臣卽庇, 公甫, 宦者·司徒大順之弟, 侶, 方臣祐之妹壻也. 大順·臣祐, 皆本國人, 入元有寵:節要轉載].

[○是時, 復改都僉議中護, 爲都僉議侍郞贊成事:百官1門下府轉載].

丁丑[25日], 禱雨于圓丘.

己卯[27日], 遣吳挺珪[吳挺圭]如元,[100] 賀受尊號, □[守]政丞崔有渰等, 仍上箋於王, 請還國曰, "命重徵朝, 嘗赴雲龍之會, 職拘居守, 阻成魚水之歡, 未獲追陪, 徒增延

---

97) 武宗은 1월 7일(辛卯) 皇太子·諸王·百官으로부터 尊號를 받았다(『원사』 권23, 본기23, 무종2, 지대 2년 1월 辛卯).

98) 이때 皇太后 答己[tagi]는 이해의 1월에 이미 山西行省 五臺山(現 山西省 忻州市 五台縣)에 幸次하였고, 2월 9일(癸亥) 皇太子 愛育黎拔力八達[Ayurbarwada]이 뒤따라갔다. 3월 6일(己丑) 遼陽行省右丞 洪重喜(洪junsi, 洪茶丘의 아들 萬)가 고려국왕 王璋이 元의 法制를 따르지 않으며 橫暴를 恣行한다고[不奉國法恣暴等事] 上訴하자, 中書省의 臣僚가 洪重喜와 高麗王의 廷辯[辯對]을 요청하니 武宗이 中書省에 명하여 廷辯을 하지 못하게 하고, 高麗王을 太后의 五臺山 行次에 따라 가게 하였다고 한다. 또 이때 承旨 權準이 충선왕을 隨從하였다(「權準墓誌銘」, "明年從遊五臺").

- 『원사』 권23, 본기23, 무종1, 지대 2년 1월, 2월, "癸亥, 皇太子幸五臺佛寺", 3월, "己丑, 遼陽行省右丞洪重喜訴高麗國王王璋不奉國法恣暴等事. 中書省臣請令重喜與高麗王辯對. 敕中書毋令辯對, 令高麗王從太后之五臺山".
- 『원사』 권116, 열전3, 后妃2, 順宗 昭獻元聖皇后, "[至大]二年正月, 太后幸五臺山作佛事, 詔高麗王璋, 從之".

99) 「金深墓誌銘」에 의하면, 이때 金深은 壁上三韓大匡·□[都]僉議中贊·領司僕司·上護軍에 임명되었다고 한다. 이 구절은 『고려사』의 내용을 참작해 볼 때, 壁上三韓大匡·檢校□[都]僉議中贊·僉議贊成事·領司僕司事·上護軍을 잘못 축약하였을 것이다.

100) 吳挺珪는 吳挺圭의 오자일 것이다.

竚. 竊以君臣之重, 今古所同, 觀其勢則, 雖堂陛之高卑, 比諸身則, 猶股肱之左右. 必相資於休戚, 固難曠於斯須, 恭惟國王殿下, 仁德克寬, 神謀果斷, 侍天十載, 始終一節之勤王, 撲地群黎, 旦暮同心之徯我. 適逢盛際, 確立元功, 承往諧之綸言, 慰來蘇之輿意, 邪佞化爲忠正, 舊染咸新, 呻吟變作謳歌, 爾生有望. 坐未暇於暖席, 詔忽催於還轅, 而臣等托付匪輕, 論思無狀. 事非一二, 詎諳蔡仲之彌縫, 路隔四千, 靡扞晋臣之牧圉. 略無毗於彼此, 祇自愧於尋常, 矧今支應之悉繁, 而又禀承之無所, 謹率蒼生而瞻企, 有如皎日之照臨. 伏望國王殿下, 知君位以不可虛, 諒民情急於何戴, 遄回行色, 俾償曷月之戀懷. 益荷睿恩, 永保先朝之賜履".

○時帝及皇后·皇太子, 待王甚寵, 故王不納.

[某日, 罷鷹坊:節要轉載].101)

辛巳29日, 元遣使來, 求佛經紙.

[某日, 以中郎將尹吉甫爲大護軍. 初, 王納順妃許氏, 後淑妃金氏得幸. 順妃之女, 入侍皇太子, 謀辱淑妃, 王患之. ○時吉甫以打毬, 因宦者任伯顔禿古思, 得出入東宮, 故□□□□□□~~請於太子止之~~, □因王不次, 官之:節要轉載].102)

[是月, 居士徐某寫成'阿彌陀三尊像':追加].103)

[六月~~五月癸未朔~~小盡,建庚午, 壬寅20日, 月入畢天文3轉載].104)

[癸卯21日, 小暑. 流星出南斗, 入房:天文3轉載].

---

101) 이와 관련된 기사로 다음이 있다.

- 지31, 百官2, 鷹坊, "忠宣王元年, 罷之, 後忠肅12年以前復置".

102) 이와 관련된 기사로 다음이 있고, 위의 ~~添字~~는 이에 의거하였다.

- 열전2, 忠宣王妃, 順妃許氏, "後淑妃得幸, 順妃之女, 入侍皇太子. 謀辱淑妃, 白太子, 令淑妃赴都. 中郎將尹吉甫, 以擊毬得出入東宮, 故請於太子止之".
- 열전37, 尹秀, 吉甫, "吉甫, 善擊毬. 元仁宗爲太子, 吉甫因宦者任伯顔禿古思, 得出入東宮. 由是, 忠宣亦寵遇之, 授中郎將, 言無不從. 時淑妃得幸于王, 順妃之女伯顔忽篤, 入侍太子, 謀辱淑妃, 訴太子令淑妃赴都. 王患之, 吉甫白太子, 乃止. 王喜謂吉甫曰, '汝宜繼乃父, 爲班主. 吉甫辭曰, 臣年少, 請授臣兄', 乃拜吉孫鷹揚軍上護軍, 吉甫大護軍".

103) 이는 山形縣 米澤市 丸の內町 1-4-13 上杉神社에 소장되어 있는 絹本著色阿彌陀三尊像(3幅)의 畵記에 의거하였다(熊谷宣夫 1967年 ; 有賀祥隆 1973年 ; 鄭于澤 1987年 ; 菊竹淳一 1981年 單色圖版20 ; 菊竹淳一 1997년 ; 洪潤植 1995년 22面 ; 張東翼 2004년 736面).

- 畵記, "壽壺堂徐子冬子□滿?維申季良」 以家財命工綵繪」 西方四聖寶像,永鎭家庭供養,所冀」現存獲福,過往超生,法界有情,」 同霑利樂者,」 歲至大己酉冬夏佛誕日,焚香謹書」(阿彌陀如來像)銘文", "壽壺堂徐氏供養"(觀音菩薩像, 勢至菩薩像 銘文, 同一함). 여기에서 冬은 夏의 오자일 것이다.

104) 原文에서 6월은 5월의 오자이다.

六月[壬子朔小盡,建辛未], [丙寅[15日], 風寒, 人有着冬衣者:五行1恒寒轉載].

戊辰[17日], 遣□□□[檢校都]僉議評理趙璉如元, 賀聖節.

[庚午[19日], 大水:五行1水潦轉載].[105]

[某日, 以朴全之爲重大匡·□[都]僉議侍郎贊成事·右文館大提學·監春秋館事·判選部事, 仍令致仕:追加].[106]

[某日, 復分忽赤, 爲四番:兵2宿衛轉載].

秋七月辛巳□[朔大盡,建壬申], 上洛公金忻卒, [年五十九:列傳17金忻轉載].[107] [忻, 性豁達, 慈惠愛人, 尤恤親戚之窮者:節要轉載].[108]

己丑[9日], [處暑]. 郞將宋時還自元, 帝命減造船轉米.

[丙申[16日], 月食:天文3轉載].[109]

壬寅[22日], 王遣內僚·郞將申彦卿, 傳旨曰, 上昇王, 請諡[謚]表, 令密直副使致仕吳良遇製之. 自今, 給以見官之俸, 表箋製撰, 一以委之.

[○□[壬]遣郞將申彦卿, 傳旨曰, "齊安大君□[淑], 於屬爲叔, 翁主亦是大姊, 供上依睿殿·淑妃例":列傳3顯宗王子平壤公基轉載].

[癸卯[23日], 流星出南斗, 入房, 色赤:天文3轉載].

[某日, 杖流典符丞金瑞廷[金開物]于島. 初, 內府令[·巡軍千戶]姜融, 有求於瑞廷, 不獲, 怒歐之. 瑞廷罵曰, 汝本奴隷, 敢辱士族耶. 融本姓名康莊, 晉州官奴之孫故云, 融銜而譖之:節要轉載].[110]

[→時內府令姜融, 有求於開物不獲, 怒毆之. 開物罵曰, 汝本奴隷, 敢辱士族耶. 融銜而譖之, 下巡軍鞫之. 時融爲千戶, 巡軍阿融意, 杖開物流松加島[松家島]. 後授陜

---

105) 일본의 伊勢(現 三重縣)에서는 6월에 계속 大風과 洪水가 있었다고 한다(中央氣象臺 1941年 3冊 2面). 또 鴨長明의 『伊勢記』는 현존하지 않은 逸書이고, 이의 殘片이 「鴨長明伊勢記拔書」(筆寫本)인데, 여기에는 다음의 기사가 확인되지 않는다(大曾根章介 等編 2000年).
· 『伊勢記』, 延慶 2년, "六月, 大風·洪水"[筆者未見].

106) 이는 「朴全之墓誌銘」에 의거하였다.

107) 이날은 율리우스曆으로 1309년 8월 6일(그레고리曆 8월 14일)에 해당한다.

108) 辛巳에 朔이 탈락되었다.

109) 지3, 天文3에는 六月로 되어 있으나 七月의 오류이다. 이날은 율리우스력의 1309년 8월 21일이고, 월식 현상이 심했던 때의 世界時는 21시 53분, 食分은 1.67이었다(渡邊敏夫 1979年 483面).

110) 金瑞廷(金晅의 次子)은 1309년(충선왕1) 7월에서 1325년(충숙왕12) 7월 사이에 金開物로 改名하였다(열전19, 金晅, 開物). 또 姜融(康莊)에 관한 기사로 다음이 있다.
· 열전37, 鄭方吉, 姜融, "融, 本姓名康莊, 其祖晋州官奴. 融忠宣時, 拜內府令. 妹爲巫, 食松岳祠, 大護軍金直邦, 以其所善巫代之. 融不可, 直邦罵融曰, 汝是官奴, 何驕乃爾?".

州, 開物辭不赴, 又流紫燕島. 連遭困躓, 處之怡然, 及放還家居, 客至則置酒, 鼓琴賦詩自娯. 殆十五年, 無復仕宦意:列傳19金開物轉載].[111)]

己酉[29日], 元遣宦者李三眞來, 罷獻耽羅牛肉.

[某日, 以慶尙道提察使陸希贊, 仍番:慶尙道營主題名記].

八月辛亥□[~~朔~~小盡,建癸酉], 王命令富人, 就宣義門內閑地, 緣道作瓦屋. 又命五部民家, 皆盖以瓦, 命毋禁私窯.[112)]

[壬戌[12日], 有兎, 出壽寧宮:五行2轉載].

[是月, 江陵道存撫使金天皓·知江陵府事朴洪秀·判官金光寶·襄州副使朴琠·登州副使鄭椽·通州副使金用卿·歙谷縣令某·杆城縣令某·三陟縣尉趙臣桂·蔚珍縣令某某等與僧志如埋香木一千五百條於海邊各邑:追加].[113)]

---

111) 松加島는 江華島 喬桐縣에 소속되어 있는 松家島의 다른 表記로 추측된다(지10, 지리1, 喬桐縣, "有松家島" ;『세종실록』 권148, 지리지, 喬桐縣 ;『신증동국여지승람』 권13, 喬桐縣).

112) 辛亥에 朔이 탈락되었다. 또 『고려사절요』 권23에는 이 기사의 앞에 八月이 탈락되었다.

113) 이는 三日浦(현 北韓 江原道 高城郡 三日浦里)의 埋香碑와 다음의 자료에 의거하였다.

- 『신증동국여지승람』 권45, 高城郡, 古跡, "埋香碑, 在三日浦之南. 元至大二年己酉, 江陵道存撫使金天皓等與山僧志如埋香木于沿海各官, 誌其地與條數, 竪於丹書之傍".
- 『再思堂逸集』 권1, 遊金剛錄(1493년), "… 其上有一碣, 名曰埋香碣, 其文曰, 高城某洞, 埋香百條, 杆城某洞, 埋香百條, 江陵某洞, 埋香百條, 襄陽某洞, 埋香百條. 當來彌勒, 代掘香飯佛, 其無稽不經甚矣, 考其所立之人, 則高城太守某, 而字缺, 不識其名矣, 疑盧偆輩所立, 而閔漬所撰也".
- 『陶谷集』 권25, 遊金剛山記, "… 至三日浦邊, 見巖石上刻尤翁[宋時烈]三日號三大字. 遂泛舟, 風定波恬, 平號如鏡, 緩棹過埋香碑下, 下舟登巖, 觀埋香碑. 元武宗至大二年, 高麗江陵道存撫使金天皓與山僧志如, 埋香木於沿海各邑, 此其所識者也".
- 『虛應堂集』권上, 成佛庵, "高城浦口, 有埋香處".
- 『硏經齋全集』 권14, 埋香碑跋, "埋香碑, 在三日浦南岸, 元武宗至大二年己酉, 江陵道存撫使金天皓等, 與山僧志如等, 埋香于沿海郡邑, 樹碑而記之. 今考其文, 江陵地正東村, 埋三百一十條, 此其最多者, 平海郡海岸寺, 埋一百條, 此其最少者. 俗稱哥舒木入地, 千年作沈香, 余嘗見木之久埋於土者, 或潦後露出, 往々材良可爲器, 且有香氣, 豈此類歟".
- 『硏經齋全集』外集권61, 蘭室譚叢, 埋香碑, "埋香碑在三日浦南岸, 元武宗至大二年己酉, 江陵道存撫使金天皓等, 與山僧志如, 埋香于沿海邑, 誌其地與條. 其碑曰, 平海郡地海岸寺洞口, 埋一百條, 三陟縣地孟方村汀, 埋一百五十條, 江陵地正東村汀, 埋三百一十條, 洞山縣地文洒汀, 埋二百條, 蔚珍縣地[刓二字], 埋二百條, 襄陽德山望, 埋一百條, 杆城縣地公[刓二字], 埋一百一十條, 歙首縣地短末乙, 埋二百一十條, 押城杆縣鶴浦, 埋一百二十條, 開數[碑止此]".
- 『嘐守堂集』 권18, 嶺東山水記(1621년) 9월, "… 遂舍[捨]馬而舟, 直向丹書巖. 巖下插木底, 攀而躋, 則有小碣尺餘, 刻曰杆城·高城某浦埋幾條, 盖志埋香也. 陰記高麗江陵道云, 兩傍刻皇帝壽遐, 且題張燈寶白銀一片, 盖諂佛也".
- 『月谷集』 권10, 遊楓嶽日記, 英祖 3년(丁未) 윤3월 26일, "… 泛舟至丹書石, 石在亭南水中,

九月[庚辰朔大盡,建甲戌], 乙未[16日], 讞部以王命, 選州郡奴婢二十五名及凡人相爭奴婢, 兩造不當, 未可歸一者, 悉送王所.

庚子[21日], 慮囚.

辛丑[22日], 元以便民條畫, 詔天下, 改行中書省爲行尙書省, 遣忽都答兒等來, 頒詔.[114]

甲辰[25日], 王命飯僧一萬於壽寧宮, 遂舍其宮爲寺, 追福母后, 賜額曰旻天. 從臣皆阿旨, 莫有諫者.

冬十月[庚戌朔大盡,建乙亥], [壬子[3日], 雷電, 雨雹:五行1雷震轉載].

[辛酉[12日], 又雷電·雨雹·大風:五行1雷震轉載].

壬戌[13日], 遣大將軍~~大護軍~~尹吉甫如元, 獻童女·閹人.[115]

[某日, 中郎將吳迪還自元, 言, "遼陽行省右丞洪重喜, 謀害王, 帝怒, 杖流之". 初, 重喜, 誣訴王不奉國法, 恣暴等事于中書省, 請與廷辯. 中書省以奏, 王甚憂之. 本國宦者[·平章政事]方忙古台[方臣祐], 入侍興聖宮, 白皇太后曰, "重喜高麗逋民也, 敢肆誣妄, 謀覆宗國, 罪已可誅, 顧令與王, 對辯耶." 太后悟, 卽言於帝, 勑中書, 毋令對辯, 杖重喜, 長流潮州:節要轉載].[116]

'述郎徒南石行'六字, 郎徒二字不可辨, 餘則可辨, 然恐是近來添畫也, 題名石深處. 其顚有彌勒埋香碑, 元至大二年己酉八月, 所立也., 碑體甚小, 石是燒甎, 字畫略可辨".

· 『農巖集』 권23, 東游記, 自高城, 至通川記, "… 移舟, 上亭南小石峰, 峰有短碣, 剝落無字, 世傳彌勒埋香碑".

· 『性潭集』 권12, 東遊日記(1780年), "[正祖4年8月]二十二日, 二十二日早起, 與君述子有將, 往觀海金剛, … 峯有短碣, 剝落無字, 卽彌勒埋香碑也[注. 地誌云, 元至大二年, 存撫使金天皓等, 與僧志如, 埋香木于沿海各官, 誌其地與條數, 竪於丹書之傍]. 移舟北岸, 入夢泉菴, 對亭而坐".

114) 몽골제국이 尙書省條畫을 頒布하고 行中書省을 行尙書省으로 바꾼 것은 9월 1일(庚辰)이었다(『원사』 권23, 본기23, 무종2, 至大 2년 9월 庚辰).

115) 大將軍은 大護軍의 오자이다(→是年 4월 末尾 某日). 『고려사절요』 권23에는 옳게 되어 있다.

116) 이는 다음의 자료에도 수록되어 있다.

· 열전35, 宦者, 方臣祐, "忠宣時, 遼陽行省右丞洪重喜誣訴王不奉法恣暴等事于中書省, 請與廷辨. 中書省以奏, 王甚憂之, [平章政事方]臣祐白壽元皇太后曰, '重喜, 高麗逋民也, 敢肆誣妄, 謀覆宗國, 罪已可誅. 顧令與王對辨耶'. 皇太后悟言於帝, 勑中書, 毋令對辨, 杖重喜, 長流潮州".

· 『익재난고』 권7, 方臣祐祠堂碑, "其忠于我者, 則至大時, 遼陽洪重喜訴忠宣王鐠用事, 大臣求與王廷辨. 平章入侍興聖宮, 色有不豫, 太后聞其故, 跪曰, 重喜, 高麗逋民也, 顧今與王爲兩造耶. 且王性剛, 必不能堪其辱, 臣恐不復見故主, 以此內憂耳, 因泣下霑襟. 太后感悟, 言之帝, 卽日斥去重熙".

· 『원사』 권154, 열전41, 洪福源, 萬, "至大以年, 謫漳州, 行至杭□[州], 遇赦而止, 明年卒".

洪重熙는 洪茶丘의 長子인 萬의 初名[小字]이다. 또 潮州는 湖廣行省의 潮州路(現 湖廣省 潮州市)인데, 이 行省은 大元蒙古國이 色目人과 高麗人 出身의 罪囚를 原來의 居住地와 멀리 떨어진 곳에 隔離시키기 위한 流配地로 指定된 곳이다.

辛未[22日], 元以始行至大銀鈔, 詔天下, 遣行省郎中忻豆來, 頒詔.[117)]

己卯[30日], 都評議使□[司], 以王命, 分遣司憲糾正金成固·都評議錄事金祿于慶尙道,[118)] 糾正崔洳·錄事吳石圭于全羅道, 糾正盧琨·錄事李石麟于忠淸道, 糾正趙佾·錄事安璵于交州道, 糾正金文鼎·錄事宋祿松于西海道, 廉問提察□[使]及守令姦利.[119)]

[是月, 僧統冲昷·道人覺源·三韓國大夫人鄭氏等開板'大佛頂如來密因修證了義諸菩薩萬行首楞嚴經':追加].[120)]

十一月[庚辰朔大盡,建丙子], [甲申[5日], 月與歲星同舍:天文3轉載].

戊子[9日], 元遣使來, 頒赦.[121)]

[○月與熒惑, 同舍于壁:天文3轉載].

戊申[29日], 遣評理權溥[權永]如元, 賀正.[122)]

十二月[庚戌朔小盡,建丁丑], 甲寅[5日], 遣使如元, 獻酥油.

[→遣[別將]李公世如元, 獻酥油. 公世, 亦大順弟也. 初, 忠烈王入覲, 大順請□[于]

---

117) 몽골제국은 9월 1일(庚辰) 至大銀鈔를 天下에 頒行하고, 至大銀鈔1兩=至元鈔5貫=白銀1兩=赤金 1錢으로 하였다(『원사』 권23, 본기23, 무종2, 지대 2년 9월 庚辰).

118) 尙州人 金錄(州吏 金鎰의 子, 金得培의 父)로 추측되며 判典醫寺事에 이르렀다고 한다(열전26, 金得培).

119) 이때 雞林府·福州牧·永川郡·羅州牧의 地方官들의 人事移動이 없음을 보아 非理가 없었던 것 같다(張東翼 1983년). 또 이때 全羅道에 파견된 司憲錄事 吳石圭는 前年(충선왕 복위년, 戊申) 8월 24일 計點使의 職銜을 띠고 雞林府尹·匡靖大夫·□[都]僉議中護 蔡禑와 함께 雞林府에 赴任하였다고 한다.

· 『東都歷世諸子記』, "雞林府尹·匡靖大夫·□[都]僉議中護蔡禑, 計點使結銜·城上所吳石圭, 一時, 戊申八月二十四日到任".

120) 이는 『大佛頂如來密因修證了義諸菩薩萬行首楞嚴經』 권9,10, 末尾刊記에 의거하였다.

· 권9, "此經此疏,實入道之筌蹄,欲求修證者,不可斯須」 離於手也.舊本字大,行脚人難於賫持,謹與國大」 夫人鄭氏同願,細書繡梓印成二百件,廣施結緣云,」 僧統冲昷·道人覺源·天明, 同願盧氏智月,」 至大二年十月 日誌」(祗林寺 所藏, 보물 제959-2-2호, 朴相國 1990년 ; 南權熙 2002년 92面)".

· 권10, "此經此疏,實入道之筌蹄,欲求修證者,不可斯須」 離於手也.舊本字大,行脚人難於賫持,謹與國大」 夫人鄭氏同願,細書繡梓印成一百五十件,廣施結緣云,」 至大二年十月日」 道人覺元·天明, 同願盧氏智月誌」(東京國立博物館 所藏, 國立文化財硏究所 2005년a ; 郭丞勳 2021년 309面).

121) 이때의 頒赦는 10월 1일(庚戌) 皇太子를 尙書令으로 삼은 것이나 16일(乙丑) 皇太后의 病患으로大辟罪人을 석방시킬 때의 赦免令이었을 것으로 추측된다(『원사』 권23, 본기23, 무종2, 지대 2년 10월 庚戌, 乙丑).

122) 權永이 權溥로 改名한 것은 1309년(충선왕1) 4월 19일에서 같은 해 11월 29일 사이이다(열전 20, 權呾, 溥).

帝, 詔王以公世爲別將. 帝曰, "官人有法, 制國有君,[123] 朕何與焉". 因賜大官□[署]羊·上尊酒, 令大順, 自白于王. 王曰, "公世[汝兄]校尉耳, 越散員而授別將, 非舊例也". 大順不敢復言. 後聞帝言如是, 乃授之:節要轉載].[124]

[某日, 流星隕于西南, 明如晝:天文3轉載].

[戊午[9日], 太白·歲星, 同舍于虛:天文3轉載].[125]

辛酉[12日], [大寒]. 以[承旨兼司憲執義]閔頔爲平壤尹,[126] [司憲執義]金怡[金廷美]爲右副承旨.[127]

丙寅[17日], 慮囚.

戊寅[29日晦], 元加上太祖·睿宗尊號, 遣宦者康祐來, 頒詔.[128]

---

123) 制國은 首都의 城郭內部를 몇 개의 區域(居住地)으로 나눈 것을 가리키지만, 이 기사에서는 內·外藩의 諸國을 의미하는 것 같다.
- 『國語』第6, 齊語, "桓公曰, 定民之居若何, 管子對曰, 制國以爲二十一鄕, 桓公曰, 善. 管子於是制國以爲二十一鄕, 工商之鄕六, 士鄕十五, 公帥五鄕焉. …", "韋昭注, 國, 國都城郭之域也".

124) 上尊酒는 上樽酒로도 표기하며, 좋은 술[上等酒]을 가리킨다.
- 『한서』 권71, 平當傳第41, "使尙書令譚, 賜君養牛一頭·上尊酒十石, 君其勉致醫藥, 以自持[如淳曰, 律, 稻米一斗, 得酒一斗, 爲上尊, 稷米一斗, 得酒一斗, 爲中尊, 粟米一斗, 得酒一斗, 爲下尊. 師古曰, 稷卽粟也. 中尊者宜爲黍米, 不當言稷. 且作酒自有澆醇之異, 爲上中下耳. 非必繫之米]".
- 『후한서』 권23, 竇融列傳第13, "永平二年 … 融惶恐乞骸骨, 詔令歸第養病. 歲餘, 聽上衛尉印綬, 賜養牛·上樽酒".

또 李大順은 蘇泰縣 出身으로 그의 영향력에 의해 蘇泰縣이 知泰安郡事官으로 昇格하였다고 한다. 또 公世가 大順의 兄 또는 弟로 달리 표기된 점이 특이하다.
- 지10, 地理1, 富城縣, 蘇泰縣, "忠烈王時, 宦者李大順, 有寵於元, 以縣爲居鄕, 陞知泰安郡事".
- 열전35, 宦者, 李大順, "… 泰安縣人. 入元, 得幸用事, 忠宣陞蘇泰爲泰安郡, 封大順泰安府院君. … 郎將白應丘奉使全羅道, 奪大順所占人戶, 大順又使李三眞, 稱制問之, 囚應丘于行省, 其恣橫類此. 其弟公世, 仕本國爲元帥, 又判三司事. 初, 忠烈如元, 大順請于帝, 詔王以公世爲別將. 帝曰, '官人有法, 制國有君, 朕何與焉'. 賜大官羊·上尊酒, 令大順自白于王. 王曰, '汝兄校尉耳, 越散員而授別將, 非舊例也'. 大順不敢復言. 後聞帝言, 乃授之".
- 『三灘集』 권4, 次泰安東軒韻四首, "… 自註, 有諱莊, 姓李氏, 籍泰安, 入大元, 授耽羅軍民□□□摠[管府]上萬戶. 子諱英秀嗣取, 元亡, 歸于我朝, 生開城少尹諱卿. 少尹生通政大夫·司諫院左司諫, 大夫諱薈, 以詩文鳴世". 여기에 기록된 인물들은 여타의 기록에서 찾아지지 않아 어떠한 사정인지를 알 수 없다.

125) 지3, 天文3에는 이들 기사 앞에 十一月로 되어 있으나 十二月의 오자일 것이다(東亞大學 2011년 13책 277面).

126) 이때 閔頔은 通憲大夫(從2品)로서 平壤尹에 임명되었다(閔頔墓誌銘).

127) 金怡는 福州 春陽縣人으로 初名은 金之珽이었으나 金廷美로 改名하였다. 이후 충선왕으로부터 金怡를 下賜받았다고 한다(열전21, 金怡). 崔誠之와 權漢功의 列傳과 『경상도지리지』, 慶州道, 慶山縣에는 金廷美로 표기되어 있다.

128) 몽골제국이 太祖와 睿宗에게 尊號를 올린 것은 12월 6일(乙卯)이었다(『원사』 권23, 본기23, 무종2, 지대 2년 12월 乙卯).

[冬某月, 上請於王師丁午移錫國淸寺, 以五臺·水巖·槽淵·安樂·瑪瑙等五寺, 屬于是寺, 爲下院也. 仍立都監以修之, 午捐私財, 創造金堂幷成主佛釋迦如來與補處兩菩薩像, 皆飾以金箔, 倩僉議政丞大學士·驪興君閔漬記其始末, 而榜之, 以下院五寺, 皆還其本寺:追加].[129)]

[是年, 陞金寧都護府爲金海牧, 昇平郡爲昇州牧:追加].[130)]

[○併雲臻倉於富興倉, 尋改爲義成倉, 置使秩從五品, 副使從六品, 丞從七品:百官2內房庫轉載].

[○置德泉倉, 使秩從五品, 副使從六品, 丞從七品:百官2德泉庫轉載].[131)]

[○罷內謁司, 復爲掖庭:百官2掖庭局轉載].

[○冊故平陽公昡之妻許氏爲順妃:追加].[132)]

[○中原公溫卒:追加].[133)]

[○以閔宗儒爲重大匡·都僉議侍郞贊成事·判選部事, 仍令致仕:追加].[134)]

[○以密直司使兼民部典書元瓘爲都僉議贊成事·進賢館大提學·判摠部事, 仍令致仕:追加].[135)]

[○以趙通爲溫州牧使:追加].[136)]

[○以元善之爲中顯大夫·右副承旨·司僕正·知三司事:追加].[137)]

---

129) 이는 다음의 자료에 의거하였다.
- 『동문선』 권68, 靈鳳山龍巖寺重創記, "… 己酉冬, 上[忠宣王]命移住國淸寺, 以五臺·水巖·槽淵·安樂·瑪瑙等五寺, 屬于是寺, 爲下院也. 仍立都監以修之, 師[丁午]盡捨達嚫, 創造金堂, 幷成主佛釋迦如來與補處兩菩薩像, 皆飾以滿金, 倩僉議政丞大學士·驪興君閔漬, 記而榜之, 以下院五寺, 非吾志也, 皆還其本也".

130) 이는 다음의 자료에 의거하였다.
- 『경상도지리지』, 晋州道, 金海都護府, "忠宣王, 至大己酉, 改□[爲]金海牧".
- 지11, 지리2, 昇平郡, "忠宣王元年, 陞昇州牧".

131) 德泉倉의 경우 지31, 百官2, 德泉倉에 "忠宣王時, 有德泉倉使秩從五品, 副使從六品, 丞從七品"으로만 되어 있어 설치시기를 알 수 없다.

132) 이는 「忠宣王妃順妃許氏墓誌銘」, "至大己酉冊爲王順妃"에 의거하였다.

133) 中原公 溫(顯宗의 4子인 平壤公 基의 10世孫)은 壽寧翁主가 29세일 때 逝去하였다.
- 「王昷妻壽寧翁主墓誌銘」, "翁主年二十九已寡".

134) 이는 열전21, 閔宗儒 ; 「閔宗儒墓誌銘」에 의거하였다.

135) 이는 「元瓘墓誌銘」에 의거하였다.

136) 이는 『연안부지』에 의거하였다.

137) 이는 「元善之墓誌銘」에 의거하였고, 아래의 記事는 添字와 같이 고쳐야 옳게 될 것이다.

[○以[福州牧判官]全信爲典儀副令:追加].[138)]

[○以[齊安府直講]李齊賢爲司憲糾正:追加].[139)]

[○以[左右衛大護軍]崔雲爲羅州牧使:追加].[140)]

[○帝[成宗]以元善之爲昭信校尉·征東行省都鎭撫. 是襲父職也:追加].[141)]

[○前遼陽行中書省平章政事洪君祥卒:追加].[142)]

[增補].[143)]

[□□□[~~是年頃~~], 初, 尙書<u>李德守</u>女選入元, 後爲寵臣妾. 與承旨<u>蔡宗璘</u>爭臧獲, 寵臣奏帝, 遣工部尙書<u>哈剌台</u>[~~哈剌台~~]來, 囚宗璘兄弟于行省, 欲奪<u>宗璘</u>文券. [守僉議政丞崔]有渰固爭之, 言甚激烈, <u>哈剌台</u>[~~哈剌台~~]不能奪, 謄寫而去. 國人皆嘆曰, “眞宰相也”:列傳23崔有渰轉載].[144)]

庚戌[忠宣王]二年, 元至大三年, [西曆1310年]

1310년 2월 1일(Gre2월 9일)에서 1311년 1월 20일(Gre1월 28일)까지, 354일

春正月己卯朔[大盡,戊寅], 王在元.

戊子[10日], 讞部典書致仕<u>李行儉</u>卒,[145)] [年八十六. □□[~~行儉~~], 性恬靜寡言, 家貧不事產業. 手書佛經, 老益勤:列傳19李行儉轉載].[146)] [子稷·崖. 稷, 登科, 官至成均

· 열전20, 元傳, 善之, “忠宣在元, 召見驟拜<u>右副代言</u>[~~右副承旨~~]·知三司事”.

138) 이는 全信墓誌銘(『졸고천백』 권2)에 의거하였다.

139) 이는 「李齊賢墓誌銘」에 의거하였다.

140) 이는 「崔雲墓誌銘」에 의거하였다.

141) 이는 「元善之墓誌銘」에 의거하였다.

· 열전20, 元傳, 善之, “又襲父職, 爲昭信校尉·征東都鎭撫”.

142) 이는 『원사』 권154, 열전41, 洪福源, 君祥에 의거하였다.

143) 『登科錄』에 의하면 이해에 金成固가 급제하였다고 하는데, 科擧가 設行되지 않은 年度이다. 向後 科擧의 實施與否를 證憑하는 자료를 찾아야 할 것이다.

144) 李德守의 딸은 1287년(충렬왕13) 9월 충렬왕비에 의해 貢女로 선발되어 中原에 들어갔다. 또 蔡宗璘은 蔡謨의 長子이다(蔡謨墓誌銘).

145) 이날은 율리우스曆으로 1310년 2월 9일(그레고리曆 2월 17일)에 해당한다.

146) 李公遂(李行儉의 孫)의 묘지명에는 行儉의 관직이 朝奉大夫·國子典酒·寶文閣直學士·知制誥로 되어 있고, 위의 기사는 열전19, 李湊, 行儉에도 수록되어 있다.

大司成，崖，監察糾正．女適□□[摠部]散郞奇子敖，封榮安王夫人，是生順帝皇后．崖子公遂:列傳19李行儉].[147)]

己丑[11日]，有事于寢園，有司欲不刑牲，司憲糾正卜祺不可曰，夫祭尙氣，先迎牲，殺於庭，所以降神也．若以生牲爲牢，豈合於禮乎．於是，宰而薦之．

[癸巳[15日]，月食:天文3轉載].[148)]

是月，王欲傳位世子[鑑]，密令人撰表於楊學士，尋爲從臣所沮，乃止.[149)]

[某日，以姜瓊[姜瑗]爲慶尙道提察使:慶尙道營主題名記].[150)]

二月[己酉朔大盡,己卯]，辛亥[3日]，遣密直□□[副使]李公甫如元，賀皇太子誕日．

[是月頃，以趙安爲雞林府判官兼少尹:追加].[151)]

[三月己卯朔[小盡,庚辰]:追加].

[夏四月[戊申朔小盡,辛巳]，某日，僧慈淑·信全·日精等奉王旨寫成'紺紙金字佛說大報恩重經':追加].[152)]

[是月己酉[2日]，帝賜高麗國王王璋功臣號，改封瀋王:追加].[153)]

---

147) 奇子敖(奇允肅의 曾孫)는 蔭敍로 入仕하여 知宣州事에 이르렀던 것 같다(열전44, 奇轍, "父子敖，蔭補散員，累遷摠部散郞，出守宣州，年六十三卒．娶典書李行儉女，生軾·轍·轅·輈·輪．軾早死，季女選入元順帝後宮，封第二皇后").

148) 이날은 율리우스력의 1310년 2월 14일이고, 월식 현상이 심했던 때의 世界時는 15시 50분, 食分은 0.84이었다(渡邊敏夫 1979年 483面).

149) 楊學士는 어떠한 인물인지를 알 수 없다.

150) 姜瓊은 姜瑗의 오자이다(→충선왕 3년 7월 16일).

151) 이는 『동도역세제자기』에 의거하였다.

152) 이는 京都府 乙訓郡 大山崎町 字大山崎 寶積寺에 소장된 『紺紙金泥佛說大報恩重經』의 題記에 의거하였다(禿氏祐祥 1939年 ; 張東翼 2004년 729面).

· 題記，"伏爲聖壽天長,國泰安民,又爲先亡父母親緣,七世師親,法界含靈,悉脫苦趣,同生安樂,聞法悟道.次及己身,離諸災難,此報盡時,生生世世,同生一處.不離三寶,助揚佛事,供養衆具,皆悉滿足,廣度有情,同歸覺岸者耳.」庚戌四月　日　敬書,」施主，比丘慈淑,」同願，比丘信全,」日精,」以此頌經功德,普皆回向,四恩三有，　法界衆生,無上菩提,眞如實際.願共法界諸衆生等,臨命終時,七日以前,預知時至,心不顚倒,心不失念,心不散亂.無諸痛苦,心身安樂,如入禪定,遇善知識,教稱十念,聖衆現前,承佛願力.上品往生阿彌陀佛極樂國土,到彼國已,獲六神通,遊歷十方.奉持諸佛,常聞無上微妙正法,修行普賢無量行願,福慧資糧,皆得圓滿.速證菩提,法界衆親,同斯願海,摩訶般若波羅蜜」.

153) 이는 다음의 자료에 의거하였다.

· 『원사』 권23, 본기23, 무종2, 지대 3년 4월 己酉[2日], "賜高麗國王王璋功臣號，改封瀋王".

夏五月丁丑朔大盡,壬午, 甲申8日, 元□左丞相脫脫遣使來, 求閹人·童女.

辛卯15日, 帝命瀋陽路官吏, 毋得隔越瀋陽瀋王奏請, 違者理罪.[154]

[○風寒, 人有着冬衣者:五行1恒寒轉載].

乙巳29日, 王殺世子鑑及其從者金重義等[于上都:追加].[155]

[是月, 淑妃金氏命畫師·內班從事金祐, 文翰畫直待詔李桂等造成'水月觀音圖':追加].[156]

---

154) 瀋陽은 『고려사절요』 권23에는 瀋王으로 되어 있는데, 兩者는 모두 意味가 같다. 前者는 瀋王의 湯沐邑[采邑]인 瀋陽이 瀋王을 指稱하는 記載方式[書法]인데, 이러한 사례는 당시에 제작된 書帖에서도 찾아진다. 곧 1349년(至正9, 충정왕1)에 兪焯이 쓴 "朱澤民朱德潤集序,」 朱澤民爲桐子師時,以文墨故,與余」 交三十餘年,間得許道寧畵,漫朩塗」 抹,適臻其能,在」 仁廟時, 瀋陽器其才,引對于」 嘉禧殿,授征東提學以歸, … 至正九年秋閏七月望後,」 合沙兪焯午翁序」(『中國墨迹經典大全』21책, 書帖)가 그것이다.

이에 의하면, 仁宗代에 朱德潤의 能力을 認知하고 있던 忠宣王[瀋王]이 皇城 내의 嘉禧殿에서 引見[引對]하고, 征東儒學提擧[征東提學]에 임명하였다고 한다. 이 書帖은 당시의 記載方式[書式]을 잘 반영하고 있는 것으로 皇帝인 仁宗을 仁廟로 표기하고 行을 바꾸어 기록하였고, 諸王인 瀋王(忠宣王)을 瀋陽으로 표기하고 한 글자[1字]를 띄어 기록하여 각각 尊崇을 표시하였다. 이러한 당시의 書式을 이해하지 못할 때는 瀋陽의 의미를 파악하기 어려울 것이다(張東翼 2011年a).

155) 世子 鑑은 3월 14일(壬辰) 忠宣王과 權準(權溥의 長子) 등과 함께 武宗을 隨從하였다가 上都에서 絶命을 하였던 것 같다(「權準墓誌銘」, "又明年, 從至上都").

156) 이는 日本人의 일기에 수록된 내용을 추가하였는데, 水月觀音圖의 題記는 내용의 排列과 판독이 불분명하여 향후 면밀한 조사가 이루어져야 할 것이다(佐賀縣 唐津市 鏡町 大字鏡 鏡神社 所藏). 곧 測量技士 伊能忠敬(1745~1818)은 일본의 各地를 순회하면서 측량하였는데, 그중 九州의 서북지역은 1812년(文化9) 제8차에 해당한다. 이때의 조사단은 그 자신이 인솔한 本隊와 坂部貞兵衛가 이끈 支隊로 구성되어 있었는데, 鏡神社는 後者에 의해 조사되었다. 또 불화의 하단부에 쓰인 題記 部分의 사진, 판독 내용의 일부가 제시되기도 하였다(平田 寬 1983年 ; 菊竹淳一 1997년 ; 井手誠之輔 2001年 ; 張東翼 2004년 736面).

· 『測量日記』 권4, 文化 9년, "九月七日, 晴天, 唐津刀町出立, … 鐘樓堂一宇, 寶物楊柳觀音像畵一幅, 長一丈八尺, 橫九尺, 一枚畵絹. 畵成至大三年五月日, 願主王叔妃淑妃妃, 畵師·內班從事金祐, 文翰畵直待詔李桂·同林順·同宋連, 色員外中郞崔昇等四人. 自至大三年距文化九年壬申五百三年, 副書鏡社御寶前觀音畵像一補. ~~奉寄進,」 鏡社御寶前觀音畵像一補.」~~ 右件本尊者, 先師良覺, 廻隨分馳走買留」 奉安置坊中者也. 雖然兩所尊廟宮」 成等, 正覺次先師以下, 爲難苦得末生天, 併殊良覽」 二世, 悉地成就圓滿也. 但此本尊者, 社家御燈坊」 可進退也. 仍寄進旨趣如件,」 明德二辛未年十二月十二日, 養賢敬白」. 이 題記는 1391년(공양왕3, 明德2) 12월에 쓰여진 것인데, 이 시기는 일본의 商人이 고려에 왕래하면서 進奉貿易을 할 수 없었고, 王室에 의해 조성된 불화가 海外에 搬出될 여건도 아니었다. 그렇다면 僧侶 良賢은 倭賊에 의해 약탈되어 온 贓物을 求得하여 寺社에 寄進하였을 것으로 추측된다.

또 여기에서 發願者[願主]인 淑妃金氏의 요청에 의해 畵師·內班從事 金祐를 위시한 文翰畵直待詔 李桂, 林順, 宋連 등이 觀音圖를 제작하였고, 員外中郞 崔昇이 제반 사무를 담당하였던 것 같다[色]. 이에서 畵直은 文翰署의 圖畫를 제작하는 臨時職의 官員으로 唐代에 이미

[○優婆塞李奇·宋以道等造成某寺金銅舍利塔·容器, 各一座:追加].157)

六月丁未朔小盡,癸未, 戊申2日, [小雪]. 元以册皇后眞哥, 詔天下, 遣八札等來, 頒詔.158) [八扎囚讞部典書金士元·散郎李光時. 初, 大順娶韋得儒女, 與永平宮爭奴婢, 乃白于帝. 下制, 令讞部決之, 光時主其案, 不與韋氏. 大順怒, 使八扎等, 稱制, 杖流士元等:節要轉載].159)

[○是時, 以訴良者多, 而讞部不能辨, 復設都官, 置正郎 ·佐郎:百官1尙書都官轉載].

壬子6日, 元遣宦者·平章政事方臣祐來, 監書金字藏經, 皇太后送金薄金箔六十餘錠.160) [臣祐, 聚僧俗三百人于旻天寺, 寫之:節要轉載].161) [○初, 臣祐入國境, 郡縣守宰, 皆被罵辱, 至有受杖者. 開城判官李光時, 以其女妻焉:列傳35方臣祐轉載].

癸丑7日, 遣大護軍文天佐如元, 獻鷹.

癸亥17日, 慮囚.

丁卯21日, 遣內僚·評理致仕曹元瑞, 賀聖節.

秋七月丙子朔小盡,甲申, [某日, 王遣護軍申彦卿, 傳旨曰, "迎駕山臺, 已有禁令, 毋復

直員으로 改稱되었으나 고려에서는 옛 名稱을 그대로 사용하였던 것 같다.

· 『夢溪筆談』 권2, 故事, "唐制, 官序未至, 而他官權攝者, 爲直官. 如許敬宗爲直記室, 是也. 國初, 學舍舍人, 皆置直院, 熙寧中復置, 舍人學士院, 但以資淺爲之, 其實正官也".

· 『대당육전』 권9, 中書省, 集賢殿書院, "開元十三年所置. … 畵直八人[注, 開元七年敕, 綠修雜圖, 訪取二人. 八年, 又加六人, 十九年, 院奏定爲直院]".

157) 이는 다음의 자료에 의거하였다(黃壽永 1962년a, b ; 許興植 1984년 1107面).

· 金銅舍利塔內 舍利容器의 銘文, "至大三年」 五月,」 造人」 李奇,」 施主」 宋以道,」 元永,」 老心,」 先庵,」 居善」.

158) 武宗이 弘吉剌氏 眞哥[Jimge]를 皇后로 책봉한 것은 4월이었다(『원사』 권114, 열전1, 后妃1, 武宗).

159) 이와 같은 기사로 다음이 있다.

· 열전35, 宦者, 李大順, "… 嘗娶韋得儒女, 與永平宮爭奴婢, 白于帝, 下制令讞部決之. 時典書金士元·散郎李光時主其案, 不與韋氏. 大順怒, 使八扎等, 稱制杖流士元等".

160) 金簿紙(金薄, 金箔)를 제작하는 방법은 다음과 같았다고 한다.

· 『南村輟耕錄』 권30, 金簿, "嘉興斜唐楊匯髹工鎗, 金鎗銀法, 凡器用什物, 先用黑漆爲地, 以針刻畵或山水·樹石, 或花竹·翎毛, 或亭臺屋宇, 或人物·故事. 一一完整, 然後用新羅漆, 若鎗金, 則調雌黃, 若鎗銀, 則調韶粉, 日曬後, 刻挑挑嵌所刻縫罅, 以金簿或銀簿. 依銀匠所用紙糊籠窰, 置金簿在內, 逐旋細切取, 鋪已施漆上, 新綿楷拭牢實, 但著漆者自然黏住. 其餘金銀都在綿上, 於熨斗中燒灰, 甘鍋內鎔鍛, 渾不走失".

161) 이 기사는 열전35, 宦者, 方臣祐에도 수록되어 있다.

爲之, 公私宴, 油蜜果·絲花, 並皆禁止, 違者痛治". 時王欲東還而止:節要轉載].[162]

[庚辰,元封寶塔實憐公主爲韓國長公主→是月의 末尾로 옮겨감].

[某日, [宦者·平章政事]方臣祐轉藏經于神孝寺, 爲皇太后祈福, 仍令攸司放繫囚, 攸司知臣祐挾私, 不肯放. 强之再三, 乃從之:節要轉載].[163] [□[又]其降香諸道也, 提察·守令抽斂民財, 贈遺甚厚. 全羅提察使李仲丘贈以紙, 臣祐不受, 因折辱之:列傳35方臣祐轉載].

[丙戌[11日], 大雨, 水暴漲, 人多溺死, 松嶽南崖崩爲壑:五行1水潦轉載].[164]

戊子[13日], 奉安上昇王睟容于明仁殿[仁明殿].[165]

甲午[19日], [處暑]. 放輕繫.

乙未[20日], 元降制, 追贈王三代, 制曰, "昔我太祖皇帝之奮擧漠北也, 東旌西旆, 分甸南服, 昭德示威, 所向臣妾. 惟時三韓, 境壤相聯, 天戈一臨, 開府儀同三司·太子太師·上柱國·駙馬都尉·瀋陽王·征東行尙書省右丞相·高麗國王王璋之曾祖故高麗國王王瞮, 深察機運, 擧國內嚮. 事會之來, 間不容髮, 自非秉志端慤, 明識遠慮, 疇克如是哉. 又屬遼民餘孽, 僭竊島嶼, 狂肆弄兵, 陸梁假息, 重煩命將致討. 于時, 氷雪冱寒, 餽餉不通, 而瞮乃能供偫轉輸, 師皆宿飽, 軍興器仗, 資助無闕, 復濟師徒, 往殄殘寇. 其於肇造開基, 立勳王室, 保民興邦, 莫之與比. 故得守土享年, 殆將四紀, 澤及後昆, 流慶斯永, 傳子若孫, 與國連戚, 不其韙歟. 是宜追崇上爵, 仍易嘉名, 魂而有知, 歆玆異數. 可贈敦信明義保節貞亮濟美翊順功臣·太師·開府儀同三司·尙書右丞相·上柱國·高麗國王, 謚[諡]忠憲. 崇德報功, 法擧追榮之典, 分邦列爵, 恩頒及內之章, 酬我舊勳, 同玆顯號. 具官高麗國王王璋曾祖母柳氏, 傳芳令族, 作配高門, 屬皇祚之興隆, 偕名藩而臣付. 明賢所化, 貞信無頗, 傳子至孫, 極富與貴. 三韓保國, 位同異姓之侯王, 五等疏封, 名亞寡君之宗室. 聿新殊渥, 庸慰淑靈, 可追封高麗王妃. 洪惟我祖, 天錫勇智, 正萬邦, 乃眷爾家, 世篤忠貞, 有成績. 盖本深而末茂, 其德厚者流光. ◯具官高麗國王王璋之祖, 故高麗國王王禃, 祗訓向方, 飭躬迪吉, 佩服儒雅, 奮勵材猷. 初父命之親承, 以土宜而入貢, 會桓肅

---

162) 이와 관련된 기사로 다음이 있다.

· 지39, 刑法2, 禁令, "傳旨, 迎駕山臺, 已有禁令, 毋復爲之. 公私宴, 油蜜果·絲花, 並皆禁之, 違者痛治".

163) 이 기사는 열전35, 宦者, 方臣祐에도 수록되어 있다.

164) 일본의 京都에서 7월에 大風이 있었다고 한다(中央氣象臺 1941年 1册 47面).

· 『立川寺年代記』, 延慶 3년, "七月, 大風吹, 天下損亡".

165) 明仁殿은 仁明殿(仁明太后, 忠烈王妃 齊國大長公主)의 오자일 것이다.

西巡于川徼, 而世皇南撫于江壖, 亟期行李之通, 寧恤歲華之易. 途屯以永, 內訌仍構于家艱, 號渙其申, 還納旋膺于晝接. 中統之風雲載啓, 三韓之彊宇重臨. 從容必中于事機, 造次不忘于禮憲. 首遣明廷之質, 有來冢嗣之良, 釐降展親, 示渥特殊於他姓. 服勤尊主, 輸誠益拱于中天, 不諶是征, 屢爲先導, 奉朝斯勤, 罔失常期. 孫繼尙于皇姬, 國允資于碩輔, 有爲有守, 昔戡濟之功多, 言盛言恭, 玆弼諧之望著. 盍旌舊哲, 庸賁嘉稱. 大師[太師]惟垣, 爵以馭其貴, 君子如祉, 制以象其賢. 庶幾往訓之遵, 亦曰徽彝之擧, 於戱, 匪報也, 永爲好也. 恩隨鸞檢以疊蹠, 惟有之, 是以似之, 系與鴨江而並遠. 可贈端誠奉化保慶亮節康濟佐理功臣·大師[太師]·開府儀同三司·尙書右丞相·上柱國·高麗國王, 謚[諡]忠敬. ○昭令德于前人, 爵以隆于三世, 受介福于王母, 恩特侈于再傳. 具官高麗國王 王璋祖母金氏, 淑愼其儀, 柔嘉維則. 東藩作儷, 北闕連姻, 不墜簪圭, 功有武公之父子, 親承盥饋, 禮如王氏之舅姑. 一則, 彰夙夜之勤, 一則, 示閨門之肅, 嗣爲貴壻, 況有賢孫. 諄襲請疏之來聞, 赫奕徽彝之並擧, 鳳綈鸞檢, 翟茀魚軒. 於戱, 重莫重於傳家, 有懿含飴之訓, 榮莫榮于錫號, 往欽加褮之章, 可追封高麗王妃. 朕觀, 今天下, 有民社而王者, 惟是三韓. 及祖宗而臣之, 殆將百載, 厥父菑而子復肯播, 曰我舅則吾謂之甥, 旣勳以親, 宜貴與富. 禮克先於事大, 典可後於追崇. ○具官高麗國王王璋之考, 純誠守正推忠宣力定遠保節功臣·太尉·開府儀同三司·征東行中書省右丞相·上柱國·駙馬·高麗國王王昛, 移孝爲忠, 易威以惠, 禮樂刑政之修者, 典章文物, 皆粲然, 惟大猷之是經, 與小心之以翼. 初由世子, 已帝女之釐降, 旋俾嗣王, 非公孫之復始. 逡罷時貢其方物, 固同歲賜於宗親. 責秉鈞以東征, 期奠枕夫南面, 追叛王, 挺身於遼水, 出奇兵, 壓卵以太山, 戰踵未旋, 逆首已授. 雖居位未周夫三紀, 而享年實過于七旬, 中壽共言, 今代稀有. 矧其子式穀之是似, 則斯人沒世爲不忘. 自官階而進之, 至師垣而極矣. 夫旣封玄菟之墓, 表滄渤以爲襟, 何必刑白馬以盟, 誓黃河之如帶. 尙期貞魂, 庸服恤章, 可贈純誠守正推忠宣力定遠保節寅亮弘化奉慶功臣·大師[太師]·開府儀同三司·尙書右丞相·上柱國·駙馬·高麗國王, 謚[諡]忠烈. 三韓爲國, 五季已王, 雖居東溟之濱, 實享南面之奉. 由其先有功於太祖, 許帝室以連姻, 故季女鍾愛於世皇, 卽公宮而命醮. 方穠靑軒之桃李, 俄晞白露於蒹葭, 永懷懿親, 用隆恤典. 具官高麗國王王璋之妣, 皇姑安平公主·高麗王妃, 發祥坤掖, 分派天潢, 以舜妃癸比[登比]之宵明,[166]

166) 여러 판본의 『고려사』에서 癸比(舜帝의 處)로 되어 있으나 登比가 옳다는 견해도 있지만 같은 意味이다.(東亞大學 2008년 9책 81面). 이의 原本인 『國朝文類』 권11, 高麗國王封曾祖父母制(姚燧 作)에도 癸比로 되어 있다(張東翼 1997년 74面).

爲古公亶父之姜女. 善於媲德, 車服不矜其夫家, 樂有娠賢, 茅土已纘其父服. 可謂全妻道之始終, 苟不因湯沐之安平, 原進大封, 曷彰尊屬. 於戲, 自他邦而北闕, 最道里之五千, 移近甸於東秦, 盡山河之十二. 明靈可作, 殊報是承, 可追封皇姑齊國大長公主·高麗王妃".[167]

○初, 國家, 雖用宋·遼·金正朔, 然歷代之謚諱, 皆稱爲宗. 及事元以來, 名分益嚴, 而昔漢之諸侯, 皆從漢得謚諱故, 王表請上昇王尊號, 又請追謚諱高·元二王, 詔從之.

己亥24日, □都僉議贊成事致仕閔萱卒.[168] [萱, 平章事令謨四世孫. 起於刀筆, 與世俯仰:列傳36閔萱轉載].

癸卯28日, 世子鑑之喪, 至自元.

[某日, 以慶尙道提察使姜瑗, 仍番, 李仲丘爲全羅道提察使:慶尙道營主題名記].[169]

[□□~~是月~~庚辰5日, 元封寶塔實憐公主, 爲韓國長公主←是月의 庚辰에서 옮겨옴].[170]

八月乙巳朔大盡,乙酉, 戊申4日, 以贊成事柳淸臣爲□都僉議政丞.

[○先是, 王以守僉議政丞崔有渰年高, 令五日一至都堂, 議軍國大事, 命淸臣專理細務. 至是, 遂以淸臣代之:節要轉載].[171]

丙辰12日, [王傳旨曰, "式目都監, 掌邦國重事, 其以□都僉議政丞·判三司事·密直使·□都僉議贊成事·三司右左使·□都僉議評理以上, 爲判事,[172] 知密直□□~~司事~~以下爲使". 又置商議式目都監事.[173] 密直司陞二品, 與□僉議府~~都僉議使司~~, 同稱兩府,

---

167) 이들 制書 중에서 忠憲王(高宗)과 忠烈王의 內外의 制書는 翰林學士承旨 姚燧가, 忠敬王(元宗)의 內外의 制書는 王構가 撰하였다(張東翼 2009년 282面). 이들 制書 중에서 王妃와 관련된 一部가 열전1, 后妃1, 高宗妃, 元宗妃 ; 열전2, 忠烈王妃에도 수록되어 있으나 자구에 출입이 있다.

168) 이날은 율리우스曆으로 1310년 8월 19일(그레고리曆 8월 27일)에 해당한다.

169) 李仲丘는 是月 某日에 의거하였다.

170) 이 기사는 열전2, 忠宣王妃, 薊國大長公主에도 수록되어 있다. 또 晋王 甘麻剌(Kamara, 1262~1302年, 世祖 쿠빌라이의 孫, 裕宗 眞金의 長子, 成宗 鐵穆爾의 兄)의 長女 寶塔實憐(Buda Sirin) 公主는 忠宣王妃이고, 이와 같은 기사가 『원사』에도 같은 날에 수록되어 있다(권23, 본기23, 무종2, 大德 3년 7월 庚辰). 中原에서 일어난 고려관계의 기사는 月次의 末尾에 添書하는 것이 일반적이므로 이곳으로 옮기는 것이 옳을 것이다[校正事由].

171) 이 기사는 열전23, 崔有渰에도 수록되어 있다.

172) 이 기사에서 密直使는 都僉議評理의 다음으로 옮겨야 宰相의 班次가 옳게 될 것이다.

173) 이때 僉議政丞 李之氐가 商議式目都監事에 임명되었다고 한다

- 열전36, 李之氐, "忠宣卽位, 拜檢校議政丞. 王以爲式目都監, 掌邦國重事, 乃授之氐爲商議式目都監事".

又:節要·百官2式目都監轉載], 改諸司及州郡號.

[○是時, 改□□□~~密直司~~承旨爲代言:百官1密直司轉載].

己未15日, 太白晝見.

庚申16日, 葬世子鑑于城南. [百官素服送之:節要·列傳4忠宣王王子世子鑑轉載].

[某日, 檢校宰臣, 請俸者衆, 李公世·都僉議侍郞贊成事致仕朴全之·金珚·李溫·申汝桂·趙延壽·白頥正·前平壤府尹閔頔外餘皆停祿. 溫, 宦者也, 宦者檢校受祿, 自溫始:食貨3祿俸轉載].[174]

[是月, 權罷東京留守府法曹·醫判等:追加].[175]

九月乙亥朔小盡,丙戌, [丁丑3日:追加], [祔忠烈王于寢園:節要轉載].

[→丁丑, 祔□□□~~忠烈王~~于寢園. 攝太尉·大寧君崔有渰, 前一日, 詣靈眞殿齋宿, 其日, 早行告事由祭. 攝司徒·政丞柳淸臣, 典儀判事攝判典儀寺事·贊成事李之氐, 與諸享官, 受祝版, 徑詣寢園, 百官具儀衛, 會靈眞殿門外敍立~~序立~~.[176] 奉木主出, 安于輅, 密直二人坐於前, 攝上護軍二人坐於後, 內侍·常參二人又坐其後. 百官前後導從, 至寢園, 太尉·司徒及典儀判事, 先入庭, 分立左右, 右上. 諸享官及侍臣入庭, 分立, 奉主, 去輅就輿, 樂作, 及門, 樂止. 齋郞奉主, 置拜位, 攝侍中俯伏, 致告. 訖, 奉主, 復乘輿, 堂上執禮官, 引入正室, 先見太祖, 次見惠·顯二祖, 次見仁·明二祖. 訖, 奉安于位. 堂下, 樂作. 太尉洗爵, 初獻, 司徒亞獻, 典儀終獻, 其禮, 實王之所制也:禮6國恤轉載].

[□□~~是時~~, 太廟五室東西, 置夾室, 安惠·顯二宗于西室, 文·明二宗~~仁·明二宗~~于東室:禮3吉禮大祀轉載].[177]

己卯5日, 元流寧王于我國. 寧王, 世祖庶子, 謀叛事覺, 與其家屬五十餘人偕來.[178]

---

174) 이때 閔頔은 平壤府尹에서 免職되어 職事가 없었다고 한다.

· 열전21, 閔宗儒, 頔, "尋以平壤尹罷, 閑居又四年, 賜俸祿如舊".

175) 이는 다음의 자료에 의거하였다.

· 『동도역세제자기』, "庚戌八月兮, 所司以法曹·醫判等乙權停".

176) 여기에서 敍立은 序立[按品級站立]으로 고쳐야 옳게 될 것이다(孫曉 等編 2014年 1961面).

177) 이에서 文·明二宗은 위의 기사[仁·明二祖]와 같이 仁·明二宗의 오류일 것이다. 이 시기에 寢園에는 創業主[聖祖]인 太祖를 主享으로 하여 不遷之主인 惠宗과 顯宗, 仁宗과 明宗(혹은 康宗)이 配享되어 있었던 것 같다(→충숙왕 17년 6월 27일). 또 夾室에 대한 설명으로 다음이 있다.

· 『자치통감』 권199, 唐紀15, 太宗貞觀 23년(649) 8월, "丁酉, 禮部尙書許敬宗奏弘農府君廟應毁[胡三省注, 弘農府君, 魏弘農太守重耳也, 於高宗七世祖, 親盡應毁], 請藏主於西夾室, 從之[注, 太廟有東西夾室, 夾太室兩旁, 故謂之夾室]".

178) 寧王은 중국 측의 자료에는 寧遠王 闊闊出[kököcu]로 되어 있다.

乙酉[11日], 以淑爲齊安府院大君,[179] 鏞爲江陽府院大君, �爲丹陽府院大君,[180] 維爲咸寧府院大君, 並階三重大匡. 塡爲延德君,[181] 旴爲和義君, 琳爲益陽君, 淮爲通義君, 璹爲順正君,[182] 楨爲懷仁君,[183] 珪爲保寧君, 並階重大匡. 瑀·琯·珣·琜·理·琚·璆·玖皆爲元尹, 琪·熙·琇·完澤爲正尹. 以崔有渰△[爲]守□[都]僉議政丞·大寧君, 金琿△[爲]判三司事·鷄林君, 柳淸臣降爲□[都]僉議贊成事·高興君, 裴挺爲□□□[都僉議]贊成事·完山君, [金深爲密直使·化平君→뒤로 옮겨감],[184] [裴挺·:節要轉載]朴義·權溥·李瑚並爲贊成事, [權授僉議評理]洪詵·金台鉉爲三司右·左使, 朴景亮·金文衍△[並]爲□[都]僉議評理, [金深爲密直使·化平君←앞에서 옮겨옴], 趙瑞·[同知密直司事]趙璉△△[並爲]知密直司事,[185] 蔡禑·李公甫·[密直副使]權漢功△△[並爲]同知密直司事,[186] 朴侶·權準△[並]爲密直副使, 以韓渥爲右代言, 郭元振爲左代言, 洪綏爲右副代言, 趙瑋爲左副代言, 洪奎爲益誠君,[187] 許嵩[許評]爲陽川君.[188]

○[司徒]李大順爲泰安府院君,[189] 全禿萬帖古思爲寧仁君, 金亦剌[剌]兀塔爲樂安君, 全

· 『원사』 권125, 열전12, 鐵哥, "武宗卽位, … 有訴寧遠王闊闊出有逆謀者, 命誅之. 鐵哥知其誣, 廷辨之, 由是得釋, 徙高麗".

179) 齊安大君 淑에 관한 기사는 열전3, 顯宗王子, 平壤公基에도 수록되어 있다.

180) 丹陽府院大君 珛에 관한 기사는 열전4, 忠烈王王子, 江陽公滋에도 수록되어 있다.

181) 延德君 塡에 관한 기사는 열전4, 忠烈王王子, 江陽公滋에도 수록되어 있다.

182) 順正君 璹에 관한 기사는 열전3, 顯宗王子, 平壤公基에도 수록되어 있다.

183) 懷仁君 楨에 관한 기사는 열전3, 顯宗王子, 平壤公基에도 수록되어 있다.

184) 이는 編集 또는 組版過程에서 前後의 錯亂이 있었던 것 같은데, 『고려사절요』 권23에서도 완전히 바로 잡지 못하였다.

185) 趙瑞와 趙璉은 親兄弟(趙仁規)로 같은 관직에 임명되어 親嫌에 해당된다. 그렇다면 이 시기에 相避制가 제대로 적용되지 않았음을 알 수 있다.

186) 蔡禑는 다음의 자료에 의하면, 1308년(戊申, 충선왕 복위년) 8월 24일 匡靖大夫·都僉議中護로서 雞林府尹에 부임하여 1310년(庚戌, 충선왕2) 8월 密直司에 들어갔으나 身病으로 上京하지 못하다가 다음 해(辛亥, 충선왕3) 1월 27일 上京하였다고 한다. 이에서 8월은 9월의 잘못일 것이다.

· 『東都歷世諸子記』, 至大元年戊申, 忠烈王崩, 王太尉復位, "… 府尹·匡靖大夫·僉議中護蔡禑, 計點使結銜·城上所吳石圭, 一時, 戊申八月十四日到任, 庚戌[忠宣後2年]八月[九月]入樞密, 有病上京不得, 辛亥[3年]正月二十七日上京".

187) 이때 洪奎는 三重大匡·守□[都]僉議政丞·上護軍·行漢陽府尹·益城君에 임명되어 漢陽에 出鎭하였다가 是年 12월 14일(『고려사』세가편에는 충선왕 4년 3월 21일) 知益城郡事에 轉職하였는데, 出身地[本邑]의 守令으로 임명된 것은 洪奎로부터 시작되었다고 한다(洪奎墓誌銘).

188) 許評은 1307년(충렬왕33) 3월 27일에서 1310년(충선왕2) 9월 11일 사이에 許嵩으로 改名하였다(열전18, 許珙).

189) 李大順을 위시한 그 以下의 人物들은 元에 進出한 宦官들이었다. 그중에서 李大順[火者太順·火者大順]은 1309년(至大2, 충선왕1) 11월 5일과 12월 28일 司徒로서 여타 宰相들과 함께 朝廷의 政策決定에 陪席하였던 것 같다(『秘書監志』 권2, 祿秩·권5, 秘書庫, 李介奭 2010년).

撒里爲咸昌君, 李淑爲平昌君, 平章政事方臣祐爲中牟君,[190] 朴阿不花爲桂陽君, 李伯帖木兒爲星山君, 劉昌祿爲孝寧君, 崔欣莊爲錦城君, 鄭買撒爲河東君, 李信爲寧越君, 權古里爲奉化君, 任伯顔禿古思爲庇仁君, 李三眞爲淮陰君.[191] [大順以下, 皆本國閹人, 其系, 非氓卽隷賤也. 國家不用腐刑, 在襁褓, 爲狗所啗而殘者, 往往有之. 安平公主, 嘗獻數人於世祖, 頗得執侍閨闥, 出納帑藏, 日見親寵, 至有奉制來使, 復其家, 官其族, 恩澤至厚. 於是, 殘忍僥倖之徒, 轉相慕效, 父宮其子, 兄宮其弟, 又其强暴者, 小有憤怨, 輒自割勢. 故不數十年間, 刀鋸之輩甚多, 成宗皇帝以來, 政由宮掖, 閹人用事, 甚者官至大司徒, 其次, 皆遙授平章政事. 又皆爲院使·司卿, 其弟姪亦受朝命, 第宅車服, 僭擬卿相, 貴富光榮, 漢南閹人所未及也. 國王每有奏請, 必先賴此輩, 故忠烈朝, 已有封君者.

○是時, 王久留京師, 數出入三宮,[192] 此輩因與王狎. 且有請謁, 王於是, 擇其尤近幸者, 賜封鄕邑, 其餘皆拜檢校□都僉議·密直官, 又除其親戚不次. 由是, 選法大壞, 而熏腐未燥者, 亦輕視本國. 任伯顔禿古思, 尙書朱冕家奴也. 又以:節要轉載] 崔湍爲□都僉議政丞·慶原君·行鷄林尹~~雞林府尹~~,[193] 金倫△爲檢校評理·忠州牧使, 宋英△爲檢校評理·濟州牧使, 張瑄△爲檢校評理·廣州牧使, 宰相之出牧, 始此.[194]

癸卯29日晦, 以王誕日, 慮囚.[195]

冬十月甲辰朔大盡,丁亥, 丙午3日, 以李公甫△爲知密直司事, 朴侶△爲同知密直司事, 金怡金廷美爲密直副使,[196] 柳墩爲左副代言.[197] [侶及公甫, 皆以田夫暴貴. 時方臣祐奉帝命來, 嘗與宰樞會旻天寺, 酒酣皆起舞, 臣祐謂公甫曰, "能爲我, 爲若故戲

---

190) 平章政事 方臣祐의 책봉은 열전35, 宦者, 方臣祐에도 수록되어 있다.

191) 이와 관련된 기사로 다음이 있다.
- 열전35, 宦者, 李大順, "… 李三眞, 亦得幸于元, 遙授平章政事, 忠宣封淮陰君. 恃勢縱暴. 其降香諸道, 守令微有過, 輒杖之. 嘗謁淑妃, 妃宴慰甚厚, 賜銀甁二十口, 令買其父第".

192) 여기에서 三宮은 皇帝, 太后, 皇后를 指稱하는 것 같다.
- 『자치통감』 권35, 漢紀27, 哀帝元壽 1년(bc2) 1월 辛丑朔, "丞相王嘉奏奉事曰, … 自貢獻宗廟, 三宮, 猶不至此[注, 師古曰, 三宮, 天子·太后·皇后也], …".

193) 이 기사의 都僉議政丞·慶原君·行鷄林尹 崔湍과 10월 乙卯(12일)의 鷄林尹 崔湍은 崔冲紹의 改名이다. 또 『慶尙道營主題名記』에는 鷄林府尹·侍中·慶原君 崔冲紹로 되어 있는데, 侍中은 都僉議政丞의 잘못이다.

194) 이와 관련된 기사로 지31, 百官2, 外職, 諸牧, "忠宣王二年, 或以宰相爲使"가 있다.

195) 충선왕의 誕日은 9월 30일이므로 이날은 前日에 해당하지만, 是月이 小盡이기에 1일 앞당겨 生辰 행사가 이루어졌을 것이다(→충렬왕 6년 9월 29일).

196) 金怡는 『고려사절요』 권23에는 金廷美로 되어 있다.

197) 이때 柳墩은 左副代言·成均祭酒에 임명되었다고 한다(柳墩墓誌銘).

乎?". 公甫卽起爲扶耒耕田狀, 一坐大笑:節要轉載].[198]

[某日, 禁私宰牛馬:節要轉載].

[癸丑10日, 雷:五行1雷震轉載].

乙卯12日, 王傳旨曰, "內外官司, 有同上國官名者, 並皆革去, 且鷄林尹~~雞林府尹~~崔湍,[199] 以內庫銀三十斤·米一百石爲贐, 給驛馬十五匹送之, 餞宴及宿所供億, 委倉庫辦之".

[某日, 王傳旨曰, "向者, 元忠賜姓名王鑄, 忠不體予意, 多所違忤, 宜卽追削. 貶知鐵州事". 王多愛男色, 忠有龍陽之寵, 王欲拜爲代言, 忠辭曰, "年少無知, 驟登華要, 取譏多矣. 願更擇人". 王怒貶之. 忠, 時年未二十:節要轉載].[200]

戊辰25日, 以閔甫爲平壤府尹兼存撫使. 甫回回人也.

[○月犯大微太微東藩上相:天文3轉載].

[是月, 文武銓選, 分委選·摠部, 以首·亞相領之. 然一二宰臣, 以他官兼之, 久而不易:選擧3選法轉載].

[是月頃, 敎曰, "元尹·正尹, 古之高爵, 自今宗親除之者, 坐於政丞之上, 異姓坐於本品之列":百官2宗室諸君轉載].[201]

[○去壁上三韓之號, 改正一品曰三重大匡, 從一品曰重大匡, 正二品上曰大匡, 下曰正匡, 從二品上曰匡靖大夫, 下曰奉翊大夫, 正三品上曰正順大夫, 下曰奉順大夫, 從三品上曰中正大夫, 下曰中顯大夫, 正四品曰奉常大夫, 從四品曰奉善大夫, 正五品曰通直郎, 從五品曰朝奉郎, 正六品曰承奉郎, 從六品曰宣德郎, 七品曰從事郎, 八品曰徵事郎, 九品曰通仕郎:百官2文散階轉載].

[○罷三司, 以三司左使金台鉉爲大匡·商議贊成事:追加].[202]

[○改宗正寺爲宗簿寺, 置判事正三品, 令從三品, 副令從四品, 丞從五品, 注簿

---

198) 이와 같은 기사가 열전35, 宦者, 李大順에도 수록되어 있다.

199) 崔湍(崔冲紹)은 같은 해 11월 4일(丁丑) 雞林府에 到任하였다고 한다(『동도역세제자기』).

200) 元忠이 大都에서 知鐵州事에 임명된 것은 8월이었고(元忠墓誌銘), 이것이 2개월 후에 고려에 전해졌던 것 같다. 또 이때 원충은 21세(만20세)가 되는 해이다. 그리고 이와 같은 기사가 열전 20, 元傅, 忠에도 수록되어 있다.

201) 이하 官制와 官署의 變更은 이해[是年]의 10월 12일 官名이 大元蒙古國의 그것과 같은 것을 革去할 때 이루어진 조치로 추측된다. 이는 9월 11일의 人事行政에서 三司의 관원에 임명되었던 金台鉉의 묘지명에 이해에 三司가 革罷됨에 따라 大匡·商議贊成事에 改授되었다는 것을 통해 알 수 있다.

· 「金台鉉墓誌銘」, "己酉忠宣1年夏, 復命判三司事, 居□二年, 罷三司, 爲大匡·商議贊成事, 辛亥3年, 又以商議官隨例罷".

202) 이는 「金台鉉墓誌銘」에 의거하였다.

從七品:百官1宗簿寺轉載].

[○改尙藥局, 爲掌醫署, 後改奉醫署. 置令正六品, 直長正七品, 醫佐正九品:百官2奉醫署轉載].

[○改尙衣局, 爲掌服署, 改奉御爲令, 直長如故:百官2掌服署轉載].

[○改尙乘局, 爲奉車署, 以奉御爲令:百官2奉車署轉載].

[○改中尙署, 爲供造署:百官2供造署轉載].

[○罷營造局, 復置掌冶署, 令從七品, 丞從八品:百官2掌冶署轉載].

[○罷雜作局, 復置都校署, 令正八品, 丞正九品:百官2都校署轉載].

[○分織染局爲都染署, 復置令正八品, 丞正九品:百官2도염署轉載].

[○改備用司爲料物庫, 置使秩從五品, 副使從六品, 注簿從八品:百官2料物庫轉載].

[○改濟用司, 爲資贍司, 革知事, 陞使從四品, 副使正五品, 革丞, 置注簿正八品, 尋罷之:百官2資贍司轉載].

[○改掖庭局爲巷庭, 後復改掖. 置內謁者監正六品, 內侍伯正七品, 內謁者從八品, 置內殿崇班從七品, 東頭供奉·西頭供奉從七品, 左侍禁·右侍禁·左班殿直·右班殿直, 並從八品 內班從事從九品:百官2掖庭局轉載].

[○沙汰諸牧府, 降吉州牧爲富平府, 益州牧爲南陽府, 水州牧爲水原府, 原州牧爲成安府, 瑞州牧爲瑞寧府, 星州牧爲京山府,[203] 禮州牧爲寧海府, 金州牧爲金海府, 星州牧爲京山府, 懷州牧爲長興府. 承州牧爲順天府, 光州牧爲化平府, 淮州牧爲淮陽府, 東州牧爲鐵原府, 溫州牧爲延安府.[204] 又降昇天府爲海豊郡,[205] 天安府爲寧州, 帶方府爲帶方郡. 又以富平府屬縣孔巖縣爲陽川縣令官. 又復稱龍灣府爲龍州:地理志轉載].

[○傳旨曰, "巡軍府巡軍萬戶府, 本爲捕盜而設. 民間鬪毆, 宰殺牛馬等事, 皆可理之, 其餘土田·奴婢事, 並勿理, 以巡綽爲事":刑法2盜賊轉載].

---

203) 『경상도지리지』, 尙州道, 星州牧官에는 1311년(충선왕3, 至大4)으로 되어 있다("至大辛亥, 降爲京山府").

204) 연안부에 관한 기사로 다음이 있다.
- 『延安府誌』, 守臣, "牧使趙通己酉任, 其年, 改牧爲府".

205) 이후 海豊郡(西海道)은 1361년(공민왕10) 是年條 겨울[冬], 1364년(공민왕13) 6월 6일(戊戌)에 찾아지고, 그 이외에는 모두 朝鮮 初期까지 昇天府로 呼稱되었음을 보아 後者로 改稱되었거나 兩者가 並用되었을 가능성이 있다.

[○以慶原君崔冲紹爲雞林府尹:追加].206)

十一月甲戌朔大盡,戊子, [某日, 宰樞議, 遣採訪使于諸道, 更定稅法. 或曰, "今郡縣田野盡闢, 宜量田增賦, 以贍國用". 宰樞恐其所占田園入官, 事遂寢:節要·食貨1租稅轉載].

丁亥14日, 王□□傳旨, 以資贍司銀一百斤, 分施諸寺, 飯僧.207)

○命罷遣延慶宮役卒.

庚寅17日, 元以加上皇太后武宗母答己尊號, 赦天下, 遣使□來頒詔.208)

乙未22日, □都僉議中贊致仕金之淑卒,209) [年七十三:列傳21金之淑轉載]. [謚光節:追加].210) [之淑, 性廉潔剛正, 歷仕中外, 皆有聲績. 三別抄之叛, 陷賊中, 無計得脫, 自投海, 隨波出沒. 賊以小艇追及取之, 至珍島, 將斬以徇, 承化侯救解之, 使當一面. 之淑, 密以賊狀, 達于官軍, 及珍島敗, 賞以官. 元闊里吉思爲行省平章平章政事, 凡奴婢, 其父母一良者, 欲聽爲良. 宰相莫有止者, 之淑曰, "世祖嘗遣帖帖兀來, 監國, 有趙石奇者, 訴良賤, 帖帖兀欲用上國法. 世祖詔從本國舊俗, 此例具在, 不可變更". 於是, 闊里吉思不敢復言. 及卒, 二女以家貧, 未嫁爲尼:節要轉載]. [子仁瑾·仁沆:列傳21金之淑轉載].

壬寅29日, 奉安忠烈王眞于景靈殿, 移明宗眞於靈通寺.211)

十二月甲辰朔小盡,己丑, [丁未4日, 雨木冰:五行1轉載].

戊申5日, 王傳旨, 限三年, 禁打圍及宴飮宰牛.

---

206) 이는 『동도역세제자기』에 의거하였다.

207) 添字가 추가되어야 옳게 될 것이다.

208) 몽골제국이 皇太后 答己에게 尊號를 올린 것은 10월 3일(戊申)이었다(『원사』 권23, 본기23, 무종 2, 지대 3년 10월 戊申). 또 『고려사절요』 권23에는 來가 더 있는데, 그렇게 하여야 옳게 된다.

209) 이날은 율리우스曆으로 1310년 12월 13일(그레고리曆 12월 21일)에 해당한다.

210) 이는 金之淑의 外孫인 柳甫發(柳仁琦의 長子)의 묘지명에 의거하였고, 柳甫發은 그의 丈人인 元善之의 墓誌銘에는 柳寶鉢로 되어 있다(『拙藁千百』 권1 소수 ; 元善之墓誌石, 국립중앙박물관 소장 ; 金龍善 2006년 471面).

211) 15세기 후반 靈通寺의 모습은 다음과 같았다고 한다.

· 『懶齋集』 권1, 遊松都錄(1477년 3월), "丙戌19日, … 至靈通寺, 寺在五冠山下, 洞府深邃, 殿宇宏敞, 有古碣, 乃文宗子釋煦功德碑也, 金富軾所製, 而吳彦侯所書. 寺前有土橋遺址, 高麗時, 崇信術家言, 欲連地脈, 故跨澗築之也. 西偏有樓, 累石爲基, 溪流縈廻, 樹陰蓊翳, 雖盛暑, 爽氣襲人, 壁上有陽村權近·眞逸成侃·釋月窓等詩". 여기에서 權近과 成侃의 詩는 『陽村集』 권8, 題靈通寺樓, 『眞逸遺藁』 권2, 次靈通寺西樓韻일 가능성이 있다.

甲寅[11日], 遣使如元, 獻海菜·乾魚·乾脯等物于皇太后[武宗母答己].

○贊成事裵挺, 以王旨如元, 獻畵佛.

乙卯[12日], 慮囚.

○傳旨曰, "仁州, 近年凋弊益甚, 宜革判官. 又放前贊成事薛永任父子".

[辛酉[18日], 太白·熒惑同舍:天文3轉載].

[戊辰[25日], 雨木冰, 二日:五行2轉載].

[是年, 以仕元宦者李大順之請, 陞寶城郡任內食村部曲爲豊安縣, 遂安縣爲遂州:轉載].[212)]

[○順正君璹妹伯顔忽篤得皇太子[仁宗]幸, 璹赴召如元, 尋授翰林學士:列傳3顯宗王子平壤公基轉載].[213)]

[○以故僉議中贊許珙, 配享忠烈王廟:列傳18許珙轉載].

[○以通憲大夫·檢校選部典書·行都津署令庾自偶爲檢校僉議評理·行尙州牧使兼上洛·星山道田民計點使:追加].[214)]

[○以[右副承旨]金怡爲密直副使:列傳21金怡轉載].

[○以[大護軍]趙瑋爲左副代言:追加].[215)]

[○以全英甫爲大護軍, 諫官卽署告身. 時人語曰, "聞者, 人言 '小王立政必公'. 今旣免英甫罪, 又授大官, 何私昵如此?":列傳37全英甫轉載].[216)]

---

212) 이는 다음의 기사를 전재하였다.
- 지11, 지리2, 寶城郡, "忠宣王二年, 以仕元宦者李大順之請, 陞食村部曲, 爲豊安縣".
- 『신증동국여지승람』 권40, 興陽縣, 古跡, "豊安廢縣, 在縣南二十五里. 本寶城郡食村部曲, 忠宣王二年, 入朝宦者李大順之請, 改今名, 陞爲縣. 世宗朝來屬".
- 지12, 지리3, 遂安縣, "忠宣王二年, 以元嬖宦李大順之請, 陞爲遂州[一云, 以郡人李連松, 有勞於國, 陞爲郡]".
- 『세종실록』 권152, 지리지, 遂安郡, "忠宣王二年庚戌, 以元朝嬖宦李大順之請, 陞知郡事[事見實錄. 本道關云, '以郡人李連松有勞於國, 陞爲郡', 與此不同], 本朝因之".

213) 이는 열전3, 顯宗王子, 平壤公基, "元仁宗在東宮, 璹妹伯顔忽篤得幸, 璹赴召如元, 尋授翰林學士"를 전재하여 적절히 變改하였다.

214) 이는 「庾自偶墓誌銘」에 의거하였는데, 시기의 추정은 明年에 福州牧使로 교체되었다고 하는데, 『안동선생안』에 그의 부임이 '至大四年辛亥(충선왕3)'로 되어 있다. 이 기사에서 주목되는 점은 지방관이 띠고 있는 檢校職, 界首官의 하나였던 尙州牧의 牧使가 管內인 尙州牧·京山府의 計點使인 上洛·星山道田民計點使를 겸직하고 있는 점일 것이다.

215) 이는 「趙瑋墓誌銘」에 의거하였다.

216) 原文에는 "全英甫, 本帝釋院奴, …初, 忠烈授英甫郞將, 諫官不署告身, 及忠宣復位二年, 拜大護軍, 卽署之. 時人語曰, 聞者, 人言, '小王立政必公'. 今旣免英甫罪, 又授大官, 何私昵如此"

[○以司憲糾正李齊賢爲選部散郞:追加].[217)]

[○以紫雲坊判官朴華爲司憲糾正, 尋出使慶尙道:追加].[218)]

[○上又請於王師丁午移錫密陽瑩原寺. 午以其寺爲前代國統下山所, 欲辭之, 而未卽果, 亦改創金堂及諸廊廡:追加].[219)]

[○優婆塞林桂印成'大佛頂如來密因修證了義諸菩薩萬行首楞嚴經'一本十卷:追加].[220)]

[○元量移吳祁於河南江北行省汴梁路:追加].[221)]

[○前遼陽行省右丞洪萬卒:追加].[222)]

[仁同人 張東翼 校注, 增補].

로 되어 있다.

217) 이는 「李齊賢墓誌銘」에 의거하였다.

218) 이는 다음의 자료에 의거하였는데, 朴華의 직책이 田民計點使와 유사하였던 것 같은데, 여기에서 照刷(혹은 刷卷)는 公文書를 관련된 文書와 對照, 点檢하는 作業을 가리킨다(→충선왕 2년 1월 28일의 脚注).

· 「朴華墓誌銘」, "至大三年, 拜司憲糾正, 出使慶尙道, 照刷諸州架閣文卷, 摘發無隱, 被劾者側目, 反爲所攻, 見免". 여기에서 架閣文券[架閣文卷]은 '文書가 保管된 機關 또는 場所[架閣庫]의 各種 文書'를 지칭한다.

219) 이는 다음의 자료에 의거하였다.

· 『동문선』 권68, 靈鳳山龍巖寺重創記, "… 至二年庚戌, 上復命移住瑩原寺. 然以其寺爲前代國統下山所, 故師丁午欲辭之, 而未卽果遂, 亦改創金堂洎諸廊廡".

220) 이는 『大佛頂如來密因修證了義諸菩薩萬行首楞嚴經』 권7의 刊記에 의거하였다(南權熙 2002년 92面).

· 刊記, "竊爲」 先亡父母,往生淨界,曁我亡耦李氏,超生之」 願,」 印成楞嚴經一本十卷,用薦先逝者,」 庚戌年 月 日 誌」 居士林桂」.

221) 이는 「吳潛墓誌銘」에 의거하였는데, 汴梁은 北宋의 首都였던 開封府 汴京이 改稱된 것이다(現 河南省 開封市).

222) 이는 『원사』 권154, 열전41, 洪福源, 萬에 의거하였다.

『高麗史』卷三十四 世家卷三十四

[輔國崇祿大夫·議政府左贊成·知集賢殿經筵春秋館成均事·世子賓客·臣金宗瑞奉敎撰]
正憲大夫·工曹判書·集賢殿大提學·知經筵春秋館事兼成均大司成·臣鄭麟趾奉敎修

忠宣王 二

辛亥[忠宣王]三年, 元至大四年, [西曆1311年]

1311년 1월 20일(Gre1월 28일)에서 1312년 2월 7일(Gre2월 15일)까지, 13개월 384일

春正月癸酉朔大盡,庚寅, 王在元.

丁丑5日, 王命, 月飯僧三千於旻天寺, 卒歲爲期.

庚辰8日, 元武宗崩[于玉德殿, 在位五年, 壽三十一. 皇太子愛育黎拔力八達即位, 是爲仁宗:追加].[1]

[乙酉13日, 鎭星犯南斗第六星:天文3轉載].

[丙戌14日, 以寢園春享, 將誓戒, 祭前七日, 誓戒, 例也, 今則三日也, 凡享官, 自太尉以下, 皆不至, 糾正及時到享官七人同議, 不誓而罷:禮3吉禮大祀轉載].

庚子28日, 以王命遣刷卷別監于諸道.[2]

○元遣使來, 頒詔.[3]

[某日, 以李訥爲慶尙道提察使:慶尙道營主題名記].

二月癸卯朔大盡,辛卯, 丁未5日, 遣左常侍金之兼如元, 賀皇太子誕日, 獻金鐥二·酒鍾二·銀鐥二十·眞紫羅六匹·玳瑁鞘子九.

[辛亥9日, 月暈:天文3轉載].

---

1) 이는 『원사』 권23, 본기23, 武宗2, 至大 4년 1월 庚辰에 의거하였다.
2) 刷卷別監은 각종 公文書를 다른 文書와 對照, 点檢하는 作業(刷卷, 혹은 照刷)을 수행했던 使臣을 가리키는 것 같다. 이러한 사신의 파견은 몽골제국의 地方監察機關인 肅政廉訪司(提刑按察司의 後身)가 여러 官署[衙門]가 처리한 獄訟文書의 首尾를 샅샅이 調査한 것과 어떤 유사성이 있는 것 같다(『國朝典章』 권6, 臺綱2, 照刷, 刷卷須見首尾, 刷卷首尾相見體式 ; 『憲臺通紀』, 2.照刷文券, 12.監察合行事件, 片桐 尙 2010年).
3) 이는 武宗 海山(Qaisan)의 崩御를 통보한 詔書일 것이다.

[乙卯[13日], 月貫軒轅右角:天文3轉載].

[丁巳[15日], 釋奠, 祭酒·司業, 皆不至, 博士兼行三獻:禮4文宣王廟轉載].

辛酉[19日], 元罷尙書省, 復爲中書省, 改賜行中書省印.[4)]

[壬戌[20日], 月暈:天文3轉載].

[甲子[22日], 月犯鎭星:天文3轉載].

[丁卯[25日], 春分. □[月]又與熒惑同舍:天文3轉載].

[戊辰[26日], 大風, 屋瓦皆飛:五行3轉載].

[某日, 元皇太后[武宗母荅己]遣使來, 賜淑妃姑姑. 姑姑[罟罟], 蒙古婦人所戴者也. 時王有寵, 故請之:節要轉載].[5)]

[→元皇太后, 遣使賜妃姑姑. 姑姑, 蒙古婦人冠名, 時王有寵於皇太后, 故請之. □□[是後], 妃戴姑姑, 宴元使, 宰樞以下, 用幣賀妃:列傳2忠烈王妃淑昌院妃金氏轉載].

辛未[29日], 元流平章[平章政事]迷里不花于烏安島. 丞相[左丞相]三寶奴之儻[黨]也.[6)]

[乙亥[某日], 雨土:五行3轉載].[7)]

[○優婆夷某等鑄成某寺藥師菴小鍾:追加].[8)]

三月[癸酉朔小盡,壬辰], 辛巳[9日], 遣□[都]僉議評理金文衍如元, 獻閹人.

戊子[16日], 慮囚.

癸卯[某日],[9)] 設藏經道場于本闕, 舊例, 春六日·秋七日, 今以王旨, 俱改十日.

---

4) 몽골제국이 尙書省을 革罷한 것은 1월 10일(壬午)이고, 27일(己亥) 行尙書省은 行中書省으로 改稱되었는데(『원사』권, 본기24, 인종1, 지대 4년 1월 壬午, 己亥), 이때 고려에 通報된 것이다.

5) 姑姑(혹은 罟罟冠)는 元代의 貴族層의 夫人들이 쓰던 眞珠粧飾의 높다란 帽子이다. 또 姑姑[姑]는 漢語로 父의 姉妹, 女子의 입장에서는 夫의 母를 指稱하였다. 罟罟冠의 모습은 世祖妃 徹伯爾 肖像, 順宗妃 塔濟 肖像을 통해 알 수 있다(國立故宮博物院 1971年 圖34. 36 ; 楊建峰 2011年 195面).

- 『草木子』 권3, 雜制, "元朝后妃及大臣之正室, 皆帶姑姑, 衣大袍, 其次卽帶被, 帽姑姑, 高圓二尺許, 用紅色羅, 蓋唐金步搖冠之遺制也".
- 『釋名』 권3, 釋親屬第11, "父之姊妹曰, 姑姑也".
- 『爾雅注疏』 권3, 釋親第4, 妻黨, "婦稱夫之父曰舅, 稱夫之母曰姑, 姑舅哉, 則曰君舅·君姑, 沒, 則曰先舅·先姑[注, '國語'曰, 吾聞之先姑]".

6) 儻은 黨의 오자일 것이다. 또 左丞相 三寶奴(Salbuliu, ?~1311)는 右丞相 脫虎脫[Togto]과 함께 1월 10일(壬午) 逮捕되어 14일(丙戌) 海南에 流配되었다(『원사』 권24, 본기24, 인종1, 至大 4년 1월 壬午, 丙戌).

7) 이달에는 乙亥가 없다.

8) 이는 某寺 藥師菴 鍾銘에 의거하였다(海外搬出, 崔淳雨 1962년 ; 許興植 1984년 1108面).

[某日, 教曰, "役官, 姑停點望, 令倉庫, 供其費":選擧3役官轉載].[10)]

[○傳旨, □¯. 東·西大悲院, 本爲醫理疾病而設, 令開城府, 同本院錄事, 受有備倉米, 以養疾病:食貨3水旱疫癘賑貸之制轉載].[11)]

[□¯. 近來, 館舍不修, 使者無所寓, 可於閑曠處, 營建十館:兵2站驛轉載].

[一. 每遣別監, 採取鷂子, 民受其害, 今後, 仰提察司, 差人採取:刑法1職制轉載].[12)]

[一. 宰相, 出爲州牧者, 每因祈恩, 馳驛往復, 其弊爲甚. 自今, 提察司[~~提察使~~], 嚴行禁止:刑法1職制轉載].[13)]

是月□□[~~庚寅~~18日], 元皇太子卽位, 是爲仁宗□[~~也~~].[14)]

夏四月[壬寅朔大盡,癸巳], [己酉[8日], □□□□[~~是時,淑妃~~], 以四月八日, 張燈後園設火山, 具絃管以自娛, 其黃簾繡幕, 皆供御之物. 觀者如市, 三日乃罷. 妃嘗居母憂, 邀宴宰樞. 又如銀字院設法會, 宰樞亦與焉. 時王在元, 妃或宴元使, 或遊朴淵, 或如寺院飯僧. 出入無度, 車服衣仗, 與公主無異:列傳2忠烈王妃淑昌院妃金氏轉載].[15)]

壬子[11日], 復置選軍, 以知讞部事白元恒爲別監使.[16)]

辛酉[20日], 元以卽位, 赦天下, 遣僉院弗蘭奚來, 頒詔.

[→頒卽位詔:節要轉載].

[○禁祭紺嶽山, 時俗尙鬼, 公卿士庶, 皆親祭紺嶽山. 知中門事閔儒·前少尹金瑞芝, 將祭紺嶽, 過長湍津溺死. 司憲掌令方于楨, 上疏請禁, 從之:節要轉載].[17)]

---

9) 癸卯는 4월 2일인데, 이 기사가 『고려사절요』 권23에 없어 판별하기가 어렵다. 추측컨대 癸卯가 辛卯(19일) 또는 癸巳(21일)의 오자일 가능성이 있고, 아니면 4월의 기사일 수도 있다.

10) 이 기사에서 教曰은 아래의 傳旨와 함께 같은 날 大都에서 發給된 忠宣王의 王旨일 것이다. 이 때 傳旨의 의미는 傳王旨曰일 것이다.

11) 일본의 가마쿠라[鎌倉]에서는 是年 3月부터 5월에 걸쳐 疾病이 널리 퍼졌던 것 같다(『鎌倉年代記裏書』).

12) 이 기사는 "三年三月, 傳旨. 一. 每遣別監, 採取鷂子, 民受其害, 今後, 仰提察司, 差人採取"로 되어 있는데, 冒頭에 忠宣王이 탈락되었다.

13) ~~添字~~와 같이 고쳐야 옳게 될 것이다.

14) 仁宗 愛育黎拔力八達[Ayurbarwada]은 3월 18일(庚寅)에 즉위하였다(『원사』 권24, 본기24, 인종1, 지대 4년 3월 庚寅).

15) 이는 다음의 기사를 轉載하여 冒頭를 적절히 變改한 것이다.

- 열전2, 淑昌院妃金氏, "嘗以四月八日, 張燈後園設火山, 具絃管以自娛, 其黃簾繡幕, 皆供御之物. 觀者如市, 三日乃罷. 妃嘗居母憂, 邀宴宰樞. 又如銀字院設法會, 宰樞亦與焉. 時王在元, 妃或宴元使, 或遊朴淵, 或如寺院飯僧. 出入無度, 車服衣仗, 與公主無異".

16) 이와 관련된 기사로 다음이 있다.

- 지31, 百官2, 選軍, "忠宣王三年, 復之".
- 지36, 兵2, 五軍, "忠宣王三年四月, 復置選軍".

壬戌[21日], 以趙璉爲□[都]僉議評理, 蔡禑爲密直使, [同知密直司事]權漢功·權準△△[並爲]知密直司事,[18)] 朴侶·李思雅[李思溫]·崔誠之△△[並爲]同知密直司事,[19)] 金之兼·金怡[金廷美]△[並]爲密直副使,[20)] 金士元爲平壤尹, [方得世爲尙州牧使. 得世, 臣祐父也, 嘗居中牟縣, 親自負擔, 以其子故, 起家爲管城縣令, 不數年, 驟陞牧使:節要轉載].[21)]

[是月, 虎連入城中:五行2轉載].

[是月壬寅朔, 元沙汰宿衛士, 漢人·高麗·南人冒入者, 還其元籍:追加].[22)]

[是月頃, 以朴松瑞爲雞林府司錄:追加].[23)]

[五月[壬申朔小盡,甲午], 丙戌[15日], 月與熒惑同舍:天文3轉載].[24)]

[丁亥[16日], 虎入城:五行2轉載].

[是月, 僧侶覺圓·永興等開板'金剛般若波羅密經':追加].[25)]

---

17) 이와 같은 기사로 다음이 있다.
 · 지39, 刑法2, 禁令, "禁祭紺岳山[紺嶽山]. 時尙鬼, 公卿士庶, 皆親祭紺岳[紺嶽], 或有過長湍溺死者, 憲司上疏, 禁之".

18) 이후 國贐都監에 命하여 銀 50斤으로 故僉議中贊 安珦의 집을 구매하여 權準에게 下賜하였다.
 · 열전20, 權溥, 準, "… 尋知司事. 命國贐都監, 以銀五十斤, 買中贊安珦第賜之, 又賜金盞".

19) 李思雅는 『고려사절요』 권23에는 李思溫으로 되어 있는데, 後者가 옳을 것이다(盧明鎬 等編 2016년 596面).

20) 添字는 『고려사절요』 권23에 의거하였다.

21) 이와 같은 기록으로 다음이 있다.
 · 열전35, 宦者, 方臣祐, "其父得世, 本中牟吏也, 以其子故, 起家爲管城令, 不數年, 拜尙州牧使".

22) 이는 다음의 자료에 의거하였다. 또 이 시기 이후에 고려왕조에서 禁衛兵[宿衛]을 指稱하는 忽赤[코르치]라는 用語가 衛士와 함께 사용되었는데, 이는 忽赤制度의 변화에 의한 것은 아니었다. 곧 1378년(우왕4) 10월 某日 忽赤 4番이 近侍 5衛로 改編될 때까지 忽赤은 계속 존속했던 것 같다. 그러므로 이 시기의 倂用은 制度의 改變이 아니라 記錄者, 곧 『고려실록』 또는 『고려사』의 편찬자에 의한 任意的 改稱이었을 것이다.
 · 『원사』 권24, 본기24, 仁宗1, 大德 4년 4월, "壬寅朔, 詔分沙汰宿衛士, 漢人·高麗·南人冒入者, 還其元籍".

23) 이는 『동도역세제자기』에 의거하였다.

24) 지3, 天文3에는 五月 앞에 三年이 있는데, 이는 두 번 쓰여진 것이다[重出].

25) 이는 다음의 자료에 의거하였다(華城市 南陽邑 北陽里 鳳林寺 所藏, 보물 제1095호, 千惠鳳 1980년 ; 南權熙 2002년 75面 ; 崔然柱 2015년).
 · 『金剛般若波羅密經』題記, "覺圓洎同願比丘達」 玄·永興·懷英·千備」·希印·行金·宗信, 信士」 李琦·田大同在」 古燕,偶見本國僧洪淮」 所書金剛經一本,字小」 体,具使人可觀.因發難」 遭,慶幸之心,重法經財,」 命工刊板, 廣其傳,先」 將此功德廻向,」 佛菩薩一」 人桓有慶,兆姓揔无憂,」 佛日鎭長,明法輪當,永」 轉,願我先父母及一切」 衆生,籍此金剛,因早明」 般若智,盡此一報身,俱」 生極樂國,親覲」 无量光,同受」 菩提記.」 時,至大四年五月 日誌". 여기에서 古燕은 蒙古帝國의 首都인 大都[燕京]를 가리키는 것 같다.

六月[辛丑朔大盡,乙未], 癸卯[3日], 元以復中統·至元鈔法, 遣使□[來], 頒詔.[26)]

[癸丑[13日], 月與鎭星同舍:天文3轉載].

[壬戌[22日], □[月]又與熒惑同舍. 歲星犯熒惑:天文3轉載].

[某日, 傳旨, "宰樞以下, 因祈恩, 出江外, 打圍放鷹者, 幷行禁止, 違者罷職": 刑法1職制轉載].

秋七月辛未朔[小盡,丙申], 以[知密直司事]權漢功爲密直使, 李公甫△[爲]知密直□[司]事, 方于宣爲平壤尹兼安定道存撫使.

乙亥[5日], 以資贍副使韓坦私造銀幣, 命政丞柳淸臣等杖之.

丙戌[16日], 式目錄事李桂英自王所來, 王有旨云, "郞將徐敖誘良家子女來, 托豪勢之家, 不進謁王所. 又聞母喪不奔, 飮酒食肉, 故執送之, 其置鎭邊所, 永不敍用".

[○王傳旨曰, "濟州之民, 理宜優恤, 其牧官·軍官, 恣行侵奪, 民不堪苦, 宜遣式目錄事一人, 禁之":節要·刑法1職制轉載].[27)]

○諸道刷卷別監所申, □[前]慶尙道提察使姜瑗,[28)] 全羅道提察使李仲丘, 楊廣道提察使金疊, 江陵道安集使韓仲熙, 別監崔子安·鄭子溫及守令九十六人, 橫歛[~~橫斂~~]於民, 而私用之, 罪宜痛斷. 然係赦前所犯, 只徵其物, 盡行罷職.

[某日, 慶尙道提察使李訥, 仍番:慶尙道營主題名記].

閏[七]月[庚子朔小盡,丙申], [戊申[9日], 月與鎭星同舍:天文3轉載].

丁巳[18日], 王命選童女絶美者四人, 以來.

[庚申[21日], □[月]與熒惑同舍:天文3轉載].

[是月頃, 以張元祖[~~張元組~~]爲雞林府判官, 吳瑞爲永州副使:追加].[29)]

八月[己巳朔大盡,丁酉], 庚午[2日], [秋分]. 王以雞林·福州·京山府爲食邑, 遣郞將仇懽, 督其賦稅.

[→王遣郞將仇懽于慶尙道. 王嘗以雞林·福州·京山府, 爲食邑, 故使懽督其賦

---

26) 元에서 鈔法을 바꾼 것은 4월 26일(丁卯)이다. 이때 至大銀鈔는 錢貨와의 交換比率이 過大하고, 至大通寶는 鑄造量이 적었기에 新舊의 貨幣가 통용되었다. 이에 이날부터 新鈔錢을 停止하고, 中統·至元鈔法을 부활하였다(『원사』 권24, 본기24, 인종1, 至大 4년 4월 丁卯).

27) 이 기사는 지38, 刑法1, 職制에는 一人이 생략되어 있다.

28) 慶尙道提察使 姜瑗은 前年度의 春夏番[春夏等]·秋冬番[秋冬等]提察使이다(『경상도영주제명기』).

29) 이는 『동도역세제자기』; 『영천선생안』에 의거하였다.

稅:節要轉載].

癸巳[25日], 元皇太后[答己]遣鎖魯花來, 賜鈔五千八百錠, 賞寫經.

[自四月不雨, 至于八月:五行2轉載].

九月[己亥朔小盡,戊戌], [乙巳[7日], 雷:五行1雷震轉載].

戊申[10日], 雞林君[雞林府院君·判三司事]金琿卒,[30] [年七十三, 諡忠宣:列傳16金琿轉載]. [琿, 性寬和, 美容儀, 且習禮度. 初, 以敬順王后[~~順敬王后~~]從弟, 得幸於忠烈王, 及王即位, 以與淑妃連戚, 又得幸, 事淑妃甚勤, 晩年除拜, 皆由淑妃. 凡所歷無樹立, 自奉甚侈, 飮食衣服, 務爲華美:節要轉載].[31]

壬子[14日], 元遣宦者·□□院使李信來, 以護興天寺也. 晉王以是寺爲願刹, 故奏遣之.[32]

[辛酉[23日], 毁古壽寧宮御座, 地拆, 長數步:五行3轉載].

[己巳,平陽君印侯死→10월로 옮겨감].

[是月頃, 以朴葉爲永州判官:追加].[33]

[秋某月, 前僉議政丞崔湍爲王祝壽, 寫成'紺紙銀字妙法蓮華經'七軸:追加].[34]

---

30) 이날은 율리우스曆으로 1311년 10월 22일(그레고리曆 10월 30일)에 해당한다.

31) 이 기사에서 金琿은 敬順王后의 從弟로 되어 있지만, 그가 元宗妃 順敬太后의 從弟이므로 제후국이었던 당시의 형편을 생각할 때 順敬太后가 아니라 ~~添字~~와 같이 고쳐야 옳게 될 것이다(甲寅字로 集字할 때 轉倒된 결과임). 또 金琿(金慶孫의 子, 淑妃의 弟夫)은 對馬島 金剛院에 소장된『大般若波羅蜜多經』, 題記에 의하면, 그의 婦人 鄭氏와 함께 大藏經을 印出하기도 하였다고 한다(→충숙왕 후2년 6월 某日의 脚注).
- 열전1, 后妃1, 元宗, 順敬太后金氏, "… 慶州人, 莊翼公若先之女. 封爲敬穆賢妃, 高宗二十二年, 元宗爲太子, 納爲妃, 生忠烈王而薨. 元宗三年, 追封爲靜順王后, 忠烈王卽位, 追尊順敬太后".
- 열전16, 金慶孫, 琿, "忠宣二年[三年], 以判三司事卒". 여기에서 二年은 三年의 誤字일 것이다.
- 題記, "卞韓國夫人鄭 氏印出」, 同願鷄林君金 琿」.

32) 李信은 고려 출신의 宦者로서 1323년(至治3) 이후에 中政院使를 띠고서 그의 妻인 隴國夫人 崔氏와 함께 黃州(현 湖北省 黃岡市) 管內의 東山寺의 重修와 경제적 기반에 도움을 주었다고 한다(『黃州府志』 권39, 敕賜重建五祖禪師塔碑).

33) 이는『영천선생안』에 의거하였다.

34) 이는 다음의 자료에 의거하였다(京都國立博物館 所藏, 權熹耕 2006년 ; 張東翼 2004년 730面 ; 張忠植 2007년 125面).
- 『紺紙銀泥妙法蓮華經』 권5, 末尾題記, "人臣之祝,」 工固現世,況臣崔湍偏受」 王恩者,甚矣.祈祝之誠,盖倍於他人者哉.故當」 主上之厄年辛亥秋,特倩書手,寫成金字蓮經七軸.伏願」 殿下無疾病𢽾[典]長壽貴也,亨國千秋,波及己身嘉耦,現增」 福壽,當生安養,先亡父母,法界四生,同霑樂利耳」. 여기에서 ~~添字~~와 같이 고쳐야 옳게 될 것이다.

冬十月戊辰朔大盡,己亥, [己巳2日, 平陽君印侯死←9월에서 옮겨옴].[35)] [侯, 性狂縱貪婪, 但善於將命, 王及公主奏聞, 必遣侯以行, 辨金方慶解其誣, 復平壤隷本國, 侯與有功焉. 由是, 累蒙賞賜, 家貲鉅萬, 又憑藉勢力, 奪人土田·奴婢無極, 人多怨之, 及死, 至有相賀者:節要轉載].

[→忠宣三年卒, 年六十二. □侯, 性狂縱貪婪, 但善於將命, 忠烈與公主數入朝, 侯未嘗不從, 凡有事奏聞, 必遣侯以行辨. 金方慶誣得解, 復平壤隷本國, 侯與有功焉, 賜券一等. 侯初甚貧窶, 及得幸, 屢被賞賜, 家貲鉅萬. 又憑藉勢力, 多受賄賂, 奪人土田·奴婢, 無有紀極, 人多怨之, 及死, 至有相賀者. 諡莊惠. 子承光, 庶子承旦. 侯慕科第之榮, 令承光赴擧. 張舜龍亦令其子瑄赴擧, 承光·瑄俱不學無才, 試官阿侯等意, 取之. 承光, 仕至護軍:列傳36印侯轉載].

[乙亥8日, 攝事于寢園, 不宰牛:禮3吉禮大祀·節要轉載].

[戊寅11日, 月有珥:天文3轉載].

戊子21日, 遣□都僉議評理趙璉于瀋陽, 推刷人物.

[丙申29日, 太白犯哭星:天文3轉載].

十一月戊戌朔小盡,庚子, 庚子3日, 命修'忠敬王實錄'元宗.

[辛丑4日, 冬至. 月犯哭星:天文3轉載].

辛亥14日, 停八關會.

壬子15日, □遣贊成事權溥等齎藏經如元.

己未22日, 太白晝見, 經天.

乙丑28日, 順正君璹奉御香, 還自元. [故事, 迎香, 不用禮服, 璹遣人强之, 百官用禮服:節要·禮7賓禮轉載].[36)]

[→順正君璹, 奉御香還國. 故事, 迎御香, 不用禮服. 璹始遣人, 强百官用禮服:列傳3顯宗王子平壤公基轉載].

十二月丁卯朔大盡,辛丑, □都僉議□□侍郎贊成事致仕權呾卒.[37)] [呾, 嘗有遁世之志,

35) 己巳는 10월 2일이므로, 다음의 기사인 戊子 앞에 있는 冬十月을 己巳 앞으로 이동시켜야 한다 [校正事由]. 10월의 朔日은 몽골력·일본력은 모두 戊辰이다. 또 이날은 율리우스曆으로 1311년 11월 12일(그레고리曆 11월 20일)에 해당한다.

36) 지19, 禮7, 賓禮에는 十月乙丑으로 있으나 十一月乙丑의 오류일 것이다.

37) 이날은 율리우스曆으로 1312년 1월 9일(그레고리曆 1월 17일)에 해당한다.

父韙，强留之，請於朝，爲門下錄事，傾家貲供其費，昍不得已就職. 後爲禮·昇·猛[孟]·价□[等]四州副使,[38] 皆以廉勤精明稱，嘗出按三道，行文書，但用鈐板，未嘗發一使，令行禁止. [元宗14年]其留守東京也，舊有一庫，賦民綾羅貯之，名<u>甲坊</u>，充貢獻，留守私其羸餘. 昍撤甲坊，以一年所收，支三年貢，司戶有盜民租者，碎其腦于府庭，觀者股栗. 昍，性耿介，不苟合，酷信浮屠，斷葷肉四十年，自號夢庵居士. 旣老，一夕遁入禪興社剃髮，子溥馳馬夜至，大哭. 昍曰，"將復鬚髮我耶，此予素志也":節要轉載].[39]

[→年八十四. □[昍]，性淸儉謙遜，酷信浮屠，斷葷肉四十年. 子孫以時獻新衣，則必解舊所服，以與貧乏，篋中常無餘衣. 自號夢菴居士. [忠烈王30年7月,]江南僧□□[鐵山]<u>紹瓊</u>，泛海而至，昍欲出家師事之，恐爲子溥所沮未果. 會溥不在，遁入禪興社剃髮，溥馳至大哭，昍曰，"將復鬚髮我耶，此予素志也". 得疾，趺坐而逝. 孫準有寵於王，特謚文淸:列傳20權昍轉載].

庚午[4日]，元以<u>改元皇慶</u>，遣使□[来]，頒詔.[40]

○遣賛成事<u>洪詵</u>如元，賀正.

癸酉[7日]，淑妃如興天寺，飯僧.

[某日，元遣使□[来]，賜<u>順妃</u>[許氏]姑姑，百僚宴於<u>順妃第</u>,[41] 用幣以賀:節要轉載].

[□□[先是]，□[順]妃與淑妃[金氏]不平，至是，王令淑妃往賀，終宴之間，二妃五出更衣，以服飾相高:列傳2忠宣王妃順妃許氏轉載].[42]

癸巳[27日]，以[檢校政丞]李之氐爲禮安君，[都僉議評理]金文衍爲彥陽君，金士元△[爲]知密直司事，<u>蔡洪哲</u>爲密直副使,[43] 元善之爲左副代言.

---

38) 여기에서 猛州는 孟州(현재의 平安南道 孟山郡)의 別稱, 또는 誤字인데, 열전20, 權昍에는 後者로 되어 있다(盧明鎬 等編 2016년 596面).

39) 甲坊에 관련된 기사가 다음의 자료에도 실려 있다.

· 「權昍墓誌銘」, "東京古有甲坊名，爲國稅之所出，其羡餘寔爲專城者所私，及公之留守也，卽罷去. 以一年之收，支三年，又徵司戶之貪猾盜用租賦者，民到于今稱之".

40) 몽골제국이 明年, 곧 至大 5年을 皇慶 元年으로 바꾼 것은 9월 14일(壬子)이다(『원사』 권24, 본기24, 인종1, 지대 4년 9월 壬子).

41) 順妃第는 열전2, 忠宣王妃, 順妃許氏에는 順妃弟로 되어 있는데 오자이다.

42) 이때 몽골황실이 順妃에게 姑姑를 하사한 것과 관련된 자료로 다음이 있다. 이에서 伯顔忽篤[Bayan Qutug] 皇后는 당시 皇太子였던 愛育黎拔力八達[Ayurbarwada)의 嬪이었다가 皇后가 된 女人이다.

· 「忠宣王妃順妃許氏墓誌銘」, "次則<u>伯顔忽篤</u>皇后也. 道大眞以霓裳，琴瑟之和，已洽貯阿嬌於金屋，翟褕之寵，俄崇妃. 由是，芝綸得賜於華冠，簞茀親朝，於蘂闈，累內帑之珍錫".

43) 蔡洪哲은 金方慶의 사위[壻]로서 初名은 蔡宜였던 것 같다(열전21, 蔡洪哲 ; 金方慶墓誌銘, 金龍善 2006년 865面 ; 張東翼 2007년). 또 채홍철의 묘지명에는 1312년(皇慶壬子, 충선왕4)에 밀

[是年, 降秩[從二品]密直副使爲正三品, 大司憲△[爲]正三品, 執義△[爲]從三品:百官1密直司·司憲府轉載].[44)]

[○改詞伯爲提學:百官1藝文館轉載].

[○以[行尙州牧使]庾自偶爲福州牧使, [通仕郎]金之澤爲福州司錄:追加].[45)]

[○以[選部散郎]李齊賢爲典校寺丞·三司判官:追加].[46)]

[○以[攝郎]全信爲知金海府事:追加].[47)]

[○以權廉爲含慶殿錄事:追加].[48)]

[○王以權溥之子載, 爲養子, 賜名王煦:追加].[49)]

[○王奏于帝, 拜代言權準爲武義將軍·合浦萬戶:追加].[50)]

[是年頃, 復置三司:追加].[51)]

壬子[忠宣王]四年, 元皇慶元年, [西曆1312年]

1312년 2월 8일(Gre2월 16일)에서 1313년 1월 26일(Gre2월 3일)까지, 354일

春正月丁酉朔[大盡,壬寅], 王在元.

[某日], 帝與太后[答己]詔王歸國, 王不欲行, 使[都僉議評理]朴景亮, 言於用事大臣曰, "今方農月, 請待秋成", 制可.

[某日], 以王命集僧徒於延慶宮, 轉藏經, 卒歲爲期.

[庚子[4日], 東北有赤氣:五行1轉載].

직부사에 임명되었다고 하였으나 어떤 착오일 것이다.

·「蔡洪哲墓誌銘」, "皇慶壬子, 拜密直副使, 由祗候一起爲八遷, 五年作相, 士林榮之".

44) 이는 지30, 百官1, 密直司, "[忠宣]三年, 副使降正三品"을 전재하여 적절히 變改하였다.

45) 이는 『안동선생안』과 「庾自偶墓誌銘」에 의거하였는데, 전자에는 이름이 庾自隅로 되어 있다.

46) 이는 「李齊賢墓誌銘」에 의거하였다.

47) 이는 「全信墓誌銘」에 의거하였다.

48) 이는 「權廉墓誌銘」(『목은문고』 권16)에 의거하였다.

49) 이는 「王煦墓誌銘」에 의거하였다.

50) 이는 다음의 자료에 의거하였는데, 武毅將軍과 武衛將軍은 武義將軍(從5品)의 오자일 것이다.

·「權準墓誌銘」, "又明年, 奏爲武毅[武義]將軍·合浦萬戶".

· 열전20, 權呾, 權準, "奏帝, 拜武衛[武義]將軍·合浦萬戶".

51) 三司의 復置는 明年(충선왕4) 2월 1일 三司使 蔡禑의 존재에 의거하여 類推하였다.

丙辰20日, 王命, 發楊廣·西海丁夫一千, 赴延慶宮役.

[○月入氐星:天文3轉載].

[某日, 以吳方祐爲慶尙道提察使, 典校寺丞李齊賢爲西海道提察使:慶尙道營主題名記].[52]

[是月朔, 元改元皇慶:追加].

二月丁卯□朔大盡,癸卯, 遣三司使蔡禑如元, 賀聖節.[53]

[壬申6日, 春分. 月入畢星:天文3轉載].

[甲戌8日, □月入東井:天文3轉載].

[戊寅12日, □月入軒轅:天文3轉載].

[是月, 淨光茶院僧覺先寫成'觀經變相圖':追加].[54]

三月丁酉朔小盡,甲辰, [丁未11日, 月入大微太微:天文3轉載].

戊申12日, 淑妃出遊朴淵.

丁巳21日, 以洪奎爲□都僉議政丞·益城君·知益城府事,[55] 薛永任爲贊成事·廣州牧使.

夏四月丙寅朔大盡,乙巳, [庚午5日, 月與熒惑同舍:天文3轉載].

[壬午17日, □月又犯鎭星:天文3轉載].

戊子23日, [芒種]. 檢校政丞·陽川君許嵩卒,[56] [謚良肅:列傳18許嵩轉載].[57]

[某日, 王命贊成事·判摠部事權溥, 注七品以下武選:節要轉載].[58]

---

52) 이는 「李齊賢墓誌銘」에 의거하였는데, 原文에는 按廉使로 되어 있다.

53) 丁卯에 朔이 탈락되었다.

54) 이는 愛知縣 寶飯郡 御津町 御津山5 大恩寺에 소장된 「絹本著色觀經變相圖」 左下段의 畵記에 의거하였다(熊谷宣夫 1967年 ; 文明大 1981년 ; 菊竹淳一 1981年 ; 菊竹淳一 1997년 單色圖版3 ; 柳廠理 200년 ; 洪潤植 1995년 23面 ; 張東翼 2004년 736面).

· 畵記, "□淨光茶院比丘覺先抽已□晴?繪畵,」 聖相報答恩者,」 皇慶元年二月日題」.

55) 여기에서 知益城府事는 判益城府事의 誤字일 가능성이 있다.

56) 이날은 율리우스曆으로 1312년 5월 29일(그레고리曆 6월 6일)에 해당한다.

57) 이는 「許琮墓誌銘」에도 기록되어 있다.

58) 이와 같은 기사가 열전20, 權呾, 溥에도 수록되어 있다("忠宣復位, 拜贊成事·判摠部事, 王命注七品以下武選").

五月丙申朔小盡,丙午, 壬寅7日, 王遣大護軍致仕鄭晟, 送還歷代實錄.

[○月入大微太微:天文3轉載].

[己酉14日, 月食:天文3轉載].[59)]

甲寅19日, 以旱禁酒.

[是月, 妙華院比丘尼正安與毗長寺住僧清幹寫成'金字妙法蓮華經'七卷一部, 流通現世:追加].[60)]

[○居士朴盧中等印成'佛說阿彌陀經'一秩於杭州明慶寺:追加].[61)]

六月乙丑朔大盡,丁未, 日食.[62)]

戊辰4日, 元降制, 令高麗毋置行省. 初, 洪重喜訴于中書中書省,[63)] 欲立行省, 王以祖宗臣服之功, 奏□罷之, 故帝有是命.[64)]

---

59) 이날은 율리우스력의 1312년 6월 19일이고, 월식 현상이 심했던 때의 世界時는 19시 33분, 食分은 0.78이었다(渡邊敏夫 1979年 483面).

60) 이는 다음의 자료에 의거하였다(岐阜縣 岐阜市 正法寺 所藏, 김종민 2010년 ; 郭丞勳 2021년 317面).

· 『紺紙銀泥妙法蓮華經』 권1~6, 卷末題記, "皇慶元年壬子五月 日 清幹 書,」 施主 比丘尼 正安 誌」.

· 『紺紙銀泥妙法蓮華經』 권7, 卷末題記, "伏爲」 皇帝陛下,統御萬年,」 本朝主上,寶算遐長,十代先亡,離苦得樂,弟」 子生生,世世作大丈夫,童眞出家,助揚」 佛化,盡度重生.然後趣證.」 懇發至誠,謹備白」 金青紙,」 請手寫成'妙法蓮華經'七卷一部流」 通,无極永永佛事者.時皇慶元年壬子五月日」 遣教弟子妙華院比丘尼 正安,」 寓毗長寺道人 清幹 書」.

61) 이는 서울대학 규장각에 소장되어 있다는 다음의 자료에 의거하였다(서울대학도서관 1996년 53面 ; 郭丞勳 2021년 318面). 이 佛典은 後序와 願文이 같은 時期에 작성된 것을 보아 高麗人 朴盧中의 요청에 의해 現地에서 注文者 生産의 方式으로 印出되었던 것 같다(筆者未見).

· 『大阿彌陀經』(佛說阿彌陀經), 卷末, 發願文, "… 自古賢士大夫·高僧碩德,專修」 淨業,超生九品者,不可勝記□世.盧中宿承」 佛蔭,獲預人倫,年將耳順,官等二品,實逾」 涯分,早年篤信」 佛法,粗得齋戒,晩景專志西方,祈生安陽」 者,有日矣.今因 扈從,適在大都,忽得龍」 舒居士,分科大彌陀經一卷,頂戴披閱歡」 喜,盈懷,倩人書寫繡梓了畢,焚香稽顙,對」 佛聖,發弘願,將此眞功平等饒益三教」 …皇帝陛下聖壽無疆,」 皇太后懿筭天長,」 皇后齊年,」 國王·瀋王殿下睿筭千春,」 世子福壽增崇,文虎官僚,常居祿位,」 時和歲稔,國泰民安,」 不日恒明,法輪永轉,白蓮勝會,偏界無」 窮,」 淨土良緣,」 長年不絶者.」 皇慶元年壬子五月日,西庵居士朴盧中誌". 여기의 朴盧中은 忠肅王代에 僉議贊成事·判三司事에 이른 人物이다.

· 『大阿彌陀經』, 卷末後序, " … 於後, 流通三韓有年矣. 一日, 彼國僉議評理朴公盧中遠聞松江僧錄大師,具廣大願, 樂善好施, 附經航海, 勤懇流通 … 皇慶元年夏五月,杭州大明慶寺傳律沙門嗣良序".

62) 이날 中原에서도 일식이 있었고(『원사』 권24, 본기24, 인종1, 皇慶 1년 6월 乙丑), 일본의 교토에서도 일식이 관측되었다고 한다. 이날은 율리우스력의 1312년 7월 5일이고, 개경에서 日食의 現象이 심했던 시간은 17시 54분, 食分은 0.63이었다(渡邊敏夫 1979年 311面).

63) 中書는 中書省의 省字가 탈락되었을 것이다.

[某日, 禁諸人不用子母法, 追徵私債者:節要轉載].[65)]

[癸酉9日, 鎭星犯建:天文3轉載].[66)]

[己卯15日, 太白入東井:天文3轉載].

[甲申20日, 月犯東井北垣:天文3轉載].

壬辰28日, 以金恂爲上洛君,[67)] 金子興爲雞林君, 密直司使權漢功爲□都僉議評理,[68)] 崔誠之△爲同知密直司事·大司憲.

秋七月乙未朔小盡,戊申, 齊安大君淑卒,[69)] [年七十五. 子昡:列傳3顯宗王子平壤公基轉載]. [淑, 爲人廉正, 諳練典故, 國人稱爲宗室之賢:節要轉載].

庚子6日, 王命搆淑妃第於三峴.

[○月入歲星, 犯畢:天文3轉載].

[乙卯21日, 月與歲星同舍:天文3轉載].

[丁巳23日, 月有珥:天文3轉載].

[某日, 以慶尙道提察使吳方祐, 仍番:慶尙道營主題名記].

[癸亥29日晦, 太白犯軒轅:天文3轉載].

八月甲子朔小盡,己酉, [癸酉10日, 月犯歲星:天文3轉載].

甲戌11日, 命書金字藏經于旻天寺, 追福母后.

○□都僉議政丞致仕李混卒,[70)] [年六十一, 諡文莊:列傳21李混轉載].[71)] [混, 性寬厚, 與鄭瑎·尹琦在政房, 相推致. 一日語曰, "吾輩交懽久矣, 盍相告以過失乎". 混謂瑎曰, "人謂君巧". 又謂琦曰, "人謂君好自尊, 宜改之". 瑎乃謂混曰, "人謂君不廉, 然乎". 混久掌選法, 性且不廉故. 其家稍富, 務爲疎散, 喜賓客, 好琴碁,

---

64) 添字는 『고려사절요』 권23에 의거하였다.

65) 이 기사는 지39, 刑法2, 禁令에는 "禁人不用子母法, 追徵私債"로 되어 있다.

66) 지3, 天文3에는 癸酉의 앞에 六月이 탈락되었다.

67) 이때 金恂은 重大匡·上洛君에 임명되었다(金恂墓誌銘).

68) 열전38, 權漢功에는 "… 拜密直副使, 驟陞僉議評理"로 되어 있는데, 그는 1309년(충선왕 復位1) 4월 19일 밀직부사에 임명된 이래 同知密直司事, 知密直司事, 密直司使를 거쳐 政堂文學을 거치지 않고, 이때(50歲로 추정됨) 僉議評理(以前의 參知政事)에 임명되었다. 그 소요기간은 3년 2개월로서 급속히 승진한 것은 분명하지만, 충렬왕대에 충선왕의 從臣들이 官職에 임명될 수 없었기에 다른 관료에 비해 年齡上으로 超遷한 것은 아니다.

69) 이날은 율리우스曆으로 1312년 8월 4일(그레고리曆 8월 12일)에 해당한다.

70) 이날은 율리우스曆으로 1312년 9월 12일(그레고리曆 9월 20일)에 해당한다.

71) 李混의 시호는 그의 姪[猶子]인 李彦沖의 묘지명에도 찾아진다.

嘗貶寧海[禮州], 得海浮查製爲舞鼓, 至今傳于樂府:節要轉載]. [子異, 少穎悟, 登第, 仕至成均樂正. 先卒無子:列傳21李混轉載].

[丁丑[14日], 太白犯大微[太微]上將. 辰星犯右執法:天文3轉載].

甲申[21日], 分遣刷卷別監于諸道.

[○月犯天關:天文3轉載].

[某日, 元召還吳祁[吳潛]於河南江北行省汴梁路:追加].[72]

○自四月不雨, 至于是月.

九月[癸巳朔大盡,庚戌], [某日, 命禁諸寺僧聚財□[于]京師, 肆爲穢行者:節要轉載].[73]

[→置僧人推考都監, 禁諸寺勸化僧, 來集京師, 聚錢財, 肆爲穢行者:刑法2禁令轉載].

甲辰[12日], 元召還寧王, 以王命贈銀五十斤·苧布五十匹.[74]

[○月與歲星同舍:天文3轉載].[75]

[乙巳[13日], 霜降. □[月]犯畢:天文3轉載].

[辛亥[19日], □[月]犯東井及越星:天文3轉載].

癸丑[21日], 遣贊成事洪詵如元, 謝不置行省.

辛酉[29日], [立冬]. 毁古壽寧宮, 御座地拆長數步.

壬戌[30日], 以王誕日, 放輕繫.

[某日, 王在元, 爲奉祝元皇室及追奉考妣冥福, 寫成諸種佛典:追加].[76]

---

72) 이는 「吳潛墓誌銘」에 의거하였는데, 이후 吳祁는 충선왕을 隨從하여 吳潛으로 賜名받았다고 한다.

73) 添字를 추가하는 것이 좋을 것이다.

74) 寧王은 太傅·錄軍國重事 鐵哥帖(帖哥, Tege)의 요청에 의해 召還되었다고 한다. 또 苧布는 苧麻布, 毛施布로도 표기되며 몽골제국에서는 '高麗毯絲布'로도 표기되었던 것 같다(閔泳珪 1966년).

- 『원사』 권125, 열전12, 鐵哥, "仁宗皇慶元年 … 乃進奏, 世祖子惟寧遠王在, 宜賜還, 從之".
- 『元曲選』, 漁樵記(朱太守風雪漁樵記, 王鼎臣風雪漁樵記), "… 稱將來波, 有甚麼大陵·大羅, 洗白復生, 高麗毯絲布, 大紅通袖漆, 仙鶴鵝子的胸背, …".
- 『박통사언해』, 95張, "貴眷稍的十箇, 白毛施布五箇, 黃毛施布[注, 毛施布, 本國人呼苧麻布之稱, 漢人皆呼曰苧麻布, 亦曰麻布, 亦曰木絲布. 或書作沒絲布, 又曰漂白布, 又曰白布. 今言毛施布, 卽沒絲布之訛也. 而漢人因麗人之稱, 見麗布則直稱此名呼之, 記書者因其相稱, 而遂以爲名也]".

75) 지3, 天文3에는 甲辰의 앞에 九月이 탈락되었다.

76) 이는 京都市 左京區 南禪寺福地町 南禪寺에 소장되어 있는 『弘明集』 권1, 『佛說解節經』1帖, 『一切經音義』 권15, 『佛本行集經』 권31의 題記에 의거하였는데, 이들 佛典의 裏面에 瀋王府라는 朱印(3.2cm×1.3cm)이 찍혀 있다(大藏會 1981年 6面, 84面 ; 張東翼 2004년 706面). 여기에서 一切經은 大藏經과 같은 의미로서 經·律·論의 三藏을 가리킨다.

冬十月[癸亥朔小盡,辛亥], 丁亥[25日], 遣右常侍曹頔如元, 獻閹人.[77)]

[○雉入市:五行1轉載].

十一月[壬辰朔大盡,壬子], [某日, 禁鄕吏之子, 冒受伍尉:節要·選擧3鄕職轉載].

丙午[15日], [冬至]. 始寧君康�坐奪人奴婢, 免爲庶人.

[丁未[16日], 月食:天文3轉載].[78)]

[某日, 流白元恒于靈興島, 元恒, 嘗知讞部, 監選軍有聲, 故王令推刷諸司契券. 全英甫嘗爲資贍司使, 多竊銀幣, 元恒究問不置, 英甫甚怨之, 會元恒杖司僕令史病死, 英甫訴王, 流之:節要轉載].[79)]

甲寅[23日], 以[贊成事]洪詵爲鱗城君, 張瑄△[爲]檢校評理·行平讓尹[~~行平壤尹~~].

乙卯[24日], 元遣都魯不花來, 頒赦.[80)]

己未[28日], 遣中郞將權碩如元, 獻皮貨.

[是月戊申[17日], 王謁帝於嘉禧殿, 議論忙古歹養老俸祿:追加].[81)]

· 題記, "推忠揆義協謀佐運功臣·開府儀同三司·太尉·上柱國·駙馬都尉·瀋王·征東行中書省右丞相高麗國王王璋,」 恭聞一大藏敎,四十九年,金口親宣,無盡法門,五千餘卷,琅函具載,由羣」 生根器之不等,故我」 佛,以方便垂慈,雖分漸頓之科,皆致淵源之地,然則十方齊唱,千聖同」 修,實苦海之慈航,昏衢之慧炬者也,顧我善根宿植,大法忻逢,沃甘」 露於心田,播玄風於性境,是以,常懷精進,夙夜能忘,遂捨淨財,印造」 三藏聖敎,一切法寶,計圓五十藏,布施四方梵刹,以廣流通,所集殊勳,祝延」 今上皇帝,聖躬萬萬歲,」 皇太后,懿筭無彊,」 皇后,共享遐齡,金枝玉葉,萬世流芳,恭願」 皇風永扇,」 佛日增輝,箕畢相調,萬姓樂農桑之業,風塵載寢,四方無金革之聲,仍伸奉爲」 先考太師忠烈王,」 先妣」 皇姑齊國大長公主,資嚴報地同證菩提,然後伏念弟子王璋,」 性雖本妙,全體在迷,縱遇佛乘,修行尙昧,故於此世,多諸罪愆,或」 陵傲於人,或損傷物命,或情隨事變,言行乖違,或宿業所牽」 致成怨害,自作敎他,見聞隨喜,乃至無始,以來諸惡業障,如是」 等罪,無量無邊,仰願」 諸佛慈悲,受我懺悔,以大法力,悉使消除,令我現生,獲大壽命,獲大」 安樂,修行有序,進道無魔,三業圓明,六根淸淨,福德智慧,莊嚴」 其身,根根塵塵,固徧法界,行願早圓,菩提不退,臨命終時,心不」 顚倒,正念現前,聖衆冥加,卽登上品生,彼國,已隨我願心,普應十」 方淨佛國土,如上所願,願與法界一切有情,若自若他,彼彼無異,洎」 三塗受苦衆生,十類河沙鬼衆,寃親平等,咸悟眞常,虛空有盡,」 我願無窮,法性有邊,願心無極者」 皇慶元年歲在壬子九月 日 謹題」.

77) 이때 曹頔은 충선왕의 총애를 받았다고 한다(열전44, 曹頔, "忠宣卽位, 益見親昵, 累轉右常侍").

78) 이날은 율리우스력의 1312년 12월 14일이고, 월식 현상이 심했던 때의 世界時는 18시 58분, 食分은 1.58이었다(渡邊敏夫 1979年 483面).

79) 이 기사는 열전37, 嬖幸2, 全英甫에도 수록되어 있다. 또 契券은 契約關係가 성립될 때 만들어진 문서로서 각종 賣買·分家·收養·相續 등에 관련된 諸般 文件을 가리킨다.

80) 몽골제국에서 10월 29일(辛卯) 사유를 알 수 없는 赦免令을 내렸다(『원사』 권24, 인종1, 皇慶 1년 10월 辛卯).

81) 이는 다음의 자료에 의거하였는데, 亦只里不花王은 忠宣王의 蒙古式의 이름인 益智禮普化[ijil buqa)의 다른 표기이다.

·『秘書監志』 권2, 祿秩, 忙古歹養老俸, "皇慶元年十一月 … 今月十七日[戊申], 有提調陰陽官曲出

十二月壬戌朔小盡,癸丑，癸亥2日，遣知密直司事朴侶如元，賀正.

[冬某月，以成均樂正李齊賢爲提擧豊儲倉事:追加].[82)]

[是年，以奉善大夫·成均樂正尹莘傑爲奉常大夫·典儀副令·知製敎:追加].[83)]
[○以福州牧使庾自偶爲海州牧使，中顯大夫薛天柱爲福州牧使:追加].[84)]
[○以羅州牧使崔雲爲知鐵原府事:追加].[85)]
[○以知金海府事全信爲知成安府事:追加].[86)]
[○以選部議郞尹宣佐爲全羅道提察使:追加].[87)]
[○重修東京佛國寺道場:佛國寺古今創記].
[○元以洪彬爲從事郞·大都路覇州同知:追加].[88)]

癸丑[忠宣王]五年，元皇慶二年，[西曆1313年]

1313년 1월 27일(Gre2월 4일)에서 1314년 1월 16일(Gre1월 24일)까지, 355일

春正月辛卯朔大盡,甲寅，王在元.
[某日，王白皇太后答己，囚密直司事~~密直司使~~李思溫·化平君金深.[89)] 初，思溫與深議曰，"國王久留京師，帝及太后，屢詔之國，王無意於行，令本國，歲輸布十萬匹·米四百斛，他物不可勝紀，國人漕轉之弊，益甚. 諸從臣皆羈旅思歸，而僉議評理權漢功·崔誠之，同掌選法，利其賂遺，朴景亮爲王腹心，累蒙賞賜，營置產業. 王之不

太保也，於當職等處傳奉聖旨節該也可怯薛第一日，嘉禧殿內有時分對，亦只里不花王忠宣王·速古兒赤月魯帖木兒知院 …".
82) 이는「李齊賢墓誌銘」에 의거하였다.
83) 이는「尹莘傑墓誌銘」에 의거하였다.
84) 이는『안동선생안』과「庾自偶墓誌銘」에 의거하였다.
85) 이는「崔雲墓誌銘」에 의거하였다.
86) 이는「全信墓誌銘」에 의거하였다.
87) 이는「尹宣佐墓誌銘」에 의거하였는데, 原文에는 按廉使로 되어 있다.
· 열전22, 尹宣佐, "… 累遷內書舍人·選部議郞. 按全羅道, 以剛直聞, 陞都津令".
88) 이는「洪彬墓誌銘」(『목은문고』 권19)에 의거하였는데, 大都管內의 覇州는 현 河北省 廊坊市 管內의 覇州市이다.
89) 添字와 같이 고쳐야 옳게 될 것이다(→次注).

歸，實由三人之患失，盍除之，奉王以還乎?”．乃因太后所幸宦者買撒，以其事，言於徽政院使失列門，失列門許之．於是，深等，遂具三人罪狀，使大護軍李揆·護軍金彥·金賞·崔之甫·申彥卿等數百人署名，呈于徽政院．失列門矯太后旨，下漢功等三人獄．王怒甚，因太后侍婢也里思班，以白太后曰，“從臣之愛我者，莫如三人，深等不先告我，輒訴徽政□院，其意不止於三人而已，惟陛下憐察”．太后卽命釋三人，執深·思溫囚之．揆·彥賞·之甫·彥卿，皆亡匿，不出:節要轉載].[90]

[乙未5日，辰星·鎭星同舍:天文3轉載].

[丁未17日，雨水．征東行省南十餘戶火:五行1火災轉載].

[庚戌20日，郭沙洞民家十一戶火:五行1火災轉載].

己未29日，徵楊廣·全羅·西海三道丁夫五百，赴延慶宮役.

○始鑄佛像于旻天寺.

[某日，以琴淑爲慶尙道提察使:慶尙道營主題名記].

二月辛酉朔大盡,乙卯，乙丑5日，□都僉議贊成事致仕薛景成卒.[91] [景成，家世業醫，頗精其術．忠烈王每遘疾，必使景成治之．元世祖不豫，遣使求醫，以景成應詔，用藥有效，世祖喜賜館廩，因得出入禁中，賞賜甚厚．成宗寢疾，又召留元．忠烈24年及公主妬趙妃寵，元遣使來問，乃以景成副之，景成，不與用事者通．景成，身長美風儀，性謹厚，未嘗爲子孫求恩澤，亦不治產業:節要轉載].

[→世祖喜賜館廩，勑門者時得出入，至使圍碁於前，親臨觀之．留二年告歸，世

---

90) 이와 관련된 기사로 다음이 있다.

·열전17, 金周鼎, 深, “… 王在元，深與密直使李思溫議曰，‘帝及太后，屢詔王之國，王無意於行．令本國歲輸布十萬匹，米四百斛，他物不可勝紀，國人漕轉之弊益甚．諸從臣皆羈旅思歸．而權漢功·崔誠之同掌選法，利其賂遺，朴景亮爲王腹心，累蒙賞賜，營置產業．王之不歸，實由三人．盍除之，奉王以還?’，乃因太后倖宦買撒，言於徽政院使失列門，失列門許之．於是，深等具三人罪狀，令大護軍李揆·護軍金彥·金賞·崔之甫·申彥卿等數百人署名，呈徽政院．失列門矯太后旨，下漢功等三人獄．王怒甚，因太后侍婢也里思班，白太后曰，‘從臣愛我者，莫如三人，深等不告我，輒訴徽政院，其意不止三人．惟陛下憐察’．漢功等，亦以賄求免，太后卽命釋三人，杖流深·思溫于臨洮．國人聞之，莫不憤歎．揆·彥·賞·之甫·彥卿，皆亡匿，王命囚彥卿父良，揆外祖金貞于巡軍，皆籍其家．帝尋召還深.”.

·열전37, 朴景亮, “… 遷僉議評理，從王如元，李思溫·金深，以爲王之久留京師，實由景亮等爲之腹心．言於徽政院繫獄．語在深傳”.

·열전38, 權漢功, “… 時王久留于元，從臣皆思歸，漢功·誠之同掌銓注，利其賂遺，無意東還．李思溫·金深言於徽政院，繫漢功等獄，王怒，白太后，釋漢功等，流思溫·深．王喜遣漢功，來宴其父頙·誠之父毗一及諸宰相”.

91) 이날은 율리우스曆으로 1313년 3월 2일(그레고리曆 3월 10일)에 해당한다.

祖賞賜甚厚, 且曰, “得無念室家耶, 汝歸挈家以來”. 景成還, 欲與妻行, 妻不可, 乃止. 未幾, 世祖召之, 自是, 數往還. 世祖遇之益厚, 前後所賜, 不可勝紀. 成宗寢疾, 又召之, 因留元. [忠烈24年]忠宣受禪, 韓國公主妬趙妃, 誣妃父仁規罪. 元遣使□[來], 鞫問, 以景成副之, 景成不與用事者通. 特加贊成事致仕, 卒年七十七. 景成, 身長美風儀, 性謹厚, 雖見知天子, 蒙幸國王, 未嘗爲子孫求恩澤, 亦不治產業. 子文遇登第, 官至成均大司成:列傳35薛景成轉載].

[戊辰[8日], 月犯天關:天文3轉載].

庚午[10日], 遣密直副使蔡洪哲如元, 賀聖節.

甲戌[14日], 停燃燈會.

○下僧曉可于巡軍獄. 可自言見性, 以妖術衒惑士女, 嘗持蜜水米屑, 示人曰, “此甘露舍利, 皆吾身所出也”. 人莫知其詐, 至有飮且藏者. 又嘗得一窟, 可容身者, 積薪其上而登之, 謂其徒曰, “吾欲茶毗, 後七日, 當化爲法身”. 遂爇薪, 烟焰四起, 可自薪中, 投入窟, 食枾栗, 至期, 撥灰而出. 憲司覺其詐, 案問, 可吐實[按問 ~~遂服~~, ~~至是~~, ~~又以罪見囚~~]92).

[乙亥[15日], 月入大微[~~太微~~]:天文3轉載].

丙子[16日], 元杖流金深·李思溫于[陝西行省]臨洮. [後五年, 帝召還大都. 初, 深將如元, 印侯出餞, 且告曰, “今國王在京師, 子不待召而往者, 豈無意乎?”. 夫善言語, 以悅上國大臣, 子孰與侯, 富錢財, 行貨權貴, 子孰與侯, 侯嘗得罪, 僅免死而歸, 子其愼之. 深不能用:節要轉載].93)

[○是時, 昭信校尉·征東行省都鎭撫·左副代言元善之亦罷, 歸國:追加].94)

[某日, 以吳祁爲密直司使·判典儀司事·藝文館大提學·知春秋館事·上護軍:追加].95)

三月[辛卯朔小盡,丙辰], 丁酉[7日], 以[都僉議政丞]崔有渰爲大寧君, 柳淸臣爲□[都]僉議政丞, [密直司使·判典儀司事]吳祁[吳潛]爲密直使[密直使·揔部典書], 96) 李宏爲左代言, 僧用宣爲壽福君.

---

92) ~~添字~~는 『고려사절요』 권23에서 달리 표기된 것이다.

93) 이와 같은 기사가 열전17, 金周鼎, 深에도 수록되어 있다.

94) 이때 金深·李思溫 등과 함께 충선왕의 歸國을 청하였던 昭信校尉·征東行省都鎭撫 元善之는 罷職되어 귀국하였다고 한다.

· 「元善之墓誌銘」, “宣授昭信校尉·征東□□[行省]都鎭撫. 是時德陵[忠宣王]入侍聖朝久, 殊無東歸意, 國人遑遑罔知所出, 皇慶癸丑忠[宣王5年], 公與今政丞·化平君[金深]告朝廷, 欲奉德陵就國, 因忤德陵旨, 化平有臨洮之行, 而公罷歸”.

· 열전20, 元傅, 善之, “時忠宣留燕邸, 殊無歸意, 善之與金深, 謀奉王還國, 忤旨罷歸”.

95) 이는 「吳潛墓誌銘」에 의거하였는데, 이때 吳祁의 人事만이 이루어졌다고 기록되어 있다(“獨就”).

丁未[17日], 有星彗于東井[有彗星于東井].97)

[己酉[19日], 太白·歲星同舍:天文3轉載].

[某日, 王以金廷美[金怡], 黨於金深, 貶爲機張監務, 流其子護軍文貴于合浦, 囚申彥卿父良·李揆外祖金貞于巡軍, 並籍其家:節要轉載].98)

[→[忠宣王]五年, 王在元, ~~二月,~~杖流金深·李思溫于臨洮, ~~是月,~~疑怡黨於深等, 使贊成事[~~僉議評理~~]權漢功等來, 鞫怡及其子護軍文貴于巡軍. 貶怡爲機張監務, 流文貴于合浦, 籍其家:列傳21金怡轉載].99)

辛亥[21日], 以權溥爲永嘉君, 趙簡·安于器並爲密直副使.

甲寅[24日], 以長子江陵大君燾, 見于帝[仁宗], 請傳位, 帝乃策燾爲王.

[→帝册爲金紫光祿大夫·征東行中書省左丞相·上柱國·高麗國王:節要轉載]. 是時, 朝廷欲王歸國, 王無以爲辭, 乃遜其位. 又以姪延安君暠爲□□[瀋王]世子. [王有兄曰, 江陽公滋, 貞和院妃出也, 以非公主子, 不得立. 有子三人, 珣·暠·塤, 王愛撫如子, 養暠宮中, 一名完澤禿:節要轉載].100)

○王嘗封瀋王, 故時稱瀋王.

---

96) 이때 吳祁는 密直使에 임명된 것이 아니라 密直使로서 摠部典書를 兼職한 것이었다. 또 延世大學本과 東亞大學本은 密直使가 密直吏로 되어 있으나 誤字일 것이다.
- 「吳潛墓誌銘」, "三月, 移摠部典書餘如故".

97) 이 기사에서 有星彗于東井은 有彗星于東井의 잘못으로, 『고려사』를 처음 편찬할 때 발생한 오류인 것 같다. 『고려사절요』 권23에서도 바로 잡지 못하였음을 보아 乙亥字로 인쇄할 때 採字를 잘못한 것은 아니다. 이날 中原에서도 같은 현상이 있었다. 또 이날 일본의 京都에서도 혜성이 관측되었던 것 같다.
- 『원사』 권48, 지1, 천문1, 月五星淩犯及星變 上, 皇慶 2년, "三月丁未, 彗出東井". 이 新星[彗星]은 東井, 곧 井宿(南方七宿 중의 하나)은 쌍둥이座[雙子座]에 있었던 것 같다[席澤宗 2002年 28面).
- 『師守記』, 康永 4년 7월, 文永以來天變年々幷御祈以下被行事, "正和二年三月十八日, 今夜戌時彗星見西方, 芒氣指東, 色白, 十九日同".
- 『續史愚抄』16, 正和 2년 3월, "十七日丁未, 有彗星見西".

98) 이와 같은 기사가 열전17, 金周鼎, 深에도 수록되어 있다.

99) 權漢功은 충숙왕이 즉위한 이후 僉議評理에서 三司使에 轉職하였고, 이를 1309년(충숙왕2) 7월 9일까지 띠고 있었으므로 僉議贊成事는 僉議評理의 오류일 것이다(열전38, 權漢功, "… 忠肅初, 轉三司使"→충숙왕 1년 1월 21일의 脚注). 또 ~~添字~~를 추가하여야 옳게 이해할 수 있을 것이다.

100) 이와 유사한 기사가 열전4, 忠烈王王子, 江陽公 滋에도 수록되어 있다. 또 이때 충선왕의 養子 延安君 暠가 世子로 책봉된 것은 高麗王의 世子가 아니라 瀋王의 世子인데, 이 점은 錢大昕(1728~1804)에 의해 밝혀졌다(『十駕齋養新錄附餘錄』 권9, 王暠傳位事不足信).

[忠宣王 在位年間]

[忠宣王在位時, 定屯田·烟戶之法, 而未知其實狀:追加].[101]

忠肅王元年甲寅, [閏三月甲寅朔],[102] [某日], 帝仁宗命王, 留京師.

[某日], 王構萬卷堂于燕邸, 招致大儒閻復·姚燧·趙孟頫·虞集等, 與之從遊, 以考究自娛.

○時, 有鮮卑僧上言, "帝師八思巴, 製蒙古字, 以利國家, 乞令天下立祠, 比孔子". 有詔公卿·耆老會議, 國公楊安普, 力主其議. 王謂安普曰, "師製字有功於國, 祀之自應古典. 何必比之孔氏. 孔氏百王之師, 其得通祀, 以德不以功. 後世恐有異論". 言雖不納, 聞者韙之.

○科擧之設, 王嘗以姚燧之言, 白于帝, 許之. 及李孟爲平章□政事, 奏行焉, 其原盖自王發也.

[二月乙卯朔, 某日], 右丞相禿魯罷, 帝仁宗以王爲相, 王固辭曰, "臣小國藩宣之寄, 猶懼不任, 乞付於子, 陛下許之, 況朝廷之上相哉, 安敢貪榮冒處, 以累陛下之明, 敢以死請". 帝笑曰, "固知渠卿善避權也".[103]

[忠肅王]三年丙辰, 三月癸卯朔, 辛亥9日, 王奏于帝仁宗, 傳藩王位于□□藩王世子暠, 自稱太尉王.

[忠肅王]六年己未, 三月丙辰朔, [某日], 請于帝仁宗, 降御香, 南遊江浙□□行省, 至定海縣寶陁山而還. 贊成事權漢功·內府副令李齊賢等從之. 命從臣, 記所歷山川勝景, 爲'行錄'一卷.

[忠肅王]七年庚申, 四月庚戌朔, [某日], 復請於帝英宗, 降香江南, 盖知時事將變, 冀以避患也.

六月己酉朔, [某日], 王行至江浙行省鎭江路金山寺, 帝遣使急召, 令騎士擁逼以行, 侍從臣僚皆奔竄.

101) 이는 공민왕 20년 12월 20일의 烟戶之法과 그 脚注에 의거하였다.
102) 이하 忠宣王의 퇴위 이후의 기사는 『고려사절요』 권24의 내용을 인용하면서 忠肅王世家에 다시 收錄하였다. 이는 해당된 事實의 時点을 보다 구체적으로 把握하고자 하는 목적에서 이루어졌다.
103) 『고려사절요』 권24에는 渠가 卿으로 달리 표기되어 있는데, 後者가 옳을 것이다.

九月丁丑朔, [某日], 王還至大都, 帝命中書省, 護送本國安置. 王遲留顧望, 不卽發.
十月丙午朔, [某日], 帝下王于刑部, 旣而祝髮, 置之石佛寺.
十二月乙巳朔, 戊申4日, 帝流王于吐蕃撒思吉之地.

[忠肅王]十年癸亥, 八月~~九月庚寅朔~~, 癸巳4日, 泰定皇帝卽位, 大赦天下, 召還.[104)]

[忠肅王]十二年乙丑, 五月己酉朔, 辛酉13日, 王薨于燕邸. 在位五年, 壽五十一. 性好賢嫉惡, 聰明强記, 凡事一經耳目, 終身不忘. 每引儒士, 商確商榷前古興亡,[105)] 君臣得失, 亹亹不倦. 尤喜大宋故事, 嘗使僚佐, 讀'東都事略', 聽至王旦·李沆·富·韓·范·歐陽·司馬諸名臣傳, 必擧手加額, 以致景慕, 至丁謂·蔡京·章惇等奸臣傳, 未嘗不切齒憤惋.[106)]
十一月丁未朔, [甲寅8日], 葬于德陵.[107)]
忠惠王□後五年忠穆王卽位年,[108)] 元賜謚謚忠宣, 恭愍王六年, 加宣孝.
史臣贊曰, "忠宣爲世子, 入侍元朝, 與姚燧·趙孟頫諸公遊, 閒或與聞朝政, 其議論有足觀者. 及其卽位, 避上國之制, 改易官名, 謹侯度也, 正田賦, 立塩法, 知所本也. 第以人君之位, 庶民所仰, 萬機所萃, 不可一日而曠也, 王旣受命復位, 諂事婦寺, 淹留燕京, 至于五年. 國人困苦供饋, 從臣久勞思歸, 至謀相陷. 元亦厭之, 再詔歸國. 無以爲辭, 乃遜位于子燾, 又以姪暠爲世子, 父子兄弟, 卒搆猜嫌, 其禍至于數世而未弭. 貽謀之不臧如此, 吐蕃之竄, 非不幸也".

---

104) 泰定帝(晋宗)는 9월 4일(癸巳) 즉위하였기에 八月은 九月의 오류이다.
105) 여기에서 商確은 商榷(商搉, 商量, 商論, 討論)과 같은 의미로 사용되었던 것 같다.
- 『北史』 권32, 열전20, 崔挺, 孝芬, "… 孝芬, 博聞口辯, 善談論, 愛好後進, 終日欣然. 商榷古今, 間以嘲謔, 聽者忘疲, 文筆數十篇".
- 『靑坡雜志』 권4, "四六應用, 所貴翦裁, 或屬筆於人, 有未然, 則嘗通情商確. …[四庫全書本5面右3行]".
- 『廣雅』 권6상, 釋訓, "揚搉,堤封,無慮,都凡也[劉逵注, 商, 度也. 榷, 粗略也. 言商度其粗略]".

106) 이 기사는 다음의 자료를 인용하여 변조한 것 같다.
- 『익재난고』 권9상, 忠憲王世家, "… 泰定二年五月辛酉薨, 壽五十一, 在位凡七年. 王聰明强記, 凡事一經耳目, 終身不忘, 每論三代漢唐君臣得失, 袞袞不窮. 尤喜大宋故事, 嘗使其寮佐讀'東都事略', 聽至王旦·李沆·富弼·韓琦·范仲淹·歐陽修·司馬光諸名臣傳, 必擧手加額, 以致景慕之思. 至丁謂·蔡京·章惇等姦臣傳, 靡嘗不切齒憤惋, 其好賢嫉惡, 蓋天性云".

107) 筆者는 德陵이 현재 어디에 있는지 모른다.
108) 이는 1344년(충목왕 즉위년) 12월 22일(丁丑) 몽골제국이 사신을 보내와 忠宣王과 忠肅王의 謚册을 내린 것인데, 편년체의 『고려사』를 기전체로 바꾸면서 바로 잡지 못하였다.

忠肅王 一

忠肅·□□□[~~懿孝大~~]王,[1)] 諱燾, 小字宜孝, 蒙古諱阿剌訥忒失里[~~阿剌忒納失里~~].[2)] 忠宣王第二子, 母曰蒙古女也速眞. 忠烈王二十年甲午七月乙卯[7日]生. 年五歲, 封江陵軍承宣使, 長封江陵大君, 從忠宣王入元.

五年三月甲寅[24日], 忠宣奏請傳位, 帝[仁宗]乃策曰, “咨, 爾高麗王世子燾, 國繇勳戚, 世立藩維. 乃父釋位以圖安, 肆爾承家而弘慶. 爰稽隆典, 載錫休章, 可特授金紫光祿大夫·征東行中書省左丞相·上柱國·高麗國王, 尙堅忠孝之心, 永底人民之祐”.[3)]

夏四月[庚申朔大盡, 丁巳], [壬戌[3日], 月與歲星同舍:天文3轉載].

[癸亥[4日], 立夏. □[月]與太白同舍:天文3轉載].

[戊辰[9日], □[月]入軒轅:天文3轉載].

[己巳[10日], □[月]入大微[~~太微~~]:天文3轉載].

己卯[20日], [小滿]. 元以立后, 遣使頒詔.[4)]

壬午[23日], 以旱, 禱雨于康安殿.

丙戌[27日], 王侍上王及公主[忠宣王妃寶塔實憐]發燕京.[5)] 上王遜位欲留, 朝廷不聽, 故不得已而遂行, 傳車百四十兩, 馬稱是. 帝遣丞相納剌忽[~~納剌忽~~]·宦者遙授平章[平章政事]李伯帖木兒等三十六人,[6)] 皇太后[答己]遣惕薛丹納憐等十八人,[7)] 中書省遣直省舍人脫脫

---

1) 忠肅이라는 諡號는 1344년(충목왕 즉위년) 12월 22일 몽골제국이 사신을 보내와 내린 것이고, 1357년(공민왕6) 윤9월 22일 懿孝라는 諡號가 추가되었으나 반영되지 못하였다. 또 恭愍王의 경우를 통해 볼 때 王은 大王으로 고쳐야 옳게 될 것이다.

2) 충숙왕의 몽골식 이름은 阿剌忒納失里[아라트나시리]일 것이다(『원사』 권38, 본기38, 順帝1, 後至元 1년 11월 甲午[16日], 12월 乙卯[7日]).

3) 중국 측의 자료에는 忠肅王이 高麗國王으로 책봉된 것은 4월 17일(丙子)로 되어 있으나, 5월 17일(丙午) 충숙왕이 내린 교서에 의하면 3월 24일에 충선왕으로부터 國王印을 전수받았고, 24일에 仁宗으로부터 册命을 받았다고 되어 있다. 이것은 時期整理[繫年]에 문제점이 많았다고 하는 『원사』의 誤謬[杜撰]을 보여주는 하나의 사례라고 할 수 있다.

· 『원사』 권24, 본기24, 인종1, 皇慶 2년 4월, “丙子, 高麗王辭位, 以其世子王燾爲征東行中書省左丞相·上柱國·封高麗國王”.

4) 仁宗이 弘吉剌氏(甕吉剌氏, Onggira氏)를 皇后로 책봉한 것은 3월 16일(丙午)이었다(『원사』 권24, 본기24, 인종1, 皇慶 2년 3월 丙午).

5) 이때 吳潛(吳祁)이 隨從하여 귀국하였다(吳潛墓誌銘).

6) 李伯帖木兒(李Beg Temur]는 고려인 출신의 宦官으로 1310년(충선왕 복위2) 9월 11일 星山君에

帖木兒等十六人，徽政院遣也先不花等三人，中政院遣宦者察罕帖木兒等三人,[8] 宣政院遣八哈思和尙等十六人，護送.

[→□□[~~公主~~]與王還國. 王使順妃[許氏]·淑妃[金氏]迎于[平州]金巖驛，覿用幣. 宰樞亦如之，僧徒亦迎拜獻幣. 公主所乘車二兩，飾以金銀錦綺,[9] 後車五十兩. 氈帳有大小，大者，可載十四車. 金瓮一，鍾二，大鍾子六，只里麻鍾子·孛欒只鍾子·及盞兒各十，銀札思麻十四，番甁二，大鍾子·只里麻鍾子各十，孛欒只鍾子十四，察剌盞兒·察渾盞兒各六，灌子二，猪觜子及胡蘆各一摠，金四十錠二十九兩，銀六十八錠三十四兩. 諸器名，皆蒙古語也. 車服斲送之盛，前世所未有:列傳2忠宣王妃薊國大長公主轉載].[10]

五月[庚寅朔小盡,戊午]，辛卯[2日]，禱雨于圓丘.

[→以旱，禱雨于圓丘:五行2轉載].

[癸巳[4日]，太白入月:天文3轉載].

丙申[7日]，郞將沈淑公妻，與所私者，毒殺其夫，憲府[司憲府]鞫而杖之. 又嘗與其壻金進通，生子曰湜，時人謂之沈金.

[己亥[10日]，二狐入延慶宮:五行2轉載].

丙午[17日]，王下敎曰，“孤賴皇帝之洪福，荷父王之至恩，已於三月二十四日，受傳國印，又於其月二十八日，受宣命訖. 載惟上之事父，下之長民，任大責重，夙夜憂懼，罔知攸濟. 其令諸道朔膳，先獻父王，文武官僚賀謝辭見，並於父王先行”.

丙辰[27日]，上王遣彦陽君金文衍如元，留□□[~~瀋王~~]世子暠，爲禿魯花.[11]

[是月，上王及王歸國，[前知鐵州事]元忠拜迎鴨江，上王待遇如初，命從歸王京，仍授典儀令兼中門副使·密直代言·世子右司尹·知摠部事:追加].[12]

冊封되었다(→충선왕 복위 2년 9월 乙酉).

7) 怯薛丹에서 怯薛[Kesig]은 皇帝의 禁衛軍을 指稱하며, 이의 構成員을 怯薛歹[Kesigtei, Kesigtai], 複數를 怯薛丹[Kesigten, kesigtan]이라고 한다.

8) 察罕帖木兒[Chagan Temur]는 1324년(충숙왕11) 2월 11일 大匡·安山君으로 책봉된 인물로 추측된다(→충숙왕 2년 2월 丁卯). 또 그는 大都에 法源寺를 건립했던 高麗人 金氏의 夫인 太府太監 察罕帖木兒이다(禪覺王師塔碑文 ; 『목은문고』 권14, 西天提納薄陁尊者浮屠銘·普濟尊者謚禪覺塔銘).

9) 錦綺는 延世大學本과 東亞大學本에서 綺의 상단부가 刻字 또는 印刷의 잘못으로 탈락된 것 같다(東亞大學 2006년 20책 378面).

10) 충선왕이 順妃와 淑妃에게 마중을 명한 날짜는 6월 18일(丙子)이다.

11) 金文衍은 이 시기 이후에는 合浦鎭邊萬戶府의 達魯花赤에 임명되었다고 한다(열전16, 金就礪, 文衍).

六月[己未朔大盡,己未], 甲戌[16日], 上王及王, 次西普通寺[~~西普通院~~], 百官出迎.[13)] 是日, 二王宿是寺. 上王召故大護軍鄭子羽妻, 幸之. [前將軍]崔仲卿女也.

丙子[18日], 入京都, 張樂雜戲, 七館[~~七管~~]·十二徒·東西學諸生, 獻歌謠, 上王命止之. 以待公主[忠宣王妃寶塔實憐], 二王遂入泥峴延德宮.[14)]

[○上王使淑妃·順妃迎公主于金巖驛, 覿用幣, 宰樞亦如之:節要轉載].

戊寅[20日], 二王率百官, 出宣義門, 迎公主, 入京都. [車服之盛, 前世所未有:節要轉載].

己卯[21日], [大暑]. 宰樞上壽于延慶宮, 公主·上王坐北向南, 王坐西向東, 護行諸官人皆與焉.

癸未[25日], 上王如妙蓮寺, 謁齊國公主眞, 遂幸旻天寺, 會百官, 宣帝策王之詔.

甲申[26日], 王謁景靈殿, 卽位於延慶宮.

秋七月[己丑朔小盡,庚申], 辛卯[3日], 上王謁高陵[忠烈王妃齊國大長公主]·慶陵[忠烈王].

戊申[20日], 三司使趙瑞卒.[15)] [謚莊敏:列傳18趙瑞轉載]. [瑞, 仁規之子, 性英敏豪邁, 仁規被逮, 留元八年, 瑞從之, 一日車駕出, 瑞率諸弟謁于道左, 帝顧問, 嘉趙氏有子, 許仁規還:節要轉載].

[某日, 以吳祈爲密直使·讞部典書·上護軍:追加].[16)]

[某日, 以蔡惟吉爲慶尙道提察使:慶尙道營主題名記].

八月戊午朔[大盡,辛酉], 親設消灾道場于外帝釋院, 以禳天變.

甲子[7日], 上王不豫.

戊辰[11日], 遣大護軍金漢貞如元, 請入朝, 帝不許.

[某日, □□[~~瀋王~~]鈞旨曰, "孤憫民食不足, 置倉中外, 以廣積儲, 近因水旱, 民不聊生, 已發民部庫, 賑窮調乏, 尙慮惸獨, 未盡蒙惠. 爾有司加發有備倉, 以賑之":食貨3鰥寡孤獨賑貸之制轉載].[17)]

---

12) 이는 「元忠墓誌銘」에 의거하였고, 이와 같은 기사가 열전20, 元傅, 忠에도 수록되어 있다.

13) 이때 충선왕의 養子인 王煦(權溥의 4子, 權載)가 함께 歸國하였다(王煦墓誌銘 ; 열전23, 王煦, "王還國, 出入常同車").

14) ~~添字~~와 같이 고쳐야 옳게 될 것이다(→충렬왕 33년 9월 17일의 脚注).

15) 이날은 율리우스曆으로 1313년 8월 12일(그레고리曆 8월 20일)에 해당한다.

16) 이는 「吳潛墓誌銘」에 의거하였다.

17) 이 기사는 『고려사절요』 권23에 縮約, 改書되어 있다("上王敎曰, 孤憫民食不足, 置倉中外, 以廣

壬午[25日], 王納益城君洪奎女.

[甲申[27日], 月犯軒轅第二星:天文3轉載].

[某日, 僉議評理權漢功知貢擧, 同知密直司事?崔誠之同知貢擧, 取進士:選擧1選場轉載].[18)]

[是月頃, 以政丞金之兼爲雞林府尹:追加].[19)]

九月戊子朔[小盡,壬戌], 賜安震等及第.[20)]

[己丑[2日], 熒惑入東井, 與歲星同舍:天文3轉載].[21)]

乙未[8日], [寒露]. 上王飯僧五百于旻天寺二日.

丁酉[10日], 以延慶宮爲上王宮, 延德宮爲公主[忠宣王妃寶塔實憐]宮, 玄德宮爲王宮. 罷明熙宮, 以其土田臧獲, 屬料物庫.

乙巳[18日], 幸王輪·乾聖二寺.

丙午[19日], 又幸賢聖寺.

戊申[21日], 遣上護軍朴從龍如元, 謝襲位, 表曰, "襲父之爵, 非分所堪, 在帝之心, 惟命是降, 寵光罔極, 兢感實深. 臣性不啓明, 事未通曉, 端遇風雲之會, 幸自攀龍. 遂分茅土[~~茅土~~]之封, 許令幹蠱玷, 左丞相之巍秩, 兼□[征]東行省之重權.[22)] 此盖陛下允義方釋位之安, 弘小臣承家之慶. 欲觀肯搆, 委任于蕃, 臣敢不亮采有邦, 無忝生成之德, 奮庸熙載, 益輸報郊之誠[~~報效之誠~~]".[23)]

積儲, 近因水旱, 民不聊生. 已發民部庫, 賑之, 尙慮惸獨, 未盡蒙惠, 有司加發有備倉, 以賑"). 또 鈞旨는 諸王의 명령을 지칭하는데, 이때 고려의 上王이었던 忠宣王은 大元蒙古國의 駙馬로서 瀋王에 册封되어 있었다.

18) 이는 지27, 선거1, 科目1, 選場에서 전재하였다.

19) 이는 『동도역세제자기』에 의거하였다.

20) 이와 관련된 기사로 다음이 있다. 이때 安震·李君侅(改嵓, 嵒, 李君侅墓誌銘)·金光載(金光載墓誌銘)·朴忠佐(朴忠佐墓誌銘) 등이 급제하였다(『등과록』, 朴龍雲 1990년 ; 許興植 2005년).

- 지27, 선거1, 科目1, 選場, "忠宣王五年八月, 僉議評理權漢功知貢擧, 崔誠之同知貢擧, 取進士, [~~九月戊子朔~~], 賜安震等三十三人及第".
- 「金光載墓誌銘」(『목은문고』 권17), "中皇慶癸丑科, 座主一齋先生權政丞愛其知禮, 厚待之".

21) 지3, 天文3에서 己丑 앞에 九月이 탈락되었다.

22) 여기의 東行省은 征東行省에서 征이 탈락되었을 것이다. 일반적으로 『고려사』에서 征東行省을 略稱하여 行省 또는 東省이라고 하였다.

23) 報郊라는 用語[漢語]는 찾아지지 않고, '은혜를 갚기 위해 힘을 다한다'라는 의미의 報效(報効)의 사례로 다음이 있다.

- 『후한서』 권43, 樂恢列傳第33, "樂恢, 字伯奇, 京兆長陵人也, … 拜騎都尉, 上書辭謝曰, 仍投厚恩, 無以報效, …".
- 『후한서』 권89, 南匈奴列傳第, "… [章和二年,] 會肅宗[孝章帝]崩, 竇太后臨朝. 其年七月, 單于上言, 臣累世蒙恩, 不可勝數. … 臣等生長漢地, 開口仰食, 歲時賞賜, 動輒億萬, 雖垂拱安枕, 慙無報

己酉[22日], 上王幸旻天寺,

庚戌[23日], [上王,]又幸演福寺,[24]

癸丑[26日], [上王,]又幸龍泉寺,

甲寅[27日], [上王,]又幸安國寺.

○以金用爲元尹, 閔宗儒·鄭之衍·崔岴一並△[爲]□[都]僉議贊成事, 仍令致仕, 鄭僐△[爲]□[都]僉議評理, △△[仍令]致仕, 金倫△[爲]檢校□[都]僉議評理.

丙辰[29日晦], 宰樞以上王誕辰, 獻手帕于公主[忠宣王妃寶塔實憐].[25]

冬十月[丁巳朔大盡,癸亥], 甲子[8日], 上王自安國寺, 遂幸奉國寺.

乙丑[9日], 王朝于上王, 五日一朝.

[癸酉[17日], 大雷電, 以雨:五行1雷震轉載].

[甲戌[18日], 前海州牧使庾自偶卒:追加].[26]

丙子[20日], 上王飯僧二千, 燃燈二千于延慶宮五日, 施佛銀甁一百. 手擎香爐, 使伶官奏樂, 邀禪僧冲坦·教僧孝楨說法, 各施白金一斤. 餘僧二千, 施白金二十斤.[27] 上王嘗願飯百八萬僧·點百八萬燈. 至是日, 飯二千僧, 點二千燈, 五日, 可滿僧一萬, 燈一萬, 期以畢願. 謂之萬僧會, 其費不可勝紀.[28]

辛巳[25日], [小雪]. 幸妙通寺.

效之地. 願發國中及諸部故胡新降精兵, …".

24) 演福寺(前 京畿道 開城市 寒川洞에 있었던 寺院)는 國初이래 普濟寺로 불렸으나 俗稱으로 唐寺라고 하였던 것 같은데, 方言에 唐은 크다는 것과 뜻이 같았기에 唐寺는 大寺라고도 불렸던 것 같다. 이는 忠宣王 또는 忠肅王代에 演福寺로 改稱되었다가 恭愍王 初年에 初名인 普濟寺로 환원되었던 것 같다.

- 『양촌집』 권12, 演福寺塔重創記, "… 本號唐寺, 方言唐與大相似, 亦謂大寺".
- 『신증동국여지승람』 권4, 개성부상, 佛宇, "演福寺, 在都城中央, 古名普濟, 大殿曰能仁, 其前門曰神通. 有五層樓閣, 歲久已頽. 今城中富商出財改構, 金碧輝煌, 鈴鐸聲聞數里. …".

25) 충선왕의 生辰은 9월 30일이지만, 是月이 小盡이어서 이날 行事가 실시되었던 것 같다.

26) 이는 「庾自偶墓誌銘」에 의거하였는데, 이날은 율리우스曆으로 1313년 11월 6일(그레고리曆 11월 14일)에 해당한다.

27) 白金은 『고려사절요』 권23에는 銀으로 되어 있다(盧明鎬 等編 2016년 600面).

28) 萬僧會는 萬僧供養, 萬僧齋, 萬飯僧으로도 표기되며, 수많은 승려를 초빙하여 법회를 개최하고 공양하는 것을 가리키는 것 같다. 이에 대한 자료로 다음이 찾아진다(李智冠 1998년 1027面).

- 『佛祖統紀』 권51, 歷代會要志第19-1, 君上奉法, "… [唐]懿宗, 於禁中延名僧設講座, 自唱經題手錄梵文, 設萬僧齋, 自升座爲讚唄, 長眉僧來應供, 陵空而去".
- 『佛祖統紀』 권44, 法運通塞志第17-11, 宋眞宗 咸平 4년 3월, "詔賜黃金三千兩, 增修峨眉山普賢寺, 設三萬僧齋, 歲度僧四人".

丙戌[30日], 上王如妙蓮·妙覺二寺.

十一月[丁亥朔小盡,甲子], 戊子[2日], 以王師丁午爲國統, 國一大禪師混丘爲王師.[29)]

戊戌[12日], 上王幸[密直副使]蔡洪哲旃檀園, 施白金三十斤.[30)]

[己亥[13日], 大雨:五行2轉載].

庚子[14日], 設八關會, 王御儀鳳樓. 上王與[國統]丁午·[王師]混丘在樓西, 公主[忠宣王妃寶塔實憐]與王·淑妃在樓東觀樂.

翌日[辛丑15日], 大會, 權貴僕從入廣庭, 相鬨投石, 及於樓上. 侍臣紅鞓鞫, 或有中落者, 上王命衛士, 捕數人, 皆杖之.

戊申[22日], 上王飯僧, 點燈于延慶宮五日, 浮屠之數布施之費, 比前有加.

[壬子[26日], 冬至. 月入東井, 與歲星·熒惑同舍:天文3轉載].[31)]

[是月壬寅[16日], 帝敕漢人·南人·高麗人宿衛, 分司上都, 勿給弓矢:追加].[32)]

十二月丙辰朔[大盡,乙丑], 遣使如元, 賀正.

○上王幸神孝寺.

丁巳[2日], 王訪僧[王師]混丘于廣明寺,

翼日[戊午3日], 又訪[國統]丁午于妙蓮寺.

庚午[15日], 上王飯僧二千·點燈二千于延慶宮二日, 召松廣寺僧萬恒赴會, 及還, 賜所御貂帽子, 遣之.

壬申[17日], 上王飯僧·點燈于延慶宮, 又與萬恒, 同輦幸演福寺,[33)] 點燈凡八日. 萬恒設酌, 王懽甚自歌.

己卯[24日], 冊洪氏爲德妃. [動遵禮法, 王甚重之:列傳2忠肅王明德太后洪氏轉載].

---

29) 이는 관련된 자료로 다음이 있으나 ~~添字~~와 같이 고쳐야 옳게 될 것이다.

· 『동문선』 권68, 靈鳳山龍巖寺重創記, "… 及皇慶二年癸丑夏六月[~~春二月~~], 今上[忠肅王]嗣位, 至冬十一月, 承父王之命, 復冊師[丁午]爲國統, 加法號曰大天台宗師·雙弘定慧光顯圓宗無畏·國統焉".

30) 旃檀園에 대해서는 李穀이 찬한 蔡洪哲의 묘지명에 言及되어 있다.

31) 지3, 天文3에는 壬子 다음에 "七年十一月辛丑, 月犯心星"이 더 있다. 이는 忠宣王代의 기사가 될 수 없고, 忠肅王 7년의 "十一月辛丑, 月犯心"이 잘못 들어간 句節이다(衍文, 東亞大學 2011년 13책 278面).

32) 이는 다음의 자료에 의거하였다.

· 『원사』 권24, 본기24, 인종1, 皇慶 1년 11월, "壬寅[16日], 帝敕漢人·南人·高麗人宿衛, 分司上都, 勿給弓矢".

33) 이 시기에 普濟寺가 演福寺로 改稱된 것으로 추측되고 있다(尹紀燁 2004년).

○以崔瑞[崔湍]爲宣誠守節匡輔功臣·鐵原君,[34) 麟城君]洪詵爲江寧君, 吳潛爲□[都]僉議評理·商議會議都監事,[35)] 崔誠之爲密直司使, 權準△[爲]知密直司事, [成均祭酒]尹宣佐爲司憲執義. [潛卽祈也:節要轉載].

○改延德宮爲永安宮.

甲申[29日], 王朝于上王, 宴群臣于延慶宮.

[是月頃, 以趙宏爲永州副使, 李仁佑爲永州判官:追加].[36)]

[是年, 始置延慶宮提擧司, 提擧一人, 副提擧二人, 提控二人正七品, 司鑰八人正八品, 司涓八人正九品:百官2延慶宮提擧司轉載].

[○以安御胎, 升興寧縣令官爲知興州事官, 管城縣令官爲知沃州事官, 改淸渠縣爲龍潭縣, 置縣令:追加].[37)]

[○以[都津令]尹宣佐爲成均祭酒:追加].[38)]

[○以王煦爲司僕副正, 尋改司憲執義:追加].[39)]

[○以[提擧豊儲倉事]李齊賢爲內府副令:追加].[40)]

[○以閔思平爲奉先庫判官:追加].[41)]

[○以文叔宣爲雞林府司錄, 崔冲周爲雞林法曹:追加].[42)]

[○[僉議評理]權漢功得四書于大同江軒窓:追加].[43)]

[○元中書省准, 征東行省令·譯史·宣使人等, 舊考滿從本省區用, 若經省部擬發, 相應之人依例遷用, 如不應者, 雖省發亦從本省區用:追加].[44)]

---

34) 崔瑞는 崔湍(崔冲紹의 改名)의 오자이다(→충선왕 3년 秋某月).

35) 이때 吳潛(吳祈의 改名)은 □[都]僉議評理·商議會議都監事·上護軍에 임명되었다고 한다(吳潛墓誌銘).

36) 이는 『영천선생안』에 의거하였다.

37) 이는 다음의 자료에 의거하였다.

· 『경상도지리지』, 安東道, 順興都護府, "忠肅王代, 皇慶癸丑, 又安胎, 升爲知興州事".

· 지11, 지리2, 管城縣, "忠宣王五年, 陞知沃州事, 割京山府所屬利山·安邑·陽山三縣, 以屬之".

· 지11, 지리2, 淸渠縣, "忠宣王五年, 改爲龍潭縣, 置令".

38) 이는 「尹宣佐墓誌銘」에 의거하였는데, 尹宣佐가 成均祭酒에 임명된 것은 是年의 전반기일 것이다("忠肅素聞其名, 及卽位, 授成均祭酒, 命掌符印, 在左右").

39) 이는 「王煦墓誌銘」에 의거하였다.

40) 이는 「李齊賢墓誌銘」에 의거하였다.

41) 이는 『급암시집』 연보에 의거하였다.

42) 이는 『동도역세제자기』에 의거하였다.

43) 이는 『동문선』 권21, 皇慶癸丑[忠宣5年], 酒酣, 得四書于大同江軒窓에 의거하였다.

44) 이는 『원사』 권83, 지33, 선거3, 凡補用吏員에 의거하였는데, 이는 征東行省의 掾吏인 令史·譯史·宣使 등을 임명할 때 本省(征東行省)이 적절히 알아서 처리하라는 의미인 것 같다.

甲寅[忠肅王]元年, 元皇慶三年→1月延祐元年, [西曆1314年]

1314년 1월 17일(Gre1월 25일)에서 1315년 2월 4일(Gre2월 12일)까지, 13개월 384일

春正月丙戌朔小盡,建丙寅, 庚寅5日, 王訪僧萬恒于銀字院.

辛卯6日, 轉般若經于延慶宮七日, 爲皇太后答己祈福.

癸巳8日, 上王謁慶忠烈王·高忠烈王妃二陵.

○上王下右獻納李穆·右思補禹倎·左思補尹頎于巡軍, 明日甲午9日, 釋之. 時僧俗多有濫受職者, 諫官不肯署告身故也.

○上王命宰樞及耆老, 議禘祫禮·計定田民等事.

[某日, 上王諭田民計定使曰, "先王置州縣, 定貢賦, 歛斂民以時, 以充國用. 兵興以來, 戶寡田荒, 貢賦之入, 不古若, 自己巳元宗10年, 量宜定額後, 提察·守令, 固執其額, 徵歛斂不止, 病民實多, 宜以見在田口, 更定貢賦. 民流野荒者, 限年蠲免, 其餘雜貢, 亦宜詳定, 有減無加. 凡諸民弊, 隨宜革正":食貨1貢賦·節要轉載].[45]

乙未10日, 上王謁景靈殿, 還御康安殿, 視殿宇傾圮, 歎曰, "父王於三十餘年宴樂之際, 若新此殿, 庶無寡人今日之憂". 遂停燃燈會, 促令改營.

[丙申11日, 月與歲星·熒惑, 同舍東井:天文3轉載].

戊戌13日, 以洪奎爲南陽府院君,[46] 金之兼爲忠勤翊戴功臣·樂安君,[47] 李瑚△爲判三司事, 僉議評理吳潛爲三司使,[48] 白頤正爲□都僉議評理並商議會議都監事, 李宏爲右常侍, 姜邦彦爲左常侍, 閔頔爲寶文閣提學.[49]

庚子15日, 上王以元朝三代封贈制, 告寢園.

○上王如演福寺, 點二千燈.

○曹溪宗僧景麟·景聰俱有寵於上王, 出入禁闥, 授大禪師, 諫官不署告身. 上王怒, 召右獻納李朝隱·思補禹倎·尹頎誚讓. 諫官猶不署. 又召朝隱等, 出御別殿南門, 歷問其由, 欲杖之, 倎廷辨慷慨, 王悟, 怒稍解. 然以朝隱主僧批, 流祖忽島,

---

45) 『고려사절요』 권24에는 밑줄 친 글자가 탈락되었다.

46) 이때 洪奎는 推誠陳力盡力安定功臣·三重大匡·南陽府院君에 임명되었고, 특별히 府가 설치되어 典籤·錄事 등의 佐幕員僚가 임명되었다고 한다(洪奎墓誌銘). 이에서 陳力은 盡力 또는 宣力의 오자일 가능성이 있다.

47) 金之兼은 前年(1313, 癸丑, 충숙왕 즉위년) 9월에 雞林府尹으로 到任하였다가 이해의 1월에 上京하였다고 하는데(『동도역세제자기』), 이날의 임명으로 인해 上京하였을 것이다.

48) 이때 吳潛은 三司使·上護軍·商議會議都監事에 임명되었다고 한다(吳潛墓誌銘).

49) 이때 閔頔은 讞部典書로서 寶文閣提學·上護軍을 兼職하였다(閔頔墓誌銘).

既而召還削職，左遷頎·偁等，以鄭權爲右獻納，李榑爲右思補，崔洳爲左思補.[50]

癸卯[18日]，上王飯僧二千于延慶宮五日.

甲辰[19日]，上王，自記其德十餘條，密下式目□□[都監]，令上箋陳賀，箋曰，“功高德厚，惟休無疆，情動言形，永歌不足．恭惟，能哲而惠，知幾其神，妙齡入侍於天居，幾歲別承於宸睠．誅姦靖亂，誓存如礪以不忘，盡瘁恊謀[協謀]，信在歃金而彌篤．因被帝心之珍重，便令宗國以輯寧．于時，見其寢園與夫靈殿[景靈殿]，[51] 歷歲年也縣遠，爲風雨之漂搖，准前基砌以經營，各立五室，邀我祖先而安侑．克備多儀，至於籩豆·尊罍，亦皆改舊，帳帷傘盖，無所不新．詣九閽以奏陳，遂成其志，授三主之封贈，兼及厥妃，奉承恩詔以來歸，開讀神宮而禋祀．非但孝誠之尤切，又令時弊以欲蠲．頃者，廉恥不行，貪殘斯作，舊所貢於內府，皆擅入於私門，管當時經費者孔艱，貸他家息錢而猶乏．苟不持男而易粟，即皆祝髮以投山．是以，節日正旦，進獻之資，朝宰使臣，贈遺之贐，敢以徵發，出自差抽，內焉文武庶官，外則貧窮百姓，斂以布銀之物，及諸熊虎之皮．然或半落於內姦，又將北上而中廢．思艱圖易，利用厚生，以謂粒米乃儉歲之有備，設倉爲名，塩稅是古人之通行，歛民[斂民]無弊．蘇醒已遍於庶類，蓄積何止於三年．放鷹犬而絶遊畋，禁先王之不可禁，菲飮食而輟音樂，行古聖之所難行．博愛之謂仁，克勤而又儉，減諸郡之朔膳，無一日之宴遊．凡曰含靈，擧欣有喜．顧惟本國，元自肇基，弘揚佛法以維持，馴致邦家之帖泰．今承遺範，益發至心，絲毫不費於下民，錢穀特傾於內分，飯僧玉饌，盛如雲委以氤氳，照佛蘭燈，列似星分而燦爛．數期百萬八萬，誠遍三千大千．蔚然龍象之駢闐，殷若鼓鍾之禪講．因祝皇齡之永久，兼祈懿筭之遐長．豈唯二聖之康寧，亦是三韓之慶．賴猶夙興而夜寐，欲國富以民安，招退老之厖臣，俾僉謀於宰輔．興利除苛，而要令綏撫，輕徭薄賦，而酌定差科．出勢田而爲公田，還逃戶以充貢戶．頌聲載路，和氣格天．而臣等幸遇盛時，獲瞻勝事，其爲慶抃，曷可敷宣”．○盖上王欲以聞于上國也.

乙巳[20日]，命[都僉議]政丞致仕閔漬·贊成事權溥，略撰太祖以來實錄.[52]

丙午[21日]，元以行科擧，遣使頒詔,[53] [令選□□[鄉試]合格者三人，貢赴會試:選擧2制

---

50) 崔洳는 1318년(충숙왕5) 8월에 左思補(前左正言, 정6품)보다 상위직인 通直郞(정5품)·藝文館供奉·右獻納(정5품)·知製敎兼春秋館編修官으로 재직하였다(崔瑞妻朴氏墓誌銘).

51) 夫靈殿은 景靈殿의 오자이다. 이는 같은 달 10일(乙未) 충선왕[上王]이 景靈殿을 拜謁하고 殿宇가 衰落[傾圮]한 것을 보고 歎息하였다는 것을 통해 알 수 있다.

52) 閔漬는 三重大匡·檢校都僉議政丞·右文館大提學·監春秋館事로 致仕하였다(金恂墓誌銘 ; 寶盖山石臺記, 寺刹史料下 112面).

53) 몽골제국에서 科擧를 실시하는 詔書는 前年 11월 13일(甲辰)에 내려졌다(『원사』 권24, 본기24,

科轉載].[54]

○敎曰, "化民成俗, 必由學校. 邇來, 成均館不勤敎誨, 諸生皆棄其業. 至於朔望之奠, 二丁之祭, 辭以他故, 而不與焉, 有乖先王之典. 其令祭酒, 每行奠謁, 務崇修潔, 諸生不與者徵白金一斤, 以充養賢庫".

[○敎曰, "富春君·都僉議評理朴景亮·三司使權漢功·密直使崔誠之等, 侍從上王, 夷險一節, 金深·李思溫輩, 積歲畜謀, 圖國危主, 而三人共竭心力, 夾輔始終, 其功莫大, 有司擧行賞典":節要轉載].[55]

丁未22日, 上王如元,[56] 道入延慶宮萬僧會, 以白金百三十斤施僧萬恒. 王餞于金郊驛, 奉觴而進, 上王流涕, 以國事屬王及宰樞.

甲寅29日晦, 王以江陵道存撫使, 置司溟州, 去塞甚遠, 敎移登州, 以鎭北方.

[是月, 以朴理爲慶尙道提察使:慶尙道營主題名記].

[○國尊丁午入內殿, 面辭瑩原寺. 上曰, "除此寺外, 無可安處, 何苦辭也?'. 午曰, '小僧本誓不作住持人, 今不獲免而爲之, 得寺名則足矣. 肯以殘盛便否爲念?'. 其言甚切, 上不違其志, 遂命移錫于晋州管內班城縣靈鳳山龍巖寺:追加].[57]

[是月丁未22日, 元改元延祐:追加].

인종1, 皇慶 2년 11월 甲辰).

54) 添字를 추가하여야 옳게 될 것이다.

55) 朴景亮은 1310년(충선왕2) 9월 11일 都僉議評理에 임명되었고, 이해(皇慶3, 충숙왕1)의 3월에 嘉議大夫·耽羅軍民萬戶府達魯花赤·高麗國匡靖大夫·都僉議評理·上護軍을 띠고 있었다(→是年 3월 某日의 脚注).

· 열전38, 權漢功, "忠肅初轉三司使, 敎曰, 漢功·誠之·朴景亮等侍從父王, 夷險一節. 金深·李思溫輩, 積歲蓄謀, 圖國危主, 而三人共竭心力, 夾輔終始, 有司擧行賞典. 又元贈三王時, 漢功與正尹洪瀹掌文字, 論其功, 賜錄券, 轉贊成事".

56) 이때 知密直司事 權準이 隨從하였고(權準墓誌銘), 內府副令 李齊賢도 同行하였던 것 같다. 이에서 충선왕이 1월에 다이두[大都]에서 이제현을 불렀다고 되어 있으나 22일 開京에서 출발한 왕이 29일(晦)까지 大都에 도착할 수 없을 것이다.

· 「李齊賢墓誌銘」, "忠宣王以太尉留京師邸, 構萬卷堂, 考究以自娛, 因曰, '京師文學之士, 皆天下之選, 吾府中未有其人, 是吾羞也', 召至都, 實延祐甲寅正月也, …".

· 열전23, 李齊賢, "忠宣佐仁宗定內亂, 迎立武宗, 寵遇無對. 遂請傳國于忠肅, 以太尉留燕邸, 構萬卷堂, 書史自娛. 因曰, '京師文學之士, 皆天下之選, 吾府中未有其人, 是吾羞也'. 召齊賢至都. 時姚燧·閻復·元明善·趙孟頫等, 咸游王門, 齊賢相從, 學益進, 燧等稱嘆不置".

57) 이는 다음의 자료에 의거하였다.

· 『동문선』 권68, 靈鳳山龍巖寺重創記, "… 師丁午於延祐甲寅春正月, 入內殿面辭瑩原寺. 上曰, '除此寺外, 無可安處, 何苦辭也'. 師曰, '吾本誓不作住持人, 今不獲免而爲之, 得寺名則足矣. 肯以殘盛便否爲念?'. 其言甚切, 上恐違師志, 遂命移于玆寺靈鳳山龍巖寺也".

· 『신증동국여지승람』 권30, 晋州牧, 佛宇, "龍巖寺, 在班城縣靈鳳山中. 高麗僧無畏式無外所居. 高麗朴全之記, '昔道詵曰, 若創立三巖寺, 則三韓爲一, 戰伐自息'. 於是刱仙巖·雲巖與此寺".

二月乙卯朔[大盡,建丁卯], 遣上護軍姜邦彦如元, 賀節日.

丁巳[3日], 元皇太后[答己]遣學士李家奴, 賜酒于上王及公主[忠宣王妃寶塔實憐].

[甲子[10日], 月入東井, 與歲星·熒惑同舍:天文3轉載].

丁卯[13日], [忠宣王妃寶塔實憐]公主宴李家奴.

○以□[同?]知密直□[司]事蔡洪哲爲五道巡訪計定使, 內府令韓仲熙爲副使, 民部議郎崔得枰爲判官,[58] 量田制賦. 凡便民事宜, 將式目都監所啓條畫, 酌量損益, 其諸道提察使及守令, 有罪者, 無論輕重, 直行科斷.[59]

[戊辰[14日], 驚蟄. 犯軒轅第二星:天文3轉載].

己巳[15日], [忠宣王妃寶塔實憐]公主幸妙蓮寺, 點燈.

庚午[16日], 元改元延祐, 遣別里哥帖木兒來, 頒詔.[60]

[丁丑[23日], 赤祲見于西北方:五行1轉載].

[是月, 元右丞相禿魯[禿忽魯]罷, 帝[仁宗]以上王[忠宣王]爲相, 王固辭曰, "臣小國藩宣之寄, 猶懼不任, 乞付於子, 陛下許之, 況朝廷之上相哉? 安敢貪榮冒處, 以累陛下之明, 敢以死請". 帝笑曰, "固知卿善避權也":節要轉載].[61]

三月[乙酉朔小盡,建戊辰], 辛卯[7日], [忠宣王妃寶塔實憐]公主幸王輪寺, 點燈.

甲午[10日], [忠宣王妃寶塔實憐公主], 又以考晉王忌, 幸興天寺.[62]

---

58) 이때 崔得枰(崔宰의 父)은 蔡洪哲을 補佐하여 全羅道 州縣의 量田을 담당하였다고 하며, 그는 後日 選部典書에 이르렀다고 한다(열전24, 崔宰). 또 이때 이루어진 量田의 결과가 甲寅柱案으로 정리된 것 같다.

· 「崔宰墓誌銘」(『목은문고』 권15), "… 其量田也, 副蔡宰相洪哲, 分理全羅道州縣之田, 不廢法, 不擾民".

· 열전28, 李穡, "… 乞以甲寅柱案爲主, 參以公文朱筆, 爭奪者因而正之, 新墾者從而量之, 稅新墾之地, 減濫賜之田, 則國入增. 正爭奪之田, 安耕種之民, 則人心悅".

· 「張戩所志」(禑王 11년), "… 甲寅年帳付田乙,矣身以傳持喫持是臥乎置乙, …"(張東翼 1985년).

59) 이 기사는 지32, 食貨1, 貢賦에도 수록되어 있다. 또 이때 慶尙道提察使, 雞林府尹·判官·司錄·法曹, 安東府使·判官 등은 人事移動이 보이지 아니한 점을 보아 問責을 받지 않았던 것 같다. 그런데 永州(現 慶尙北道 永川市)의 知州事 趙宏과 判官 李仁佑는 모두 1월에 赴任하여 9월에 함께 交替된 점으로 보아(張東翼 1983년), 이 조사와 어떤 관련이 있었던 것으로 추측된다. 또 이때의 사정을 반영하는 다음의 자료가 있다.

· 「蔡洪哲墓誌銘」, "延祐甲寅[忠肅1年], 使正經界, 公專其任, 迺相四方三壤之宜, 酌其古制, 徵其定墾, 務適於時, 公私以便, 德陵益器之".

60) 몽골제국이 年號를 延祐로 바꾼 것은 1월 22일(丁未)이었다(『원사』 권25, 본기25, 인종2, 延祐 1년 1월 丁未).

61) 右丞相 禿忽魯[tugulug]는 이해의 2월까지 在職하였다(『원사』 권112, 表6上, 宰相年表).

62) 忠宣王妃 寶塔實憐[buda sirin] 公主의 父 晉王 甘麻剌(Kamara)의 忌日은 1월 10일이다(『원사』

[丙申[12日], 白祲竟天:五行2轉載].

[丁酉[13日], 月入大微[太微]:天文3轉載].

[己亥[15日], 白虹貫月:天文3轉載].

壬寅[18日], 宰樞享公主及王于永安宮.

丁未[23日], 行省又享于永安宮.

己酉[25日], 慮囚.

癸丑[29日晦], [穀雨]. 幸內願堂, 次板上詩, 命[~~嬖臣·護軍~~]尹碩·僧戒松及大小文臣·生徒·釋子和進.[63] [戒松, 嘗有穢行, 見黜於其徒, 納妹於碩, 碩薦于王, 由是出入無禁:節要轉載].[64]

[史臣李衍宗曰, "王不與通儒, 講論治道, 而翫於末藝, 每與尹碩·戒松輩, 唱和, 以抽黃對白爲務, 何益於君道哉":節要轉載].

[某日, 耽羅軍民萬戶府達魯花赤·僉議評理·上護軍朴景亮印成'大寶積經'·'宗鏡錄'於江南. 尋奉安于神孝寺, 永充供養, 流通敎法:追加].[65]

권20, 본기20, 성종3, 大德 6년 1월 乙巳[10日]).

63) ~~添字~~는 『고려사절요』 권24에 의거하였다.

64) 戒松에 관한 기사는 열전37, 嬖幸2, 尹碩에도 수록되어 있으나 松戒로 글자가 顚倒되었다.

65) 이는 埼玉縣 川越市 小仙波町 1-20-1 喜多院에 소장되어 있는 南山普寧寺版인 『大寶積經』31帖·『宗鏡錄』 권21의 題記에 의거하였다(山本信吉 1974年 ; 椎名宏雄 1993年 278面 ; 張東翼 2004년 718面). 『宗鏡錄』 권21의 題記는 다음과 같은데, 當時의 書式을 잘 보여 주고 있기에 原形대로 정리하였다. 또 『大寶積經』에는 a가 없다.

"杭州路南山大普寧寺大藏經局,伏承 湖州路烏程縣德政鄕橫欄堣居奉」
佛弟子□智澄 同葉乙 施財刊開,」
尊經壹卷,功德報答□□□□」 (a).
　　嘉議大夫·耽羅軍民萬戶府達魯花赤·高麗國匡靖大夫·都僉議評理·上護軍朴景亮」
　　自擬非才,幸塵有位籍,庇」
　　佛天之巨海,涵恩」
聖澤之陽春,愧居天地之間,莫効涓埃之報,謹損淨財印造」
　　聖典全藏,奉安于神孝寺,永充供養,流通敎法,所集鴻因端,爲祝延」
皇帝聖壽萬歲,」
皇太后齊年,」
　瀋王, 國王,壽齡延永福祿增崇,仍願考妣即登淨域,見」
　佛聞法延,及自身康寧壽考,恒祿位,在生則安世,緣於順境,終身則超,」
　善會之樂邦,願與擧世吉人,同證菩提彼岸,無人無我,悉潛心,」
　獅座之眞詮,有相有情,共拭目」
　龍華之妙會者,」
　　皇慶三年三月　日謹誌」.

閏[三]月[甲寅朔大盡,建戊辰], 乙卯[2日], 親醮九曜堂.

丙寅[13日], 王命義成·德泉倉, 設賞花宴, 將以慰公主[忠宣王妃寶塔實憐]. 公主先出坐殿. 王怒有司緩告, 因不出, 宰樞入赴終宴.

[某日, 淑妃宴公主于永安宮:節要轉載].

[某日, 元帝[仁宗]命上王留京師. 上王構萬卷堂于燕邸, 招致文儒閻復·姚燧·趙孟頫·虞集等, 與之從遊, 以考究自娛, 令從臣, 輪番而代.[66]

○時有鮮卑僧上言, 帝師八思巴,[67] "製蒙古字, 以利國家, 乞令天下, 立祠比孔子". 有詔公卿·耆老會議, 國公楊安普, 力主其議. 王謂安普曰, "師製字有功於國, 祀之自應古典. 何必比之孔氏. 孔氏百王之師, 其得通祀, 以德不以功. 後世恐有異論". 言雖不納, 聞者韙之.[68]

○科擧之設, 王嘗以姚燧之言, 白于帝, 許之, 及李孟爲平章□[政]事, 奏行焉, 其原蓋自王發也:節要轉載].

庚午[17日], 王施白金十斤于禪源寺, 以資世子鑑冥福.

壬申[19日], 幸妙通寺.

○上王命前選部議郎尹莘傑·司憲執義尹宣佐·前典校令白元恒, 侍王講通鑑.[69]

---

66) 閏3月에 忠宣王이 大都[京師]에서 萬卷堂을 설치하고 閻復·趙孟頫·虞集 등을 招致하여 학문을 연구하였다고 한다. 그렇지만 閻復(1236~1312)은 이미 死亡한 이후이기에 萬卷堂에는 참여하지 못했을 것이고 그 이전에 충선왕의 門下에서 從遊했던 사실을 표현한 것이다.

67) 八思巴(八合思巴, 發思巴, Phags-pa, 1235~1280)는 吐蕃 薩斯迦(現 西藏自治區 薩迦, Sakya) 출신으로 本名은 羅古羅思監藏[bLo-gros-rgyal-mtshan]이고, 八思巴는 聖人을 指稱하는 尊稱이다(稻葉正就 1964年). 그는 tibet의 薩斯迦派(sa-skya派) 승려로서 1253년(憲宗3) 六盤山(六槃山)에 출진한 쿠빌라이를 찾아가 尊崇받다가 1259년 쿠빌라이가 回軍할 때 수종하여 開平府에 도착하였고(當時 高麗太子 倎이 그와 相面했는지는 알 수 없음), 1260년(中統1) 國師에 册封되었다. 이후 帝師가 되어 몽골제국의 사상계에서 불교가 주도적인 위치를 차지할 수 있게 하였다(陳高華·史衛民 2010年 262面).

68) 楊安普(楊暗普)는 탕구트[河西唐兀人] 출신의 僧侶 楊璉眞迦의 아들로서 1277년(至元14) 元軍이 臨安府를 함락시킨 후 江淮釋敎都總統에 임명되어 江南佛敎界를 장악하였다. 이후 불교계의 總括하던 宣政院使에 임명되었고, 1312년(皇慶1)에 秦國公에 책봉되었다(陳高華 1986年). 이후 忠宣王이 被罪된 것은 伯顏禿古思의 讒訴에 의한 것이라고 볼 수 있으나, 그보다는 이 시기에 帝師 八師巴를 孔子와 같은 位置에 두고 帝師殿을 건립하여 尊崇하려는 楊安普와 대립하였던 것이 주된 이유일 것으로 추측되고 있다(金文京 2003年).

69) 이때의 通鑑은 『資治通鑑』이었고, 尹宣佐는 어떤 일에 연루되어 파직되었다고 한다. 또 이 책은 成宗 王治의 이름을 避하여 『資理通鑑』이라고 하였는데, 『고려사』를 편찬할 때 原名으로 환원하였던 것 같다.

- 「尹宣佐墓誌銘」, "癸丑[忠宣5年], 王遜位于忠肅王, 忠肅素聞其名, 授成均祭酒, 命掌符印在左右, 仍令進講資理通鑑, 轉監察執義".
- 열전22, 尹宣佐, "轉監察執義, 與尹莘傑·白元恒, 進講資治通鑑, 尋以事罷, 復授執義".

○以辛蕆爲選部直郎，安珪爲散郎，委以銓注．又諭王專斷國政，兼崇佛法，戒諸倉庫吏，毋以幼主之命，耗費財用．[珪，王之潛邸時，侍學也．系本平微，又無他技，性柔訥善，逢迎．王嘗薦於上王，及卽位，數引見，上王俾擇謹愼者，爲王府知印，王卽以珪補之:節要轉載].[70]

己卯[26日]，以[三司左使]趙雲卿爲密直副使．

[某日，以吳潛爲正尹:追加].[71]

[某日，忠宣王[上王]傳旨曰，巡訪計定使蔡洪哲等所定貢賦，視州郡殘盛，均定其額，以贍國用，要令百姓安業:食貨1貢賦轉載].[72]

癸未[30日]，地震．

○元中書省移牒科擧程式．

[○天狗墜地:天文3轉載].

[春某月，以[知鐵原府事]崔雲爲知公州事:追加].[73]

夏四月[甲申朔大盡,建己巳]，丁亥[4日]，宰樞宴公主[忠宣王妃寶塔實憐]及王于延慶宮．

己丑[6日]，義成·德泉倉，又宴于延慶宮，皆承上王鈞旨，以慰公主□[也].[74]

庚寅[7日]，遣上護軍李光逢如元，賀改元．

辛卯[8日]，移御禮安君李之氐第．

癸巳[10日]，□[都]僉議贊成事致仕吳詗卒,[75] [年七十三，謚文溫:列傳22吳詗轉載]. [詗，古名漢卿，上王初政，置詞林院四學士，共圖政理，詗居其一，爲人寬簡無華，有長者風:節要轉載]. [子璲·珽·瓚:列傳22吳詗轉載].

庚戌[27日]，公主宴王及群臣于延慶宮，王不出．

[○熒惑犯軒轅大星:天文3轉載].

是月，元皇后崩.[76]

---

70) 이 기사는 열전37, 嬖幸2, 安珪에도 수록되어 있다.

71) 이는「吳潛墓誌銘」에 의거하였는데, 正尹은 君에 册封된 宗室과 宰相들에게 수여한 勳職이었다.

72) 이 책에서는 忠宣王은 上王으로 고쳐야 옳게 될 것이다.

73) 이는「崔雲墓誌銘」에 의거하였다.

74) ~~添字~~는『고려사절요』권24에 의거하였다.

75) 吳詗은 □[都]僉議[~~侍郞~~]贊成事·監春秋館事·知選部事로 致仕하였다고 한다(열전22, 吳詗). 이날은 율리우스曆으로 1314년 5월 24일(그레고리曆 6월 1일)에 해당한다.

76) 이때 서거한 皇后가 누구인지는 알 수 없으나, 顯宗(裕宗 眞金의 長子 甘麻剌, 泰定帝의 父, 忠宣王의 丈人)의 妃로 추측된다(『원사』권116, 열전3, 후비2, 顯宗宣懿淑聖皇后).

五月甲寅朔小盡,建庚午, [夏至]. 王如永安宮, 陳慰公主忠宣王妃寶塔實憐.

[某日~~戊午~~5日?, 禁擊毬·鞦韆:刑法2禁令轉載].[77]

[戊午5日, 月與熒惑同舍:天文3轉載].

[庚申7日, □月又入大微~~太微~~:天文3轉載].

甲子11日, 公主宴于旻天都監.[78]

甲戌21日, 公主及王, 以忠烈王妃齊國大長公主忌日, 如妙蓮寺, 行香.

己卯26日, 宰樞享公主及王于延慶宮.

[某日, 前護軍張芸享公主:節要轉載].

六月癸未朔大盡,建辛未, [戊子6日, 月犯大微~~太微~~東藩上相:天文3轉載].

庚寅8日, 贊成事權溥·商議會議都監事李瑱·三司使權漢功·評理趙簡·知密直□□~~司事~~安于器等, 會成均館, 考閱新購書籍, 且試經學.

○初, 成均提擧司~~儒學提擧司~~, 遣博士柳衍·學諭兪迪于江南, 購書籍, 未達而船敗, 衍等赤身登岸. 判典校寺事洪瀹, 以太子府參軍在南京, 遺衍寶鈔一百五十錠, 使購得經籍一萬八百卷而還.[79]

○彦陽君金文衍卒.[80]

[→自元東還, 卒于道. □□文衍, 爲人豁達無迂曲, 每見淑妃左右太侈, 抑止之. 謚榮信:列傳96轉載].[81]

[→文衍, 幼嘗爲僧, 年逾三十, 不能自振, 以女弟淑妃寵幸, 驟登二府, 率禿魯花如元. 帝賜三珠虎符, 東還, 卒于道. 爲人豁達信義, 而無迂曲, 見淑妃左右大侈, 每抑止之:節要轉載].

辛卯9日, 遣三司使權漢功如元, 陳慰, 兼賀始行科擧.

[壬辰10日, 歲星入輿鬼, 留二十日:天文3轉載].

---

77) 일반적으로 5월의 擊毬·鞦韆·石戰戱 등은 5월 5일 端午에 이루어지고, 또 이것에 대한 禁令도 이날에 내려졌다(→공민왕 23년 5월 5일). 그래서 이날의 比定도 5일로 하였다.

78) 旻天都監은 旻天寺의 管理組織으로 추정되지만, 이 기사에서는 旻天寺의 오류일 가능성이 있다.

79) 成均提擧司는 征東行省 隷下의 儒學提擧司의 오류이다(張東翼 1994년 98面). 또 이 시기에 江浙行省 吳縣인 龔𤩽·張淵 등이 江南의 揚州지역에서 儒敎에 관련된 서적을 印出하여 귀국하는 皇太子府參軍 洪子深에게 詩文을 贈呈하였는데, 洪子深은 洪瀹의 號나 字일 가능성이 있다.

· 『存悔齋稿』, "藩邸洪子深參軍得旨江南印儒書歸國, 次韻張淸夫所贈, 以贈之, 贈洪子深參軍藩王處購書奉旨乘驛".

80) 이날은 율리우스曆으로 1314년 7월 20일(그레고리曆 7월 28일)에 해당한다.

81) 이는 열전16, 金就礪, 文衍에서 전재하였다.

秋七月癸丑朔[小盡,建壬申]，[忠宣王妃寶塔實憐]公主飯僧于永安宮.

甲寅[2日]，元皇太后[答己]遣使，賜公主酒果.

○帝賜王書籍四千三百七十一册共計一萬七千卷，皆宋秘閣所藏，因[太子府參軍]洪瀹之奏也.[82]

辛巳[29日晦]，以蔡洪哲△[爲]知密直司事，金怡[~~金廷美~~]△[爲]同知密直司事.[83]

[某日，以韓冲熙[~~韓仲熙~~]爲慶尙道提察使:慶尙道營主題名記].[84]

[是月某日，牧庵丁午撰'天台四敎儀集解跋':追加].[85]

八月[壬午朔大盡,建癸酉]，甲申[3日]，王詣淑妃宮宴，以妃悼文衍之死，故慰之也.

丙申[15日]，命藝文提學尹宣佐，試世子府侍學周永等二十一人.

[癸卯[22日]，月犯五諸侯:天文3轉載].

[乙巳[24日]，□[月]與歲星同舍:天文3轉載].

[戊申[27日]，□[月]又犯大微[太微]:天文3轉載].

[是月頃，大禪師靜眼·眞淑·神悅等立圓鑑國師塔碑:追加].[86]

九月[壬子朔小盡,建甲戌]，己未[8日]，幸王輪寺.

己巳[18日]，遣護軍尹碩如元，賀上王誕日.[87]

癸酉[22日]，幸賢聖寺.

---

82) 宋의 秘閣은 太平興國期(976~984)에 三館이라고 불리던 昭文閣·集賢院·史館의 圖書를 모아 보관한 官署를 崇文院이라고 하였다. 그러다가 988년(端拱1) 崇文院에 秘閣을 설치하고 三館의 善本·書畫를 收藏하였고, 이후 계속 擴張시켜 가면서 여타의 珍書를 추가하여 이의 目錄인 『崇文總目』을 편찬하기도 하였다.

83) ~~添字~~는 『고려사절요』 권24에 의거하였다.

84) 韓冲熙는 韓仲熙의 오자일 것이다(『동문선』 권68, 靈鳳山龍巖寺重創記).

85) 이는 1455년(세조1)에 간행된 金屬活字本의 『天台四敎儀集解』(宋 從義 撰)의 題記에 의거하였다("錄主觀師傳云，嘗撰'天台四敎儀'十年乃畢，藏于篋中，薪盡之期，趺坐而逝. 厥後，神光從篋中出，開視之，唯有一卷'四敎儀'，罄無他物，斯乃言言句句，皆符佛意，無非感應道交然耳. 故十方諸佛應機所說漸頓權實之敎法三乘之人隨根所修淺深遲速之行文及一佛乘最上禪觀囊括始終鍾在此書如執明鏡萬像斯現學佛之徒爭相溫習者職由是也，但舊本字大卷重未便於齎持人皆病之，今有門人大禪師宏之，倩人改書，鋟梓流行，欲資來學，故玆跋云，延祐元年甲寅孟秋初吉牧庵老人題", 대구시 유형문화재 제67호).

86) 이는 『曹溪山松廣寺史庫』, 圓鑑國師碑銘幷書에 의거하였는데, 이 탑비는 後世에 再建되었기에 撰者 金晅[金曛]을 위시한 碑文 內容에서 여러 가지로 문제가 있으니 후일 校正되어야 할 것이다.

87) 충선왕의 誕日은 9월 30일이지만, 이달은 작은 달[小盡]이므로 29일(庚辰) 燕邸에서 宴會가 개최되었을 것이다.

[是月, 永州副使趙宏, 以靈光副使移任, 永州判官李仁佑, 以南原判官移任, 以金暉爲永州判官:追加].[88]

[秋某月, 以[知公州事]崔雲還爲知鐵原府事, 尋罷:追加].[89]

冬十月[辛巳朔大盡,建乙亥], 丙戌[6日], [小雪]. 幸福靈寺.

[辛丑[21日], 月掩軒轅大星:天文3轉載].

[癸卯[23日], □[月]又入大微[太微]:天文3轉載].

[甲辰[24日], 大霧:五行3轉載].

[某日, 星山郡夫人車氏, 爲奉祝皇帝·瀋王·國王及追奉亡夫趙文簡冥福, 印成'正法念處經'一部:追加].[90]

[增補].[91]

[十一月[辛亥朔小盡,建丙子], 癸丑[3日], 太白·鎭星, 同舍須女:天文3轉載].

十二月[庚辰朔大盡,建丁丑], [癸未[4日], 月入羽林:天文3轉載].

己丑[10日], 太白晝見.

己酉[30日], 以許有全爲駕洛君, [宦官]禹山節爲豊山君, 王安爲定陽君, 崔難守爲興海君, 尹莘傑爲右副代言.[92]

---

88) 이는 『영천선생안』에 의거하였다.

89) 이는 「崔雲墓誌銘」에 의거하였다.

90) 이는 滋賀縣 大津市 園城寺町 園城寺에 소장되어 있는 『正法念處經』51帖의 제기에 의거하였다. 添字는 原文書에서 생략된 것을 필자가 추가하였다(山本信吉 1974年 ; 張東翼 2004년 718面).

· 跋文, "奉三寶弟子高麗國星山郡夫人車氏,特爲」 皇帝萬萬歲」 瀋王爲首三殿,各保千秋,亡耦趙文簡靈儀,超生淨界,兼」 及已身,與祖母國大夫人李氏,見增福壽,後世永捨,女」 身同生,安養風調雨順,國泰民安,先亡父母法界含」 靈,俱霑利樂之願,捨納家財印成」 大藏經一部,流布無窮者」 延祐元年甲寅十月日誌」 幹善大德靖恭」 殿前□□[承旨]仁成」 殿前□□[承旨] 天友」 通事康仁伯」.

91) 是月에 仁宗 愛育黎拔力八達이 上王[忠宣王]에게 命하여 帝師 八思巴의 弟子인 西夏人 弘佛三藏法師 沙羅巴觀照(實喇卜衮楚克, shes-rabpal, 1259~1314)를 問病하게 하였으나 沙羅巴觀照가 辭讓하였다고 한다(『佛祖歷代通錄』 권22, 大元延祐 1年 ; 『補續高僧傳』 권1, 佛智三藏傳 ; 『大明高僧傳』 권1, 譯經篇1 ; 『釋氏稽古略續集』 권1, 延祐 1年, 佛智法師沙羅巴觀照).

92) 禹山節에 관한 기사는 열전35, 宦者, 禹山節에도 수록되어 있다. 또 이때 尹莘傑은 奉順大夫·密直司右△[副]代言·藝文館提學·知製敎·同知春秋館事에 임명되었다고 한다(尹莘傑墓誌銘).

· 열전35, 宦者, 禹山節, "… 忠肅時, 封豊山君. 忠宣除其父碩春州府使, 令養賢庫·資贍司及諸宮司, 出銀有差, 以贖之. 山節, 嘗娶金牧卿女, 牧卿爲密城副使, 察訪別監朴淑貞劾牧卿貪暴, 罷

[是年, 改定諸道名稱, 以楊廣·慶尙道依舊, 改交州道爲淮陽道:地理志轉載].[93)]

[○□[以]瀋王鈞旨, 復置寶文閣, 大提學從二品, 提學正三品, 直提學正四品:百官1寶文閣轉載].

[○以西林縣人李彥忠, 有勞於忠宣□[王], 陞西林郡監務官爲知西州事官[知舒州事官]:地理1西林郡轉載].[94)]

[○以僧國統丁午鄕, 陞淳昌郡監務官爲知郡事官:地理2淳昌郡轉載].[95)]

[○以[司憲執義]王煦爲三重大匡·雞林府院君:列傳23王煦].

[○以尹莘傑爲奉順大夫·右代言·知製敎·同知春秋館事:追加].[96)]

[○以[知水原府事]全信爲司憲掌令:追加].[97)]

[○以[正順大夫·民部典書]吳永丘爲雞林府尹, 李琯爲雞林判官:追加].[98)]

[○以[奉常大夫]金子鎰爲福州牧使:追加].[99)]

[○以王濟爲延安府使, 金守爲延安司錄. 尋以尹仁奇爲延安府使, 李白奎爲延安司錄:追加].[100)]

[○以[含慶殿錄事]權廉爲別將:追加].[101)]

[○以[奉先庫判官]閔思平爲散員, 尋爲別將:追加].[102)]

[○貶前左副代言元善之爲通直郎·知沔州事:追加].[103)]

[○改修南原府淳昌郡大母山城庫司:追加].[104)]

之. 牧卿憑山節勢, 干謁兩府, 復之任".

93) 이때 道名의 指定은 行政區域의 變化가 아니라 1106년(예종1) 이래 5道의 名稱이 주요 據點地域의 合稱인 3~4字로 불리던 것을 2字로 바꾼 것에 지나지 않는다(事例 : 慶尙晋州道, 慶尙晋安道→慶尙道). 그러므로 이 기사에 의거하여 현재 사용되고 있는 道制의 始作을 是年(충숙왕1)으로 比定하는 것은 적절하지 않다.

94) 李彥忠은 淸州管內의 全義縣 출신의 李彥冲과 다른 인물일 것이다(李彥冲墓誌銘).

95) 이와 같은 자료로 다음이 있다.

· 『신증동국여지승람』 권39, 淳昌郡, 건치연혁, "… 明宗五年置監務. 忠肅王元年, 以僧國統丁午鄕, 陞爲郡. 本朝因之".

96) 이는 「尹莘傑墓誌銘」에 의거하였다.

97) 이는 「全信墓誌銘」에 의거하였다.

98) 이는 『동도역세제자기』에 의거하였다.

99) 이는 『안동선생안』에 의거하였다.

100) 이는 『연안부지』에 의거하였다.

101) 이는 「權廉墓誌銘」에 의거하였다.

102) 이는 『급암시집』연보에 의거하였다.

103) 이는 다음의 자료에 의거하였다.

· 「元善之墓誌銘」, "延祐甲寅貶官, 以通直郎, 出知沔州".

· 열전20, 元傳, 善之, "忠肅初, 貶知沔州".

[增補].[105]

乙卯[忠肅王]二年, 元延祐二年, [西曆1315年]

1315년 2월 5일(Gre2월 13일)에서 1316년 1월 24일(Gre2월 1일)까지, 354일

春正月庚戌朔小盡,戊寅, [壬子3日, 歲星入輿鬼, 犯積屍, 凡二十餘日:天文3轉載].

[某日, 改東堂□試爲應擧試:節要轉載].[106]

戊午9日, [雨水]. 元遣使來, 詔定貴賤服色.[107]

辛酉12日, 賜朴仁幹等及第.[108]

○遣朴仁幹等三人, 應擧于元.[109] [□□□明年初, 皆不第, 仁幹因留, 侍上王:節要轉載].

[□□是時, 改知貢擧, 爲考試官, 同知貢擧, 爲同考試官:選擧2試官轉載].

[乙丑16日, 月入大微太微:天文3轉載].

---

104) 이는 전라북도 淳昌郡 淳昌邑 白山里 山55 大母山城에서 출토된 瓦銘, '延祐元年'에 의거하였다(世宗文化財研究院 編 2015년 436面).

105) 이해의 2월 江浙行省 杭州路 高麗慧因寺의 住持 慧福이 朝列大夫·翰林院直學士 閔漬가 撰하고, 重大匡·上洛君 金恂이 쓴 「高麗國僉議贊成事元公捨大藏經記」를 立石하였다. 이의 내용은 僉議贊成事 元瓘(元傅의 子)이 일찍이 僉議中贊 安珦과 함께 大藏經 1部를 印出하여 江浙行省 慶元路 鄞縣에 위치한 四明山 天童寺에 奉安하였으나, 뜻에 차지 않아 다시 1部를 印出하여 李孝道·高□才를 보내와 慧因寺에 奉安한 事實을 記述한 것이다(『玉岑山慧因高麗華嚴教寺志』 권6, 高麗國僉議贊成事元公捨大藏經記 ; 권7, 高麗國相元公置田碑).

106) 이와 관련된 기사로 다음이 있는데, 瀋王은 上王, 곧 忠宣王이다.

· 지27, 選擧1, 科目, "忠肅王二年正月, 瀋王改東堂□試, 爲應擧試".

107) 몽골제국이 官員·士庶의 衣服과 車輿制度를 制定하게 한 것은 前年 12월 13일(壬辰)이었다(『원사』 권25, 본기25, 인종2, 延祐 1년 12월 壬辰).

· 『원사』 권78, 지28, 輿服1, 服色等第, "一. 漢人·高麗·南人等投充怯薛者, 並在禁限".

108) 이와 관련된 기사로 다음이 있다. 이때 朴仁幹·金昻·朴仁宇·趙廉(『동현사략』)·別將閔思平·安牧 등이 급제하였다(『등과록』, 朴龍雲 1990년 ; 許興植 2005년).

· 지27, 선거1, 科目1, 選場, "忠肅王二年正月, 僉議贊成事致仕李瑱考試官, 尹奕同考試官, 取進士, 辛酉, 賜朴仁幹等三十三人及第".

· 『霽亭集』 권3, 閔思平墓誌銘, "延祐乙卯, 吾東菴文定公主禮闈, 考閱甚精, 所取不滿常額, 選無匪人, 公中之".

· 열전21, 閔宗儒, 思平, "少有器局, 政丞檢校評理金倫號知人, 以女妻之. 學日進, 試補散員·別將, 不樂武資, 讀書益力. 忠肅朝登第".

· 『급암시집』연보, "延祐二年乙卯, 朴仁幹榜及第".

109) 朴仁幹을 위시한 3人은 같은 해 3월 7일(乙卯) 실시된 廷試에서 급제하지 못하였다(지28, 선거2, 制科). 이해에는 征東行省의 鄕試가 시행되지 않은 채 3人의 擧子가 선발되었던 것 같다.

丁卯[18日], 王子禎[忠惠王]生.

[→生子禎, 百官賀, 是爲忠惠王:列傳2忠肅王明德太后洪氏轉載].

[己巳[20日], 月掩氐星:天文3轉載].

[某日, 以慶尙道提察使韓仲熙, 仍番:慶尙道營主題名記].[110)]

[是月頃, 以崔仲安爲永州副使:追加].[111)]

二月[己卯朔[大盡,己卯], 日有三珥:天文1轉載].

壬午[4日], 遣密直副使趙雲鄕[~~趙雲卿~~]如元, 賀節日.

[辛卯[13日], 太白入昴:天文3轉載].

癸巳[15日], 燃燈, 王如奉恩寺.

癸卯[25日], [淸明]. 公主幸王輪寺.

丙午[28日], 遣郞將權碩獻童女于上王.

三月[己酉朔小盡,庚辰], 庚午[22日], 元以加上皇太后[答己]尊號, 詔天下.[112)]

甲戌[26日], [立夏]. 慮囚.

[是月乙卯[7日], 元廷試進士, 賜護都沓兒·張起巖等五十六人及第·出身有差. 時高麗人皆不第:追加].[113)]

夏四月戊寅朔[大盡,辛巳], 日食.[114)]

---

110) 이때 韓仲熙가 慶尙道提察使로서 王命을 받아 班城縣에 위치한 龍巖寺의 重創에 참여하였다고 한다.
 · 『동문선』 권68, 靈鳳山龍巖寺重創記, "… [延祐]二年乙卯. 下王旨于提察使韓仲熙·塩場別監李白經, 始事重營".

111) 이는 『영천선생안』에 의거하였다.

112) 몽골제국이 皇太后에게 尊號를 올리고 天下에 詔書를 내린 기사는 다이두[大都]에서 일어난 事實이므로 오류이다(세가34 ; 『원사』 권25, 본기25, 인종2, 延祐 2년 3월 庚午). 이때 충숙왕이 다이두에 滯在하고 있었던 것도 아니고, 이것이 고려에 通報된 것은 5월 癸亥(16일)에 다시 기록되어 있기에 『고려사』의 편찬에서 오류를 범한 것이다.

113) 이는 『원사』 권25, 본기25, 인종2, 延祐 2년 3월 乙卯에 의거하였다. 이해(1314년)부터 1335년(元統3, 後至元1)까지 22년간 실시된 鄕試와 會試에서의 策文[試驗問題]와 이에 대한 우수한 對策[答案紙]을 편집한 책으로 劉仁初 編, 『新刊類編歷擧三場文選對策』79권이 있는데(完本은 靜嘉堂文庫所藏), 이 책의 高麗本 5, 6권이 현존하고 있다고 한다(趙秉舜 2006년 109面).

114) 이날 몽골제국에서도 일식이 있었고(『원사』 권25, 본기25, 인종2, 延祐 2년 4월 戊寅), 일본의 교토[京都]에서는 陰雲으로 보이지 않았다고 한다. 이날은 율리우스曆의 1315년 5월 4일이고, 開京에서 일식 현상이 심했던 시간은 16시 56분, 食分은 0.72이었다(渡邊敏夫 1979年 311面).

丙戌[9日], 親醮九曜堂.

辛卯[14日], 幸妙通寺.

甲午[17日], 幸福靈寺.

辛丑[24日], 重房饗公主[忠宣王妃寶塔實憐]及王于延慶宮.

五月[戊申朔小盡,壬午], 壬子[5日], 宰樞饗公主于延慶宮.

丁巳[10日], 禱雨.

[壬戌[15日], 白虹貫日:天文1轉載].

癸亥[16日], 元加上皇太后[答己]尊號, 遣使來, 頒詔.

戊辰[21日], 公主及王如妙蓮寺.

己巳[22日], 飯僧二千于延慶宮五日.[115)]

[是月, 祈福都監開板'天台四教儀':追加].[116)]

[○優婆賽信因·僧卽休等寫成'紺紙銀字大彌勒三部經':追加].[117)]

六月丁丑□[朔大盡,癸未], 王如奉恩寺.[118)]

[癸巳[17日], 大雨:五行2轉載].[119)]

癸卯[27日], 慮囚.

· 『續史愚抄』 16, 正和 4년 4월, "一日戊寅, 日蝕, 申刻云".

115) 이 기사는 『고려사절요』 권24에는 4월에 編入되어 있지만, 冒頭에 五月이 탈락되었다.

116) 이는 다음의 자료에 의거하였는데(京畿道博物館 所藏, 보물 제1052호, 文化財管理局 1991년 244面 ; 南權熙 2015년), 前年(延祐1) 7월 丁午의 題記에 追記한 것이다(→충숙왕 1년 7월 是月某日의 脚注).

· 『天台四敎儀』, 末尾刊記, "… 但舊本字大卷重,」 未便於齎持,人皆病之,今有門人大禪師」 宏之,倩人改書鋟梓流行,欲資來學,故玆」 跋云,延祐元年甲寅孟秋初吉,牧庵老人[丁午]題,」 山人水如書,」 二年乙卯五月 日,祈福都監開板".

117) 이는 다음의 자료에 의거하였다(南權熙 2002년 365面 ; 張忠植 2007년 127面).

· 『紺紙銀泥大彌勒三部經』, 末尾題記, "伏爲」 皇帝萬年, 當今主上,寶位遐長,國泰民安,」 佛日恒明,法輪常轉,無邊法界,一切有情,俱斷苦」 輪,發菩提心,咸悟無生,證」 佛智,次願先亡親緣眷屬,承此善根,往生西方極」 樂世界,親見」 彌陀,已身善芽增長,世世生生,殊因不昧,値遇」 彌勒下生,聞法悟道,利益衆生之願,借人敬寫流通者,」 延祐二年五月 日,施主 信因,」 同願 山人卽休書」.

118) 丁丑에 朔이 탈락되었다.

119) 이때 몽골제국에서는 6월 22일(戊戌) 黃河가 鄭州 氾水縣(現 河南省 滎陽市 서북쪽의 氾水鎭)에서 堤防이 터져[決] 縣治를 崩壞시켰다고 한다.

· 『원사』 권25, 본기25, 인종2, 延祐 2년 6월 戊戌, "河決鄭州"

· 『원사』 권50, 지3상, 오행1, "[延祐]二年六月, 河決鄭州, 壞氾水縣治".

秋七月[丁未朔大盡,甲申], 乙卯[9日], 遣三司使權漢功如元, 賀加上皇太后[荅己]尊號.
己未[13日], 公主及王, 以忠烈王忌辰, 如妙蓮寺, 行香.
[某日, 以慶尙道提察使韓仲熙, 仍番:慶尙道營主題名記].

[八月丁丑朔[小盡,乙酉], 某日, 典瑞院使兼宮正司宮正·神光君申當住, 僧道環等, 爲皇帝·瀋王[~~忠宣王~~]等福壽, 寫成"紺紙金字妙法蓮華經":追加].[120)]

九月[丙午朔大盡,丙戌], [某日], 公主[忠宣王妃寶塔實憐]如元.
[→公主如元, 帝遣□□院使闊闊歹等迎之.[121)] 忠宣時在元, 請迎于道, 帝許之, 乃至[中書省]薊州之南, 迎之:列傳2忠宣王妃薊國大長公主轉載].[122)]

[秋某月, 以[選部議郞]李齊賢爲成均祭酒兼選部議郞, 時齊賢燕邸入侍:追加].[123)]

冬十月[丙子朔小盡,丁亥], 戊寅[3日], [瀋王]世子暠謁公主于[中書省]通州.[124)]

---

120) 이는 石川縣金 澤市 長坂町 大乘寺와 島根縣 松江市 堂形町 天倫寺에 각각 소장되어 있는『紺紙金泥妙法蓮華經』a권1,3,4,5,6의, b권7의 末尾 題記에 의거하였다(菊竹淳一 1981年 單色圖版 67 ; 權熹耕 1986년 402面 ; 奈良國立博物館 1996年 284面 ; 張東翼 2004년 707面 ; 張忠植 2007년 134面).
- 題記b, "夫蓮經之旨, 甚深微妙, 於諸經中, 最尊最勝,」藥王菩薩本事品云, 若人得聞此法華經, 若自書」若使人書, 所得功德, 以佛智慧籌量, 多少不得」其邊, 是故, 弟子於此法門, 深植信根, 普勸檀緣, 敬」以金字倩人寫成一部, 用玆功德, 奉祝」皇帝万年, 瀋王殿下, 福壽無疆,」當今主上, 寶位天長, 諸王·宗室, 共保康寧, 文虎百」僚, 忠貞奉國, 干戈不起, 國泰民安, 次願同隨喜施」主等現, 增福壽於當來世, 法華會上, 同聞妙法共」成, 妙果普及, 法界含靈, 速離苦海, 俱成正覺耳,」延祐二年乙卯八月 日道環 誌,」同願」大功德主·資善大夫·典瑞院使兼宮正司宮正」神光君申 當住」(권7卷末).
- 題記a, "大功德主·資善大夫·典瑞院使兼宮正司宮正」神光君申 當住"(권1, 7卷末).

121) 闊闊歹[Köködei]는 院使를 稱하고 있음을 보아 皇室과 관련된 諸司의 長官인 院使로 재직하고 있었던 宦官을 추측된다.
122) 忠宣王[瀋王]이 中書省 薊州(現 天津市 薊州區 地域)에서 王妃를 마중한 때는 瀋王世子 暠가 通州(現 北京市의 東南部에 위치한 通州區)에서 謁見한 것이 10월 3일(戊寅)임을 감안하면 9월 下旬으로 추측된다.
123) 이는「李齊賢墓誌銘」에 의거하였다.
124) 世子 暠는 瀋王世子 暠로 하여야 옳게 된다. 暠(完澤禿, Öljeitu)는 忠宣王의 異腹兄인 江陽公 滋의 次子이며, 忠肅王의 年下로서 忠宣王의 養子가 되어 瀋王位의 世子가 되었다(열전4, 종실2, 忠烈王子, 暠).

十一月[乙巳朔大盡,戊子]，壬子[8日]，公主[忠宣王妃寶塔實憐]在元，不豫.

[→薊國大長公主，在元不豫:禮6國恤轉載].

[→公主在元，尋不豫，太后[答己]遣□□院使唐古歹問疾，仍令侍疾:列傳2忠宣王妃薊國大長公主轉載].

十二月[乙亥朔小盡,己丑]，甲午[20日]，[公主]薨.[125]

[庚子[25日]，奉柩東還，仁宗皇帝命中書省·御史臺，百官奠于道:禮6國恤·列傳2忠宣王妃薊國大長公主轉載].

[是年， 以元阿海平章□□[政事]妻趙氏內鄉， 陞嘉林縣令官位知林州事官:地理1嘉林縣轉載].[126]

[○以[知密直司事]蔡洪哲爲僉議評理:列傳21蔡洪哲轉載].[127]

[○以[讞部典書]閔頔爲密直副使:列傳21閔頔轉載].

[○以[右代言]趙瑋爲讞部典書:追加].[128]

[○以[別將]權廉爲寶馬陪行首:追加].[129]

丙辰[忠肅王]三年，元延祐三年，[西曆1316年]

1316년 1월 25일(Gre2월 2일)에서 1317년 1월 13일(Gre1월 21일)까지, 355일

[春正月[甲辰朔大盡,庚寅]，某日，以吳潛爲元尹:追加].[130]

[某日，以朴孝修爲慶尙道提察使:慶尙道營主題名記].

春二月[甲戌朔小盡,辛卯]，丙子[3日]，公主之喪至自元，百官玄冠·索服[素服]，迎于郊，殯永

---

125) 이 기사는 지18, 禮6, 國恤에도 수록되어 있다. 이날은 율리우스曆으로 1316년 1월 15일(그레고리曆 1월 23일)에 해당한다.

126) 嘉林縣의 승격에 대한 기사는 『세종실록』 권149, 地理志, 林川郡 ; 『신증동국여지승람』17, 林川郡, 建置沿革에도 수록되어 있다.

127) 이는 열전21, 蔡洪哲, "明年[忠肅2年], 陞僉議評理, 轉三司使, 尋遷贊成事"에 의거하였다.

128) 이는 「趙瑋墓誌銘」에 의거하였다.

129) 이는 「權廉墓誌銘」에 의거하였다.

130) 이는 「吳潛墓誌銘」에 의거하였는데, 元尹은 君에 册封된 宗室과 宰相들에게 수여한 勳職이었다.

安宮.131)

[癸未10日, 虎入城:五行2轉載].

庚寅17日, 葬公主忠宣王妃寶塔實憐.132)

[某日], 王如元, 以上王請婚于帝, 帝許之.133)

三月[癸卯朔大盡,壬辰, 赤氣見于東南, 光如炬者二:五行1轉載].

[甲辰2日, ~~都僉議侍郎贊成事·右文館大提學·監春秋館事·判選部事~~朴全之妻崔氏卒:追加].134)

乙巳3日, 禁酒.

[丁未5日, 雨雹:五行1雨雹轉載].

辛亥9日, 上王奏于帝, 傳瀋王位于□□~~瀋王~~世子暠,135) 自稱大尉王~~太尉王~~. [帝授暠開府儀同三司·瀋王. 令尙梁王女:節要轉載].

戊午16日, 罷密直副使~~知密直司事~~兼大司憲安于器, △爲檢校□都僉議評理,136) 以元尹趙

---

131) 이 기사는 지18, 禮6, 國恤에도 수록되어 있다. 또 여러 판본의 『고려사』에서 素服(색복)으로 되어 있으나 素服의 오자인데. 열전2, 忠宣王妃, 薊國大長公主에는 옳게 되어 있다.

132) 이 기사는 지18, 禮6, 國恤에도 수록되어 있다.

133) 이때 嘉順府丞 金永旽(金永旽과 李公遂의 墓誌銘에는 金永暾으로 되어 있다)·藝文春秋館檢閱 韓宗愈 등이 隨從하였다(金永旽墓誌銘 ; 『安東金氏大同譜』 권1, 1980년 所收 ; 韓宗愈墓誌銘).

134) 이는 다음의 자료에 의거하였는데, 이 자료는 朴氏族譜에 수록된 것으로 後代에 改書된 것이다(金龍善 2006년 432面). 또 이날은 율리우스曆으로 1316년 3월 25일(그레고리曆 4월 23)에 해당한다.

· 「朴全之妻崔氏墓誌銘」, "延祐三年丙辰三月初二日甲辰, 重大匡·中書侍郎同中書門下平章事·修文殿大學士·監修國史·判吏部事致仕·杏山居士朴全之妻卞韓國大夫人崔氏卒于家, 是月十日壬子殯于第之北堂, 至月十八日己未葬于京城西南二十里許三郎山之鹿, 杏山銘其墓曰, …". 여기에서 밑줄 친 字句는 당시의 관직이 아니라 恭愍王代에 시행된 文宗舊制이다.

135) 이와 관련된 기사로 다음이 있고, 그중에서 顯宗은 晋王 카마라(甘麻剌, 皇太子 眞金의 長子, 泰定帝의 父)이고, 그의 長子가 梁王 松山(Sulsan, 태정제의 兄)이다. 그래서 松山의 딸인 訥倫[nolun]公主는 忠宣王妃인 寶塔實憐[Botasirin]公主의 親姪女에 해당한다.

· 『원사』 권25, 본기25, 인종2, 연우 3년, "三月辛亥, 特授高麗王世子瀋王世子王暠開府儀同三司·瀋王"으로 되어 있다. 이에서 高麗王世子王暠는 瀋王世子王暠의 오류일 것이다.

· 『원사』 권109, 表4, 高麗公主位, "□國公主, 顯宗之子梁王松山之女, 適瀋王王暠".

· 열전4, 충렬왕 江陽公滋, 暠, "忠宣在元, 傳位忠肅, 以暠爲世子. 因留爲禿魯花. 忠宣嘗爲瀋王, 忠肅三年, 奏帝, 瀋王位于暠. 自稱太尉王. 遂封暠瀋王, 尙元梁王女, 梁王, 薊國公主兄也. 暠因得公主寶物, 寵幸無比, 忠宣愛護愈篤".

· 表2, 年表2, 충숙왕 3년, "三月, 忠宣奏于帝, 傳瀋王位于世子暠, 自稱大尉太尉王".

136) 이에서 安于器의 관직이 密直副使兼大司憲으로 되어 있으나 知密直司事兼大司憲의 오류이다. 그는 1305년(충렬왕31) 6월 26일(辛丑) 密直副使에, 1313년(충선왕5) 3월 24일(辛亥) 재차 밀직부사에 임명되었다. 이어서 1314년(충숙왕1) 6월 8일(庚寅)에 知密直司事로 재직하고 있었고, 그의 묘지명에 "累加至知密直司事兼大司憲·民部·摠部二典書, 後拜匡靖大夫·檢校□都僉議評

延壽[趙珝], 代之.[137] [珝, 方寵於上王, 而于器有公望, 無內援, 識者惜之:節要轉載].

[→忠肅卽位, 除密直副使兼大司憲, 亡何, 罷于器, 以元尹趙珝代之. 珝, 方爲忠宣所寵, 而于器有公望, 無內援, 識者惜之:列傳18安于器轉載].

[○月食:天文3轉載].[138]

[某日, 判中門事李仁琪卒. 仁琪, 以武才顯, 爲護軍, 疾重房諸將, 怙勢使氣, 嘗抗辱之, 諸將訴上王, 王雖疾諸將, 而賢仁琪, 以諸將, 皆上國婦寺之黨, 故不得已削仁琪職. 未幾, 超授知讞部事. 仁琪有風彩, 禮度中矩, 智勇過人:節要轉載].[139]

[某日, 禁有職人及僧人, 商販:節要·刑法2禁令轉載].

丁卯[25日], 上王傳旨, 命式目都監, 遣使五道, 禁怙勢之徒, 縱暴州郡. 時王入朝, 慮無賴輩, 侵擾人民也.

[某日, 元尹申汝桂妻金氏, 率婢僕出巷, 有惡小十餘人, 大呼突入, 擔而走, 汝桂奔告淑妃, 使人追之, 至十里許, 棄之而散, 獲一人囚之, 乃□□□[前合浦]萬戶權準家人也. 金氏淑妃之姨也, 巡軍畏權氏勢, 莫敢究理:節要轉載].[140]

[是月, 僧瑞光撰'六祖大師法寶壇經'跋:追加].[141]

理"로 되어 있다(安于器墓誌銘).

또 그가 임명된 檢校□[都]僉議評理를 잘못 들어간 글자[衍文]로도 파악한 적도 있으나(東亞大學 1982년 3책 311面), 『고려사』의 撰者가 임명의 기사에서 爲字를 생략한 것을 認知하지 못했다. 또 이보다 2년 후인 1318년(충숙왕5) 9월의 안우기의 관직이 慶尙全羅兩道都巡撫鎭邊使·匡靖大夫·檢校評理兼判典議司事·上護軍이었던 점에서(「安珦影幀題記」, 紹修書院 所藏, 國寶 第111號), 이때 檢校都僉議評理에 임명되었던 것을 알 수 있다.

· 『嘯皐集』 권3, 雜著, 紹修書院畫像改修識, "… 右文成公[安珦]遺像, 中因興州校廢, 收還宗家, 故參判周世鵬知郡時, 爲設書院, 復祗迓于廟. 前後數百年, 絹幅斷爛欲盡, 前守張文輔, 謀改畫未就, 今年九月日, 禮曹判書洪暹, 據[慶尙道]監司李戡粘報以啓, 上允之, 特遣善手模繪, 十月乙卯始事, 越若干日訖功, 虔揭祠壁, 祀以安之, 禮也. 裔孫左議政安玹·贊成沈通源, 實主張之, 議政弟瑺宰榮川, 與致力焉. 始畫一本, 未稱, 卽改描, 惟肖, 其舊幀及始畫兩簇, 并櫃藏廟中焉, 嘉靖三十八年[明宗14年]十一月某日, 郡守朴承任謹書".

· 『記言』別集권9, 安文成公遺像重摸記, "古興州之白雲洞紹修書院, 有舊藏安文成公遺像圖本三, 傳自延祐年中, 至今三百有餘年, 安氏苗裔今五衛將應昌, 以厚貨求畫工, 更摹出二本, 屬孔巖許穆識之".

137) 趙延壽는 『고려사절요』 권24와 安于器의 열전에는 趙珝(조후)로 표기되어 있다(열전18, 安珦, 于器). 그는 趙仁規의 3子로서 初名이 趙珝·趙詡이고, 후일 趙延壽로 改名하였다고 한다(열전18, 趙仁規, 延壽 ; 趙延壽墓誌銘).

138) 이날은 율리우스력의 1316년 4월 8일이고, 월식 현상이 심했던 때의 世界時는 15시 0분, 食分은 1.51이었다(渡邊敏夫 1979年 483面).

139) 이와 같은 기사가 열전21, 李仁琪에도 수록되어 있다.

140) 이와 같은 기사가 열전20, 權呾, 準에도 수록되어 있다.

141) 이는 다음의 자료에 의거하였지만, 筆者가 적절히 解讀하지 못했다(大谷大學圖書館 編 1997年

[是月頃, 以金用珍爲永州判官:追加].[142]

夏四月[癸酉朔小盡,癸巳], 丁亥[15日], 以王<u>弟</u>[~~從弟~~]珦爲丹陽府院大君, 塤爲延德府院大君, [鷄林府院君]煦爲雞林府院大君, 閔漬爲驪興君, 朴全之爲延興君, 金子興爲義興君, 金子延爲義城君, 李偰·金士元△△[並爲]□□□[~~贊成事~~]·商議會議都監事, 崔元茂△[爲]檢校評理, [大司憲]趙延壽爲藝文館提學, 洪戎爲三司使, 趙雲卿△[爲]知密直司事, 閔頔△[爲]同知密直司事, [密直代言]<u>元忠</u>爲密直副使,[143] 李齊賢爲進賢館提學. [煦, 權溥之子, 上王愛以爲假子, 賜宗姓, 書于屬籍, 故時稱<u>王弟</u>. 延壽即玥也:節要轉載].[144]

[某日, 令<u>百官</u>, 出苧布有差, 以支國用:節要轉載].

[→令<u>宰樞至九品</u>, 皆出紵布有差, 以支國用:食貨2科斂轉載].

[某日, 西海道民多流移, 州郡空虛者五六, 海州納其印于都堂, 以順正君璹, 奪州田五千餘結故也. 璹, 以其妹伯顔忽篤, 得幸於帝, 憑藉宮掖, 多行不法, 見王, 亦倨傲無禮:節要轉載].

[→西海道民多流移, 州郡空虛者五六. 海州亦納其印于都堂, 以璹奪州田五千餘結故也. 命執璹家奴在海州擾百姓者, 流遠島:列傳3顯宗王子平壤公基轉載].

五月[壬寅朔小盡,甲午], [某日, 司憲府鞫黃州牧使李緝妻. 尙書潘永源之女也, 緝嘗在任, 妻與<u>衛身</u>金南俊通,[145] 遂殺緝. 讞部究理, 將置極刑, 會潘族僧宏敏, 有寵於上王, 常侍左右, 以故, 數下旨沮之, 尋有赦得免, 國人切齒. 至是, [密直副使·]大司憲趙延壽執之, 祝髮, 置<u>淨業院</u>:節要轉載].[146]

11面, 筆者未見).

· 『六祖大師法寶壇經』跋, "法寶壇經, 乃是佛祖骨髓, 直截根源, 了無」枝葉, <u>如日麗天</u>[如日中天?],靡所不照, 如水歸海,同一」鹹味, 見者飮者, 莫不具足,」報國<u>秋谷</u>老師, 刊板印施, 以廣其傳, 欲令,」學般若菩薩頓悟心, 宗合趣覺地, 雖然葉,」落歸根, 來時無口, 若謂老盧末後句, 此卷」向甚處得來, 延祐丙辰三月日, <u>瑞光</u>景瞻拜書」.

142) 이는 『영천선생안』에 의거하였다.

143) 이때 元忠은 通憲大夫·密直副使·左常侍·上護軍에 임명되었다(元忠墓誌銘).

144) 王煦에 관한 기사는 그의 열전에도 수록되어 있다(열전23, 王煦, "[忠肅]三年, 加府院大君, 時稱王弟").

145) 여기에서 衛身은 '스스로를 지킨다'는 원래의 뜻[本義]와 관계없이 衛士, 衛卒로 理解하는 것이 좋을 것이다[妻不衛身, 與南俊通].

· 『淮南鴻烈解』 권10, 繆稱訓, "… 故世治則以義衛身, 世亂以身衛義, 死之日, 行之終也".

146) 이와 관련된 기사로 다음이 있다.

· 열전18, 趙仁規, 延壽, "忠肅時, 爲密直副使兼大司憲. 時<u>全英甫</u>弟僧<u>山冏</u>, 倚兄勢驕恣, 住大寺, 畜數妻. <u>延壽</u>囚其妻鞫之, 黃州牧使<u>李緝</u>妻潘氏, 尙書<u>永源</u>女也. <u>緝</u>嘗在任, 妻與衛身<u>金南俊</u>通, 殺<u>緝</u>. 讞部究理, 將置極刑. 潘氏族僧<u>宏敏</u>, 有寵於忠宣, 數下旨沮之. 尋有赦得免, 國人

戊午[17日], 以旱禱雨.

丁卯[26日], 再雩.

[戊辰[27日], 禱雨于佛寺:五行2轉載].

己巳[28日], 聚巫禱雨.

[某日, 太白·熒惑相犯:天文3轉載].[147)]

六月[辛未朔大盡,乙未], 甲戌[4日], 雨,

翼日[~~乙亥~~5日], 大雨.[148)]

戊子[18日], 王謁帝于上都.

壬辰[~~癸巳~~23日], [推誠陳力定安功臣·]南陽府院君[·商議僉議都監事]洪奎卒, [年七十五:追加].[149)].

[謚匡定. 子戎, 女一, 卽明德太后:列傳19洪奎轉載].

[丙申[26日], □[都]僉議贊成事致仕元瓘卒, 年七十:追加].[150)]

秋七月辛丑朔[大盡,丙申], 三司使蔡禑卒.[151)]

戊申[8日], 王娶營王[也先帖木兒]女亦憐眞八剌[~~亦憐眞八剌~~]公主.[152)]

戊午[18日], 懿妃[也速眞]薨于元.

[→懿妃薨于元, 喪具未備, [僉議評理金]怡燒骨納函棺, 身自瘞之. 每當朔望, 備羊酒親奠, 終三年. 後王欲仍窆大都西山, 怡以百計止之, 不得, 貨術士, 以詭辭諭王曰,

---

切齒. 延壽祝其髮, 置淨業院, 人皆差快".

147) 지3, 天文3에 날짜[日辰]가 탈락되었으나 앞의 기사가 三月戊午임을 보아 五月戊午(17日)일 가능성이 있다.

148) 이때 몽골제국에서는 6월 27일(丁酉) 黃河가 汴梁(現 河南省 開封市)에서 堤防이 터져[決] 民家가 水沒되었다고 한다.
· 『원사』 권25, 본기25, 인종2, 延祐 3년 6월 丁酉[27日], "河決汴梁, 沒民居".

149) 「洪奎墓誌銘」에 의하면 6월 23일에 逝去하였다고 한다(金龍善 2006년 434面 ; 『南陽洪氏族譜』 所收]. 이 시기에는 高麗曆이 元曆과 同一하여 6월(辛未朔) 壬辰은 22일이고, 日本曆은 壬申(元曆의 2日)이 朔日인데, 일본력으로 계산하면 壬辰은 21일에 해당한다. 洪奎의 墓誌銘이 族譜에 수록되어 있는 것이기에 이것을 가지고 曆日의 문제를 다루기에는 어려움이 있으나 壬辰은 癸巳의 오류일 것이다. 또 이날(23일, 癸巳)은 율리우스曆으로 1316년 7월 12일(그레고리曆 7월 20일)에 해당한다.

150) 이는 「元瓘墓誌銘」에 의거하였는데, 이날은 율리우스曆으로 7월 15일(그레고리曆 7월 23일)에 해당한다.

151) 이날은 율리우스曆으로 1316년 7월 20일(그레고리曆 7월 28일)에 해당한다.

152) 也先帖木兒(也先鐵木兒, 也先帖木而, Esen Temur)는 世祖 구빌라이의 孫인 忽哥赤(Qugechi, 雲南王)의 子이고, 1307년(大德11) 무렵 營王에 책봉되었다고 한다(『원사』 권107, 世祖皇帝, 雲南王忽哥赤位, 권108, 표3, 諸王表, 營王, 牛根靖裕 2008年 ; 高文德 1995年 134面).

'安唐本國, 無後禍', 王從之:列傳21金怡轉載].[153)]

[某日, 以慶尙道提察使朴孝修, 仍番:慶尙道營主題名記].[154)]

八月辛未朔小盡,丁酉, 癸酉3,日 懿妃之喪至自元,

庚寅20日, 葬懿妃.

[→薨于元, 還葬于國, 謚懿妃:列傳2忠宣王妃懿妃也速眞轉載].

[→還葬衍陵:列傳21金怡轉載].

[某日, 置巡鋪三十三所:兵1五軍轉載].

[是月, 普玄寺比丘釋連, 優婆塞文世·嚴夫等開板'詳校正本慈悲道場懺法':追加].[155)]

九月庚子朔大盡,戊戌, [丁巳18日, 大雷電, 暴雨:五行1雷震轉載].

庚申21日, 慮囚.

冬十月庚午朔大盡,己亥, 丁酉28日, [小雪]. 王與亦憐眞八剌公主至自元.

十一月庚子朔小盡,庚子, 丙寅27日, 遣都僉議政丞柳淸臣如元, 賀正.

十二月己巳朔大盡,辛丑, [乙亥7日, 白虹見于西北:五行2轉載].

[丙申28日, 西方有赤祲:五行1轉載].[156)]

---

153) 여기에서 大都西山은 당시 大都의 서쪽에 위치해 있었던 宛平縣 지역으로 이곳에는 高麗人의 집단 거주지인 高麗莊이 散在해 있었던 것 같다. 또 이곳은 몽골제국 지배층의 遊覽地域이었고, 매년 9월 단풍[紅葉]이 아름다웠다고 하는데, 현재의 北京市 海淀區 大西山 地域인 것 같다(陳高華 1982年 74面). 이날(18일, 戊午)은 율리우스曆으로 1316년 8월 6일(그레고리曆 8월 14일)에 해당한다.

154) 이때 朴孝修가 慶尙道提察使로서 王命을 받아 晉州 班城縣에 위치한 龍巖寺의 重創에 참여하였다고 한다.
- 『동문선』 권68, 靈鳳山龍巖寺重創記, "… 延祐三年丙辰秋, 提察使朴孝修, 亦承上命, 大興斤斧之役".

155) 이는 『詳校正本慈悲道場懺法』卷末의 刊記에 의거하였다(南權熙 2002년 91面, 261面).
- 刊記, "特爲」 皇帝陛下御宇萬年,」 瀋王殿下福壽無疆,本朝」 主上寶位遐長,文貞虎協,雨暘」 時□若,禾稼稔,干戈戢,朝野安,三世」 師親,法界生亡,同證菩提,請手鏤」 板,印施無窮者.」 延祐三年丙辰八月誌,」 幹善普玄寺比丘釋連,」 同願施主文世·嚴夫,」 刻板山人眞悟,」 邊山開板,」 隨喜·惠山」. 여기에서 添字를 追加하여야 좋을 것이다.
- 『書經』洪範, "八, 庶徵, 曰雨, 曰暘, 曰燠, … 曰肅時雨若, 曰乂時暘若, …". 여기에서 '雨暘時若'이 하나의 成語가 되었다.

丁酉[29日], 西北方震雷.
[→西北方震雷, 赤祲:五行1轉載].

[是年, 以縣人鄭守琪·卞遇成有功, 陞草溪縣爲知郡事官:地理2轉載].[157)]
[○以[讞部典書]趙瑋爲摠部典書·行平壤尹事:追加].[158)]
[○以[成均祭酒]李齊賢爲判典校寺事, 時齊賢燕邸入侍:追加].[159)]
[○以班永源爲延安府使, 裵宗垍爲延安司錄:追加].[160)]
[○以[前司憲糾正]朴華爲選部散郞·知慶原府事:追加].[161)]
[○以[前全州司錄]朴元桂爲權知典校校勘:追加].[162)]
[○以朴文有爲雞林府司錄, 禹敍功爲雞林法曹:追加].[163)]
[○[前知鐵原府事]崔雲復官, 爲正尹:追加].[164)]
[○燕邸上王隨從臣李齊賢, 奉皇朝命, 奉使西蜀:追加].[165)]

丁巳[忠肅王]四年, 元延祐四年, [西曆1317年]

1317년 1월 14일(Gre1월 22일)에서 1318년 2월 1일(Gre2월 9일)까지, 13개월 384일

春正月[己亥朔大盡,壬寅], 戊午[20日], 王以營王之請, 親選童女.
丁卯[29日], 王微行, 幸妓萬年歡家, 厚賜銀幣.

---

156) 原文에는 "十一月丙申, 西方有赤祲"으로 되어 있으나 이달에는 丙申이 없다. 그렇지만 丁酉(30일) 西北方에 赤祲이 있음을 보아 十一月丙申은 十二月丙申의 오류일 것이다.
157) 이는 다음의 자료에 의거하였다.
· 『경상도지리지』, 陜川郡, 草溪縣, "忠肅王時, 延祐丙辰, 以鄕人卞遇成·鄭昆·鄭守琪等輔佐王室之功, 升爲知郡事".
· 지11, 지리2, 草溪縣, "忠肅王三年, 以縣人鄭守琪·卞遇成有功, 陞知郡事".
158) 이는 「趙瑋墓誌銘」에 의거하였다.
159) 이는 「李齊賢墓誌銘」에 의거하였다.
160) 이는 『연안부지』에 의거하였다.
161) 이는 「朴華墓誌銘」에 의거하였다.
162) 이는 『목은문고』 권19, 「朴元桂墓誌銘」에 의거하였다.
163) 이는 『동도역세제자기』에 의거하였다.
164) 이는 「崔雲墓誌銘」에 의거하였다.
165) 이는 「李齊賢墓誌銘」에 의거하였다.
· 열전23, 李齊賢, "遷成均祭酒, 奉使西蜀, 所至題詠, 膾炙人口".

[某日, 以鄭安俊[鄭安校]爲慶尙道提察使:慶尙道營主題名記].[166)]

閏[正]月[己巳朔小盡,壬寅], 庚午[2日], 王及公主移御定安君[定安公許悰]第.[167)] [初, 德妃黜居於此. 王數夜行, [代言]尹碩·[大護軍?]孫琦等, 密白王, 遷德妃於隣家, 以便往來, 遂移御:節要轉載].

[→後忠肅尙元濮國長公主, 以公主妬忌, 后出居定安公第, 王數夜幸之. 尹碩·孫奇等密白王, 移御定安公第, 遷后於隣家, 以便往來. 有女巫以妖言出入后宮, 頗見信愛, 后尋知妖妄, 籍其財產, 令左右榜殺之:列傳2忠肅王明德太后洪氏轉載].

壬申[4日], 元流魏王阿木哥于耽羅, 尋移[白翎鎭]大靑島.[168)]

[庚辰,元以立皇太子,遣使來,頒詔→3월로 옮겨감].

乙酉[17日], 魏王館庭甎, 日照霜潤, 光彩斕班. 有人白王曰, "魏王館庭中光彩, 皆成牧丹諸花卉狀, 豈天降祥, 以表聖德". 王甚喜, 厚賞其人, 乃命畫工, 圖其狀. 先是, 彌勒寺僧獻異草, 以爲靈芝, 王重秘之, 令文士賦詩, [人皆笑之:節要轉載]. 有一人獻詩, 安得仙人培養術, 更和甘露種庭心. 盖譏之也.

[→魏王館庭甎日照, 霜光粲爛, 成花草狀, 又僧元果獻怪草, [史館修撰韓]宗愈與內官等以爲, 聖德致此瑞也:列傳23韓宗愈轉載].

丙戌[18日], 淑妃邀宴公主, 贈遺侍女銀帛, 有差.

二月戊戌朔[小盡,癸卯], 王畋于西海道.

---

166) 鄭安俊은 鄭安校의 오자일 것이고, 그는 이때 班城縣 龍巖寺의 중건에 참여하였다(『동문선』 권68, 靈鳳山龍巖寺重創記).

167) 定安君은 『고려사절요』 권24에는 定安公으로 되어 있다.

168) 이와 관련된 기사로 다음이 있고, 明年 6월 魏王 阿木哥[Amuge]를 탈출시켜 大都로 모셔가려던 術者 趙子玉 等 7인이 체포되어 誅殺되었다고 한다. 또 魏王 阿木哥는 裕宗(皇太子 眞金, 成宗의 父)의 2子인 順宗(答剌麻八剌太子)의 長子(武宗·仁宗의 兄)이고, 忠肅王妃 曹國公主 金童의 父이다(『원사』 권107, 表2, 宗室世系表, 世祖皇帝, 順宗皇帝). 그리고 利津縣은 현재의 山東省 東營市 利津縣으로 추측된다.

- 지12, 지리3, 白翎鎭, "忠肅王四年, 元流魏王阿木哥于此, 十年, 召還".
- 『세종실록』 권152, 지리지, 海州牧, 甕津縣, "大靑島[在縣西, 水路七十五里. 有古宮三間·溷室一間·墻垣舊基. 高麗忠肅王四年丁巳, 大元皇帝流魏王阿木哥于此島, [十年]癸亥十月, 召還. …". 여기에서 添字가 추가되어야 좋을 것이다.
- 『원사』 권26, 본기26, 인종3, 延祐 5년 6월, "乙巳, 術者趙子玉等七人伏誅. 時魏王阿木哥以罪貶高麗, 子玉言於王府司馬曹脫不台等曰, 阿木哥名應圖讖. 於是, 潛謀備兵器·衣甲·旗鼓, 航海往高麗取阿木哥至大都, 俟時而發, 行次利津縣, 事覺, 誅之".

[癸卯[6日], 十川里民家四十餘戶火:五行1火災轉載].

甲辰[17日], 遣密直洪瀹如元, 賀節日.

己酉[12日], 承安君李之氐卒.[169]

壬子[15日], 王畋于峯城, [三日而還:節要轉載].

辛酉[24日], 又獵于漢陽, 三司使洪戎·密直使~~密直副使~~趙延壽·[密直副使]元忠·大司憲趙雲卿·萬戶張宣·曹碩·權準·代言許富及獵騎三百餘人, 從之. 時方農作, 民甚怨咨.[170]

三月[丁卯朔大盡,甲辰], 戊寅[12日], 親醮于康安殿.

[庚辰[14日], 元以立皇太子, 遣使來, 頒詔←閏正月에서 옮겨옴].[171]

癸未[17日], 元遣使來, 閱軍器所~~軍器庫~~·弓弩都監及江華軍器.[172]

壬辰[26日], 慮囚.

甲午[28日], 遣前上護軍李堅幹如元, 獻童女.[173]

乙未[29日], 光山君金琀卒.[174]

[是月頃, 以金瑩爲永州副使:追加].[175]

夏四月[丁酉朔小盡,乙巳], 庚子[4日], 檢校□[都]僉議政丞閔漬撰進'本朝編年綱目'. [上起國初, 下訖高宗, 書凡四十二卷. 漬, 稍有文藻, 而心術不正, 不知性理之學, 其論昭穆, 至以朱子之議爲非, 所見之偏, 類此:節要轉載].

丁巳[21日], 貶前代言尹碩于金海府. [碩, 事王潛邸, 巧言令色, 善爲逢迎, 妬賢疾能, 顚倒是非. 上王恐其誤國, 遣使諭王, 斥之:節要轉載].[176]

[甲子[28日], 大雨:五行2轉載].

---

169) 이날은 율리우스曆으로 1317년 3월 25일(그레고리曆 4월 1일)에 해당한다.

170) 趙延壽와 元忠은 모두 密直副使였다(→충숙왕 3년 3월 16일, 4월 15일).

171) 仁宗이 皇太子를 책봉하고 천하에 조서를 내린 것은 이해의 閏正月 18일(丙戌)이다(『원사』 권26, 본기26, 인종3, 延祐 4년 閏正月 丙戌). 또 몽골제국의 사신이 고려에 도착하는 것은 일반적으로 1~2개월이 경과한 이후이므로, 이 기사는 3월 庚辰(14일)로 옮겨 와야 할 것이다[校正事由].

172) 軍器所는 軍器庫의 오자로 추측된다.

173) 李堅幹(?~1330)은 慶尙南道 密陽市 武安面 來進里 173 龍安書院에 祭享되어 있다고 한다(具山祐 2008년 174面).

174) 이날은 율리우스曆으로 1317년 5월 10일(그레고리曆 5월 18일)에 해당한다. 또 金琀는 그의 사위인 趙延壽의 묘지명에 의하면 重大匡·光山君에 이르렀다고 한다(趙延壽墓誌銘).

175) 이는 『영천선생안』에 의거하였다.

176) 이 기사는 열전37, 嬖幸2, 尹碩에도 수록되어 있다.

[某等重修仁州鶴林寺:追加].[177]

[五月丙寅朔[小盡,丙午]:追加].

六月[乙未朔大盡,丁未], 癸卯[9日], 遣□[~~都~~]僉議評理金怡[金廷美]如元, 賀立皇太子.[178]
癸亥[29日], 遣上護軍鄭允興, 聘于營王[也先帖木兒].[179]

[秋七月[乙丑朔小盡,戊申], 丙寅[2日], 震活人堂:五行1雷震轉載].[180]
[某日, 以李晲[~~李賍~~]爲慶尙道提察使:慶尙道營主題名記].[181]

[八月[甲午朔大盡,己酉], 己酉[16日], 月食:天文3轉載].[182]
[某日, 設九齋朔試. 時監試廢已久, 始以朔試, 代之:節要轉載].[183] [□□[~~是時~~], 朴

---

177) 이는 仁川市 彌鄒忽區 鶴翼 1동 학익초등학교에서 출토된 명문기와에 의거하였다(洪榮義 2018년, “延祐四年三月重修”).

178) ~~添字는~~『고려사절요』 권24에 의거하였다.

179) 營王은 雲南王 忽哥赤(qugechi, 世祖의 5子)의 아들로서 1288년(至元25, 충렬왕14, 原文에는 至元 17년으로 되어 있음) 襲位하였다가 1307년(大德11, 충렬왕33) 武宗으로부터 營王에 進封된 也先帖木兒(Esen Temur, ?~1332)이다(『원사』 권107, 世祖皇帝, 雲南王忽哥赤位, 권108, 표3, 諸王表, 營王, 牛根靖裕 2008年 충숙왕 3년 7월 8일의 각주).

180) 活人堂은 僉議評理 蔡洪哲의 紫霞洞(조선시대의 良醞洞, 長豊郡의 동쪽에 위치한 紫霞里)에 있던 그의 저택 북쪽에 위치한 旃檀園 안에 있는 人民救濟를 위한 藥房으로 추측된다(지25, 악2, 紫霞洞·권108, 열전21, 蔡洪哲 ; 蔡洪哲墓誌銘 ;『記言』別集권9, 良醞洞古蹟記). 또 紫霞洞은 扶山洞, 彩霞洞, 新岩洞과 함께 開城의 名勝 중의 하나였다고 한다.

· 『신증동국여지승람』 권4, 開城府上, 山川, “紫霞洞, 在松嶽山下. 洞府幽阻, 溪水淸漣, 最爲勝絶. … 高麗蔡洪哲構中和堂於洞, 邀國老開耆英會, 自製‘紫霞洞曲’, 蓋托紫霞仙人來壽之. 詞曰, ‘家在松山紫霞洞, 雲煙相接中和堂. 喜聞今日耆英會, 來獻一盃延壽漿. 云云’. 至今樂府傳其譜焉”.

· 『巖棲集』 권4 ; 遊扶山·紫霞·彩霞三洞, 二首.

· 『韶濩堂集』文集권6, 彩霞洞記, “松岳之山, 以奇勝聞者, 有紫霞·扶山·彩霞·新岩四洞, 紫霞者在山之胸腹, 形勢深遽, 有一澗, 有大盤石, 而無遠眺. 扶山在紫霞南岡之南, 形勢略如紫霞, 有一澗, 無盤石, 而只有所謂龜臺者, 頗奇, 有遠眺. 彩霞在山之左肩, 形勢如紫霞, 有左右二澗, 有大盤石, 有遠眺. 新巖在山之東南盡處, 形勢稍平淺, 有一澗, 有盤石, 有遠眺, 然則兼三洞之勝者, 非彩霞乎?. 余自十四歲至三十, 借寓於彩霞之彩墨軒, 以讀書賦詩者, 殆無闕年, …”.

181) 李晲은 李睨의 오자일 것이다(『동문선』 권68, 靈鳳山龍巖寺重創記).

182) 이날은 율리우스력의 1317년 9월 22일이고, 월식 현상이 심했던 때의 世界時는 18시 27분, 食分은 1.02이었다(渡邊敏夫 1979年 483面).

· 『續史愚抄』 16, 文保 1년 8월, “十五日己酉, 月蝕, 丑刻云”.

183) 이와 관련된 기사로 다음이 있다.

孝修掌九齋朔試，取金玄具等:選擧2國子試額轉載].[184]

秋九月甲子朔大盡,庚戌，庚午7日，賜洪義孫等及第.[185]

丁丑14日，移御順天寺，未幾，又移于護軍劉奕第.

己卯16日，遣選部典書李齊賢如元，賀上王誕日.[186]

[秋某月，以權知典校校勘朴元桂爲成均學正:追加].[187]

[○設行征東行省鄕試，取安震等:追加].[188]

冬十月甲午朔大盡,辛亥，[甲辰11日，雷電:五行1雷震轉載].

丁未14日，親設靈寶道場于康安殿.

癸亥30日，夜，王與三司使洪戎·密直副使元忠，微行出獵.

十一月甲子朔小盡,壬子，[某日，召政丞柳淸臣賜玉帶，贊成事權溥賜紅鞓. 淸臣，不學無知，而有機變，恃勢弄權. 時人鄙之:節要轉載].

辛卯28日，贊成事權漢功還自元，帝册王爲開府儀同三司·駙馬·高麗國王.

· 지28, 選擧2, 國子監試, "忠宣王廢之成均館試. 忠肅王四年, 以九齋朔試, 代之".

· 열전22, 李穀, "… 爲都評議使司椽吏. 忠肅四年, 中擧子科. 硏窮經史, 一時學者, 多就正焉".

· 『가정집』 연보, "延祐四年, 中擧子科, 監試朴孝修".

184) 이때 尹澤·李芸白(李穀)도 합격하였다(尹澤墓誌銘 ; 열전22, 李穀).

185) 이와 관련된 기사로 다음이 있다. 이때 洪義孫·鄭頫(『목은문고』 권20, 鄭氏家傳)·許伯·金光輅(金台鉉墓誌銘」) 등이 급제하였다(『등과록』 ; 『전조과거사적』, 朴龍雲 1990년 ; 許興植 2005년). 또 洪義孫은 후일 李穡이 大都에 머물 때 遭遇한 적이 있는데, 몽골제국에 仕宦하여 監察御史, 中書省左右司 都事를 거쳐 江西行省의 員外郞으로 재직하다가 서거하였다고 한다. 몽골제국에서 御史臺, 지방에 설치된 行御史臺의 監察御史(正7品)는 品秩이 낮지만 彈劾, 文書点檢[照刷]을 담당하였고, 그 업적에 따른 考課評定에 의해 4,5品官, 또는 3品官에 超遷되었던 要職이었다고 한다(片桐 尙 2010年).

· 지27, 선거1, 科目1, 選場, "忠肅四年九月, 延興君朴全之考試官, 摠部典書白元恒同考試官, 取進士, 庚午, 賜洪義孫等及第".

· 「朴全之墓誌銘」, "丁巳忠肅4年八月, 主闈禮闈, 選得掌服令洪義孫爲榜魁, 三韓科擧已來, 帶犀赴試者, 惟此而已, 餘皆鳴世, 韻士談者, 美之".

· 『목은시고』 권2, 謁洪仲誼博士[注, 名義孫, 累遷監察御史, 左司都事, 出爲江西省員外郞, 卒于任].

186) 충선왕의 誕日은 9월 30일이다.

187) 이는 「朴元桂墓誌銘」에 의거하였다.

188) 이는 征東行省의 鄕試가 明年의 會試, 廷試에 앞서 실시됨을 감안하여 추가한 것이다.

[是月辛巳[18日], 塩場別監方于楨奉教, 迎僧無畏, 設藏經落成法會, 於晋州班城縣龍巖寺七日. 先是, 塩場李白經·方于楨, 造雪牋三萬餘張, 漆函一百四十副, 以備刊經. 尋無畏弟子大禪師承淑·大德日生等, 就江華板堂, 印出闕秩而來, 備置晋州龍巖寺:追加].[189]

十二月癸巳□[朔大盡,癸丑], 遣吉昌君權準如元, 賀正.[190]
戊戌[6日], 遣藝文檢閱安震, 應擧于元.[191]
[乙巳[13日], 木稼:五行2轉載].
[丁未[15日], 南方有氣, 如虹:五行1虹霓轉載].
甲寅[22日], 王畋于溫泉[八日:節要轉載].
[丙辰[24日], 亦如之[木稼]:五行2轉載].
[某日, 永州副使金瑩卒:追加].[192]

[冬某月, 以[成均學正]朴元桂爲藝文檢閱:追加].[193]

[是年, 以國師一然鄕, 陞慶山監務官爲慶山縣令官, 王師淸恭鄕, 陞淸風縣爲知淸風郡事官:追加·轉載].[194]

---

189) 이는 다음의 자료에 의거하였는데, 여기에서 五年은 四年으로 고쳐야 年代記의 編年方式과 같이 된다(崔永好 2015년).
- 『동문선』 권68, 鳳巖山龍巖寺重創記, "… 其大藏之補也, 向之塩場李公·方公, 別受上命, 造雪牋三萬餘張, 漆函一百四十副, 以助之. 師之門人大禪師承淑·中德日生等, 就江華板堂, 印出闕函·闕卷·闕張而來. 新舊幷六百餘函, 皆衣以黃紙, 幅以黃絹, 合安新殿新藏之中. 塩場方公, 復承上命, 以五年[四年]十一月十八日, 迎師入院, 約七日間, 大雪落成法會. 晝讀大藏, 夜談玄旨, 祝上壽福萬民, 以能事畢焉"(朴全之 撰).

190) 癸巳에 朔이 탈락되었다.
191) 安震은 다음 해 2월초에 大都에서 거행되는 會試에 應擧하기 위해 이해의 가을에 平壤을 通過하였다고 한다.
- 『동문선』 권68, [陜川]涵碧樓記, "余自志學之歲, 讀書草廬之中, 不識四方者, 十有年矣. 越丁巳秋, 將應擧中朝, 道過平壤, 初見永明寺浮碧樓"(이는 『신증동국여지승람』 권30, 陜川郡, 樓亭에 인용됨).

192) 이는 『영천선생안』에 의거하였다.
193) 이는 「朴元桂墓誌銘」에 의거하였다.
194) 이는 『경상도지리지』의 다음 자료에 의거하였는데, 같은 자료가 地理志2, 章山郡에도 수록되어 있다.
- 慶州道, 慶州府, "高麗時, 屬縣六, 慶山縣, 忠肅王代, 延祐丁巳, 置縣令".
- 慶州道, 慶山縣, "忠肅王時, 延祐丁巳, 以普覺國師一然鄕, 改升爲慶山縣令".

[○以尹莘傑爲通憲大夫·密直副使兼選部典書:追加].[195]

[○以選部議郎全信爲奉順大夫·判內府事·肅寧府右司尹·知製敎·知民部事·提擧有備倉兼選軍別監使:追加].[196]

[○以中郎將?崔安道爲奉常大夫·護軍:追加].[197]

[○以摠部典書·行平壤尹事趙瑋爲淸州牧使:追加].[198]

[○以~~通憲大夫~~全遇和爲雞林府尹, 成均樂正嚴公謹爲雞林判官:追加].[199]

[○以中顯大夫張志爲福州牧使:追加].[200]

[○以趙番爲延安府使:追加].[201]

[○遣郎將權廉如元, 充宿衛:追加].[202]

[○無畏國統丁午開板'科註妙法蓮華經':追加].[203]

[○改修全州牧金馬郡彌勒寺:追加].[204]

[○上王忠宣王留京師邸, 買地于故城彰義門之外, 刱報恩光敎寺, 後二年工訖:追加].[205]

又 淸風縣은 지12, 지리3, 淸風縣, "忠肅王四年, 因縣僧淸恭爲王師, 陞知郡事"를 전재하였다.

195) 이는 「尹莘傑墓誌銘」에 의거하였다.

196) 이는 「全信墓誌銘」에 의거하였다.

197) 이는 「崔安道墓誌銘」에 의거하였다.

198) 이는 「趙瑋墓誌銘」에 의거하였다.

199) 이는 『동도역세제자기』에 의거하였다. 이 시기에는 通憲大夫(종2품, 충렬왕 34년의 제도)가 匡靖大夫와 奉翊大夫(종2품의 上下)로 양분된 시기였기에(충선왕 2년의 제도), 後者 중의 하나로 고쳐야 옳게 될 것이다(→충숙왕 6년 4월 全信).

200) 이는 『안동선생안』에 의거하였다.

201) 이는 『연안부지』에 의거하였다.

202) 이는 다음의 자료에 의거하였는데, 이때 權廉이 元에 파견된 것은 高官의 子로서 宿衛에 충당된 것 같다(→충혜왕 1년 是年의 崔安道).

· 「權廉墓誌銘」, "歲丁巳如燕京, 戊午拜三司副使, 階奉常大夫, 夏東還".

203) 이는 다음의 자료에 의거하였다(松廣寺 所藏, 南權熙 2013년 ; 朴鎔辰 2016年 ; 南權熙·朴鎔辰 2016년).

· 『科註妙法蓮華經』 권7, 末尾題記, "… 延祐四年丁巳□歲?,」 雙弘定慧光顯圓宗無畏國統 丁午".

204) 이는 全羅北道 益山市 金馬面 箕陽里 23 彌勒寺址에서 출토된 瓦銘, '延祐四年」 丁巳弥勒」'에 의거하였다(世宗文化財硏究院 編 2015년 442面).

205) 이는 『동문선』 권70, 京師報恩光敎寺記에 의거하였다.

戊午[忠肅王]五年，元延祐五年，[西曆1318年]

1318년 2월 2일(Gre2월 10일)에서 1319년 1월 21일(Gre1월 29일)까지, 354일

春正月[癸亥朔大盡,甲寅]，丙寅[4日]，王及公主宴于延慶宮，還宮．王於馬上記姚安道所賦,[206] 玄宗打毬圖詩，"金殿[宮殿]千門白晝開，三郞沉醉打毬回．[長]九齡已老韓休死，明日應無諫䟽[疏]來"．沉吟久之．

翌日[丁卯5日]，夜，贊成事崔誠之享王，王召[贊成事]權漢功·[密直副使?]尹莘傑等，賦詩懽甚[歡甚]，又久吟打毬圖詩.[207]

[史臣張沆曰，"王之再吟此詩，何意也，以爲戒耶，則其荒淫，與玄宗無異，噫以宰相與宴者，聞九齡·韓休之名，能不泚顙乎?":節要轉載].

己巳[7日]，遣[贊成事·]大提學崔誠之如元，賀千秋節.[208]

癸酉[11日]，[雨水]．命□[都]僉議贊成事金士元，以溫泉所獲禽，薦于大廟[太廟]．[司膳·典儀不至，糾正後至，士元以聞．王曰，"祭先，所以報本，予躬獲以獻，而有司乃爾耶，予在深宮，非卿何由知之?"．是祭也，內竪朴仁平，竊其禽，代以其家瘠肉．王知而不能罪．仁平內竪之最姦猾者也:節要轉載].[209]

丙子[14日]，召崔元茂·尹莘傑·白元恒等，賦詩唱和，並賜紅鞓．元茂，王之阿闍也,[210] 嘗在鄕病，王遣醫療之，其見重如此，故亦與焉．

戊寅[16日]，王與公主移御定安君[許琮]第．

---

206) 姚安道는 宋代의 姚宏中(生沒年不詳, 南宋初期 人物)으로 字는 安道이고, 廣東 海陽(現 廣東省 朝州市) 出身으로 1214년(嘉定7) 禮部試에서 1等으로 급제하였다. 1128년(建炎2) 다시 殿試에서 3等(探花郞)으로 급제한 후 靖江府(現 廣西省 桂林市)의 教授에 임명되었으나 29세에 逝去하였다고 한다(『宋元學案』 권52, 象山學案, 姚安道先生宏中). 그의 「題明皇打毬圖詩」는 "宮殿千門白晝開, 三郞[玄宗]沉醉打球回, [張]九齡已老韓休死, 明日應無諫疏來"이다.

207) ~~添字~~는 『고려사절요』 권24에 의거하였다.

208) 5일(丁卯)에는 贊成事 崔誠之로, 己巳(11일)에는 大提學 崔誠之로 같은 인물에 대해 本職과 兼職으로 달리 표기하였다. 또 千秋節은 황태자 碩德八剌(side bala, 後日의 英宗)의 誕日(2월 6일)이다(『원사』 권27, 본기27, 英宗1).

209) 이와 같은 기사로 다음이 있으나 자구에 출입이 있다.
- 지15, 禮3, 吉禮大祀, 拜陵儀, "忠肅王五年正月癸酉, 王命僉議贊成事金士元, 以溫泉所獲禽, 薦于太廟, 司膳·典儀不至, 糾正後至. 士元以聞, 王曰, '祭先, 所以報本. 予躬獲禽以獻, 而有司, 乃爾耶'. 是祭也, 內竪朴仁平, 竊其禽, 代以其家瘠肉, 王不能罪".
- 열전44, 曹頔, 朴仁平, "內竪朴仁平, 亦頔黨也, 性最姦猾, 得幸忠肅, 拜大護軍. 王嘗命贊成□[事]金士元, 獻禽于太廟, 仁平竊之, 代以其家瘠肉, 王知而不能斥".

210) 阿闍[akari]는 阿闍梨라고도 하며 불교 용어인 阿闍黎·阿舍梨·阿闍梨 등의 略稱으로 高僧大德·比丘戒를 내린 스승[戒師], 儒家의 스승[師]를 指稱한다.

[某日, 慶尙道提察使李晛, 仍番:慶尙道營主題名記].[211)]

二月癸巳朔小盡,乙卯, 乙未3日, 還御康安殿.

己亥7日, 地震.

[○夜, 大風雨, 毬庭東西廊頹:五行3轉載].

辛丑9日, 遣泰安君李公甫如元, 賀聖節.

○□都僉議府令國人, 避王嫌名.

[○月犯魁南北河柳星:天文3轉載].

[某日, 囚內豎朴仁平于巡軍. 仁平, 以金賂王左右, 竟免竄逐, 識者嘆之:節要轉載].[212)]

戊申16日, 移御定安君許棕第.

○濟州民使用士用·金成, 嘯聚兇徒以叛, 逐星主·王子, 星主·王子奔告.

[→忠肅五年, 濟州賊魁使用·金成等, 嘯聚兇徒, 逐星主·王子以叛. 欲討之而難其人, 賊黨咸曰, "若得前濟州牧使李伯謙·宋英來撫, 吾豈敢叛乎?". 乃遣伯謙及英, 招撫之, 未幾賊平, 其見愛畏如此:列傳22李伯謙轉載].

戊午26日, 遣檢校評理·前濟州牧使宋英安撫, 未至, 賊黨自斬渠魁二人來降, 乃以英爲牧使.

[某日, 命圖形中贊安珦於文廟:追加].[213)]

[三月壬戌朔小盡,丙辰],[214)] 戊辰7日, 王畋于興天寺之野.

庚辰19日, 以旱, 大醮于康安殿, 王曰, "明日必雨". 果驗.[215)]

辛巳20日, 慮囚.

---

211) 李晛은 이때 晋州塩場別監 方于楨과 함께 班城縣 龍巖寺의 중건에 참여하여 공사를 마무리 지었다
- 『동문선』 권68, 靈鳳山龍巖寺重創記, "延祐五年戊午, 提察使李晛·塩場別監方于楨, 亦承上命督役畢功".

212) 이 기사는 열전44, 曹頔, 朴仁平에도 수록되어 있다("朴仁平, 以罪, 囚巡軍, 仁平以金賂王左右, 遂免竄逐").

213) 이는 紹修書院에 所藏된 安珦影幀贊에 의거하였다(→충숙왕 6년 6월 某日).

214) 戊辰은 3월 7일이므로 戊辰 앞에 三月이 탈락되었다.

215) 이와 같은 기사로 다음이 있다.
- 지8, 五行2, 金行, "忠肅五年二月庚辰, 王以旱, 大醮于康安殿, 王曰, 明日必雨, 果驗". 이에서 二月은 三月의 오자인데, 이 오류의 원인은 『忠肅王實錄』 또는 지금의 기전체로 된 『高麗史』 以前에 편찬된 편년체의 『고려사』에서 三月이 탈락되었을 가능성이 있다.

[是月戊辰6日, 元御試進士, 賜忽都達兒·霍希賢以下五十人及第·出身有差. 時安震第三甲十五名及第:追加].[216]

[是月頃, 以金築爲永州副使, 金光弼爲永州判官, 光弼以四月遞任:追加].[217]

夏四月辛卯朔大盡,丁巳, [丁未17日, 熒惑犯大微太微西藩上將:天文3轉載].

戊申18日, 王以上王鈞旨, 囚大護軍張公允·濟州副使張允和于巡軍, 尋流公允于紫燕島, 允和于靈興島. 盖耽羅賊起, 由二人貪暴也.

[某日, 判, "鎭邊別抄, 本以前銜散職及在京兩班, 輪番赴防. 近年以來, 主掌官吏, 看循面情, 以人吏·百姓代之. 因此貢賦日減, 且無識之人, 相繼逃散, 當所居州縣, 徵闕多重, 民弊不少. 自今, 復以前銜散職·在京兩班, 窮推輪番赴防":兵2鎭戍轉載].

己未29日, 聚巫禱雨.

[→聚巫禱雨, 徙市:五行2轉載].

庚申30日, [芒種]. 罷州郡事審官, 民甚悅之. □然未幾, 權豪復自爲之, 害甚於前.[218]

○禱雨于佛寺.

[是月己亥9日, 帝以耽羅捕獵戶成金金成等爲寇, 敕征東行省督兵捕之:追加].[219]

五月辛酉朔小盡,戊午, 遣上護軍裴廷芝, 爲耽羅存撫使.[220]

○遣司憲執義金千鎰于慶尙·全羅·忠淸道, 持平張元組張元祖于西北面,[221] 問民疾苦. 教曰, "民惟邦本, 本固邦寧, 比因多苦, 民不土着, 州郡凋弊. 存撫·提察·守令

---

216) 이는 다음의 자료에 의거하였는데, 이때 高麗人 安震이 第3甲 第15名으로 급제하여 遼陽路 蓋州判官에 임명되었다.
- 『원사』 권26, 본기26, 仁宗 延祐 5년 3월, "戊辰, 御試進士, 賜忽都達兒·霍希賢以下五十人及第·出身有差".
- 지28, 選擧2, 科目2, 制科, "忠肅五年, 安震中制科第三甲十五名".

217) 이는 『영천선생안』에 의거하였다.

218) ~~添字~~는 『고려사절요』 권24와 選擧志3, 事審官에 의거하였다.

219) 이는 다음의 자료에 의거하였다. 또 『고려사』에서의 金成은 『원사』에는 成金으로 되어 있고(是年 2월 16일), 「裴廷芝墓誌銘」에는 成□(글자 磨滅)로 되어 있다.
- 『원사』 권26, 본기26, 인종3, 延祐 4년 4월, "己亥9日, 耽羅捕獵戶成金金成等爲寇, 敕征東行省督兵捕之".

220) 이와 관련된 기사로 다음이 있다.
- 열전21, 裴廷芝, "忠肅五年, 耽羅賊魁金成等叛, 以廷芝爲存撫使討之. 旣還, 授密直副使".

221) 張元組는 1300년(충열왕26) 4월 東京司錄으로, 1311년(辛亥, 충선왕3) 8월 26일 雞林府의 判官으로 到任한 張元祖와 동일한 인물일 것이다(『동도역세제자기』).

不以爲念, 今遣憲臣金千鎰等問民疾苦, 嚴行黜陟, 如使臣徇私廢公, 亦不敢宥". 千鎰懷私誣妄, 無所糾擧, 王杖于內庭, 罷之. 元組亦才劣, 未有摘發, 獨擧宰相[都僉議評理]金怡, 橫斂[橫斂]皮幣. 上王聞之, 以怡時方扈從, 流元組于引月島.[222)]

[→時, 上王在元, 凡國家事, 遙傳旨施行. 故扈從宰相權漢功·崔誠之·李光逢等, 四五輩用事, 以親戚故舊, 賄賂者, 不問賢否, 濫受朱紫, 王頗懷不平.[223)] 上王嘗命蔡洪哲巡訪五道, 酌定貢賦. 然新舊貢賦, 多有不均, 民不聊生. 又洪哲性貪婪, 喜營私, 多取民田, 產業鉅富. 王雖不直其所爲, 以有寵上王, 且與權·崔善故, 不敢動搖. 至是, 思欲釐正, 乃遣千鎰·元組于諸道. 敎曰, "民惟邦本, 本固邦寧, 比因多苦, 民不土着, 州郡凋弊, 存撫·提察·守令, 不以爲念, 今遣憲臣, 問民疾苦, 嚴行黜陟. 如使臣徇私廢公, 亦不敢宥". 千鎰懷私誣妄, 無所糾擧, 王杖于內庭, 罷之. 元組亦才劣, 未有摘發, 獨擧宰相金廷美[金怡], 橫斂[橫斂]皮幣. 上王聞之, 以廷美時方扈從, 流元組于引月島:節要轉載].

[→巡訪一年, 五道田籍粗畢, 然新舊貢賦, 多不均, 民不聊生. 性又貪婪, 喜營私, 多取民田, 遂致鉅富. 王雖不直其所爲, 以有寵忠宣, 且與權漢功·崔誠之善, 故未敢發. 至[忠肅王]五年, 欲釐正之, 分遣臺官, 竟無糾擧者:列傳21蔡洪哲轉載].

○雩.

[甲子[4日], 月犯太白:天文3轉載].

戊辰[8日], 再禱雨于佛寺.

[→再雩, 禱雨于佛寺:五行2轉載].

癸酉[13日], 禁酒.

乙亥[15日], 雨.

丙子[16日], 置除弊事目所.

[癸未[23日], 大風, 行路不行:五行3轉載].

乙酉[25日], 移御永安宮.

[→又禱于妙通寺:五行2轉載].

丙戌[26日], 王命收事審貼, 燒之. 雨:五行2轉載].

[是月, 下敎曰, "事審官之設, 本爲宗主人民, 甄別流品, 均平賦役, 表正風俗.

---

222) 이와 같은 기사가 열전21, 金怡에도 수록되어 있다.

223) 이와 같은 기사가 열전38, 權漢功에도 수록되어 있다.

· "初, 忠宣在元, 凡國家事, 遙傳旨以行. 漢功與誠之·李光逢等, 扈從京邸, 招權納賄, 親戚故舊, 濫授朱紫. 忠肅頗懷不平".

今則不然, 廣占公田, 多匿民戶, 若小有差役, 例收祿轉, 則吏之上京者, 敢於私門, 決杖徵銅, 還取祿轉, 擅作威福. 有害於鄕, 無補於國, 已盡革罷, 其所匿田戶, 推刷復舊”:選擧3事審官·刑法1職制轉載].

[一. 各道諸島, 放養牛馬, 斃失, 使附近各村充立, 民弊不小, 今後一禁:刑法1職制轉載].

[一. 其人役使, 甚於奴隸, 不堪其苦, 逋亡相繼, 所隸之司, 計日徵直, 州郡不勝其弊. 可以事審官及除役所蔭戶,[224] 代之[注, 除役所者, 宮司及所屬民戶, 不供賦役者],[225] 全亡州郡, 其除之:刑法1職制轉載].

[→教, “其人役使, 甚於奴隸, 不堪其苦, 逋亡相繼. 所隸之司, 計日徵直, 州郡不勝其弊, 多至流亡. 以事審官及除役所蔭戶, 代之, 全亡州郡, 其除之[注除役所, 卽宮司及所屬民戶, 不供賦役者]”:選擧3其人轉載].

[一. 諸道使臣·守令, 多率衛從, 乘驛病民者, 罪之:刑法1職制轉載].

[一. 事大以來, 國用煩劇, 遣使諸道, 徵收貢物, 任其職者, 憑公營私, 人甚苦之. 自今, 貢物·程驛等任, 皆委提察:刑法1職制轉載].

[一. 諸道忽赤·司僕·巡軍, 及權門所遣人等, 影占人民, 據執土田者, 械繫以徇, 流于遠島:刑法1職制轉載].

[一. 諸道存撫·提察·鹽場等使, 以賣內出銀幣爲名, 私齎權貴所屬銀幣, 高價抑賣, 以濟其私, 究治以聞:刑法1職制轉載].

[一. 帝所別進海產, 若蝦蛤等物, 都津丞申烜, 於年例外, 擅加其數, 幷其舊額, 載之貢案, 大爲民害. 已將申烜, 下吏治罪, 其削烜所增額:刑法1職制轉載].

[□⁻. 功臣賜田, 山川爲標, 所受日廣, 而不納稅, 貢賦之田, 日益減縮. 其數外剩占者, 窮推還本:食貨1功蔭田柴轉載].

[一. 太尉王, 軫念州縣稅額日減, 民生日殘, 遣使巡訪, 均定貢賦. 今於荒田, 徵

---

224) 蔭戶는 上記의 細注와 같이 宮院, 寺院, 神祉[宮司]에 소속되어 役을 免除받은 人民, 特權層의 영향력 안에서 役을 면제받고 있던 戶口, 또는 지배층에 의해 강제적으로 占有된 民戶[佃客] 등을 指稱하는 것 같다.

· 『자치통감』 권101, 晋紀, 海西公 太和 3년(368) 9월, “… 燕王公·貴戚多占民爲蔭戶[胡三省注, 晋制, 官品自第一至第九, 各以貴賤占田有差, 而又各以品之高卑蔭其親屬, 多者及九族, 少者二世, 宗室·國賓·先賢之侯, 及士人子孫亦如之, 而于得蔭人以爲衣食客及佃客], 國之好逑, 少於私家, 倉庫空竭, 用度不足. …”.

225) 이 구절에서 及이 잘못 들어간 글자[衍字]라는 견해도 있다(姜晋哲 1988년 87面 ; 오일순 2000년 207面).

銀及布, 以充貢額, 不惟貢賦無實, 士民怨咨, 自今, 勿收荒田租:食貨1租稅轉載].

[一. 巡訪使所定田稅, 每歲州郡, 據額收租, 權勢之家, 拒而不納, 鄉吏百姓, 稱貸充數, 無有紀極, 失業流亡. 其不納稅者, 勿避權貴, 糾察以聞:食貨1租稅轉載].

[□˥. 太尉王, 深慮朝聘之需不給, 以諸道塩盆, 悉屬民部, 平價給塩, 以利公私. 今塩場官, 先徵價布, 塩不及民者, 十常八九, 其考未受塩者, 悉給之:食貨2塩法轉載].

[□˥. 償債之法, 止子母停息, 而貪利之人, 增息無限, 貧者賣妻鬻子, 亦不能償, 其本息相當, 而猶責償者, 收取文契, 以給貸者:食貨2借貸轉載].

[□˥. 諸道窮民, 如訴無食, 按察鹽場官發倉賑給, 令待秋償本:食貨3水旱疫癘賑貸之制轉載].

六月庚寅朔小盡,己未, [乙巳16日, 大風雨:五行3轉載].

[丙午17日, 大暑. 大雨:五行2轉載].

[丙子丙午17日, 月與鎭星同舍:天文3轉載].[226)]

庚戌21日, 中贊致仕宋玢卒,[227)] [諡良毅. 子璿·璘·琛·瑞. 璿官至右副承旨, 有寵於忠烈, 居中用事, 時人目之. 璘知申事, 瑞都僉議政丞:列傳38宋玢轉載].

丁巳28日, 以同知密直司事尹莘傑△爲知密直司事, 宋英△爲同知密直司事. 以藝文檢閱安震中制科, 擢爲藝文應教·摠部直郎. [睿宗12年3月權適之後, 震始登制科也:節要轉載].

戊午29日晦, 改除弊事目所, 爲拶理辨違都監察理辨違都監, 尋罷之.[228)]

[→改除弊事目所, 爲察理辨違都監. 大索豪勢所占田民, 還其主, 中外大悅. 獨豪勢患之, 訴上王, 罷之:節要轉載].

---

226) 6월에는 丙子가 없고, 丙申(7일), 丙午(17일), 丙辰(27일)이 있는데, 行書로서 丙子와 混同이 쉬운 丙午일 가능성이 있다.

227) 이날은 율리우스曆으로 1318년 7월 19일(그레고리曆 7월 27일)에 해당한다.

228) 이와 관련된 기사로 다음이 있다. 또 拶理辨違都監은 충숙왕 8년 3월 1일에는 復置察理辨違都監으로 글자가 달리 표기되어 있다. 察理가 '엄격하게 살펴서 다스리다'는 의미이므로 전자는 후자의 誤字로 추측된다.

· 지31, 百官2, 拶理辨違都監, "忠肅王五年, 改除弊事目所, 爲拶理辨違都監. 拶理二字, 王所親定, 於是, 大索豪勢所占田民, 還其本主, 中外大悅, 獨豪勢患之, 訴大尉王太尉王罷之. 又三百人訴駕前復之, 又尋罷之".

是月，濟州賊悉平.[229)]

[是月頃，以郎將權廉爲奉常大夫·三司副使，時廉以宿衛在大都:追加].[230)]

[夏某月，郞將·宿衛權廉還自元:追加].[231)]

秋七月己未朔大盡,庚申，辛酉3日，[立秋]. 元遣吏部尙書卜顔·必闍赤賣驢來，責問慰接魏王及耽羅叛狀.

[→先是，元流魏王阿木哥于耽羅，及召還，密直副使趙延壽與行省郞中兀赤護行. 帝遣使，命所在留魏王聽候. 使者到平壤，延壽·兀赤等，懼亡匿，使怒欲以逆命誅延壽等，魏王力請得免:列傳18趙延壽轉載].

乙亥17日，遣大護軍孫起如元，獻細苧布.

己卯21日，幸延慶宮，□有三百人訴于駕前,[232)] 請復□□察理辨違都監，從之.

丙戌28日，江寧君洪侁洪詵卒.[233)] [子綏·鐸·翊，孼子明理和尙:列傳43洪福源轉載].

[某日，以慶尙道提察使李晛，仍番:慶尙道營主題名記].

[是月，僧立庚·優婆夷万年寫成'紺紙銀字妙法蓮華經':追加].[234)]

[是月頃，以檢校僉議評理安于器爲慶尙·全羅兩道巡撫鎭邊使:追加].[235)]

---

229) 이와 관련된 기사로 다음이 있는데 이 사건은 是年 2월 16일의 제주민란을 가리키는 것 같다. 또 이와 같은 내용이 『세종실록』 권151, 지리지, 濟州牧과 『신증동국여지승람』 권38, 제주목, 건치연혁에도 수록되어 있다.

· 지11, 지리2, 耽羅縣, "忠肅王五年，草賊士用·嚴卜起兵構亂，土人文公濟擧兵盡誅之，聞于元，復置官吏".

230) 이는 「權廉墓誌銘」에 의거하였다.

231) 이는 「權廉墓誌銘」에 의거하였다.

232) 添字는 『고려사절요』 권24에 의거하였다.

233) 洪侁은 洪詵(洪福源의 姪，百壽의 子)의 誤字일 것이다(열전43，洪福源，詵，"忠肅五年卒"). 또 이날은 율리우스曆으로 1318년 8월 24일(그레고리曆 9월 1일)에 해당한다.

234) 이는 다음의 자료에 의거하였다(延世大學圖書館 所藏，李基白 1987년 130面).

·『紺紙銀泥妙法蓮華經』 권3，末尾題記，"延祐五年七月日 立庚,」 施主女 万年誌」.

235) 이는 「安珦影幀贊記」에 의거하였는데(紹修書院 所藏，국보 제111호 ; 李基白 1987년 129面)，이 영정은 1559년(명종14，嘉靖39) 10월에 改修되었던 것 같다(『嘯皐集』 권3，紹修書院畫像改修識). 또 이 시기에 安宇瑀는 摹寫者에 의한 安于器의 變更[改字] 또는 誤字일 가능성이 있다. 그리고 이와 관련된 安于器에 기사가 찾아지고，紹修書院 講堂에 孔子의 肖像 옆에 서있는 72弟子，10哲이 冕服을 갖추어 있어 다른 지역의 그것과 차이가 있다고 기록도 있다.

·「安于器墓誌銘」，"嘗仗鉞，出鎭合浦，以威信撫軍，實除禁民間疾瘼，一方賴以安業，聲振中外".

·『恕菴集』 권11，太白紀遊，숙종 35년 9월 4일，"… 講堂藏先聖眞像，方列七十弟子十哲，皆具冕服，盖他州所無，但畵不甚,妙. 又有文成公像，遂入謁".

[→嘗出鎭合浦, 以廉幹稱:列傳18安于器轉載].

[八月己丑朔小盡,辛酉, 甲午6日, 大風雨, 禾偃木拔, 凡二日:五行2轉載].
[甲寅26日, 太白犯女御, 月犯軒轅:天文3轉載].

九月戊午朔大盡,壬戌, 乙丑8日, 王畋于慶天寺之野, [十日乃還:節要轉載].

冬十月戊子朔小盡,癸亥, 壬寅15日, 親設靈寶道場于內願堂.
[丁未20日, 小雪. 市邊行廊火:五行1火災轉載].

十一月丁巳朔大盡,甲子, 戊辰12日, 元遣使, 賜王衣.
乙亥19日, 復罷□察理辨違都監.
甲申28日, 王畋于臨江.
[是月甲戌18日, 晉州塩場別監方于楨, 奉王命, 迎國尊丁午入晉州班城縣龍巖寺, 七日間大設落成法會. 先是, 塩場別監李白經李伯經?·方于楨等, 別受王命, 造雪牋三萬餘張, 漆函一百四十副以助之. 午之門人大禪師承淑·中德日生等, 就江華府經板堂, 印出闕函闕卷闕張而來. 新舊并六百餘函, 皆衣以黃紙, 幅以黃絹. 至是合安于新殿:追加].[236]

十二月丁亥朔大盡,乙丑, 己丑3日, 遣同知密直司事·大司憲閔頔如元, 賀正.[237]
辛卯5日, 以璪爲元尹, 珣爲正尹, 熙爲監門衛護軍.

---

236) 이는 다음의 자료에 의거하였는데, 李白經은 1323년(충숙왕10) 11월 瀋王 暠를 옹립하기 위해 몽골제국에 上書한 民部典書致仕 李伯經으로 추측된다.
- 『동문선』 권68, 靈鳳山龍巖寺重創記, "… 向之塩場李公李白經·方公方于楨, 別受上命, 造雪牋三萬餘張, 漆函一百四十副以助之. 師之門人大禪師承淑·中德日生等, 就江華板堂, 印出闕函闕卷闕張而來. 新舊并六百餘函, 皆衣以黃紙, 幅以黃絹, 合安于新殿新藏之中. 塩場方公, 復承上命, 以五年十一月十八日, 迎師入院, 約七日間大設落成法會, 晝讀大藏, 夜談玄旨, 祝上壽福萬民, 而能事畢焉".

237) 이때 閔頔은 同知密直司事·大司憲이었고, 다이두[大都]에 들어가서 瀋王邸에 招致되어 충선왕과 李齊賢을 만났다.
- 「閔頔墓誌銘」, "李齊賢逮事德陵於□燕邸, 德陵每論舊僚, 猶稱公曰, 閔校書以爲莊重, 不細苛, 有故家風流. 及公賀正京師, 引見與語, 前席造膝, 如布衣之交, 君臣之際, 迺如是耶".
- 열전21, 閔宗儒, 頔, "又爲大司憲. 如元賀正, 時忠宣在都, 以頔舊僚, 待遇無比".

戊申[22日], [大寒]. 營王[也先帖木兒]偏妃來, 王出迎, 遂畋于西郊.

[冬某月, 以[藝文檢閱]朴元桂爲嘉安府丞:追加].[238)]

[是年, 陞丹山監務官爲知丹陽郡事官:地理1丹山縣轉載].
[○以[成均博士]殷辛允爲雞林府司錄:追加].[239)]
[○改修楊州府三角山三川寺:追加].[240)]

己未[忠肅王]六年, 元延祐六年, [西曆1319年]

1319년 1월 22일(Gre1월 30일)에서 1320년 2월 9일(Gre2월 17일)까지, 13개월 384일

春正月[丁巳朔大盡,丙寅], 壬戌[6日], □[都]僉議贊成事金士元卒.[241)]
[丁卯[11日], 大雪:五行1雨雪轉載].
庚午[14日], 營王[也先帖木兒]偏妃, 宴王及公主于延慶宮, [留數月乃還:節要轉載].
[辛未[15日], 月食:天文3轉載].[242)]
[某日, 元遣斷事官中攣哈里哈赤等, 押順正君璹, 以來. [a]璹嘗矯制多起驛馬, 又於遼陽望海嶺等處, 影占人戶二百餘口. [b]王與元使, 鞫于行省, 杖之:節要轉載].[243)]
[→某日, 元遣斷事官中攣哈里哈赤等, 押順正君璹, 以來, [b]王與元使, 鞫于行省, 杖之. □□[先是], [a]璹嘗矯制多起驛馬, 又於遼陽望海嶺等處, 影占人戶二百餘口:校正].[244)]

---

238) 이는 「朴元桂墓誌銘」에 의거하였다.
239) 이는 『동도역세제자기』, "記室·成均博士殷辛允, 戊午到任"에 의거하였는데, 이에서 記室은 司錄의 別稱이다(→충숙왕 15년 7월 30일).
240) 이는 京畿道 高陽市 德陽區 孝子洞(옛 北漢洞 산 1-1)의 三川寺址에서 출토된 瓦銘 '延祐五年'에 의거하였다(世宗文化財硏究院 編 2015년 27面 ; 洪榮義 2018년, "「延祐五年」 金哲□□□」").
241) 이날은 율리우스曆으로 1319년 1월 27일(그레고리曆 2월 4일)에 해당한다.
242) 이날 일본의 교토에서도 월식이 있었다. 이날은 율리우스력의 1319년 2월 5일이고, 월식 현상이 심했던 때의 世界時는 14시 37분, 食分은 0.40이었다(渡邊敏夫 1979年 483面).
・『東寺長者補任』, 元應 1년, 僧正公紹, "正月六日, 寺務宣下. 十五日, 月蝕御祈, 正見, 但効驗 …".
・『續史愚抄』17, 文保 3년 1월, "十五日辛未, 月蝕, 正見, 蝕御祈東寺長者·僧正公紹奉仕".
243) 아래와 같이 a와 b의 순서를 바꾸고 添字를 추가하여야 옳게 될 것이다[校正].

[→[a]璹嘗矯制, 起驛馬, 又於遼陽望海□[嶺]等地, 影占人戶二百餘口. 憑宮掖勢, 多行不法, 見王亦踞傲無禮. [b]元遣斷事官中欒哈里哈赤·令史丘友直等, 執璹以來, 王與元使, 鞫于行省, 杖五十七:列傳3顯宗王子平壤公基轉載].[245]

[→[b]元遣斷事官中欒哈里哈赤·令史丘友直等, 執璹以來. 王與元使, 鞫于行省, 杖五十七. □□[先是], [a]璹嘗矯制, 起驛馬, 又於遼陽望海嶺等地, 影占人戶二百餘口. 憑宮掖勢, 多行不法, 見王亦踞傲無禮:校正].

[某日, 以朴淑貞爲慶尙道提察使:慶尙道營主題名記].[246]

二月丁亥朔[小盡,丁卯], 日食.[247]

壬辰[6日], 王與[亦憐眞八剌]公主移御于康安殿, 燃燈.

丙申[10日], 遣□[都]贊成事權漢功如元, 賀聖節.

戊戌[12日], 以李偰爲□[都]僉議贊成事, 朴侶爲評理,[248] 元忠爲密直司使, [同知密直司事?]趙延壽·趙雲卿△[爲]知密直司事, 尹莘傑·閔頔·李光逢△△[並爲]同知密直司事.[249]

庚子[14日], 燃燈, 王如奉恩寺.

癸卯[17日], 王及公主移御延慶宮.

甲辰[18日], 王畋于楊廣道, [十餘日:節要轉載].

[某日, 以[正尹]吳潛爲重大匡·龜城君, [僉議贊成事致仕]閔宗儒爲復興君:追加].[250]

[□□[是月,] 上王請于帝, 降御香, 南遊江浙□□[行省], 至[定海縣]寶陀山而還. [贊成事]權漢

---

244) 遼陽望海嶺은 現 遼寧省 遼陽市 管內에 위치했던 지역으로 추측된다.

245) 아래와 같이 a와 b의 순서를 바꾸고 添字를 추가하여야 옳게 될 것이다[校正].

246) 원문에는 朴叔貞으로 되어 있으나 오자로 추측된다.

247) 이날 中原에서도 일식이 있었고(『원사』 권26, 본기26, 인종3, 延祐 6년 2월 丁亥), 일본의 京都에서도 확인되었다. 이날은 율리우스력의 1319년 2월 21일이고, 開京에서 일식 현상이 심했던 시간은 8시 38분, 食分은 0.57이었다(渡邊敏夫 1979年 311面).

· 『續史愚抄』17, 文保 3년 2월, "一日丁亥, 日蝕".

248) 朴侶(方臣祐의 甥姪壻)와 관련된 기사로 다음이 있다.

· 열전35, 宦者, 方臣祐, "妹壻朴侶以田夫, 暴貴驟陞, 至僉議評理. 侶子之貞, 驟遷摠郞典書, 貪婪不法, 人皆嫉之".

249) 元忠은 그의 묘지명에 의하면, 1320년(延祐7, 충숙왕7)에 密直使에 승진하고 匡靖大夫가 되었다고 한다. 또 尹莘傑은 前年, 곧 1318년(충숙왕5) 6월 28일(丁巳) 知密直司事에 임명되었는데, 이때 하위직인 同知密直司事에 임명된 것은 어떠한 사유인지는 알 수 없다. 그런데 윤신걸의 묘지명에는 동지밀직→지밀직→밀직사의 순차적으로 승진하였다고 되어 있다.

250) 이는 「吳潛墓誌銘」; 열전21, 閔宗儒 ; 「閔宗儒墓誌銘」 등에 의거하였는데, 임명된 날짜[日辰]는 이달에 인사가 있었던 12일로 추측된다. 또 閔宗儒가 封君된 시점은 알 수 없으나 이때 吳潛과 함께 이루어졌을 것이다.

功·內府副令李齊賢等, 從之. 命從臣記所歷山川勝景, 爲行錄一卷:節要轉載].[251)]

[三月丙辰朔大盡,戊辰, 是月頃, 以奉順大夫李伯敬爲福州牧使, 通直郞·繕工副令高弱濟爲雞林府判官, 承奉郞嚴靖爲福州判官:追加].[252)]

夏四月丙戌朔小盡,己巳, 庚寅5日, 王餞營王也先帖木兒偏妃于金郊.

丙申11日, 親醮三界于康安殿.

己亥14日, 貞信府主王氏卒.[253)] [卽忠烈王元妃, 貞和院妃也. 生江陽君滋, 自齊國公主下嫁, 居別宮四十餘年:節要轉載].[254)]

[某日, 以朴全之爲推誠贊化功臣·藝文館大提學·檢校□都僉議政丞·監春秋館事·延興君:追加].[255)]

[○是月頃, 奉順大夫全信爲雞林府尹:追加].[256)]

[五月乙卯朔小盡,庚午, 是月, 上王上王寫成'紺紙金泥攝大乘論釋論'·'聖佛母般若波羅蜜多九頌精義論'·'紺紙金泥佛說佛名經':追加].[257)]

---

251) 이와 관련된 기사로 다음이 있다. 이때 江浙行省 鎭江路 丹陽人 湯炳龍(1241~?)에 의해 그려진 李齊賢의 肖像畫는 현재 國立中央博物館에 소장되어 있다(국보 제110호). 또 이해의 충선왕의 행적에 대한 기록은 매우 많아 轉載하기 어려우니 旣往의 성과를 참조하시기를 바란다(張東翼 1997년 126~168面, 2016年 80~91面).

- 열전23, 李齊賢, "驟陞選部典書. 忠宣之降香江南也, 齊賢與權漢功從之, 王每遇樓臺佳致, 寄興遣懷曰, 此閒不可無李生也".
- 『嘉梧藁略』冊14, 玉磬觚賸記, "李益齋爲忠宣器重, 從王居上國最久, 故得與元四學士遊處, 視易聽新, 磨礪變化, 固已極其正大高明之學. 而又奉使川蜀, 從王吳會往返萬餘里, 閎博絶特之觀, 包括無餘, 跌蕩其奇氣, 斂而東歸, 問學之士, 仰之如泰山. 去其靡陋, 稍返爾雅, 皆先生之化也".

252) 이는『안동선생안』;『동도역세제자기』에 의거하였다.

253) 이날은 율리우스曆으로 1319년 5월 4일(그레고리曆 5월 12일)에 해당한다.

254) 貞信府主(貞和宮主 王氏)의 逝去는 열전2, 忠烈王妃, 貞信府主에도 수록되어 있다.

255) 이는「朴全之墓誌銘」에 의거하였다.

256) 이는『동도역세제자기』에 의거하였다. 이에는 全信의 文散階가 通憲大夫(종2품)로 되어 있으나 이때는 통헌대부가 없고, 全信의 묘지명에 의하면 奉順大夫(정3品下)였다.

257) 이는 다음의 자료에 의거하였는데(張忠植 1992년·2007년 69面 ; 南權熙 2002년 363面), ~~添字~~와 같이 고쳐야 옳게 될 것이다.

- 『紺紙金泥攝大乘論釋論』 권3, 題記, "推忠揆義協謨佐運功臣·開府儀同三司·太尉·上柱國·瀋王王璋,」 金書大藏聖教, 庶集無涯之善, 仰酬內極之恩~~罔極之恩~~,」 奉爲」 先妣」 皇姑·齊國大長公主, 懺除無始五逆十惡諸業, 重障纖」 瑕障盡, 般若現前, 頓超入聖之階, 獲預成佛之記.」 先考太師·忠烈大王, 洎先宗祖禰內外親姻, 惟願三」 乘, 並馭同超火宅之鄕, 万善交歸, 含會薩云之

[是月頃, 以李堅爲雞林府法曹:追加].[258)]

六月甲申朔大盡,辛未, 丁亥4日, 遣大護軍上護軍鄭允興如元, 獻鷂.[259)]

[丙午23日, 大風雨:五行2轉載].

[某日, 以文成公安珦, 從祀文廟. 時議者, 以爲珦雖建議置國子贍學錢, 有養育人才之功, 豈可以此從祀乎? 珦之門生摠郞辛蕆, 力請, 故有是命:節要轉載].[260)]

[秋七月甲寅朔小盡,壬申, 戊辰15日, 月食, 密雲不見:天文3轉載].[261)]

[戊寅25日, 大風雨, 震電:五行2轉載].

[某日, 以慶尙道提察使朴淑貞, 仍番:慶尙道營主題名記].

秋八月癸未朔大盡,癸酉, [戊子6日, 夜, 大風:五行3轉載].[262)]

癸巳11日, 元遣使, 送寶鈔一百錠, 宴王.

乙未13日, 王獵于龍泉寺之野.

[庚子18日, 修禪社十世社主萬恒入寂:追加].[263)]

丁未25日, 幸壽康宮, 遂畋于鐵原, 至孤石亭, 留詩一絶.

壬子30日, [秋分]. 王畋于德水縣, 王怒海青及內廐馬之斃, 命焚城隍神祠.

海. 次願」王璋幷男王燾·王暠·王煦等, 信根愈茂, 德本彌深, 永」無灾患之虞, 共享期頤之壽, 盡玆報体, 生彼淨方, 仰覲」慈尊, 與聞法忍, 圓滿普賢之行, 剋證金剛之身,」溥及懷生, 同成正覺, 虛空界盡, 此願無窮.」延祐六年五月 日謹誌」.

· 『紺紙金泥佛說佛名經』 권10, 題記, "위와 같음"(李基白 1987년 319面 ; 南權熙 2002년 366面).

258) 이는 『동도역세제자기』에 의거하였다.

259) 大護軍은 上護軍의 오자일 것이다. 鄭允興은 1317년(충숙왕4) 6월 29일(癸亥) 上護軍으로 몽골제국에 파견되었고, 1320년(충숙왕7) 7월 某日에 密直副使에 임명되었다.

260) 이와 같은 기사가 열전18, 安珦에도 수록되어 있다.

· "忠肅六年, 議以從祀文廟. 有謂, 珦, 雖建議置贍學錢, 豈可以此從祀. 其門生辛蕆力請, 竟從祀".

261) 이때 일본에서는 16일(己巳)에 월식이 있었다. 또 이날(16일)은 율리우스력의 1319년 8월 1일이고, 월식 현상이 심했던 때인 15일(戊辰)의 世界時는 22시 37분, 食分은 0.37이었다(渡邊敏夫 1979年 483面).

· 『東寺長者補任』, 元應 1년, 僧正道順, "… 九月廿八日, 膊大. 去七月十六日, 月蝕御祈, 賞".

· 『續史愚抄』17, 元應 1년 7월, "十六日己巳, 月蝕, 蝕御祈僧正道順奉仕".

262) 이달(8월)에 일본의 京都에서 더위와 旱魃이 있었던 것 같고, 고려에서의 6월 23일, 7월 25일의 大風雨는 일본열도를 거치지 않고 北上한 颱風으로 추측된다.

· 『續史愚抄』17, 元應 1년 윤7월, "九日辛卯, 依炎旱於神泉苑, 有請雨御祈, …".

263) 이는 『익재난고』 권10, 海東曹溪山修禪社第十世別傳宗主重續祖燈妙明尊者贈諡慧鑑國師塔碑銘幷序에 의거하였다. 이날은 율리우스曆으로 1319년 10월 1일(그레고리曆 10월 9일)에 해당한다.

[○大寒:五行1恒寒轉載].

閏[八]月[癸丑朔小盡,癸酉], 己巳[17日], □□□[都僉議]評理致仕吳良遇卒.[264]

九月[壬午朔大盡,甲戌], 癸未[2日], 夜王微行, 遇人行路, 杖之幾死.

[甲申[3日], 演福寺東一里火:五行1火災轉載].

丁亥[6日], 覆收州縣事審官人民·土田, 民二千三百六十戶·奴婢一百三十七口·田一萬九千七百九十八結·賜田一千二百二十七結·位田三百十五結.

戊子[7日], 王以[亦憐眞八剌]公主不豫, 數移御寺觀及私第.

癸巳[12日], 保安君申珩卒.[265]

丁未[26日], [亦憐眞八剌]公主薨, 殯于延慶宮,[266] [諡靖和:節要轉載]. 移御內願堂. 自是, 屢移寺院.

○遣元尹任子松如元, 告喪, 郞將李麟起, 告訃于營王[也先帖木兒].[267]

[戊申[27日], 大雨, 雷電:五行2轉載].

辛亥[30日], □[丗]口傳, 李畝爲堂後官, 口傳授職, 自此始.

[是月頃, 上王召吳壽山, 使寫李齊賢容貌, 又使湯炳龍爲之贊於杭州. 是時, 許謙亦撰李齊賢眞贊, 陳樵和答李齊賢詩:追加].[268]

冬十月[壬子朔小盡,乙亥], 己未[8日], □[都]僉議贊成事致仕崔毗一卒.[269] [子誠之, 自有傳:追加].[270]

---

264) 이날은 율리우스曆으로 1319년 10월 1일(그레고리曆 10월 9일)에 해당한다.

265) 이날은 율리우스曆으로 10월 25일(그레고리曆 11월 2일)에 해당한다.

266) 이날은 율리우스曆으로 11월 8일(그레고리曆 11월 16일)에 해당한다.

267) 이 기사는 열전2, 忠肅王妃, 濮國長公主에도 수록되어 있다.

268) 이는 다음의 자료에 의거하였는데, 全文의 인용은 생략하였다. 이 畫像은 조선 후기까지 李齊賢의 後孫에게 전해지고 있다가 模寫되어 慶州의 書院, 文集 등에 수록되었던 것 같다.
- 『익제난고』 권4, "延祐己未, 予從於忠宣王, 降香江南之寶陁窟, …".
- 『許白雲先生文集』 권4, 李齊賢眞贊.
- 『鹿皮子集』 권2, 答李齊賢言別四分題, 送李齊賢二首.
- 『圖繪寶鑑』 권5, 元, "陳鑑如居杭州, 精於寫神, 國朝第一手也, 其子芝田能世其業".
- 『頭陀草』冊2, 俗離錄, "遠祖高麗文忠公益齋先生 … 公從忠宣王在江南, 王命杭州畫史[畫師]陳鑑如寫公眞, 湯北村炳龍爲之贊. 其後失而復得, 公作詩以識之. … 今藏於十四世孫報恩士人李覃慶家. 曾王考碧梧公摹一本, 藏之於鷄林書院. 且有和詩一章, 覃慶尙今藏弆不失. 王考華谷公持湖節時, 又作祠奉安. …".

269) 이날은 율리우스曆으로 1319년 11월 20일(그레고리曆 11월 28일)에 해당한다.

270) 崔毗一은 崔誠之의 父인데, 이때 최성지가 54歲인 점을 감안하면 70餘歲에 逝去한 것 같다(열

壬戌[11日], 移御沙峴宮.

戊寅[27日], 放輕繫.

十一月[辛巳朔大盡,丙子], 丁亥[7日], 營王[也先帖木兒]遣使來, 弔[亦憐眞八剌]公主喪.[271)]

乙未[15日], 停八關會.

戊戌[18日], 移御永安宮.

十二月[辛亥朔大盡,丁丑], 癸丑[3日], [大寒]. 元以授册皇太子, 遣徽政院使失烈門來, 頒詔.[272)]

[乙卯[5日], 太白犯月:天文3轉載].

己未[9日], 元皇太后[答己]遣中使於佚不花來, 弔[亦憐眞八剌]公主喪.[273)]

[壬申[22日], 夜, 赤祲:五行1轉載].

丙子[26日], 元遣使□[來], 賜王海靑.

[某日, 杖流護軍崔安道于海島. 定安君許慶[許琮], 廉承益之外孫. 密直□□[副使?]曹頔, 承益之妾壻, 頔與慶[琮]爭財, 訴于王. 安道與李宜風, 俱嬖臣也. 爲慶[琮]相譖頔. 王以頔得幸上王, 右之. 頔與□□[巡軍]萬戶洪綏,[274)] 譖安道, 下巡軍, 杖流之. 未幾~~七年七月以後~~, 安道復幸於王, 頔內懷孤危, 密與護軍高子英謀, 逃入元, 與護軍蔡河中等, 諂事瀋王暠, 窺覦國釁. 安道·宜風, 常在王側, 專務報讎, [前代言]尹碩·[大護軍?]孫琦等, 潛邸舊臣, 觀望生事:節要轉載].[275)]

전21, 崔誠之 ; 崔誠之墓誌銘).

271) 이 기사는 열전2, 忠肅王妃, 濮國長公主에도 수록되어 있다.

272) 皇太子가 책봉된 것은 10월 7일(戊午)이었다(『원사』 권26, 본기26, 인종3, 연우 6년 10월 戊午).

273) 이 기사는 열전2, 忠肅王妃, 濮國長公主에도 수록되어 있다. 또 於佚不花는 高麗人出身으로 1338년(忠肅王後7, 後至元4) 5월 그의 夫人 王氏와 함께 大都에서 『大乘金剛般若波羅蜜多經』을 開板한 朝列大夫·利用監太卿 嚴也先不花[Esen Buqa]로 추측된다.

274) 이 시기에 洪綏(洪福源의 從孫, 百壽의 孫, 詵의 子)는 匡靖大夫·都僉議贊成事·上護軍으로 巡軍萬戶를 겸직하고 있었던 것 같다(寺刹史料 164面 長城白巖山淨土寺事蹟).

275) 이 기사와 관련된 기사로 다음이 있는데, 許慶(許評, 改名 嵩의 子, 忠宣王女 壽春翁主의 夫)은 許悰의 初名이고, 1298년(충렬왕24, 충선왕 즉위년) 5월 9일에서 1308년(충렬왕34, 충선왕 복위년) 10월 10일 사이에 改名하였다(열전18, 許珙, 悰 ; 許琮墓誌銘).

- 열전37, 폐행2, 崔安道, "… 後爲忠肅僚屬, 錄其勞, 賜田及臧獲, 與李宜風, 俱爲忠肅嬖臣. 曹頔與許慶[許琮]爭財, 安道與宜風, 右慶[琮]譖頔. 頔方得幸忠宣, 譖安道, 杖流海島. 未幾, 復見幸, 與宜風常在王側, 專事報復".
- 열전37, 폐행2, 尹碩, "… 後[尹碩]與孫琦, 附曹頔·蔡河中, 觀望生事, 爲國害".
- 열전38, 간신1, 蔡河中, "… 蒙古名哈剌帖木兒, 順天君洪哲之孽子. 忠肅時, 拜護軍, 與曹頔諂事瀋王暠, 窺覦國釁, 謀奪王位, 譖構萬端".

[→曹頔, ~~忠肅七年~~, 遷選部典書. 頔嘗娶廉承益孼女, ~~六年~~, 與承益外孫定安君許慶許琮爭財, 訴于王. 嬖臣崔安道·李宜風, 爲慶譖頔, 王以頔得幸忠宣, 右之. 頔與萬戶洪綏, 譖安道, 下巡軍, 杖流海島. 未幾~~七年七月以後~~, 安道復幸於王, 頔懼, 密與護軍高子英·郞將金良柱, 謀逃入元, 比蔡河中等, 諂事瀋王暠, 窺覦國釁, 謀奪王位. 語在河中傳:列傳44曹頔轉載].[276]

[冬某月, 以嘉安府丞朴元桂爲承奉郞·中門祗候:追加].[277]

[是年, 式目都監, 請加□□□~~元冲甲~~褒奬, 賜推誠奮勇定亂匡國功臣號:列傳17元冲甲轉載].

[○以柳甫發爲興王都監判官:追加].[278]

[仁同人 張東翼 校注, 增補].

276) 이 기사와 위의 기사는 時期 整理[繫年]에 문제가 있다. 曹頔이 選部典書에 임명된 것이 1320년(충숙왕7) 7월 某日이므로 未幾에 添字가 더해져야 옳게 읽을 수 있을 것이다.

277) 이는「朴元桂墓誌銘」에 의거하였다.

278) 이는「柳甫發墓誌銘」에 의거하였다.

『高麗史』卷三十五 世家卷三十五

[輔國崇祿大夫·議政府左贊成·知集賢殿經筵春秋館成均事·世子賓客·臣金宗瑞奉敎撰]

正憲大夫·工曹判書·集賢殿大提學·知經筵春秋館事兼成均大司成·臣鄭麟趾奉敎修

忠肅王 二

庚申[忠肅王]七年, 元延祐七年, [西曆1320年]

1320년 2월 10일(Gre2월 18일)에서 1321년 1월 28일(Gre2월 5일)까지, 354일

春正月辛巳朔[大盡,戊寅], 元來告, 日當食, 停賀正禮, 百官素服以待, 不食[注, '元史' 云, '是日, 日食, 帝齋居損膳, 輟朝賀':天文1轉載].[1]

癸未[3日], 乃行賀禮.

辛卯[11日], 遣摠部典書尹碩如元, 賀千秋節.

丁未[27日], 遣吉昌君權準如元, 賀聖節.

[某日, 以崔咸一爲慶尙道提察使:慶尙道營主題名記].

[是月, 革罷延安府司錄:延安府誌追加].

[○永州副使金築, 以晉州牧判官移任, 金永純爲永州副使:追加].[2]

[○判繕工寺事金某與完山郡夫人李氏造成'地藏本願經變相圖':追加].[3]

[是月辛丑[21日], 帝[仁宗]崩于光天宮, 壽三十有六, 在位十年. 癸卯[23日], 葬[上都]起輦谷,

---

1) 이는 다음의 자료를 인용한 것이다. 이날은 율리우스력의 1320년 2월 10일이고, 開京에서 일식 현상이 심했던 時間은 9시 55분, 食分은 0.03이었으므로(渡邊敏夫 1979年 311面), 『고려사』에서 일식이 이루어지지 않았다고[不食] 하는 것은 어떤 착오일 것이다.
· 『원사』 권26, 본기26, 仁宗3, 延祐 7년, "七年春正月辛巳朔, 日有食之, 帝齋居損膳, 輟朝賀".

2) 이는 『영천선생안』, "副使金築, 戊午四月到, 庚申正月移任晋州"에 의거하였는데, 이때 金築의 官職이 晋州牧判官임은 永州副使가 安東都護府判官으로 轉職되었음을 통해 유추하였다(→우왕 4년 9월 무렵 劉漢忠).

3) 이는 京都市 東山區 新橋通 大和大路 東入 3丁目 林下町 知恩院에 소장된 「絹本著色地藏本願經變相圖」의 畵記에 의거하였다(中野照男 1993年 ; 洪潤植 1995년 23面 ; 張東翼 2004년 737面).
·畵記, (右下段) "延祐七年正月日畵 □□保(中間剝落) 兼繕工寺事金(以下脫落),」 完山郡夫人李(以下脫落)」.

從諸帝陵:追加].[4)]

二月[辛亥朔小盡,己卯], 庚申[10日], 葬靖和公主[忠肅王妃亦憐眞八剌].[5)]

[癸亥[13日], 左京里十餘家火:五行1火災轉載].[6)]

甲子[14日], 停燃燈.

丙寅[16日], 郎將玉純自元來, 報帝[仁宗]崩, 皇太子[碩德八剌]卽位, 是爲英宗. 百官會哭于紫門.[7)]

戊辰[18日], 遣檢校評理秦良弼如元, 陳慰.

甲戌[24日], 王微行, 獵于郊.

戊寅[28日], 移御上洛君金恂第.

三月[庚辰朔大盡,庚辰], 甲申[5日], 上王承皇太后[答己]懿旨, 命刷宦者[任]伯顏禿古思等六人, 所奪土田·臧獲, 歸其本主. [伯顏禿古思, 自宮爲閹, 因緣, 事仁宗皇帝藩邸, 佞險多不法. 上王深嫉之, 伯顏禿古思知之, 思有以中傷之. 以仁宗及皇太后[答己], 待上王厚, 不得發. 嘗無禮於上王, 上王請於太后, 杖之, 怨恨益深. 及仁宗崩, 太后亦退居別宮, 禿古思益無所畏, 厚啗[宣政院使]八思吉[八思吉思], 百計誣, 譖之:節要轉載].[8)]

庚寅[11日], 遣評理金怡[金廷美]如元, 賀登極.[9)]

[是月庚寅[11日], 皇太子碩德八剌卽位下詔書, 赦天下, 是爲英宗:追加].[10)]

---

4) 이는 『원사』 권26, 본기26, 인종3, 연우 7년 1월 辛丑을 轉載하였다. 이날(21일)은 율리우스曆으로 1320년 2월 22일(그레고리曆 3월 2일)에 해당한다.

5) 이 기사는 열전2, 忠肅王妃, 濮國長公主에도 수록되어 있다.

6) 左京里의 存在를 보아 고려후기에는 開京에 左京, 右京의 左右를 구분하려는 意識이 있었던 것 같은데, 左京里의 존재는 1304년(충렬왕30) 8월에도 찾아진다(金晅墓誌銘).

7) 이때 皇太子는 아직 卽位하지 않았기에 이 記事는 적절하지 못하다.

8) 이와 관련된 기사로 다음이 있고, 八思吉은 八思吉思(basi gisi, 鐵木迭兒의 子)를 가리킨다(東亞大學 2006년 27책 107面).

・ 열전35, 宦者, 任伯顏禿古思, "… 尙書朱冕家奴也, 自宮爲閹. 忠宣時[2年], 封庇仁君. 夤緣, 事元仁宗於藩邸, 佞險多不法, 忠宣深嫉之. 伯顏禿古思知之, 思有以中傷, 以仁宗及皇太后待之厚, 不得發. 嘗無禮於忠宣, 忠宣請皇太后杖之. [忠肅7年]又以皇太后命, 刷其所奪人土田·臧獲, 歸其主, 怨恨益深. 及仁宗崩, 皇太后亦退居別宮, 伯顏禿古思益無所畏, 厚啗八思吉, 百計誣, 譖之".

9) 添字는 『고려사절요』 권24에 의거하였다.

10) 이는 『원사』 권27, 본기27, 英宗1, 延祐 7년 3월 庚寅에 의거하였는데, 皇太子는 仁宗의 長子 碩德八剌(side bala, sidibala, 英宗)이다.

夏四月[庚戌朔小盡,辛巳], 辛亥[2日], 雩.

乙卯[6日], [小滿]. 雨.

丁巳[8日], 以權溥爲□[都]僉議政丞, 金利用爲贊成事, 趙雲卿·李光逢△[並]爲評理.

戊午[9日], 元帝[英宗]以卽位, 詔天下, 遣禮部郞中忽剌出[~~忽剌出~~]來, 頒詔.

庚申[11日], 宴元使, 王醉, 杖密直副使尹莘傑.[11]

甲子[15日], 宴元使, 王作詩, 侍臣和進, 連夜宴飮, 耽樂無度, 賜妓纏頭無算,[12] 由是, 府庫虛竭.

[是月庚戌朔, 元罷行中書省丞相□[職]. 河南行省丞相也先鐵木兒·湖廣行省丞相朶兒只的斤·遼陽行省丞相, 並降本省平章政事, 惟征東行省丞相高麗王不降:追加].[13]

[戊辰[19日], 封王煦爲鷄林郡公:追加].[14]

[○上王復請於帝, 降香江南. 蓋知時事將變, 冀以避患也:節要·忠宣王世家轉載].[15]

五月己卯□[朔大盡,壬午], 王潛與左右, 打毬於禪興寺前.[16]

---

11) 尹莘傑은 1318년(충숙왕5) 6월 28일 知密直司事에 임명되었다가 다음 해 2월 12일 下位職인 同知密直司事에 임명되었다. 이때 또다시 보다 더 下位職인 密直副使로 되어 있는 것은 어떠한 錯誤에 의한 것일 것이다. 이보다 3개월 후인 7월에 密直使에 임명되었음을 통해 볼 때, 이때의 密直副使는 知密直司事 또는 密直使의 잘못일 것이다.

12) 纏頭에 대한 설명으로 다음이 있는데, 朝鮮時代에 燕山君이 纏頭綵를 錦纏頭로 呼稱하게 하였다고 한다.
- 『자치통감』 권223, 唐紀39, 代宗廣德 1년(763) 7월, "… 酒酣, [~~蕃將僕固~~]懷恩起舞, [~~唐使駱~~]奉仙贈以纏頭綵[胡三省注, 唐人宴集, 酒酣爲人舞, 當此禮者以綵物爲贈, 謂之纏頭], …".
- 『燕山君日記』 권57, 11년 1월 丁亥朔, "傳曰, 今後凡處容舞·舞鶴等人賞賜之物, 皆號錦纏頭".

13) 이는 다음의 자료에 의거하였다.
- 『원사』 권27, 본기27, 英宗1, 延祐 7년 4월 庚戌朔, "罷行中書省丞相□[職]. 河南行省丞相也先鐵木兒·湖廣行省丞相朶兒只的斤·遼陽行省丞相, 並降本省平章政事, 惟征東行省丞相高麗王不降".

14) 이는 다음의 자료에 의거하였다.
- 『원사』 권27, 본기27, 英宗1, 延祐 7년 4월 "戊辰, 封王煦爲鷄林郡公". 이 기사는 王煦(忠宣王의 養子인 權載, 脫歡, Togon)를 資德大夫(正2品)·鷄林郡公으로 册封하고, 皇太子의 速古赤(速古兒赤, Sikuruchi, 冠服을 擔當하는 怯薛)으로 삼은 것이다.
- 열전23, 王煦, "年二十餘, 忠宣還于元, 奏□[以]爲皇太子速古赤, 爵雞林郡公, 卽都下買田宅以賜".
- 「王煦墓誌銘」, "… [忠宣]王還朝, 奏以爲皇太子速古赤, 爵雞林郡公, 階資德大夫, 卽都下買田宅, 以賜".

15) 이 기사는 『고려사절요』 권24에서 5월에 수록되어 있으나 4월의 잘못이다.

16) 己卯에 朔이 탈락되었다.

癸未[5日], 幸旻天寺, 命密直使元忠, 打毬, 觀之.

[癸巳[15日], 大雨雹:五行1雨雹轉載].

[是月, 安養寺住持·大師□□與僧雲友造成'釋迦如來八大菩薩圖':追加].[17)]

[○上王行至[江浙行省鎭江路]金山寺, 帝遣使急召, 令騎士擁逼以行, 侍從臣僚 皆奔竄. 興禮君朴景亮·遂安君李連松, 仰藥而死. 蓋伯顏禿古思方用事, 恐王不免也:節要轉載].[18)]

[是月頃, 以鄭公旦爲永州判官:追加].[19)]

六月[己酉朔小盡,癸未], 己巳[21日], 遣丹陽大君�如元, 賀登極.

辛未[23日], [立秋]. 遣大護軍尹吉甫如元, 獻鷂.

壬申[24日], 夜, 幸蓮花寺, 諸司供膳不備.

翼日[癸酉25日], 又獵.

甲戌[26日], 慮囚.

[某日, [同知密直司事?]李齊賢△[爲]考試官, 朴孝修△[爲]同考試官, 取進士:選擧1選場轉載].[20)] [□□[是時], 革詩·賦, 用策問:選擧1科目轉載].[21)]

[是月己酉朔, 元流高麗宦官·徽政院使米薛迷于金剛山:追加].[22)]

[夏某月, 以[中門祗候]朴元桂爲都官散郎:追加].[23)]

秋七月[戊寅朔小盡,甲申], [某日], 以[都僉議贊成事]蔡洪哲爲重大匡·平康君, [都僉議贊成事]崔誠

---

17) 이는 奈良縣 大和郡山市 山田町683 松尾寺에 소장된 「絹本著色釋迦如八大菩薩圖」의 書記에 의거하였다(熊谷宣夫 1972年 ; 菊竹淳一 1981年 單色圖版24 ; 菊竹淳一 1997년 ; 洪潤植 1995년 23面 ; 張東翼 2004년 737面).
 · 書記, (左端) "延祐七年五月日安養寺住持·大師□□", (右段) "山人雲友".

18) 이 기사는 열전37, 嬖幸2, 朴景亮에도 수록되어 있다.

19) 이는 『영천선생안』에 의거하였다.

20) 이는 지27, 선거1, 科目1, 選場에서 전재하였다.

21) 이는 다음의 기사를 전재한 것이고, 이보다 먼저 다이투[大都]에서 忠宣王을 시종하고 있던 李齊賢이 고시관에 임명되어 급히 귀국하였다고 한다(→是年 9월 7일의 脚注).
 · 지27, 選擧1, 科目, "[忠肅]七年六月, 李齊賢·朴孝修典擧, 革詩·賦, 用策問".

22) 이는 다음의 자료에 의거하였다.
 · 『원사』 권27, 본기27, 영종1, 연우 7년 6월, "己酉朔, 流徽政院使米薛迷于金剛山".

23) 이는 「朴元桂墓誌銘」에 의거하였다.

之△[爲]判民部□[事]，金怡[~~金廷美~~]·趙延壽並爲□□□[都僉議]贊成事,[24] [密直使]元忠爲評理[商議評理],[25] [前密直]金元祥爲三司使，尹莘傑·柳墩並爲密直使,[26] 尹奕·張瑄△△[並爲]檢校評理，李齊賢△[爲]知密直司事，鄭允興爲密直副使，曹頔爲選部典書.

癸巳[16日]，元以尊皇太后[荅己]，爲太皇太后，詔天下，遣別里哥不花來，頒詔.[27]

[乙巳[28日]，太白犯軒轅大星:天文3轉載].

丙午[29日晦]，遣□[~~都~~]贊成□[~~事~~]金怡[~~金廷美~~]如元，問上王起居.[28]

[某日，以慶尙道提察使崔咸一，仍番:慶尙道營主題名記].

[某日，敎曰，"近以選上國應擧秀才，而廢考藝試，成均七館[~~七管~~]諸生，皆赴初場，未合古制. 其令依舊，皆赴考藝試，定其分數，直赴中場":選擧1科目轉載].[29]

八月[丁未朔大盡,乙酉]，[己酉[3日]，流星大如缶，色赤，入閣道:天文3轉載].

庚戌[4日]，帝遣使來，[命復給伯顏禿古思田民.[30] 且:節要轉載]，求童女五十三·火者二十三.

癸丑[7日]，移御于德妃宮.

○明順妃[~~明順院妃~~]卒.[31]

[丙寅[20日]，熒惑犯天江星:天文3轉載].

[某日，改監試爲擧子試. 右代言許富掌是試，取鄭乙輔等八十餘人. 富不解文字，唯取榜頭一人，其餘不分優劣，以拆名先後書之. 人皆笑之:節要轉載].[32]

[→右代言許富，□□□□[掌擧子試]，取古賦鄭乙輔，十韻詩裴仲輔等八十餘人:選擧2

---

24) ~~添字~~는 『고려사절요』 권24에 의거하였는데, 이때 金怡에게 慶山君의 爵號가 下賜된 것 같다(열전21, 金怡, "[忠肅]七年, 加贊成事·慶山君").

25) 이때 元忠은 商議評理에 임명되었다(元忠墓誌銘).

26) 이때 柳墩은 密直使·上護軍에 임명되었다(柳墩墓誌銘).

27) 몽골제국이 皇太后 荅己[Tagi]를 太皇太后로 책봉한 것은 英宗이 즉위한 3월 11일(庚寅)이고, 太皇太后가 百官의 하례를 받은 것은 13일(壬辰)이다. 고려에 사신이 늦게 도착한 셈이다.

28) ~~添字~~는 『고려사절요』 권24에 의거하였다.

29) ~~添字~~와 같이 고쳐야 옳게 될 것이다(→충렬왕 33년 9월 17일의 脚注).

30) 이 구절은 열전35, 宦者, 任伯顏禿古思에도 수록되어 있다.

31) 明順妃는 明順院妃(충렬왕의 2女)로 고쳐야 옳게 될 것이다(열전2, 후비2, 충렬왕 貞信府主·권91, 열전4, 종실2, 高宗, 安慶公 淐, 열정4, 公主, 忠烈王, 明順院妃). 이날은 율리우스曆으로 1320년 9월 9일(그레고리曆 9월 17일)에 해당한다.

32) 이와 관련된 기사로 지28, 選擧2, 國子監試, "[忠肅王]七年, 稱擧子試"가 있다.

國子試額轉載].[33]

[→[許富]以右代言, 掌擧子, 試取鄭乙輔等. 富不解文字, 唯選榜頭一人, 餘皆以拆名先後第之. 防禁不嚴, 檢閱劉世興, 入鏁闈第高下, 修撰鄭怡, 潛拆封綳, 殊無國試體:列傳18許富轉載].

癸酉[27日], 夜, 王微行, 畋于近郊.

[某日, 下旨, 異姓諸君, 亦除顯官宰樞, 前者, 倉官奏, 降一科給祿, 未合於理, 自今, 與顯官宰樞, 同科給祿:食貨3祿俸轉載].

[是月, 某等立'寶蓋山石臺記'之碑:追加].[34]

[是月頃, 以[都官直郎]權碩爲雞林府判官:追加].[35]

九月[丁丑朔小盡,丙戌], 戊寅[2日], 塑文宣王像, 王出銀甁三十, 以助其費, 宰樞皆出幣, 助之.

[某日, 上王還, 至大都, 帝命中書省, 差官護送本國, 安置. 王遲留□□[顧望], 不卽發:節要轉載].

癸未[7日], 賜崔龍甲等及第,[36] 李齊賢·朴孝修所取也. 王嘉孝修淸白, 賜銀甁五

---

33) 이때 安輔도 합격하였다(『목은문고』 권19, 安輔墓誌銘).

34) 이는 「寶蓋山石臺記」에 의거하였다(許興植 1984년 1120面).

35) 이는 『동도역세제자기』에 의거하였다.

36) 이와 관련된 기사로 다음이 있다. 이때 崔龍甲·李芸白(改穀, 第2人)·白文寶(安輔墓誌銘)·尹澤(第6人, 尹澤墓誌銘)·安輔(安輔墓誌銘) 등이 급제하였다(『등과록』, 朴龍雲 1990년 ; 許興植 2005년).

- 지27, 선거1, 科目1, 選場, "[忠肅]七年六月, 李齊賢考試官, [代言]朴孝修[爲]同考試官, 取進士, 九月□□[癸未], 賜崔龍甲等三十三人及第".
- 「李齊賢墓誌銘」, "庚申, □[爲]知密直司事, 賜端誠翊贊功臣之號, 知貢擧, 時稱得士, 公年盖三十四, 文定·辰韓, 外舅姑, 三座主, 盖無恙, 公擧觴稱壽, 一世歆之".
- 「尹澤墓誌銘」(『목은문고』 권17), "延祐丁巳[忠肅4年]中進士, 擧庚申[7年]中秀才科, 寶劒賦第一, 人多誦之".
- 열전19, 尹諧, 澤, "忠肅四年[七年]登第, 調京山府司錄". 이에서 四年은 七年의 오류이다(東亞大學 2006년 24책 77面).
- 열전22, 李瑱, "[忠肅]七年, 子齊賢掌試, 領門生稱壽, 忠宣賜銀甁二百·米五百石, 以供其費. 瑱及妻, 皆康强無恙, 當世榮之".
- 열전22, 尹莘傑, "忠宣命[密直使尹]莘傑·李齊賢, 爲試官, 莘傑, 以選部典政柄, 干請州郡聚錢財, 欲設學士宴. 王以命出忠宣, 疑其貳於己, 卽罷莘傑, 以朴孝修代之".
- 열전22, 尹莘傑, 朴孝修, "累官至代言. 及代莘傑取士, 王嘉其淸白, 賜銀甁五十·米百石, 令辦學士宴".
- 열전22, 李穀, "[忠肅]七年登第, [八年]調福州司錄·參軍".

十·米百石，令辨學士宴.[37)]

[丙戌[10日]，熒惑犯南斗:天文3轉載].

丁亥[11日]，[霜降]. 幸平州溫井.

[甲午[18日]，雷雨:五行2轉載].

戊戌[22日]，夜，還宮，百官迎謁中門，判官趙文瑾喝于駕前，馬驚，王怒命執之，百官皆走，自後微行，見人則輒令歐之.

庚子[24日]，慮囚.

[壬寅[26日]，流星出斗南，長丈餘:天文3轉載].

癸卯[27日]，[立冬]. 遼陽人來，獻鷹·犬·馬.

[○歲星·熒惑，同舍南斗:天文3轉載].

[乙巳[29日晦]，[通憲大夫·]雞林府尹全信，以福州牧使移任:追加].[38)]

[秋某月，設行征東行省鄉試，取[修撰]安軸·[春秋館主簿]崔瀣·李衍宗等:追加].[39)]

冬十月[丙午朔大盡,丁亥]，丁巳[12日]，遣丹陽府注簿安軸·長興庫使崔瀣·司憲糾正李衍宗，應擧于元.[40)] [瀣，遂中制科:節要轉載].

[壬戌[17日]，月初生，有赤色，如烈火:五行1轉載].

[己巳[24日]，虹見:五行1虹霓轉載].

[某日，右常侍林仲沇，□□□□[掌升補試]，取鄭宗輔等:選擧2升補試轉載].

[某日，無賴之徒，往往成群殺人，故別定巡行，以至燈燭輩，皆爲之:兵2宿衛轉載].

· 열전22，安軸，輔，"年十九登第，調慶州司錄".

37) 이때의 형편을 전하는 자료로 다음이 있다.

·『朴先生遺稿』，益齋先生壽親詩卷序，"… 蓋典試者有宴，古也，在唐，有楊嗣復稱壽於其親，至五代，馬裔孫宴慰其座主. 高麗自光廟設科以來，門生·座主之禮極備，典試者稱學士，學士旣放榜，具公服，領門生，謁其親若座主，邀宴于家. 王特賜樂，以賁文風，名曰學士宴，蓋因楊·馬故事也. 先生[李齊賢]自弱冠，遇知忠宣，常侍燕邸. 是年[延祐7年]，以知貢擧，馳傳還國，忠宣賚與便蕃，以資燕費，寵已極矣. 及燕夕，父母與三座主，俱會一堂，冠蓋雜還，歌吹紛豪，垂髫戴白，拭目聳觀，萬口咨嗟，以爲前古所未有也. 嗚呼，其榮矣哉. …".

38) 이는『동도역세제자기』;『안동선생안』;「全信墓誌銘」에 의거하였다.

39) 이는 征東行省의 鄕試가 明年의 會試，廷試에 앞서 실시됨을 감안하여 추가한 것이다.

40) 이 기사에서 丹陽府는 丹陽大院府君[丹陽大君] 珛의 府로 추정된다. 또 이후 崔瀣는 元에 들어가 大都 文明門 동쪽에 위치한 숙소에 머물면서 會試·廷試에 應擧하였고，이때 遼陽의 洪重宜 등과 교유하였다고 한다(『졸고천백』 권1 ;『동문선』 권68，春軒壺記).

[是月初，淸州牧使尹某，建淸州拱北樓:追加].[41]

[是月，元下上王于刑部，旣而祝髮，置□之石佛寺:節要轉載].[42]

十一月丙子朔小盡,戊子，丁丑2日，以金利用△爲都僉議政丞，重大匡·龜城君吳潛爲贊成事,[43] 尹碩爲密直副使.

癸未8日，遣吉昌君權準如元，賀正.

壬辰17日，遣大護軍鄭績如元，獻童女.

[辛丑26日，月犯心:天文3轉載].

甲辰29日晦，遣密直副使尹碩·郭惟堅問上王起居.

○葬貞信府主.[44]

[是月頃，高麗王府斷事官李齊賢還京師，未至，上王被讒，出吐蕃:追加].[45]

十二月乙巳朔大盡,己丑，戊申4日，帝以學佛經爲名，流上王于吐蕃撒思結之地.[46] 去京師萬五千里，隨從宰相崔誠之等，皆逃匿不見，唯直寶文閣朴仁幹·前大護軍張元祉等[十八人:節要轉載]，從至流所.[47] [伯顔禿古思讒訴不已，禍幾不測，賴丞相拜住營救，得免:節要轉載].[48]

---

41) 이는 다음의 자료에 의거하였다.

· 『신증동국여지승람』 권15, 淸州牧, 樓亭, “拱北樓, 在州北三里. … 高麗權漢功詩, 拱北樓新構, 庚申十月初. 詩從權贊善權漢功, 功自尹尙書. 古道依紅樹, 淸池倒碧虛. 留連日將暮, 山色正愁予”.

42) 添字는 『고려사』충선왕세가에 의거하였다.

43) 이때 吳潛은 藝文館大提學·重大匡·□都僉議贊成事·知製敎·知春秋館事·上護軍에 임명되었다(吳潛墓誌銘).

44) 貞信府主는 충렬왕의 妃로서, 그의 열전에 의하면 前年인 충숙왕 6년 4월 14일(己亥) 逝去하였다고 하는데(열전2, 후비2, 충렬왕 貞信府主), 이때 葬事를 지낸 이유를 알 수 없다.

45) 이는 「李齊賢墓誌銘」, “…, 至治壬戌延祐庚申冬, 還京師, 未至, 忠宣王被讃出西蕃”에 의거하였다. 이에서 ‘至治壬戌冬’은 ‘延祐庚申冬’의 오류일 것이다.

46) 吐蕃 撒思吉(撒思結, 薩思迦, 薩斯迦, Sa-skya, 現 Tibet 薩迦)은 現 라사(拉薩, Rasa, 現 西藏自治區 拉薩市, 平均海拔高度 3,650m)에서 500km 서쪽에 위치한 곳이다. 이때 崔誠之·文度의 父子가 뒤 따라 갔으나 關西(亟谷閒의 西部地域, 현 성서·감숙성)에 이르러 더 나아가지 못하였다고 한다(崔誠之墓誌銘 ; 崔文度墓誌銘).

47) 朴仁幹은 1316년(충숙왕3)부터 大都의 瀋王邸에서 충선왕을 隨從하였다(朴華墓誌銘). 또 1313년(충선왕5) 2월 16일(丙子) 李思溫과 함께 충선왕의 귀국을 종용하다가 臨洮府(現 甘肅省 定西市 西部地域)에 유배되었다가 석방되어 大都에 머물고 있던 金深이 멀리까지 따라가 전송하였다고 한다(金深墓誌銘).

[→忠肅七年, 元流忠宣于吐蕃撒思結之地, 去京師萬五千里. 時崔誠之從忠宣在元, 逃匿不見, 唯直寶文閣朴仁幹·大護軍張元祉等十八人, 從至流所. 時人以爲, 崔誠之大臣也, 主辱忘恩, 全身引避, 君臣之義掃地矣:列傳21崔誠之轉載].

[→忠肅七年, 宦者伯顏禿古思構忠宣, 流于吐蕃, 煦欲以身代, 帝聞而憐之, 禿古思不能害:列傳23王煦轉載].

○遣□□□都僉議政丞金利用如元, 進方物.

庚戌6日, 遣張沆·尹莘系尹莘係獻盤纏于上王.[49]

壬子8日, 以同知密直司事?韓渥爲選部典書, 全英甫爲密直副使.[50]

乙卯11日, 百官上書中書省, 訟上王之寃.

戊午14日, 王大集僧徒于旻天寺, 爲上王祈禱.

[庚申16日, 月食:天文3轉載].[51]

乙丑21日, 慮囚.

戊辰24日, 以許富爲選部典書, 李宣風爲摠部典書, 安珪爲代言.

辛未27日, 復置政房,[52] 以代言安珪掌銓注, 右常侍林仲沇·議郎曹光漢曹匡漢·藝文應教韓宗愈等參之.[53]

[○是夜三更, 雞林府客舍·大廳·南大廳·凉樓·選軍廳等七十一間燒:追加].[54]

癸酉29日, 寧王阿都赤?送羊一百頭.[55]

---

48) 이 구절은 열전35, 宦者, 任伯顏禿古思에도 수록되어 있다.

49) 尹莘系는 尹莘係의 오자일 것이다. 『고려사절요』 권24에는 옳게 되어 있다(東亞大學 2008년 9책 449面 ; 盧明鎬 等編 2016년 608面).

50) 韓渥은 明年 1월 30일 知密直司事에 임명된 점을 보아, 이때 同知密直司事로서 選部典書를 兼職하였던 것 같다. 그렇지만 24일 許富가 選部典書에 임명됨에 따라 他職을 兼職하게 되었을 것이다.

51) 이때 일본의 교토[京都]에서 16일(辛酉, 高麗曆으로 17일)에 월식이 예측되었으나 비로 인해 볼 수 없었다고 한다. 이날은 율리우스력의 1321년 1월 14일이고, 월식 현상이 심했던 때의 世界時는 21시 7분, 食分은 0.82이었다(渡邊敏夫 1979年 483面).

52) 이와 같은 기사가 지29, 選擧3, 選法에도 수록되어 있다.

53) 이때 韓宗愈는 司僕副正·知製敎兼藝文應敎·春秋館編修官이었던 것 같다(韓宗愈墓誌銘). 또 이 기사는 열전23, 韓宗愈 ; 열전37, 鄭方吉, 林仲沇에도 수록되어 있다.

54) 이는 『동도역세제자기』에 의거하였다.

55) 寧王은 世祖 忽必烈의 第8子 闊闊出(Kököcu, ?~1313)의 次子 阿都赤[Aduguchi]으로 추측된다(『원사』 권108, 표3, 諸王表, 寧王).

[是年, 置火者擄執田民推考都監:百官2轉載].
[○以尹侅爲周陵[靖宗]直, 時侅年十四:追加].[56)]
[○以尹之彪爲泰雲寺眞殿直, 時之彪年十一:追加].[57)]
[○以金兌之爲延安府使, 金玄同爲延安司錄:追加].[58)]
[○元以李齊賢爲高麗國王府斷事官:追加].[59)]
[增補].[60)]

辛酉[忠肅王]八年, 元至治元年, [西曆1321年]

1321년 1월 29일(Gre2월 6일)에서 1321년 1월 17일(Gre1월 25일)까지, 354일

春正月[乙亥朔大盡,庚寅], [丙子[2日], 赤祲見于東西, 白氣見于南方:五行1轉載].
庚辰[6日], 元以改元至治, 遣使□[來], 頒詔.[61)]
[辛巳[7日], 木稼:五行2轉載].
壬午[8日], 遣內書舍人安鈞, 索盤纏于慶尙道.
[某日, 下[都僉議]贊成事權漢功·評理[贊成事?]金廷美[金怡]·平康君蔡洪哲于巡軍:節要轉載].[62)]
癸未[9日], 遣永陽君李瑚如元, 賀聖節.
乙酉[11日], 遣陽城君李梴獻童女.[63)]
己亥[25日], 護軍李仁吉還自元, 詔王入朝.[64)]

---

56) 이는「尹侅墓誌銘」(『목은문고』 권18)에 의거하였다.
57) 이는「尹之彪墓誌銘」(『목은문고』 권17)에 의거하였다.
58) 이는『연안부지』에 의거하였다.
59) 이는「李齊賢墓誌銘」에 의거하였다.
60) 是年頃에 安輔가 雞林司錄[慶州司錄]에 임명되었다고 하는데(열전22, 安輔), 『동도역세제자기』에는 확인되지 않는다.
61) 몽골제국이 年號를 至治로 바꾸기로 결정한 것은 前年 12월 1일(乙巳)이었다(『원사』 권27, 본기 27, 연우 7년 12월 乙巳).
62) 金怡는 前年 7월 某日 僉議贊成事에 임명되었고, 29일 이를 띠고서 다이두[大都]에 파견되었다. 또 이 기사와 관련된 것으로 다음이 있다.
· 열전38, 權漢功, "… 及帝流忠宣于吐蕃, 王下漢功·光逢及金廷美·蔡洪哲·裴廷芝于巡軍".
63) 陽城君 李梴(이천)은 李春富의 祖父라고 한다(열전38, 李春富, "祖梴, 陽城君").
64) 李仁吉의 初名은 李成柱였다(열전37, 崔安道, 李仁吉, "仁吉, 一名成柱, 本商人. 亦忠肅嬖臣

[庚子26日, 熒惑犯房北第二星:天文3轉載].

辛丑27日, 元以加上太皇太后尊號, 詔天下, 遣使□来, 頒詔.[65]

甲辰30日, [驚蟄]. 以[金深爲壁上三韓三重大匡·都僉議右政丞·判摠部司憲府事·上護軍·化平府院君:追加],[66] 金利用△爲守□都僉議政丞, 金恂△爲判三司事, 吳潛·朴盧中△△△並爲都僉議贊成事,[67] 趙璉·金台鉉爲評理,[68] 三司使金元祥爲政堂文學, 朴侶·趙延壽爲三司□□左右使, 白元恒爲密直使, 秦良弼·韓渥△△並爲知密直司事, 密直副使尹碩·密直副使李伯謙△△並爲同知密直司事, 全英甫·柳有奇·任瑞△並爲密直副使. [瑞, 亦尙書朱冕家奴, 伯顔禿古思之弟兄也:節要轉載].[69]

[是時, 復置政堂文學:百官1門下府轉載].

[○以許頻爲慶尙道提察使:慶尙道營主題名記].

[是月朔, 元改元至治:追加].

[甲申10日, 帝召王赴上都:追加].[70]

二月乙巳朔小盡,辛卯, [乙卯11日, 太白·熒惑, 同舍于奎:天文3轉載].

[丙辰12日, 太白·熒惑·鎭星, 同舍于婁:天文3轉載].

[己未15日, 太白·鎭星, 相犯于婁:天文3轉載].

[某日, 下都僉議評理李光逢·密直副使上護軍裵廷芝于巡軍, 並杖流之:節要轉載].

[某日, 命都僉議贊成事吳潛·代言金千寶, 鞫前贊成事權漢功于理問所. 漢功自厠竇逃, 捕而囚之, 籍漢功·蔡洪哲家, 釋金廷美金怡:節要轉載].[71]

也"). 또 英宗이 忠肅王의 入朝를 命한 것은 1월 10일(甲申)이었다.

·『원사』 권27, 본기27, 英宗1, 至治 1년 1월, "甲申, 召高麗王王璋王燾, 赴上都". 여기에서 王璋은 王燾의 오류이다.

65) 몽골제국의 英宗이 百官을 거느리고 順宗妃인 太皇太后 答己(tagi, 武宗·仁宗의 母)에게 尊號를 올린 것은 前年 12월 11일(乙卯)이었다(『원사』 권27, 본기27, 연우 7년 12월 乙卯).

66) 이는 「金深墓誌銘」에 의거하였는데, 이에는 임명된 月次가 없으나 이때일 것이다.

67) 이때 吳潛은 重大匡·□都僉議贊成事·右文館大提學監春秋館事·判摠部事·龜城君에 임명되었다(吳潛墓誌銘).

68) 金台鉉이 僉議評理에 임명된 것은 그의 묘지명에서도 확인된다.

·열전23, 金台鉉, "… 以商議贊成事例罷, 閑居者十年. 忠肅八年, 起爲僉議評理".

69) 任瑞는 열전35, 宦者, 任伯顔禿古思에는 弟가 아니라 兄으로 되어 있다(→충숙왕 10년 9월 某日).

70) 이는 다음의 자료에 의거하였다.

·『원사』 권27, 본기27, 영종1, 至治 1년 1월, "甲申10日, 帝召高麗王王章王燾赴上都". 여기에서 王章은 王燾의 오자이다.

[某日, 下大護軍高子英于巡軍, 以黨曹頔也:節要轉載].

丙寅[22日], [守都僉議政丞]金利用致仕, 復以柳淸臣代之.

丁卯[23日], 王出畋.

[壬申[28日], 白氣貫日:天文1轉載].

三月甲戌朔[大盡,壬辰], 復置察理辨違都監.[72]

○遣丹陽大君�如元, 賀改元·册太后.

[丁亥[14日], 西方有赤氣:五行1轉載].

庚子[27日], 親醮于康安殿.

[某日, 民部, 以京中四塩鋪所賣塩, 皆歸權勢·親故, 不及踈賤. 榜曰, "非受本部牒者, 不得賣":食貨2塩法轉載].

[癸丑[某日], 隕霜:五行1轉載].[73]

[是月庚辰[7日], 元廷試進士, 賜泰普華·宋本等六十四人及第·出身有差. 時崔瀣及第:追加].[74]

夏四月[甲辰朔大盡,癸巳], 乙巳[2日], [立夏]. 王畋于南郊.

辛亥[8日], 再雩.[75]

癸丑[10日], 隕霜.

癸亥[20日], 杖右思補李蒨·左思補王伯于闕下, 流于島. [嬖人李仁吉妾父·西京郎將崔得和, 爲隨州守, 蒨等不署告身, 仁吉訴之:節要轉載].[76]

---

71) 이와 같은 기사가 열전38, 權漢功에도 수록되어 있다.

72) 이와 관련된 기사로 지28, 百官2, 拶理辨違都監, "[忠肅]八年, 復置察理辨違都監, 尋又罷之"가 있다.

73) 이달에는 癸丑이 없고, 충숙왕 복위 8년 3월에도 癸丑이 없다.

74) 이는 『원사』 권27, 본기27, 英宗 至治 1년 3월 庚辰에 의거하였다. 이때 최해는 第3甲 第21名으로 及第하여 遼陽路 蓋州判官에 임명되었다(열전22, 崔瀣 ; 지28, 選擧2, 科目2, 制科, "[忠肅王]八年, 瀣中制科, 勅授遼陽盖州判官" ; 『졸고천백』 권1, 春軒壺記·권2, 送奉使李中父還朝序·送張雲龍國琛西歸序 ; 『가정집』 권11, 崔瀣墓誌銘 ; 『동현사략』, 崔瀣).

· 열전22, 崔瀣, "忠肅八年, 應擧于元, 中制科, 授遼陽路盖州判官. 及東還, 藝文·成均·典校三館, 出迎于迎賓館, 遷藝文應敎. 始赴盖州[蓋州], 地僻職冗, 居五月移病東歸".

75) 지8, 五行2, 金行에는 "[忠肅]八年三月辛亥, 再雩"로 되어 있으나, 三月은 四月의 오류이다.

76) 이 기사는 열전22, 趙廉, 王伯에도 수록되어 있다.

· 『신증동국여지승람』 권44, 江陵大都護府, 人物, "王伯, 本姓金, 新羅武烈王之後. 忠烈朝登第, 歷糾正, 轉右司補, 以不署嬖人妾婦[妾父]告身, 被訴杖流. 忠惠朝, 乞骸骨, 歸老全州".

○郎將金呂突入白王曰, “人打吾妻, 願王治罪”. 王曰, “以汝室家之故, 敢告我耶?”. 流呂及妻于島.

[某日, 以僉議評理·王府斷事官趙璉爲權征東行省事:追加].[77]

丁卯24日, 王如元, 四更, 出自陽善門, 百官不及拜辭, 守都僉議政丞柳淸臣·都僉議贊成事吳潛·商議評理元忠·知密直司事韓渥·同知密直司事尹碩·密直副使柳有奇·安珪[·民部典書權謙:追加]等從之.[78]

[○內豎·大護軍朴仁平, 以姦巧得幸, 而潛結曹頔. 頔養子宦者楊安吉, 時在帝側用事, 其妹適人已久. 王欲求援安吉, 黜其夫, 以嫁仁平. 仁平反與頔潛結, 王欲罪之, 仁平知之, 逃至瀋王所. 至是, 仁平先至瀋王所, 與頔·安吉, 相爲唇齒, 遂背王, 反以國家陰事, 訴瀋王. 又誘引柳淸臣·吳潛, 與之比, 都僉議評理趙璉·三司右使趙延壽·政堂文學金元祥等, 陰附之. 於是, 王之侍從, 皆離畔, 莫適所從:節要轉載].[79]

[→火者楊安吉, 頔養子也, 時在帝側用事. 其妹適人已久, 王欲求援安吉, 黜其夫, 以嫁仁平. 仁平反與頔潛結, 王欲罪之, 仁平知之, 逃至瀋王所. 與頔·安吉, 相爲唇齒, 遂背王, 以國家陰事, 訴瀋王. 又引誘柳淸臣·吳潛, 與之比, 趙璉·趙延壽·金元祥等, 陰附之. 於是, 王之侍從皆離畔, 莫適所從. 時人曰, “仁平人猫, 誤王者, 必此人也”:列傳44曹頔轉載].

---

77) 이는 열전18, 趙仁規, 璉, “王嘗在元, 璉權省事者凡五二年”에 의거하였는데, 이에서 五年은 二年의 오류일 것이다. 이때 충숙왕은 1321년(충숙왕8) 4월 24일 다이두[大都]에 행차하였고, 趙璉은 明年 8월 16일에 逝去하였다.

78) 權謙은 그의 열전에 의거하였다.

- 열전44, 叛逆5, 權謙, “忠肅初, 拜司僕副正, 累遷代言, 轉民部典書. 從王如元, 留燕五年, 侍從有勞, 王還國, 錄功爲二等”.

79) 이후 충숙왕은 다이두에 들어가서 약 33개월 동안 拘留되었고[年數로 5年에 걸침], 守都僉議政丞柳淸臣·都僉議贊成事 吳潛은 왕을 시종하고 있었기에 고려에 남겨진 判三司事 金台鉉이 二府(僉議府·密直司)의 首長이 되어 權行省事인 僉議評理 趙璉과 함께 國政을 운영하였던 것 같다.

- 『졸고천백』 권1, 金台鉉墓誌銘, “辛酉忠肅8年, 起爲僉議評理, 尋判三司事, 階重大匡, 延祐末, 德陵有吐蕃之行, 至治初, 上王忠肅入朝見留, 國中黨論起. 時冢宰從于王所, 而公首居府, 在下者反執國權, 不與一心, 事皆扞格, 然從不至誤國者, 由有公也“. 『光山金氏族譜』에 수록되어 있는 묘지명은 判讀에 문제가 있는 것 같다(金龍善 2006년 472面).
- 열전23, 金台鉉, “忠肅八年, 起爲僉議評理, 尋判三司事. 忠宣竄吐蕃, 忠肅被留于元, 國中黨論起, 首相從王. 台鉉雖首居二府, 在下者秉權, 事多扞格, 然賴台鉉鎭定, 終不至誤國”.

  또 이때 瀋王 暠를 지지한 인물들에 대한 기록도 있다.
- 열전38, 金元祥, “… 曹頔·蔡河中等左右瀋王暠, 謀奪王位, 交構萬端, 政堂文學金元祥亦陰附其黨, 從臾織成”.
- 열전38, 柳淸臣, “… 忠肅如元, 見瀋王暠窺覦王位, 淸臣, 遂與曹頔等背王, 附暠詭謀萬端”.

[辛未[28日], 白虹貫日:天文1轉載].

壬申[29日], 令三司使[判三司事]金恂, 密直使白元恒, 密直副使[~~同知密直司事~~?]尹碩·全英甫, 大護軍李仁吉及監察·讞部官,[80] 杖權漢功·蔡洪哲, 流于遠島.[81] [漢功, 上王之所重也. 時臨海君李瑱, 餞于郊, 漢功曰, "天地雖廣大, 一身藏處難", 瑱曰, "厠竇好, 漢功大慚". 漢功·洪哲及光逢·廷芝等, 不入海島, 皆聚洪州界, 擾民不可勝紀: 節要轉載]. 先是, 上王之留元也, 國家政事, 倉庫出納, 一委親近, 雖有過擧, 然倉庫盈羨, 人心畏服. 自西幸以後, 宦官左右謀改忠宣之政, 放逐舊臣, [無虛日:節要轉載], 倉庫俱竭. 英甫弟僧山枳及吳佛老等付伯顏禿古思, 蜂起扇亂.[82] [時王寓伯顏禿古思家:節要轉載].

[史臣曰, "任用舊人, 亦繼述之一事也. 漢功以太尉王所重, 而乃見竄, 可謂王有孝心乎, 死生榮辱命也. 漢功之逃, 失大臣體, 亦豈免君子之譏乎?":節要轉載].

[史臣許應麟曰, "忠宣王, 嫉惡如讎, 而閹人伯顏禿古思, 以其姦險見惡於王, 誣譖於英宗皇帝, 竄王吐蕃, 在忠肅, 義不共戴天也. 其入朝也, 既不能白於天子, 正其吠主之罪, 乃反寓其家. 至以其族, 免隷爲良, 獨何心哉?":節要轉載].

五月[甲戌朔[小盡,甲午], 白祲見于乾方, 長二丈許, 須臾, 變爲弓矢狀, 中有星, 初如卷龍, 後如蟠龍:五行2轉載].

[某日, 杖前直郎鄭琛, 流于島. 初, 王聞柳淸臣·吳潛, 訴王于上王, 頗疑之. 二人詣行宮, 請與白元恒辨. 王問元恒, 元恒指鄭方吉及僧祖倫, 祖倫指前執義徐諲, 諲指鄭琛:節要轉載].

[→忠肅聞淸臣·吳潛譖己于忠宣, 頗疑之. 二人請與白元恒辨. 忠肅問元恒, 元

80) 三司使는 判三司事의 오자이다. 金恂은 이해의 1월 30일(甲辰) 判三司事에 임명되었다(→충숙왕 8년 1월 30일 ; 金恂墓誌銘).

81) 이때 密直副使·上護軍 裴廷芝도 緣坐되어 竹林防護에 杖流되었고, 이후 蔡洪哲이 冬栢木을 슬피 불렀던 것 같다.

- 열전21, 裴廷芝, "[忠肅]八年, 黨獄起, 杖流竹林防護, 其子天慶, 請以身代, 不聽遂俱竄".
- 「裴廷芝墓誌銘」, "辛酉[忠肅8年]黨獄起, 公以非罪, 亦在縲泄之中, 發憤自訴, 受辭者莫能難, 其子前別將天慶, 請以身代, 不聽同遷而異處, 爲善之報, 何爽歟".
- 지25, 樂2, 俗樂, 冬栢木, "忠肅王朝, 蔡洪哲以罪流遠島, 思德陵[忠宣王], 作此歌. 王聞之, 卽日召還. 或曰, 古有此歌, 洪哲就加正焉, 以寓己意".

82) 吳佛老는 『고려사절요』권에는 吳佛奴[吳quliu]로 되어 있는데, 後者가 더 適合할 것 같다(盧明鎬 等編 2016년 610面, 廉悌臣의 蒙古名은 佛奴).

恒指鄭方吉及僧祖倫，祖倫指前執義徐諲，諲指直郎鄭琛，乃杖琛流海島:列傳38柳清臣轉載].

丁丑4日，百官詣靑雲寺，奉懿妃眞，移安妙蓮寺.

庚辰7日，雨雹，大如李梅.

[→庚辰，雨雹:五行1雨雹轉載].

癸巳20日，禱雨于圓丘.[83]

甲午21日，□□元遣前益城君洪瀹奉勑來，求藏經紙.[84]

丁酉24日，太白晝見，犯日.

[戊戌25日，太白入軒轅大星:天文3轉載].

辛丑28日，雨.

○同知密直司事李伯謙卒,[85] [年五十八，子資深:列傳22李伯謙轉載]. [伯謙，風彩瀟洒，玉立朝端，嘗爲公州副使，勸課農桑，民以富饒. 又牧濟·海二州，留守南京，以政最聞. 忠肅5年濟州叛賊曰，“若李伯謙·宋英來撫，吾豈敢叛乎?”，其愛慕如此:節要轉載].

○遣密直□□副使任瑞如元，獻鷂.

六月癸卯朔小盡,乙未，日食，既.[86]

庚戌8日，設星變祈禳法席於內殿.

壬子10日，鷹揚軍上護軍元冲甲卒，[年七十二].[87] [□□冲甲，爲人短小，精悍，眼有電光，臨難忘身，後忠肅王6年以擊走哈丹功，賜推誠奮勇匡國功臣號:節要轉載].

戊午16日，禱雨.[88]

甲子22日，雨.

---

83) 지8，五行2，金行에는 癸巳 앞에 五月이 탈락되었다.

84) 添字가 추가되어야 옳게 될 것이다.

85) 이날은 율리우스曆으로 1321년 6월 24일(그레고리曆 7월 1일)에 해당한다.

86) 이날 中原에서도 일식이 있었고(『원사』 권27，본기27，英宗1，至治 1년 6월 癸卯)，일본의 교토에서도 관측이 이루어졌다. 이날은 율리우스력의 1321년 6월 26일이고，開京에서 일식 현상이 심했던 시간은 16시 13분，食分은 0.97이었다(渡邊敏夫 1979年 311面).
·『續史愚抄』17，元亨 1년 6월，“一日癸卯，日蝕，正見，蝕御祈權僧正益守奉仕”.

87) 이날은 율리우스曆으로 1321년 7월 5일(그레고리曆 7월 13일)에 해당한다.

88) 일본의 교토[京都]에서 6월에 旱魃이 있었다고 한다(中央氣象臺 1941年 2册 532面).
·『續本朝通鑑』，元亨 1년，“六月，大旱，平地枯槁，甸服百里之間，唯赤土而無靑苗，餓莩滿野”.

丁卯[25日], 慮囚.

[己巳[27日], 歲星犯哭星二日:天文3轉載].[89)]

辛未[29日晦], 王遣上護軍孫起□[來], 宥二罪以下.[90)]

秋七月[壬申朔大盡,丙申], [某日], 上王至西蕃獨知里, 寄書崔有渰·權溥·許有全·趙簡等云, "予以命數之奇, 罹玆憂患, 孑爾一身, 跋涉萬五千里, 向于吐蕃. 辱我杜稷多矣. 寢不安枕, 食不知味. 想諸國老, 亦勞心焦思, 深增惶愧. 國王年少無知, 向之憚我群小輩, 必幸我如此, 肆其奸巧, 焉知不間我父子乎? 幸諸國老同心愶[協]力, 敷奏于帝, 俾予速還".[91)] 於是, 有全與閔漬等如元, 請王還國, 爲瀋王之黨所沮, 竟不能達而還.

[某日, 以慶尙道提察使許頻, 仍番:慶尙道營主題名記].

八月[壬寅朔小盡,丁酉], [某日, 前正尹蔡河中, 偕元使金家奴, 自元來言, "帝赦權漢功·蔡洪哲, 而召之".[92)] 又言, "帝以瀋王暠爲國王". 翼日, 百官賀暠母安妃. 是夕, 護軍李漣還自元, 言"國王無恙", 宰樞始知河中之妄. 初, 上王愛瀋王愈於己出, 瀋王因生覬覦心:節要轉載].[93)]

丁未[6日], [白露]. 太白晝見, 五日.

[癸丑[12日], 熒惑入軒轅大星:天文3轉載].

丁巳[16日], □[遣]大護軍孫琦賫金銀·苧布如元, 獻王.[94)]

[某日, 加判三司事金恂, 寶文閣大提學·上護軍:追加].[95)]

---

89) 己巳는 5월에 없으므로, 이 앞에 六月이 脫落되었거나, 아니면 己巳는 己亥(5월 26일)의 誤謬일 것이다.

90) 이 기사에서 來를 넣어야 옳게 될 것이지만, 『고려사』에서 생략된 경우가 많이 있다.

91) 이 시기에 충선왕[上王]은 權漢功에게 시문을 보내 자신의 心情을 전하였다고 한다.
· 열전38, 權漢功, "… 漢功, 素爲忠宣所重, 忠宣在吐蕃寄漢功詩云, 瘴烟蕃地舊聞名, 未識離都幾萬程. 夢裏備嘗艱險了, 思君況乃不勝情".

92) 이와 같은 기사가 열전38, 권한공에도 수록되어 있다.

93) 이 기사는 열전38, 蔡河中에 압축되어 있다.

94) 이에서 遣字가 탈락되었을 것이다. 이후 고려국왕이 不在 중일 때 使臣의 파견에서 遣字가 빠진 경우가 있다. 國王의 不在中에도 이를 代行하는 權征東行省事가 임명되어 있기에 官僚가 스스로 元에 들어갈 수는 없었다(→是年 3월 1일).

95) 이는 「金恂墓誌銘」에 의거하였다.

壬戌[21日], [秋分]. 判三司事金恂卒,[96)] [年六十四. 諡文英:列傳17金恂轉載]. [恂, 寬厚長者, 日以絲竹爲樂:節要轉載].

[某日, 元中書省, 遣宣使李常志來, 囚靖和公主宮女及饔人韓萬福, 問公主[亦憐眞八剌]薨故. 萬福言, 去年八月, 王密御德妃於延慶宮, 公主妬, 被王歐, 鼻衄. 又於九月, 王如妙蓮寺, 歐公主, 於佐夫介等救之. 遂執宮女及萬福等, 以歸:節要轉載].

[→元中書省, 遣宣使李常志來, 囚公主宮女胡剌赤女子及饔人韓萬福, 問公主薨故. 萬福云, 去年八月, 王昵御德妃於延慶宮, 公主妬, 被王歐, 鼻衄. 又於九月, 王如妙蓮寺, 歐公主, 於佐夫介等救之. 常志遂執胡剌赤女子及萬福等以歸:列傳2忠肅王濮國長公主轉載].[97)]

[是月頃, 以[成均博士]成挺爲雞林府司錄:追加].[98)]

九月[辛未朔大盡,戊戌], [某日, [前正尹]蔡河中復如元, 從瀋王也. □□[是時], 河中嘗恨□□[察理]辨違都監, 取其父洪哲及權漢功田民, 斷與於人. 召都監官謂曰, 從汝[汝從]惡王命決耶?:節要轉載].[99)]

辛巳[11日], 檢校□[都]僉議政丞李瑱卒,[100)] [年七十八, 諡文定:列傳22轉載].[101)] [□[瑱], 爲人, 體貌魁梧, 局量寬弘. 然倚其子齊賢勢, 多奪人臧獲, 識者以此少之:節要轉載]. [哀訴者日踵門, 校勘崔沔, 縊於瑱門, □□[察理]辨違都監決還沔家. 然[又]在廟堂, 無所建白. 及解官居閑日, 與儒·釋逍遙詩酒間. 子綰[琯]·齊賢·之正. 齊賢, 自有傳:列傳22李瑱轉載].[102)]

[癸未[13日], 熒惑犯大微[太微]西藩上將:天文3轉載].

戊子[18日], 密陽君朴義卒.[103)]

---

96) 이날은 율리우스曆으로 1321년 9월 13일(그레고리曆 9월 21일)에 해당한다.

97) 胡剌赤[Qurachi]은 몽골제국 시기에 流行하던 回回食品의 하나이므로 '宮女胡剌赤女子'는 '胡剌赤를 담당하는 女子宮女'를 가리키는 것으로 추측된다.

98) 이는 『동도역세제자기』에 의거하였다.

99) 이 기사는 열전38, 蔡河中에도 수록되어 있는데, 添字와 같이 고쳐야 옳게 될 것이다.

100) 이날은 율리우스曆으로 1321년 10월 2일(그레고리曆 10월 10일)에 해당한다

101) 李瑱(李齊賢의 父)은 1312년(충선왕4) 2월에 匡靖大夫·□[都]僉議侍郎贊成事·進賢館大提學·知春秋館事·判民部事致仕였고(權明墓誌銘), 1316년(충숙왕3) 6월 22일에서 7월 28일 사이에 重大匡·檢校□[都]僉議政丞·領藝文館事·臨海君致仕였다(洪奎墓誌銘).

102) 李綰은 李琯으로도 표기되었다(韓宗愈墓誌銘).

103) 이날은 율리우스曆으로 10월 9일(그레고리曆 10월 17일)에 해당한다.

[辛卯21日, 月犯東井北轅:天文3轉載].

[丙申26日, 熒惑犯大微太微右掖門:天文3轉載].

[戊戌28日, 月與太白同舍:天文3轉載].

冬十月辛丑朔小盡,己亥, 己亥某日,[104] 遣李彦冲如元, 賀正.

[丁未7日, 月與歲星同舍:天文3轉載].

庚戌10日, 以崔有渰爲大寧君, 金台鉉△爲判三司事, 吳潛·朴虛中·趙璉△△△並爲都僉議贊成事, 三司右使趙延壽·政堂文學金元祥爲三司□□左右使, 白元恒·韓渥△△△都並爲僉議評理, 秦良弼△爲知密直司事, 全英甫△爲知密直司事兼大司憲,[105] 任子松·李宜風△△並爲同知密直司事, 朴孝修·李彦忠李彦冲·右常侍林仲沇△並爲密直副使, 閔漬·裴挺△△並爲守□都僉議政丞致仕, 許有全·朴全之·尹琦·李瑚·福興君閔宗儒△△並爲守□都僉議贊成事致仕, [是時, 省非王氏而封君者:追加], [又省冗官:追加].[106] 權謙·安文凱爲右·左代言, 崔之甫·慶斯萬爲右·左副代言.

[壬子12日, 朝霧:五行3轉載].

[○雨雹:五行1雨雹轉載].

[戊午18日, 太白入角, 熒惑犯大微太微左執法:天文3轉載].

[癸亥23日, 小雪. 雷, 虹見于東方:五行1雷震轉載].

乙丑25日, 奉安靖和公主眞于順天寺.[107]

十一月[庚午朔大盡,庚子, 雷, 雨雹:五行1雷震轉載].

[甲戌5日, 太白犯亢第二星:天文3轉載].

---

104) 己亥는 9월 29일이므로, 己亥가 己酉(10월 9일)의 오자가 아니면, 앞에 있는 冬十月을 다음의 기사인 庚戌(10월 10일) 앞으로 이동시켜야 한다[校正事由].

105) 이때 臺諫이 全英甫의 임명에 대해 首肯하지 않았다고 한다(열전37, 全英甫, "累轉知司事兼大司憲, 臺官閉門, 不署告身").

106) 이때 閔宗儒는 □都僉議侍郎贊成事·上護軍·判摠部事로 다시 致仕하였는데, 이는 이때 異姓封君者를 모두 革罷함에 따라 그가 2년 전에 復興君에 册封된 것이 取消되고 새로운 官職으로 致仕한 것이었다. 또 이해에 職事가 없는 官職[冗官]을 廢止함에 따라 元尹 崔雲이 罷職되었다는 것도 같은 범주에 해당할 것이다.

- 열전21, 閔宗儒, "忠肅王八年, 革異姓封君者, 宗儒例罷, 復以贊成事致仕" ; 「閔宗儒墓誌銘」, "辛酉, 省非王氏而君者".
- 「崔雲墓誌銘」, "至治辛酉, 省冗官, 隨例罷□□□□元尹崔雲".

107) 이 기사는 열전2, 忠肅王妃, 濮國長公主에도 수록되어 있다.

壬午[13日], 元以加上尊號, 遣使□[来], 頒詔.[108)]

○上王寄書崔有渰·權溥·裴挺·李瑱·許有全·金賜·[贊成事]趙簡等曰, "予以十月六日, 到吐蕃撒思結, 似聞帝許予還國, 其言若實, 公等無以爲念. 不然, 與柳淸臣·吳潛議, 以高王[高宗]之於聖武, 元王[元宗]之於世皇, 率先歸附, 佐運樹功, 先考忠烈王得尙公主, 予於帝室亦有微勞之意, 表請于帝, 奏記丞相, 俾予無久於此".

[癸未[14日], 溫暖如春:五行1恒澳轉載].

[丙戌[17日], 艮·巽方, 有白氣:五行2轉載].

[庚寅[21日], 太白又入氐:天文3轉載].

[是月頃, 以[匡靖大夫·檢校僉議贊成事]李延爲雞林府尹, 黃良琪爲永州判官:追加].[109)]

十二月[庚子朔[小盡,辛丑], 熒惑犯亢第三星:天文3轉載].[110)]

癸卯[4日], 元以册立皇后, 詔天下.[111)]

[乙巳[6日], 白虹自西貫月, 有二:天文3轉載].

丁未[8日], 白元恒·朴孝修等會妙覺寺, 上書中書省, 乞還上王. [且辨韓萬福誣告公主薨故:節要轉載].

[→白元恒·朴孝脩等上書中書省, 辨萬福誣告:列傳2忠肅王濮國長公主轉載].

[庚戌[11日], 月犯昴星:天文3轉載].

[壬子[13日], 雨雹:五行1雨雹轉載].

乙卯[16日], 慮囚.

[是年, 全州咸悅縣道乃山銀所人伯顏夫介, 在元有功於本國, 陞道乃山銀所, 爲龍安縣:轉載].[112)]

---

108) 英宗 碩德八剌[Side Bala] 群臣으로부터 尊號를 받은 것은 이달 9일(戊寅)인데(『원사』 권27, 본기27, 지치 1년 11월 戊寅), 詔使가 4일 만에 도착한 것은 고려의 개경이 아니라 忠肅王이 大都에서 詔書를 받았기 때문일 것이다.

109) 이는 『동도역세제자기』; 『영천선생안』에 의거하였다.

110) 庚子에 朔이 탈락되었다.

111) 癸卯(4일) 元이 皇后 速哥八剌[süke bala]를 册封하고 天下에 詔書를 내린 기사는 元에서 일어난 사실이다(『원사』 권27, 본기27, 英宗1, 至治 1년 12월 癸卯). 이는 이때 충숙왕이 元에 滯在하고 있었기에, 당시의 史官이 기록한 것을 그대로 實錄에 반영시켰던 것을 『고려사』의 撰者도 그대로 기록한 결과로 추측된다.

112) 이는 다음의 자료를 전재하였다.

[○以功臣平壤君趙仁規祖母鄕, 陞土山縣爲祥原郡, 太祖統合功臣金樂·金哲內鄕, 陞中和縣爲中和郡:轉載].[113]

[○以[通憲大夫]全信福州牧使, [通直郞]金光徹靖爲福州判官, 李云伯[李穀]爲司錄兼參軍:追加].[114]

[○以[前沔州事]元善之爲判繕工寺事:追加].[115]

[○以尹宣佐爲監察執義:追加].[116]

[○以崔宰爲東大悲院錄事:追加].[117]

[○元復置征東等處行中書省, 以高麗王兼領丞相, 得自奏選屬官:追加].[118]

· 지11, 지리2, 咸悅縣, "… 忠肅王八年, 縣之道乃山銀所人伯顔夫介, 在元有功於本國, 陞所, 爲龍安縣".

· 『신증동국여지승람』 권34, 龍安縣, 建置沿革, "本高麗咸悅縣之道乃山銀所[注, 一云倉山所]. 忠肅王八年, 以土人伯顔夫介在元有功於本國, 改今名, 陞爲縣. 恭讓王三年, 以全州屬縣豐儲來屬[注, 儲, 一作堤], 本朝太宗九年, 合咸悅縣爲安悅監務".

113) 이는 다음의 기사를 轉載하였다.

· 지12, 지리3, 土山縣, "忠肅王九年[八年], 以功臣平壤君趙仁規祖母鄕, 陞爲祥原郡".

· 『세종실록』 권154, 지리지, 平安道 平壤府 祥原郡[土山], "… 本高句麗息達縣, 憲德王改土山, 高麗忠肅王九年辛酉[8年], 以功臣平壤君趙仁規祖母鄕, 陞改祥原郡". 여기에서 辛酉는 당시에는 충숙왕 9년이고, 踰年稱元法에 의거한 『고려사』에는 충숙왕 8년으로 고쳐야 할 것이고, 아래의 中和縣도 同一할 것이다.

· 지12, 지리3, 中和縣, "忠肅王九年[八年], 以太祖統合功臣金樂·金哲內鄕, 陞爲郡, 置令如故".

· 『세종실록』 권154, 지리지, 中和郡, "… 忠肅王九年[八年]辛酉[注, 元英宗至治元年], 以太祖統合功臣金樂·金哲內鄕, 陞爲郡, 置令如故".

· 『신증동국여지승람』 권52, 中和郡, 건치연혁, "… 忠肅王九年[八年], 以太祖功臣金樂·金哲之鄕, 陞爲郡, 置令如故". 以上에서 '置令如故'는 잘못 들어간 字句일 것이다[衍文].

114) 이는 『안동선생안』에 의거하였다. 또 李云伯(芸白)은 李穀의 初名이고 그의 열전에는 1320년(충숙왕7) 급제하여 福州司錄兼參軍에 임명되었다고 하고, 그 자신도 재직하였음을 언급하고 있다(열전22, 李穀). 또 그는 1323년(충숙왕10)에서 1326년(충숙왕13) 가을[秋] 사이에 李穀으로 개명하였던 것 같다.

· 『가정집』 권9, 寄朴持平詩序, "余昔在辛酉[忠肅8年], 參福州事".

115) 이는 「元善之墓誌銘」에 의거하였다.

116) 이는 「尹宣佐墓誌銘」에 의거하였다.

117) 이는 「崔宰墓誌銘」에 의거하였다.

118) 이는 『원사』 권91, 지41상, 백관7, 征東等處行中書省에 의거하였는데, 設置[復置]는 사실이 아니다[誤謬].

壬戌[忠肅王]九年, 元至治二年, [西曆1322年]

1322년 1월 18일(Gre1월 26일)에서 1323년 2월 5일(Gre2월 13일)까지, 13개월 384일

春正月[己巳朔大盡,壬寅], 王在元, [是時, 趙璉爲權征東行省事, 在職:追加].

○代言慶斯萬等托王命, 請大寧君崔有渰以下群僚, 爲書, 請王復位還國. 書成, 付瀋王者多, 乃置書妙覺寺, 使巡軍任松守之. 斯萬等竊取其書, 付金之鏡·趙石堅,[119] 直呈中書省. 後, 瀋王傳寫其本, 付□[蔡]河中·□[朴]仁平, 以示宰執.[120]

癸酉[5日], 帝遣使□[來], 賜瀋王母安妃手帕.

戊寅[10日], 遣密直使[密直副使]任瑞·大護軍金資如元, 賀聖節.[121]

[辛卯[23日], 月犯心大星:天文3轉載].

[甲午[26日], 雨水. 熒惑犯房上相:天文3轉載].[122]

[某日, 以安庇爲慶尙道提察使:慶尙道營主題名記].

[是月, 瀋王噕惡本國多輸錢財于王所, 遣其臣楊成柱, 以帝命, 責宰相金利用, 徵所輸錢財:節要轉載].[123]

[是月癸未[15日], 元流徽政院使羅源于耽羅:追加].[124]

[是月頃, 以李蓀寶爲永州副使:追加].[125]

---

119) 趙石堅은 열전27, 具榮儉에는 趙碩堅으로 되어 있다. 같은 내용이 『고려사절요』 권25, 충목왕 4년 1월에 나오는데 趙石堅으로 되어 있음을 보아 趙碩堅은 오자일 것이다.

120) 蔡河中은 이해의 7월 1일(丙申) 英宗碩德八剌의 命으로 고려에 도착하였는데, 이때 請願書의 寫本를 가져 왔을 것이다. 또 仁平은 內豎·大護軍 朴仁平이다(→충숙왕 8년 4월 24일).

121) 密直使는 密直副使에서 副字가 탈락되었다. 任瑞(初名은 亐文伊)는 元의 宦官 任伯顏禿古思[任Bayan Tugus]의 兄으로서 1321년(충숙왕8) 1월 30일 밀직부사에 임명되어 5월 28일 다이두[大都]에 파견되었고, 이때 재차 파견되었는데, 1년 정도에 密直使에 승진될 수 없다. 그는 1323년(충숙왕10) 伯顏禿古思가 誅殺될 때 도망하여 그의 집이 籍沒되었으나 1336년(충숙왕 복위2, 後至元2) 8월 前密直副使·上護軍으로 華嚴經을 發願하였다(열전35, 任伯顏禿古思 ; 『大方廣佛華嚴經』 권60, 題記, 兵庫縣 神戶市 福祥寺 所藏 ; 權熹耕 2006년 83面).

122) 이날 일본의 교토[京都]에서도 天變이 있었다고 한다.
· 『師守記』, 康永 4년 7월, 文永以來天變年々幷御祈以下被行事, 元亨二年正月, "六日, 今夜丑剋天變, 指辰巳飛云々".

123) 이 기사는 열전4, 忠烈王王子, 江陽公滋에도 수록되어 있다.

124) 이는 다음의 자료에 의거하였다.
· 『원사』 권28, 본기28, 영종2, 至治 2년 1월, "癸未[15日], 元流徽政院使羅源于耽羅".

125) 이는 『영천선생안』에 의거하였다.

二月[己亥朔小盡,癸卯], [戊申[10日], 月犯心星:天文3轉載].[126)]

壬戌[24日], □[遣]知密直司事林仲沈如元, 賀册后, 行至婆娑府, 達魯花赤不給驛馬, 不得入而還.

三月[戊辰朔大盡,甲辰], 癸酉[6日], 慮囚.

辛巳[14日], 元以王不奉行帝勑, 遣翰林待制沙的等來訊.

[→初, 上王在元, 以從臣司僕正白應丘, 能貨殖, 命幹瀋王府事, 應丘逃還本國, 瀋王暠奏帝, 遣員外郎阿都剌勑王, 發應丘還都, 王不時奉行. 瀋王譖云, 王手裂其勑. 及王入朝, 帝怒詰責王, 收奪國王印. 遂遣翰林待制沙的來訊. ○時, 瀋王方得幸於帝, 曹頔·蔡河中等, 左右瀋王, 謀奪王位, 譖王萬端. [贊成事]趙璉·[三司右使]趙延壽·[政堂文學]金元祥亦從臾, 而織成之. 於是, 問事使臣, 絡繹往來. 瀋王遣其臣前護軍朴龜, 寄書宰相曰, "爾王嗣位以來, 縱獵妨農, 甘酒嗜音, 不迎帝使, 不親庶務. 夜與羣小, 變服微行, 使幸臣尹碩·李宜風·孫琦等, 假稱王命, 逞其私欲. 又信譖言, 枉殺無辜, 官人以私, 不以賢勞. 父王勛舊之臣, 皆置散地, 或至流放, 籍沒其家. 爾等, 反爲逢迎, 至使國綱大壞, 事大之禮, 後於諸國. 爾等, 自今其省察之, 前者, 阿都剌賫去聖旨, 爾國王, 非徒不肯奉行, 又失所在, 沙的到日, 明推以對". ○沙的在行省, 鞫問式目都監錄事李允緘等, 允緘言, "臣賫至王宮, 授代言安珪, 時有別駕徐允公見之":節要轉載].[127)]

[是月, 定安君許琮與其妻壽春翁主王妙明寫成'白紙金泥金剛般若波羅蜜經':追加].[128)]

夏四月[戊戌朔大盡,乙巳], 丙午[9日], 沙的執員外郎阿都剌[~~阿都剌~~]及式目都監錄事李允緘·別駕徐允公, 以歸.[129)]

---

126) 戊申은 1월에 없으므로 이 앞에 二月이 탈락되었거나 아니면 戊申은 丙申(1월 28일)의 오자일 것이다.

127) 이 기사는 열전4, 忠烈王 王子, 江陽公滋에도 수록되어 있다.

128) 이는 다음의 자료에 의거하였다(千惠鳳 200년 337面 ; 郭丞勳 2021년 333面).
· 『白紙金泥金剛般若波羅蜜經』跋, "至治二年三月,」 重大匡·定安君許琮,」 壽春翁主 王妙明,」 行安 寫成」".

129) 이 기사는 열전4, 忠烈王 王子, 江陽公滋에도 수록되어 있다. 또 員外郎 阿都剌[Adura]은 征東行省의 左右司員外郎 阿都剌이다. 또 이 기사는 『고려사절요』 권24에는 夏四月이 탈락된 채 3월에 編入되어 있다.

[自三月至四月, 城中各里三百餘家火:五行1火災轉載].[130]

五月[戊辰朔小盡,丙午], 己丑[22日], 遣前僉議評理[前都僉議贊成事]金怡[~~金廷美~~]如元, 獻盤纏于上王.[131]

甲午[27日], 密直副使裵廷芝卒, [年六十四:追加].[132] [廷芝, 嘗從印侯, 討哈丹于燕岐, 拔劍躍馬, 所向披靡, 流矢貫輔車, 裹瘡復戰, 俘馘甚衆. 以功拜中郎將, 侯携以如元, 帝召見, 賜白金五十兩, 曰勇士也. 忠宣王謂, 富國莫先乎農, 設典農司·有備倉, 以廷芝幹其事, 以非罪在縲絏, 其子天慶, 請以身代之, 不聽, 遂父子俱竄. 及還, 閉門謝病, 日以琴碁自娛. 爲人, [于思而皤,] 體貌魁梧, [人皆服武略, 不知有吏能.] 口不言利:節要轉載], [家無十金. 子成慶·天慶·咸慶:列傳21裵廷芝轉載].

閏[五]月[丁酉朔大盡,丙午], 庚子[4日], □[都]僉議贊成事致仕宋英卒.[133]

己酉[13日], 遣密直副使柳有奇如元, 獻鷂.

[是月乙卯[19日], 開城府中部進士井洞民崔椿奉獻五升布壹疋造成金佛腹藏:追加].[134]

[□□[~~是月,~~] 元命宗正寺[~~宗正府~~], 鞫代言安珪等, 珪辭及於王, 王難於自明. □[石]丞相拜住疑慮, 久不決:節要轉載].[135]

---

130) 이와 같이 봄[春]부터 火災가 頻發한 것은 旱魃도 주된 要因의 하나인데, 일본에서는 前年(1321년, 元亨1) 4월[夏]부터 旱魃[大旱]이 심하여 餓死者가 들판에 널려 있었고, 饑人이 길에 넘어져 있었으며 錢 3百으로 벼[粟] 一斗를 겨우 살 수 있었을 정도였다고 한다(『太平記』 권1, 關所停止事, 藤木久志 2007年 159面).

· 筆者 草略(『太平記』, “自是, 傳染病甚流行於世上, 而下層民等, 無不受病者. 且於江岸等地, 若無道路以死體覆之, 慘酷也. …”).

131) ~~添字~~는 『고려사절요』 권24에 의거하였다. 또 前都僉議評理는 前都僉議贊成事로 고쳐야 옳게 된다.

132) 이는 「裵廷芝墓誌銘」에 의거하였는데, 이날은 율리우스曆으로 1322년 6월 12일(그레고리曆 6월 20일)에 해당한다.

133) 이날은 율리우스曆으로 1322년 6월 18일(그레고리曆 6월 26일)에 해당한다.

134) 이는 서울시 城北區 安巖洞 5街 157番地에 위치한 開運寺에 소장된 牙州 鷲峯寺의 木造阿彌陀佛像(보물 제1649호) 腹藏遺物(서울시 유형문화재 제291호)의 造成記에 의거하였다(文明大 1996년 ; 南權熙 2002년 504面 ; 崔聖銀 2013년 278面 ; 鄭恩雨 等編 2017년 75面).

· 造成記, “奉 佛弟子南贍部洲高麗國中部屬進士井洞一里居住崔椿,願意」 金佛腹藏造成良中伍升布疋進爲白去乎,在亦先亡偏母,淨土」 終生,得時世方令是敎是,遣當住夫妻小女子息並只,無病長生,包會」 消除,過年安泰,年年加傳,宰相万年,所望成就,令是敎事,」 金佛前,至治二年閏五月十九日」.

135) 여기에서 宗正寺는 宗正府의 오자일 것이다. 고려시대의 宗正寺는 몽골제국 壓制期에 宗簿寺로 改稱되었는데, 이는 몽골의 宗正府(宗室에 관련된 사무를 담당함)를 회피하기 위한 조치였던 것

[六月丁卯朔小盡,丁未, 某日, 典校副令趙宏·左軍萬戶李資深, 還自元, 傳瀋王旨于式目都監曰, "國王入朝時, 中外倉庫, 皆已告匱, 乃抽斂抽斂人戶, 備盤纏以來, 及被譴, 規免罪辜, 賂事權貴, 費盡錢物. 又遣孫琦·安鈞等于本國, 重斂重斂于民. 帝聞之, 命刑部推徵, 國王曾不懲艾, 與惡小前護軍李恭謀, 遣代言安文凱·郎將桓允全·宰相金忻·百戶金成萬等, 復加橫斂橫斂, 割取民膏, 連續轉運. 帝怒, 已囚文凱于宗正府, 遂押恭及允全·成萬等發還. 宜即杖流海島, 汝宰樞不能諫止, 反爲之助, 至使民怨益深, 卿等雖聚斂聚斂以送, 固非國王所得擅用, 徒增國怨. 自今一皆禁斷, 違者, 奏聞痛懲. 於是, 杖流允全·成萬·恭及護軍康呂于島. 恭, 性抗直, 王在東宮, 屢進直言, 怒蹴其目, 眇. 及即位, 念其忠直, 驟加拔擢. 與呂爲王, 覘暠動靜, 允全·成萬, 船載布二萬匹, 獻王. 暠以故皆惡之:節要轉載].[136]

秋七月丙申朔大盡,戊申, 帝遣蔡河中□來, 賜[瀋王母:節要轉載]安妃滿殿香滿殿香酒,[137] 且求織紋苧布. [○王遣朴仁平□來, 謂宰相曰, "全英甫·朴虛中, 置我禍網, 晏然坐視". 先是, 代言慶斯萬等托王命, 請大寧君崔有渰等群僚, 爲書請王復位, 書成, 爲附瀋王者所沮. 斯萬等竊取之, 付金之鏡·趙石堅, 直呈中書省. 至是, 瀋王傳寫其本, 付河中·仁平, 以示宰執:節要轉載].

[→忠肅之留元也, 瀋王暠謀奪王位, 奸臣交構, 王遣朴仁平□來, 謂宰相曰, "昔有小廣大, 隨大廣大, 渡水無船, 謂諸大廣大曰, 我短小, 難知深淺, 君輩身長, 宜先測水". 咸曰, "然入水皆溺, 獨小廣大免. 今有二小廣大在吾國, 全英甫·朴虛中是也. 置我禍網, 晏然坐視, 何以異此. 國語假面爲戲者, 謂之廣大:列傳37全英甫轉載].

[丁酉2日, 處暑. 熒惑犯天江:天文3轉載].[138]

[某日, 以慶尙道提察使安庇, 仍番:慶尙道營主題名記].

같다(→충선왕 2년 10월 是月條). 또 安珪는 후일 政堂文學에 이르렀다고 한다(열전37, 王三錫, 安珪).

136) 이 기사는 열전4, 忠烈王王子, 江陽公滋에도 수록되어 있다.

137) 滿殿香은 『고려사절요』 권24에는 酒로 표기되어 있지만, 滿殿香酒는 貴州(八番順元等處宣慰使司, 現 貴州省)의 名酒라고 한다.

138) 이때 일본의 교토[京都]에서도 이와 같은 천문현상이 있었다고 하는데, 癸卯는 高麗曆으로 8일에 해당한다.

· 『續史愚抄』17, 元亨 1년 7월, "七日癸卯, 頃日, 熒惑犯心及天江, 因被天下泰平御祈於東大寺 …".

[是月某日, 僧永農等撰'千手觀音菩薩像鑄成發願文':追加].[139]

八月[丙寅朔小盡,己酉], [甲戌[9日], 月犯牽牛南星:天文3轉載].

辛巳[16日], □[~~都~~]僉議贊成事趙璉卒,[140] [謚忠肅:追加].[141] [○時王在元, 璉權攝省事. 元使絡繹, 率使氣逞暴, 璉善辭以對, 怒輒解. 及卒, 國人皆泣. 然貳於瀋王, 臣節不完:節要轉載].

丙戌[21日], [前都僉議]前贊成事權漢功等欲請立瀋王暠, 會百官慈雲寺, 上書中書省.

[→前[都僉議]贊成事權漢功·蔡洪哲·前評理李光逢等, 怨王之杖流也, 乃邀驪興君閔漬·永陽君李瑚等, 欲請立瀋王, 會百官□□□□[~~于慈雲寺~~], 上書中書省曰, "小邦厚蒙聖澤, 民安其業, 姦臣在王左右, 流毒內外, 無告百姓, 不堪其苦. 素聞瀋王暠, 稟性慈善, 望之如渴, 亦是忠烈王之嫡孫也. 頃者, 白元恒·朴孝修等, 隨王入都, 令國人上書, 乞王遄歸, 陪臣會議, 數月未就. 代言慶斯萬·護軍金仁沇等, 以王命督之, 不獲已署名, 斯萬潛授金之鏡等, 呈于上省[中書省], 冒弄都堂, 伏乞詳照":節要轉載].[142]

己丑[24日], [~~權~~]漢功等復會慈雲寺, 署呈省書, 未半, 天忽大雨雹.

[→漢功等□□□□□□[~~復會于慈雲寺~~], 招百官, 督署呈省書, 署未半, 天忽大雨雹. 時監察執義尹宣佐曰, "吾不知吾君之非, 臣而訴君, 狗彘不爲", 唾之而去. 於是, 臺諫·史翰, 皆不署名. 贊成事閔宗儒嘆曰, "臣爲君隱, 直也, 吾可忍吠吾主耶". 彦陽君金倫與弟元尹禑, 亦不署名. 或謂倫曰, "違衆自異, 若後悔何". 倫罵曰, "臣

---

139) 이는 大邱市에 거주하던 整形外科醫師 白宗欽氏가 소장했던 千手觀音鑄成願文에 의거하였다 (許興植 1994년 251面 ; 南權熙 2002년 514面 ; 鄭恩雨 等編 2017년 141, 301面).
- 原文, "…」 皇帝陛下,統御萬年,王太尉殿下,壽千」 秋,當今主上,保位天長,文虎百僚,各」 保彊齡,干戈不起,永致太平,禾穀」 豊登,法界含靈,丹霑潤益,」 …,」 至治二年壬戌七月誌,」 勸善道人永農,」 同願盧氏, 同願夫介,」 同願池氏,同願□□,」 …」.

140) 이날은 율리우스曆으로 1322년 9월 27일(그레고리曆 10월 5일)에 해당한다.

141) 이는 趙璉의 壻인 權廉의 묘지명에 의거하였다. 또 趙璉이 띠고 있던 高麗國王府斷事官은 그의 아들 趙德裕(趙浚의 父)가 襲爵하였다고 한다. 또 趙德裕는 후일 아들 趙浚의 顯達로 門下侍中에 증직되었던 것 같다.
- 열전18, 趙仁規, 德裕, "襲父爵, 爲王府斷事官. 性淸白, 不畏强禦, 不慕榮利. 雖親戚故舊, 至當國, 則絶不相往還. 官至版圖判書卒".
- 『雙梅堂篋藏集』 권22, 雜著, 贈門下侍中趙公讃[注, 趙德裕], "辰然操履之端澄然立心之高, 式祖訓而承帝之寵, 受虎符而之勞, 嗚呼民方有望, 乃何天斬其壽, 是旣位不稱德, 宜其克昌厥後".

142) 이 기사는 열전38, 權漢功에도 수록되어 있으나 자구에 차이가 있다.

無貳心職耳, 何後悔之有". 漢功·河中等, 又承瀋王旨, 囚斯萬·仁沇·之鏡于巡軍:節要轉載].[143]

[→己丑, 大雨雹:五行1雨雹:轉載].

[→忠宣竄吐蕃, 忠肅留元, 國人分曹, 流言者多, 判典儀寺事元善之守正不撓, 士論多之:列傳20元善之轉載].

[→明年忠肅王9年, 王留元未歸, 權漢功等怨王, 欲請立瀋王, 上書中書省, 聚黨逼百官署名. 人皆畏勢迎合, 或有詭避者. 有人持紙諷署名, 贊成事致仕閔宗儒叱曰, "臣爲君隱, 直在其中, 至如欺罔, 是可忍耶? 吾雖老, 不爲若賣". 遂卻之, 其人慚而退:列傳21閔宗儒轉載].

---

143) 이 기사는 열전38, 權漢功에도 수록되어 있으나 자구에 차이가 있다. 또 이때 尹宣佐·金倫·王煦·金仁沇(김인연)·韓宗愈 등의 모습은 그들의 묘지명과 열전에도 반영되어 있다.

- 「尹宣佐墓誌銘」, "辛酉忠肅8年, 復職如初, 是年, 瀋王得幸于英宗, 誣王以罪, 欲攘其位, 患得之徒, 皆附焉. 其黨十餘人, 忽自都下來言, 瀋王已得國, 國人盍狀王之非以達于朝, 乃連數十紙, 書其狀云云, 鋪于旻天寺門, 招百官而署之. 人爭趨之, 公獨曰, '吾不知吾君之非, 臣而訴君, 狗彘不爲', 唾之而去. 由是, 臺諫文翰得不署名. 事定, 中書以其狀歸之, 王數其不署者, 而嘆曰, 非尹某在憲司, 則其他未可知也. 時王被留五年, 財用匱乏, 瀋王之黨, 知其然, 封府庫, 以沮輸運. 公檄察官趙瑄, 督責主者, 輸運乃行".
- 열전22, 尹宣佐, "時瀋王暠, 得幸英宗, 誣王以罪, 欲奪其位, 患得之徒, 皆附焉. 權漢功·蔡洪哲等, 邀驪興君閔漬·永陽君趙瑚等, 欲請立暠, 會百官慈雲寺, 督署呈省書. 人爭趍之, 宣佐獨曰, '吾不知吾君之非. 臣而訴君, 狗彘不爲'. 唾之而去. 由是, 臺諫·文翰, 得不署名. 事定, 中書以其書歸之, 王數其不署者而嘆曰, '非宣佐在憲司, 則其他未可知也'. ○時王留元五年, 財用匱乏, 暠黨知其, 然封府庫以沮輸運. 宣佐檄察官趙瑄, 督責主者, 輸運乃行".
  이에서 察官은 監察御史의 別稱이다(『能改齋漫錄』 권2, 事始, 察官不論事, "察官不得論事, 自常希古始, 常盖元祐間, 東坡所薦也". 여기의 常希古는 宋의 神宗~徽宗代의 인물인 常安民이다(『송사』 권346, 열전105, 常安民).
- 「金倫墓誌銘」, "毅陵忠肅見留京師五年, 瀋王得幸天子, 羣不逞之徒, 誘脅國人上言, 願得瀋王爲主. 公與弟元尹禑, 獨不署名狀中, 或私於公曰, '違衆自異, 若後悔何'. 公罵曰, 臣無二心職耳, 何後悔之". 金禑(金賆의 次子)는 承旨[代言]에 이르렀다고 한다(열전16, 金就礪, 賆).
- 열전23, 金倫, "忠肅留元五年, 瀋王暠得幸于帝, 群不逞誘脅國人, 上言願得瀋王爲主. 倫與弟元尹禑, 獨不署名, 或私於倫曰, '違衆自異, 若後悔何'. 倫罵曰, 臣無二心職耳, 何後悔之有".
- 「王煦墓誌銘」, "時忠肅王久留未歸, 瀋王內懷覬覦, 詭計百端, 而王無所可否, 左右多反覆. 公獨以義自將, 終始無間言".
- 열전23, 王煦, "忠肅留元, 瀋王內懷覬覦, 詭計百端, 而王無所可否, 左右多反覆. 煦獨以義自將, 終始無間言".
- 열전21, 金之淑, 仁沇, "忠肅朝爲護軍. 時王被讒留元, 仁沇與慶斯萬等, 請王還國, 瀋王暠之黨惡之, 囚巡軍".
- 열전23, 韓宗愈, "暠與王相持, 國人頗惑, 宗愈慨然, 爲王訟理, 迺與李兆年等, 連名爲書, 如元獻之".

[是月戊寅[13日], 牙州鷲峯寺僧天正·惠興等造成阿彌陀佛像:追加].[144]

九月乙未朔[大盡,庚戌], □[權]漢功等又招百官署名, 忽震電以雹, 大如李梅. [□□[共後], 漢功等, 使民部議郎趙湜, 賫書如元, 呈中書省, 不受. 呈翰林院, 亦不受:節要轉載].[145]

[→乙未□[朔], 震電以雹, 大如李梅, 四角如蒺藜:五行1雨雹轉載].[146]

[丙申[2日], 白霧四塞:五行2轉載].

[丁酉[3日], 大雨雹:五行1雨雹轉載].

乙卯[21日], □[遣]蔡河中賫織紋苧布如元.

壬戌[28日], 慮囚.

[庚辰[某日], 木稼:五行2轉載].[147]

[丁亥[某日], 霧:五行3轉載].[148]

[冬十月[乙丑朔小盡,辛亥], 己卯[15日], 月食, 密雲不見:天文3轉載].[149]

---

144) 이는 서울시 城北區 安巖洞 5街 157番地에 위치한 開運寺에 소장된 牙州 鷲峯寺의 木造阿彌陀佛像(보물 제1649호)의 重修造成記에 의거하였다(文明大 1996년 ; 南權熙 2002년 504面 ; 崔聖銀 2013년 278面 ; 鄭恩雨 等編 2017년 76面).

· 造成記, "遺 法弟子南贍部洲高麗國牙州鷲峯寺依止道人 天正, 惠興, 懇發誠心修成」 大慈大悲極樂導師阿彌陀佛尊像, 莊嚴已畢, 歸命頂禮, 因□發十種大願, 伏願」 大慈大悲冥加覆護, 證明功德, 令」 天正, 惠興等, 所發願王速得成就, 究竟圓滿, 其所願者,」 一願, 承阿彌陀佛願力, 從今生盡未來, 生生世世, 在在處處 永離文隹, 三塗八難」 及邊地·賤地等,不如意處, 若不得生, 諸佛淨土, 當生天上, 離文隹, 諸欲」 …,」 十願,一切衆生, 皆同我願, 盧空界盡衆生業」, 盡衆生煩惱,」 盡我願, 乃盡者,」 以如上十種願王莊嚴,」 無上佛果菩提, 于以上祝」 皇帝陛下萬萬歲,」 太尉王殿下, 消灾集福, 速還本國,」 大駕行李,觀」 天遞轉, 如意速還,」 瀋王殿下, 福壽增延, 諸王宗室,各保康寧, 文虎百寮, 忠貞輔國,」 天妖地怪, 應時消滅, 百穀登場,及萬民樂業,」 佛日增輝, 祖燈永明, 法界含靈, 同霑利樂者.」 至治二年壬戌八月十三日,」 上金比丘和光,書寫選部書員·令同正孟自冲,」 同願禪師和光,」 化主 天正,」 戒玄, 崔七,」 比丘尼性金, 施主普月, 同願李仁桂,」 李氏,」 万古夫僧千一及自三」. 여기에서 万古夫僧은 僧侶를 凡夫僧과 勝義僧으로 구분하는 것에서 前者를 가리키는 것 같다.

145) 이 기사는 열전38, 權漢功에도 수록되어 있다.

146) 蒺藜(질려, 납가새풀, Tribulus Terrestris l)는 1年生 草本科의 植物이다.

147) 이달에는 庚辰이 없다.

148) 이달에는 丁亥가 없다.

149) 이날은 율리우스력의 1322년 11월 24일인데, 월식에 관련된 각종 정보가 없다(渡邊敏夫 1979年 483面).

[某日, 德妃[忠肅王妃洪氏]命巡軍,[150] 釋慶斯萬等三人. 斯萬, 洪戎之壻也, 昵侍禁掖, 與宦寺無異:節要轉載].[151]

[是月庚辰[16日], 僧守琓與孝宣等造成海州藥師寺禁口:追加].[152]

冬十一月甲午朔[大盡,壬子], 日食.[153]

丁酉[4日], 遣□[都]僉議評理趙雲卿□□[如元], 獻盤纏于上王.[154]

[戊申[15日], 月犯東井北垣:天文3轉載].

[乙卯[22日], 霧:五行3轉載].

戊午[25日], 慮囚.

十二月[甲子朔小盡,癸丑], 丙寅[3日], 以瀋王釣旨, 遣上護軍楊起·三司副使李謙如元, 賀正.[155]

---

150) 德妃는 忠肅王妃 洪氏이며, 충혜왕·공민왕의 母로서 후일의 明德太后이다(열전2, 后妃2, 충숙왕비).

151) 慶斯萬(慶復興의 父)은 忠肅王妃 洪氏의 姪壻이다.
- 열전24, 慶復興, "父斯萬, 性質素, 娶明德太后姪女, 以故昵侍禁掖, 與宦寺無異, 人譏之".

152) 이는 海州 藥師寺 禁口의 銘文에 의거하였다(許興植 1984년 1126面 ; 文明大 1994년 3책 280面).
- 銘文, "至治二年壬戌十月十六日, 海州首陽山藥師寺禁口造成, 棟梁道人守琓, 同願道人孝宣, 大匠道人性令, 同願散員同正金世丁, 伏願皇帝萬萬歲".

153) 이날 中原에서도 일식이 있었고(『원사』 권28, 본기28, 英宗2, 至治 2년 11월 甲午), 일본에서는 보이지 않았다고 한다. 그런데 이날(율리우스력의 1322년 12월 9일)의 일식은 북동아시아 3국이 中心食帶에서 벗어나 있었기에 관측될 수 없었다(渡邊敏夫 1979年 311面).

154) 이때 盤纏의 형편은 다음과 같고, 金仁衍은 金仁沇(金之淑의 子)의 오자일 것이다(열전21, 金之淑).
- 열전23, 韓宗愈, "轉司僕副正. 時王留元, 瀋王暠覬覦王位, 惡本國多輸錢財于王所, 以帝命, 遣人徵其錢物, 令各倉司刷送所輸文字, 宗愈及義成倉提擧金仁衍[金仁沇]獨不聽".

155) 楊起(許筠의 外家側 祖上)는 中原人[元人]으로 고려에 定着한 인물로 추측된다.
- 『惺所覆瓿藁』 권1, 修證寺二首[注, 高麗侍中楊起, 乃元朝宰臣也, 來我國, 玄陵拜爲相, 此寺卽其願刹, 至今有像, 而墓在山下, 僕外王母夫人, 乃其七代孫, 故詩云然].
- 『惺所覆瓿藁』 권7, 修證寺楊侍中夫婦畫像記, "[黃海道]松和縣北十里許有墨山, 山有修證寺, 高麗侍中楊公願刹也. 公諱起, 家世弘農大族, 漢大夫彪之裔也, 玄陵朝, 魯國公主下降于國, 公侍而來. 玄陵拜侍中, 而賜籍淸州, 夫人陳氏捐家貨建此寺, 宏麗精巧, 至今爲名刹, 住社者以百數. 就殿堂後立一宇, 繪侍中及夫人像, 懸其中而香火之, 至今不替焉. 筠外王母楊夫人, 卽其七代孫也, 筠舊聞有是寺畫像, 及佐幕來也, 因踏災至寺, 具奠以拜侍中. 面方少髭, 眼多白而鼻隆脣盎, 紗帽玉帶, 絳袍·雀補坐于椅, 夫人服紫花繡衫, 圈金靑大帶, 塡金鳳補, 下施黃絶裙, 綰鬟副髻, 插九股銀珠鸞釵".

[→□[遣]上護軍楊起·三司副使李謙如元, 賀正, 承瀋王旨也:節要轉載].[156]

戊寅[15日], □[遣]摠部典書朴之貞如元, 弔太皇太后[答己]喪.[157]

[庚辰[17日], 白氣見于昴星度, 橫亘南北, 如練:五行2轉載].

[丁亥[24日], 福州十餘戶火:五行1火災轉載].

[是年, 某等改修全州牧金馬郡獅子寺:追加].[158]

[○某寺僧某, 鑄成青銅飯子一点:追加].[159]

[是年頃, 忠肅見留于元, [密直鄭]方吉與韓宗愈等, 會百官旻天寺, 爲書請還王, 又請執送誣訴本國者:列傳37鄭方吉轉載].

癸亥[忠肅王]十年, 元至治三年, [西曆1323年]

1323년 2월 6일(Gre2월 14일)에서 1324년 1월 26일(Gre2월 3일)까지, 355일

春正月[癸巳朔大盡,甲寅], 王在元.

[某日], [守都僉議政丞]柳淸臣·[都僉議贊成事]吳潛上書都省[中書省], 請立省比內地, 不從.[160]

[→柳淸臣·吳潛上書于元, 請立省比內地. ○元前□□[閤門]通事舍人王觀上書丞相

---

156) 이 記事의 文章은 적절하지 못한데, 고려의 人臣이 스스로 瀋王 暠의 命을 받아 賀正使로 몽골제국에 갈 수가 없다. 또 國王 不在時에 權攝征東行省丞相을 맡은 宰臣이 代理聽政을 하게 되지만, 이 시기에는 權征東行省事 趙璉이 8월 16일 逝去하였기에 德妃가 垂簾聽政하였을 가능성이 높다(→是年 10월 某日).

157) 朴之貞은 方臣祐의 甥姪壻인 朴侶의 아들이다(열전35, 宦者, 方臣祐). 또 太皇太后 答己[Tagi]는 9월 22일(丙辰) 崩御하였다(『원사』 권28, 영종2, 至治 2년 9월 丙辰).

158) 이는 全羅北道 益山市 金馬面 新龍里 산609-1 獅子庵址에서 출토된 瓦銘, '至治三年」師自寺」造瓦」'에 의거하였는데, 獅子庵을 師自寺로 표기하였다(世宗文化財硏究院 編 2015년 443面).

159) 이 飯子는 현재 京都府 宮津市 智恩寺에 소장되어 있다고 한다.

160) 이때 몽골제국에서 集賢大學士·商議中書省事 王約이 반대 의사를 開陳하여 右丞相 拜住(Baiju, 安童의 孫)가 上奏하여 立省論議를 중지하게 하였다고 한다.

· 『원사』 권178, 열전65, 王約, "朝廷議罷征東省, 立三韓省, 制式如他省, 詔下中書雜議, 約對曰, 高麗去京師四千里, 地脊民貧, 夷俗雜尙, 非中原比, 萬一梗化, 疲力治之, 非幸事也, 不如守祖宗舊制. 丞相[拜住]稱善, 奏罷議不行. 高麗人聞之, 圖公像歸, 祠而事之, 曰, 不絶國祀者, 王公也".

曰, [“夫事忘矜細, 其遺患有不可勝言者矣. 故智者深懼, 而庸人忽焉, 盖常人之情, 狃近利, 而昧遠圖. 是以缺斤折鉏, 或起於勾萌, 浸屋流民, 或成於蟻溜. 易曰, ‘履霜, 堅冰.’[161] 至由辨之, 不早辨也. 又曰, ‘天與水, 違行訟, 君子以作事謀始’[162]: 列傳38柳淸臣轉載]. 伏聞, 朝廷建立征東行省, 欲同內地, 恐論者不察, 以致崇虛名, 而受實弊何則. 高麗慕義, 向化歸順聖朝, 百餘年矣. 世世相承, 不失臣節, 世祖皇帝, 嘉其忠懇, 妻以帝女, 位同親王, 寵錫之隆, 莫與爲比. 其在本國, 禮樂刑政, 聽從本俗, 不復以朝廷典章拘制. 故國家常有事於東方, 本國未嘗不出兵, 以佐行役, 自遼水以東, 瀕海萬里, 賴以鎭靜, 爲國東藩, 世著顯效. 累葉尙主, 遂爲故事. 此盖高麗之忠勤, 祖宗之遺訓也. 今一朝, 採無稽之言, 以隳舊典, 恐與世祖皇帝聖謀神筭, 似有不同, 其不可一也. 本國, 去京師數千里之遠, 風土旣殊, 習俗亦異, 刑罰爵賞, 婚姻獄訟, 與中國不同. 今以中國之法, 治之, 必有捍格枝梧, 不勝之患, 其不可二也. 三韓, 地薄民貧, 皆依山阻海, 星散居止, 無郡縣井邑之饒. 今立行省, 勢須抄籍戶口, 科定賦稅, 島夷遠人, 罕見此事, 必驚擾逃避, 互相扇動, 脫致不虞, 深繫利害, 其不可三也. 各省官吏俸祿, 例於本省, 差發科程, 今征東省大小官吏月俸, 及一切公用所費, 每歲大較不下萬有餘錠. 本國, 旣無供上賦稅就用, 上項俸給, 必仰朝廷輸送, 則行省之設, 未有一民尺土之益, 坐耗國家經費不重, 其不可四也. 江南諸省, 旣同一體, 例須軍兵鎭守, 少留兵則, 不足彈壓, 東方諸國, 多留兵則供給倍煩, 民不堪命. 又況國家, 自禁衛以及畿甸, 屯住軍額, 已有定制, 固非常人所敢論, 然, 不知征東鎭兵, 果於何處簽發, 其不可五也. 古者, 集大事, 則博謀於衆, 防壅蔽也. 竊聞, 首獻立省之策二人, 乃其國之故相, 以讒間得罪於其主. 懷毒自疑, 遂謀覆其宗國, 以圖自安, 迹其本心, 初非納忠於聖朝也. 由是觀之, 梟獍犬豕之不若, 當明正典刑, 以戒人臣之不忠者. 昔, 唐太宗伐高麗, 至安市城,[163] 攻之不下, 師還, 以束帛, 賜其城主, 以勉事君. 夫太宗之與高麗, 敵國也, 以天下之力, 攻一小城, 不能拔, 不以喪敗爲恥, 仍以忠義相勉, 書之史策, 以

---

161) 이는 『易經』下, 繫辭上傳, 說卦傳, 第11章, “乾爲天, 爲國, 爲君, 爲夫, 爲玉, 爲金, 爲寒, 爲氷, 爲大赤…”에 대한 注疏를 인용한 것 같다. 이에 대한 수많은 注疏 중에서 어느 것을 인용한 것인지를 확인하지 못했다.

162) 이는 『易經』下, 繫辭上傳, 說卦傳, 第9章, “天一, 地二, 天三, 天五, …”에 대한 注疏를 인용한 것 같지만, 역시 확인하지 못했다.

163) 安市城은 현재의 遼寧省 鞍山市 管內 海城市 營城村(海城市 東南에 위치한 英城子)에 있었던 高句麗의 성곽이다.

爲美談. 況聖朝之於本國, 義則君臣, 親則甥舅, 安危休戚, 靡不同之. 奈何, 反聽二人欺誑之言, 賣主自售, 果得遂其姦計, 有累政化也, 可勝慨乎, 其不可六也:節要轉載]. [觀聞孔子曰, '不在其位, 不謀其政.'[164] 未信而諫人, 以爲謗已也:列傳38柳淸臣轉載]. [觀自惟草茅賤士, 其於朝廷政事, 不宜妄有論列, 然, 目覩盛世, 爲姦人所欺, 不勝忠憤所激, 輒肆狂斐, ~~以浼淸聽~~. ~~僭越之誅~~, ~~無所逃命~~, 爲朝廷惜擧措耳:節要轉載].[165]

[○又都僉議司使李齊賢在元, 爲書上都堂[中書省]曰, ~~中庸~~曰, 凡爲天下國家有九經, 所以行之者一也. 繼絶世, 擧廢國, 理亂持危, 厚往薄來, 所以懷諸侯也. 說之者曰, 無後者續, 已滅者封, 使上下相安, 大小相恤, 天下皆竭其忠力, 以藩衛王室矣. 昔齊桓公遷邢而如歸, 封衛而忘亡, 所以糾合一匡爲五覇首也. 覇者猶知務此, 況居域中之大, 以四海爲家者哉. 竊惟, 小邦始祖王氏, 開國以來, 凡四百餘年矣. 臣服聖朝, 歲修職貢. 亦且百餘年矣. 有德於民, 不爲不深, 有功於朝廷, 不爲不厚. 往者, 歲在戊寅[高宗5年], 有遼民粤孼號金山王子者, 驅掠中原之民, 東入島嶼, 陸梁自肆. 太祖聖武皇帝, 遣哈眞·扎剌兩元帥討之, 會天大雪, 餽餉不通, 我忠憲王[高宗], 命趙冲·金就礪, 供資粮, 助器仗, 擒戮狂賊, 疾如破竹. 於是, 兩元帥與趙冲等, 誓爲兄弟, 萬世無忘. 又於己未年[高宗46年], 世祖皇帝反旆江南, 我忠敬王[元宗], 知天命之有歸, 人心之攸服, 跋涉五千餘里, 迎謁于梁楚之郊. 忠烈王, 亦躬修朝覲, 未嘗小懈, 征收日本, 則悉弊賦而爲前驅. 追討哈丹, 則助官軍而殲渠魁, 勤王之效, 不可枚擧. 故得釐降公主, 世篤舅甥之好, 而不更舊俗, 以保其宗祧社稷, 繄世皇詔旨是賴. 今聞朝廷, 擬於小邦, 立行省比諸路. 若其果然, 小邦之功, 且不論, 其如世祖詔旨何. 伏讀年前十一月新降詔條, 使邪正異途, 海宇康乂, 以復中統·至元之治, 聖上發此德音, 實天下四海之福也. 獨於小邦之事, 不體世祖詔旨可乎. 中庸之書, 聖門所以垂訓後世, 非空言也. 觀其所言, 繼者吾且治之, 廢者吾且興之, 亂者治之, 危者安之也. 今無故, 將蕞爾之國, 四百年之業, 一朝而廢絶之, 使社稷無主, 宗祧乏祀, 以理揣之, 必不應爾. 更念小邦, 地不過千里, 山林川藪, 無用之地, 十分而七. 稅其地, 未周於漕運, 賦其民, 未支於俸祿, 於朝廷用度, 九牛之一毛耳. 加以地遠民愚, 言語與上國不同, 趨舍與中華絶異, 恐其聞此. 必生疑懼之心, 未可以家至戶喩, 而安之也. 又與倭民, 濱海相望, 萬一聞之, 無乃以我爲戒, 而自以爲得計耶. 伏望執事閣下, 追世祖念功之意, 記中庸訓世之言, 國其國, 人其人, 使修其政賦, 而爲之藩籬, 以奉我無疆之休. 豈惟三韓之民, 室家相慶, 歌詠盛

164) 이는『論語』, 泰伯第8, "子曰, '不在其位, 不謀其政"을 인용한 것이다.

165) 添字는 열전38, 柳淸臣에 의거하였다.

德而已. 其宗祧社稷之靈, 將感泣於冥冥之間矣.. ○立省之議, 遂寢:節要轉載].[166)]

[→時, 國人分黨相訴, 朝廷議立省比內地. [崔]誠之與金廷美[金怡]·李齊賢等, 獻書都省[中書省], 陳說利害, 其議遂寢. ○瀋王暠黨, 疏國家得失, 將言於朝廷, 誠之不肯署名. 主謀者同坐府中, 令錄事請署, 誠之厲聲曰, 吾嘗備位宰相, 僉錄欲相脅耶. 衆沮喪:列傳21崔誠之轉載].

[→時柳清臣·吳潛等, 謀立瀋王暠, 會英宗崩, 泰定帝登極, 清臣等未遂其謀. 又請立行省罷國號, 帝然之, 遣平章政事闊兒察·中書怯烈等于本國. 忠宣還自吐蕃聞之, 對[前贊成事金]怡歎曰, "我祖統三爲一, 立高麗號, 于今四百有餘年. 我忠憲王首先歸順, 忠敬王親朝釣魚山, 又謁世祖皇帝于汴梁, 蒙賜玉帶. 父忠烈王爲駙馬, 世承帝眷, 爲天下諸國榮觀. 何不幸及我, 以二三奸臣之謀, 遂墜我祖業乎?. 祖宗何辜, 不復血食".[167)] 因泣下謂怡曰, "復高麗號, 卿有之. 昔皇慶初, 叛臣之裔洪重喜等訴于帝, 立行省削國號, 卿歷奏祖宗臣服之功, 奉帝旨, 遂罷行省. 今又宜盡力圖之". 怡乃與崔誠之·李齊賢等, 上書都堂[中書省], 爲陳利害, 都堂從之:列傳21金怡轉載].[168)]

[庚子[8日], 雨水. 太白·熒惑同舍:天文3轉載].

甲辰[12日], □[遣]贊成□[事]朴虛中如元, 賀節日.

○濟州萬戶林淑擅自離任, 囚于[征東]行省, 宥復之任.

戊申[16日], 太白晝見, 經天.

己酉[17日], 濟州人爲匿名書, 揭于市云, "林淑甚貪婪, 侵漁萬端, 民不堪苦. 今復之任, 吾輩奚罪". 又牓[征東]行省門曰, "左右司郎中烏赤受淑賄賂, 枉法免放. 省府[征東行省]若不推劾, 吾等千人當訴于上省[中書省]". 於是, 罷林淑, 以朴純仁代之.

壬子[20日], □[遣]驪興君閔漬·駕洛君許有全·興寧君金賑如元, 請召還上王. [○漬, 自述其表, 略曰, "蕞爾小邦, 依于上國. 太祖皇帝龍興之際, 契丹遺種, 漏逃天網,

---

166) 이 기사는 열전23, 李齊賢에도 수록되어 있으나 字句에 出入이 있다. 또 添字는 이에 의거하였다.

167) 여기에서 不復血食은 忠烈王이 死後에 宗廟에서 祭禮를 받지 못하고 그의 御眞이 別廟로 옮겨질 수 있다는 의미일 것이다.

· 『자치통감』 권1, 周紀1, 威烈王 23년(bc403), 冒頭, 臣光曰, "… 以季札而君吳則太伯血食矣[胡三省注, 宗廟之祭用牲, 故曰血食]".

168) 이상과 같이 추가된 자료들을 통해 볼 때, 이해의 1월에 柳清臣·吳潛 등에 의한 立省建議가 이루어졌고, 이후 立省論議가 계속 진행되다가 11월 10일 충선왕이 大都에 歸還한 이후 終息된 것을 알 수 있다.

闌入我疆, 朝廷遣哈眞·札剌[~~札剌~~]兩元帥討之. 我忠憲王, 遣陪臣趙冲等, 運粮助戰, 以滅之, 兩元帥與冲等盟曰, 今我二國, 約爲兄弟, 世世子孫, 無相忘也. 我忠敬王, 以世子入朝, 端遇世祖皇帝. 回自南征, 將繼大統, 命我忠敬王, 還國襲爵. 忠烈王, 亦以世子, 入侍天庭, 世積忠勤, 釐降公主, 得生嗣子前王璋. 前王年十六, 承詔入侍, 世祖皇帝, 册爲世子, 降詔云, 嗣惟汝嫡, 親實我甥. 自是, 留侍輦轂, 歷事五朝. 沈酣德澤, 貪戀寵光, 但期作善以盡忠. 不覺執迷而獲罪, 雖云遠謫, 是帝師興福之鄉. 若復尋思, 亦君父滌瑕之藥, 但在自新之遲速, 豈無如舊之恩憐. 臣等曾無匡救之能, 俾及顚隮之患. 又迫桑楡之晩景, 靡堪犬馬之戀懷. 旣難逃歲月之如流, 恐遂隔音容而入地故, 增深痛, 共切哀祈. 伏望, 矜我王失計而無他. 憐老物忘軀而到此, 賜籠鶴得還之翼, 令復舊巢. 指海鼇更戴之齡, 祝延聖算":節要轉載].

[○又獻書都堂[中書省]曰, "方今天下土地之廣, 人民之衆, 自有宇宙以來, 無與今日比者. 然未聞一夫不獲其所, 一物不得其宜者. 實由諸相公贊襄燮理之功. 伏惟, 前王以世祖之外甥, 歷事五朝, 凡三十餘載, 但以廣作勝緣, 祝延聖算爲己任. 一旦不覺執迷, 獲戾於天, 遠謫西土者, 于今四年. 豈不痛哉. 小邦人民, 旣非木石, 誰無犬馬戀主之情. 然天遙地隔, 蚊虻之鳴, 上達無由, 但日夜呼泣而已. 況漬等曾被任用, 荷德費恩, 旣極名位, 年且耆耈, 豈不百倍于常情乎?. 然雷霆之威, 無所不震, 驚懼失措, 罔知所圖. 但仰望天日, 而趑趄海隅者久矣. 今諸相國閣下, 將使四海之內, 無一物不得其所. 若未達殘陽戀主之情, 忽先朝露以沒, 則可謂孤負盛代, 恨及黃泉. 由是, 忍病登途, 備嘗艱險, 幸存餘喘, 匍匐而來. 伏望, 諸相公哀我王遠謫殊方, 累經歲月. 憐老軀生度三千餘里, 欲申微願善爲敷奏. 導宣聖澤, 回我王萬里之行, 則漬等雖老, 忘軀報德之心, 不後於龜蛇":列傳20閔漬轉載].

[○有全, 年八十一, 其妻赤老病, 欲止之. 答曰, "人皆有死, 一死難免, 豈以妻病身老, 忘吾君而自逸乎?". 屬其子榮, 侍疾, 遂永訣而去, 後數日妻歿:節要轉載].[169]

[○漬·□□[~~許全~~]等至元, 留半歲餘, 爲瀋王之黨所沮, 竟不能達, 而還:節要轉載].[170]

---

169) 이때 許有全(1243~?)은 81歲로서 病中의 夫人과 永訣하고 다이두[大都]에 들어갔다는 사실은 大元蒙古國의 壓制下에서 소멸되어 가는 왕조를 扶持하기 위한 先賢들의 피나는 노력을 잘 보여준다. 또 그의 墓所는 고려시대의 墓制研究에 중요한 자료가 된다고 하며(現 仁川市 江華郡 佛恩面 斗雲里 산 297 위치, 仁川廣域市立博物館 2003년), 그 자신은 道淵書院에 配享되어 있다(현 慶尙南道 固城郡 馬巖面 道傳里 543, 具山祐 2008년 76面).

· 열전22, 許有全, "忠宣流吐蕃, 有全與閔漬等, 如元請召還. 有全時年八十一, 妻亦老病, 欲止之, 答曰, '人皆有一死, 豈以妻病身老, 忘吾君而自逸乎'. 屬其子榮侍疾, 遂永訣而去, 聞者歎之. 後九日妻沒".

○崔誠之·李齊賢在元，獻書元郎中及□右丞相拜住，請召還上王.[171)]

[→崔誠之·李齊賢在元，獻書元郎中曰，“竊伏海濱，歆芳名高下風，爲日久矣，思欲覩梧竹之標，聞秋陽之論，顧無紹介爲之先容，因循歲月，願莫之遂．今忽爲披露肝膽，以效於前，交淺言深，恐未足以感發尊聽．~~然而敝邑於足下~~，~~爲恭桑之地~~，雖出幽遷喬，泥蟠雲飛，家中原，仕上國，墳墓親戚，固在敝邑，於僕等所欲言，又焉得而無情哉．今聖天子勵精圖治，大丞相才略不世出，言聽計從，廟無遺算．有一夫不獲其所，一物不得其平，必振拔而安措之然後已．而足下以端慤雄深之質，文之以禮樂詩書，高冠博帶，優游東閣，潤色伊·周，而彌縫房·杜，亦可謂得靑雲知己，以行其道者矣．

切惟弊邑，事大以來，百有餘年，歲修職貢，未嘗小弛．往者，遼民遺種金山王子者，驅掠中原之民，弄兵于海島，朝廷遣哈眞·扎剌，帥師討罪，天寒雪深，甬道不繼，軍不得前，却幾爲兇徒所笑，我忠憲王高宗，命陪臣趙冲·金就礪，轉餉濟師，掎角而滅之．兩國之帥，相與約爲兄弟，誓萬世無相忘，是則，弊邑所以盡力太祖皇帝時也．世祖皇帝，南征而反旆，將繼大統，時有介弟，扇變于朔方，諸侯憂疑，道路甚梗，我忠敬王元宗，以世子，率群臣，拜迎于梁楚之郊，天下於是，覩遠人之悅服，知天命之有歸，是則弊邑所以盡忠於世祖皇帝者也，忠敬王元宗襲爵東歸，忠烈王復以世子，入侍輦轂，世祖念其功，嘉其義，令尙公主，以示殊恩．屢頒詔旨，毋改舊俗，四海之內，稱爲美談．我老瀋王，卽公主子，而世祖親甥也．自世祖之時，以至于盛代，歷仕五朝，旣親且舊．但以功成不退，變生所忽，毁形易服，遠竄吐蕃之地．去故國萬餘里，顚崖絶險，十步九折，層氷積雪，四時壹色，嵐瘴薰蒸，盜賊竊發，革船渡河，牛箱野宿，間關半年，方至其域．飯麥麨，處土屋，辛苦萬狀，不可殫說．行路聞之，尙爲之於悒，況策名委質者哉．閶闔阻排雲之叫，廊廟絶蟠木之客，雖含恤而憤泣，大聲而疾呼，孰聞而孰憐之耶．此僕所當食忘味，已臥復起，皇皇棲棲，淚盡而血繼者也．蓋柔遠敦族，先王之政也，以功覆過，春秋之法也．足下，何不從容爲丞相言之，明往日之無他，今日之自艾．累世之忠勤，不可負，國人之思慕，不可遏，世祖肺腑之屬，又不可以不錄．於以入奏冕旒，導霈金雞之澤，賜環而東，復見天日，使聖天子之世，無向隅而泣者．則大丞相之德之美，益著於遐邇，而不忘本之義，普救物之仁，天下皆稱頌於

170) 이와 같은 기사가 열전22, 許有全에도 수록되어 있다.

171) 元郎中은 元의 郞中 某를 指稱하는데, 本文에 의하면 그는 高麗出身라고 한다. 그렇다면 이때 右丞相 拜住[Baiju]에게 반대의 의견을 개진한 前通事舍人 王觀도 고려출신으로 몽골제국에 仕宦했던 인물일 가능성이 있다(→是月의 冒頭 記事). 또 그와 같은 범주의 인물로 守司徒 禎의 庶子인 王延生의 卑屬(→충렬왕 2년 7월 4일), 遼瀋地域의 高麗軍民萬戶府의 永寧公 綧의 卑屬 등이 있었을 것이고, 그중의 1人이 1330년(충혜왕 즉위년) 『救荒活民類要』를 校正하여 普及하였던 大中大夫·桂陽路總管兼管內勸農事 完者禿[Öljeitu]이다.

·『救荒活民類要』序, “… 元大中大夫·桂陽路總管兼管內勸農事·高麗完者禿書于樂善堂”.

足下，豈惟弊邑君臣，銘肌鏤骨，圖報其萬一而已哉”:節要轉載].[172]

[○又上書□右丞相拜住曰，“小國下官，敢以陋言，仰瀆尊聽，其爲狂僭大矣．然而江河之量，無所不容，蒭蕘之言，必有可取，伏望哀其迫切之意，先寬其罪而小加憐察．~~孟子曰~~，禹思天下有溺者，如己溺之，稷思天下有飢者，如己~~飢之也~~.[173] 天下之溺與飢者，非禹手擠之而稷遏其哺也，何其心斷然自以爲責而不辭歟．天之降任于大人，本欲使之濟斯人也．苟視其困窮無告者，恬不爲愧，豈天之降任意耶．此所以忘胼胝之苦，親播植之勞，宅九土粒蒸民，左右堯舜而澤及後世者也．設有一人焉，不幸而陷濤瀨轉溝壑，禹·稷而見之，將圖其須臾之活而已耶．吾知必爲之計，使之不復虞飢患溺然後已也．恭惟丞相執事，光輔聖天子，不動聲色，措天下於泰山之安，玉燭淸明，年穀屢登，戴白之叟，以爲復覩中統·至元之治，人之生於此時，亦可謂幸矣．如此而有一人焉，困窮之勢，甚於飢溺，執事其何以處之．往歲，我老瀋王，遭天震怒，措躬無所，執事哀而憐之，生死肉骨於雷電之下，得從輕典，流宥遠方，再造之恩，有踰父母，然其地甚遠且僻，語音不通，風氣絶異，盜賊之不虞，飢渴之相逼，支體羸瘠，頭髮盡白，辛苦之態，言之可爲流涕．語其親，則世祖之親甥也．語其功，則先帝之功臣也，又其祖考，爰自聖武龍興之際，慕義先服，世著勤王之效，傳所謂，猶將十世宥之者也，竄謫以來，已及四年，革心悔過，亦已多矣．伏惟執事，旣嘗力救於始，無忘終惠於後，申奏黈聽，導宣睿渥，俾還本國，以終天年，其爲感幸，豈止陷濤瀨者履坦途，轉溝壑者飫美食而已哉．若謂時未可也，姑徐爲之，日延月引而爲賢且有力者所先，天下之士，將謂執事見事獨遲，小國之人，將謂執事爲德不竟，竊爲執事惜之”:節要轉載].[174]

[某日，慶尙道提察使安庇，仍番:慶尙道營主題名記].

二月癸亥朔小盡,乙卯，[壬申10日，太白·昴星相犯:天文3轉載].
戊子26日，帝命量移上王于朶思麻之地.[175] [從□右丞相拜住之奏也:節要轉載].[176]

[三月壬辰朔大盡,丙辰，某日，瀋王暠，遣其臣前祭酒白文珤·郞將李淑貞，以帝命，封諸倉庫:節要·列傳4忠烈王王子江陽公滋轉載].

---

172) 이 기사는 열전23, 李齊賢에도 수록되어 있는데, 添字는 이에 의거하였다.

173) 이 구절은 아래 資料의 一部를 인용한 것인데, 字句에 出入이 있다.
- 『맹자』, 離婁章句下, “禹·稷當平世，三過其門而不入，孔子賢之．顏子當亂世，居於陋巷，一簞食，一瓢飮，人不堪其憂．顏子不改其樂，孔子賢之．孟子曰，禹思天下有溺者，如己溺之~~由己溺之也~~，稷思天下有飢者，如己飢之也~~由己飢之也~~，~~是以如是其急也~~”.

174) 이 기사는 열전23, 李齊賢에도 수록되어 있는데, 添字는 이에 의거하였다.

175) 朶思麻[do-smad]는 吐蕃 朶思麻宣慰司(吐蕃等處宣慰司 脫思麻路，現 青海·甘肅地域의 藏族自治區)를 가리킨다.

176) 이 기사는 열전23, 李齊賢에 “旣而帝命，量移忠宣于朶思麻之地，從拜住所奏也”로 수록되어 있다.

[夏四月壬戌朔[小盡,丁巳], 某日, 內侍徐智滿, 僧心幻, 楊州女香徒等寫成'觀經十六變相圖':追加].[177]

五月[辛卯朔大盡,戊午], 庚子[10日], 大雨雹.[178]

○禁酒.

六月[辛酉朔大盡,己未], 庚午[10日], 雞林君金子興卒, [年六十:列傳16金子興轉載].[179] [子興, 爲人, 美髥豊晳, 以蔭進. 元嘗使伯伯來, 問宋邦英事, 子興與[左承旨]金元祥·吳玄良協謀, 克制兇黨, 以寧社稷:節要轉載].

[丙戌[26日], 月與太白同舍:天文3轉載].

丁亥[27日], 倭掠會原漕舡於群山島,

戊子[28日], □[倭]又寇楸子等島, 擄老弱男女, 以去.

[是月, 內班從事徐九方與僧六精造成'楊柳觀音圖':追加].[180]

秋七月[辛卯朔小盡,庚申], 庚子[10日], 遣內府副令宋頎于全羅道, 與倭戰, 斬百餘級.

[○月掩南斗:天文3轉載].

[癸卯[13日], 鎭星犯畢:天文3轉載].

[丁未[17日], 紫氣如虹, 見于西北, 俄變爲黃漫空:五行1轉載].

---

177) 이는 愛知縣 豊田市 辛町 隣松院에 소장되어 있는 '觀經十六變相圖'의 畵記에 의거하였다(柳麻理 1995년 ; 井手誠之輔 1996年 ; 蔡雄錫 2000년 301面 ; 具山祐 2001년 ; 張東翼 2004년 709面).

· 畵記, "龍朔□[至]治三年癸亥四月 日,」 同願內侍徐智滿□[畵],」 勸善道人心幻,」 同願道人智鐸,」 同願林□, 性圓,」 同願李氏,」 洛山下人 僧英訓, 尼僧謀伊,」 古火三伊男, 祿豆女,」 善財女福莊女,」 山柱女 故明伊女,」 古火伊女, 秀英伊女,」 楊州接 延達伊男, 仇之伊女,」 今昔寶女, 無將伊男,」 中道接 戶長朴永堅, 鄭奇,」 僧石前, 縛猊伊女,」 加左只伊女, 五味伊女,」 防守男, 燕芝女,」 十方施州楊州女香徒等".

178) 이와 같은 기사가 지7, 五行1, 水, 雨雹에도 수록되어 있다.

179) 이날은 율리우스曆으로 1323년 7월 13일(그레고리曆 7월 21일)에 해당한다.

180) 이는 京都市 左京區 鹿ケ谷 下宮ノ前町 25番地 泉屋博古館에 소장된「絹本著色楊柳觀音圖」의 畵記에 의거하였다(熊谷宣夫 1967年 ; 菊竹淳一 1981年 單色圖版40 ; 菊竹淳一 1987年 ; 泉屋博古館 1999年 156面 ; 菊竹淳一 1997년 ; 洪潤植 1995년 23面 ; 張東翼 2004년 737面). 이 佛畵는 원래 和歌山縣 伊都郡 高野町 大字高野山에 위치한 金剛峯寺의 金剛三昧院에 소장되어 있었고, 일본의 중요문화재로 지정되었다(吉田宏志 1979年).

· 畵記, "至治三年癸亥六月日, 內班從事」徐九方畵, 棟梁道人六精".

[辛亥[21日], 月與鎭星, 同舍于畢:天文3轉載].

[癸丑[23日], □[月]又犯東井南垣:天文3轉載].

[某日, 以慶尙道提察使安庇, 仍番:慶尙道營主題名記].

[八月[庚申朔大盡,辛酉], 癸酉[14日], 秋分. 太白犯軒轅大星:天文3轉載].

[是月癸亥[4日], 元英宗碩德八剌遇弑於南坡店:追加].[181)]

九月[庚寅朔小盡,壬戌], [丁酉[8日], 太白又犯大微[太微]右執法:天文3轉載].

戊戌[9日], 式目錄事沈文淑還自元言, "前月癸亥[4日], 御史大夫鐵失弑帝于南坡".

[某日, 密直副使任瑞, 聞其弟伯顔禿古思伏誅, 懼而逃, 乃籍其家:節要轉載].

丁巳[28日], 元中書省差遣明□[理]和尙來,[182)] 言皇叔晋王卽帝位, 是爲泰定皇帝.[183)] 大赦天下, 召還上王.[184)]

[戊午[29日晦]:比定],[185)] 立冬. 宰相享淑妃. 妃以伯顔禿古思, 謀危上王, 其兄任瑞奪金之甲牌面等事, 令群臣上書于中書省, 訴其罪. [判三司事]金台鉉先署名, 白元恒·

---

181) 이때 英宗 碩德八剌(Side Bala, Sidibala)는 夏季의 首都였던 상두[上都]에서 다이두[大都]로 歸還하던 중 상두에서 서남쪽으로 30餘里 떨어진 南坡店 納鉢[行帳, 行宮]에서 御史大夫 鐵失(帖赤, tegsi)·知樞密院事 也先帖木兒[也先帖木兒, Esen Temur] 등에게 우승상 拜住(Baiju, 安童의 孫)와 함께 피살되었다(『원사』 권28·29, 南坡之變). 이날은 율리우스曆으로 1323년 9월 4일(그레고리曆 9월 12일)에 해당한다.

182) 明和尙은 洪福源의 姪 洪詵(洪百壽의 子)의 孼子인 明理和尙·洪明理和尙으로 추측된다(열전43, 반역4, 洪福源 ; 세가35, 충숙왕 16년 1월 29일).

183) 晋王 也孫鐵木兒(Esen Temur, 晉王 甘麻剌)의 長子, 忠宣王의 妻男)는 9월 4일(癸巳) 龍居河[Keruren]에서 즉위하였다(『원사』 권29, 본기29, 泰定帝1, 至治 3년 9월 癸巳). 또 이 기사가 『고려사』충선왕세가의 末尾에서 8월로 기록되어 있는데, 이는 『원사』에서도 9월이 탈락되어 있어 8월에 즉위한 것처럼 보였다(권29, 본기29, 泰定帝1, 至治 3년 9월 癸巳).

184) 이때 王煦가 몽골제국의 使者와 함께 충선왕의 配所인 吐蕃 朶思麻宣慰司(朶思麻, Do-smad, 吐蕃等處宣慰司 脫思麻路, 現 靑海·甘肅地域의 藏族自治區)에 가서 奉迎하였다고 한다. 또 이때 隨從臣 朴仁幹도 함께 歸還하였다(朴華墓誌銘).

- 「王煦墓誌銘」, "癸亥[忠肅10年]冬, 與門客兩三輩, 將詣王所, 道見使者西去, 與語, 使者喜曰, 吾奉詔迎王來矣, 吾當巡諸路恐晩, 公宜先報, 因與驛三騎, 公兼行至臨洮見王. 旣而使者適會, 遂陪至京師, 泰定帝踐祚之初也".
- 열전23, 王煦, "□□□[十年冬], 煦與門客兩三人, 將詣吐蕃, 道見使者西去與語. 使者喜曰, 吾奉詔迎王來矣. 吾當巡諸路恐晩, 公宜先報. 因與驛三騎. 煦兼行至臨洮見王, 旣而使者適會, 遂陪至京師". 여기에서 添字가 脫落된 것 같다.

185) 是日을 29일(戊午)에 비정한 것은 고려의 帝王을 위시한 臣僚들이 宴會[曲宴, 小宴]을 개최하는 날은 대개 節日이라는 것을 筆者가 念頭에 두었기 때문이지만, 아닐 수도 있다.

朴孝修托故, 不署:節要轉載].[186]

[是月癸巳[4日], 也孫鐵木兒即位於龍居河:追加].

[是月頃, 車駕[元帝~~也孫鐵木兒~~]發龍居河, 幸大都, 前平章政事末吉率其妻姪廉佛奴[廉悌臣], 迓駕于和林, 帝一見佛奴, 奇之, 命宿衛禁中:追加].[187]

[○元誅宦者任伯顔禿古思:列傳35任伯顔禿古思轉載].[188]

[秋某月, 設行征東行省鄉試, 取[司憲糾正]安軸·趙廉·崔龍甲等:追加].[189]

冬十月[己未朔大盡,癸亥], 丁卯[9日], □[遣]前正尹蔡河中賫織紋苧布如元.[190]

戊辰[10日], 帝召還魏王阿木哥.

庚午[12日], 遣檢校評理梁許如元, 賀聖節.[191]

[癸酉[15日], 月食, 既:天文3轉載].[192]

甲戌[16日], [小雪]. 帝以即位, 遣直省舍人阿魯灰·速古赤[~~速古兒赤~~]蠻子等來, 頒詔.[193]

---

186) 이날 재상들이 충선왕의 사랑을 받던 淑妃를 饗宴한 것은 충선왕의 生辰을 위한 연회를 개최한 것일 것이다. 충선왕의 生辰은 30일이지만 是月이 小盡이므로 29일(戊午)에 慶賀儀禮가 있었을 것이다. 또 이 기사는 열전23, 金台鉉에도 수록되어 있다.

187) 이는 다음의 기사에 의거하였다. 이에서 末吉은 1322년(至治2) 4월에 平章政事에 임명되었다가 12월 4일 파면되어 大司農으로 轉職한 買驢[Mailiu], 1329년(天曆2) 12월 8일(庚寅) 大司徒에 임명된 末吉의 다른 표기로 추측된다(『원사』 권112, 表6上, 宰相年表).
- 열전24, 廉悌臣, "小字佛奴, 中贊承益之孫. 少孤, 長于姑夫元平章末吉家. 泰定帝, 自晋邸入繼統, 末吉率悌臣, 迓駕于和林, 帝一見奇之, 命宿衛禁中".
- 「廉悌臣墓誌銘」(『목은문고』 권15), "… 年十一, 姑夫中書平章事末吉召置之左右. 迎儒生授業者十年, 故其德器冠一世. 泰定甲子, 晋邸入繼統, 末吉公率公[廉悌臣], 迓駕于和林, 帝一見奇之, 命宿衛禁中, 眷顧異常".
- 『원사』 권33, 본기33, 文宗2, 天曆 2년 12월 庚寅[8日], "以末吉爲大司徒".
- 『원사』 권38, 본기38, 順帝1, 後至元 1년 12월, "乙丑[8日], 奉玉册·玉寶, 上太皇太后尊號曰, 贊天開聖徽懿 … 福元太皇太后, 詔曰, '欽惟太皇太后, 承九廟之托, … 庸上徽稱, 宣告中外'. 命宣政院使末吉, 以司徒就第□□[~~宣廉~~]". 여기에서 ~~添字~~가 脫落되었던 것 같다.

188) 原文에는 "忠肅十年, 伏誅. 其兄瑞, 初名亏文伊, 以弟故, 嘗[忠肅8年]爲密直副使. 至是, 聞其誅, 懼而逃, 乃籍其家"로 되어 있다.

189) 이는 征東行省의 鄉試가 明年의 會試, 廷試에 앞서 실시됨을 감안하여 추가한 것이다.

190) 蔡河中은 前年(충숙왕9) 9월 21일(乙卯)에도 織紋苧布를 가지고 다이두[大都]에 갔다. 그 후 그가 언제 귀국하였는지는 기록이 없다.

191) 泰定帝(晉宗, 忠宣王의 妻男)의 誕日은 10월 29일이다(『원사』 권29, 본기29, 泰定帝1).

192) 이날 일본의 교토에서는 皆既月食이 관측되었다고 한다. 이날은 율리우스력의 1323년 11월 13일이고, 월식 현상이 심했던 때의 世界時는 14시 48분, 食分은 1.32이었다(渡邊敏夫 1979年 483面).

○遣定安君琮·內府令金承用，賀登極.

戊寅[20日]，德妃[忠肅王妃洪氏]宴魏王于永安宮.

[某日，司憲掌令閔祥正，嘗以事被劾，遇赦，赴臺視事. 糾正呼曰，“蒙赦掌令”. 又內書舍人卜祺乘醉，廷辱祥正曰，“風憲官，蒙赦復職，古所未聞，君且休彈糾”. 聞者笑之:節要轉載].[194]

[是月，通直郎·成均館丞·藝文應敎·知製敎·雞林崔瀣撰‘看藏庵重創記’:追加].[195]

[○僧日精，淨業院住持僧統祖□,」 畵工薛冲等寫成‘觀經變相圖’:追加].[196]

[○僧德山造成舍利器:追加].[197]

[十一月[己丑朔小盡,甲子]，辛丑[13日]，熒惑犯西南星:天文3轉載].

甲寅[26日]，月犯房星:天文3轉載].

[是月頃，忠肅在元，召入朝，時忠宣，自北還燕都，握悰[許琮]手泣曰，“吾唯一女[壽春翁主]，卿同居二十七年，無閒言，此寡人所以鍾情也”. 因厚遺之:列傳18許琮轉載].

[○賊臣御史大夫鐵失被誅，帝以鐵失女弟賜怯薛廉佛奴，佛奴曰，“臣雖無知，不願近逆黨”. 帝益重之:追加].[198]

---

193) 速古赤(速古兒赤, Sikuruchi)은 冠服을 담당하는 怯薛[Kesig]이다(『원사』 권99, 지47, 兵2, 宿衛, “其怯薛執事之名, … 掌內府尙供衣服者曰, 速古兒赤”).

194) 이와 같은 기사가 열전20, 閔祥正에도 수록되어 있다.

195) 이는 다음의 자료에 의거하였다.

· 『동안거사집』雜著, 看藏庵重創記, “至治三年秋, 同門友李德孺[李衍宗]造于僕曰, 先動安先生在至元間, 事忠烈王爲諫官, … 是年冬十月日, 勑受將仕郎·遼陽路盖州判官兼本國通直郎·成均館丞·藝文應敎·知製敎·雞林崔瀣壽翁記”.

196) 이는 京都市 東山區 新橋通 大和大路 東入 3丁目 林下町 知恩院에 소장되어 있는 ‘觀經變相圖’의 書記에 의거하였다. 여기에서 後宮出身의 出家者, 開京에 거주하는 比丘尼[尼僧] 등의 修道處인 淨業院의 住持로 최고의 法階를 지닌 僧統 祖某가 재직하였다는 점이 주목된다(藪內彦瑞 1937年 768面 ; 黃壽永 1961년 ; 熊谷宣夫 1967年 ; 菊竹淳一 1981年 單色圖版1 ; 洪潤植 1984년 ; 張東翼 2004년 708面).

· 書記, “願以此功德,」 普及於一切,」 我等與衆生,」 盡生極樂國,」 至治三年十月日誌,」 幹善道人日精,」 同願道人眞□,」 同願道人志堅,」 同願道人戒澄,」 同願別將朴永文,」 同願夫人金氏,」 同願隊正金仁□,」 同願禪師承道,」 同願淨業院住持僧統祖□,」 畵工薛冲,」 畵工李□[信?]」.

197) 이는 至治三年銘 舍利器의 명문에 의거하였다(許興植 1984년 1127面).

198) 이는 다음의 기사에 의거하였다. 또 帖失[tegsi]은 8월 4일(癸亥) 南坡에서 英宗을 弑害한 御史大夫 鐵失[帖赤]의 다른 표기이다(『원사』 권207, 열전94, 逆臣, 鐵失). 이때 泰定帝는 10월 6일(甲子) 上都에서 臣僚를 大都에 파견하여 鐵失·失禿兒 등을 誅殺하게 하였고, 11월 13일(辛丑) 大都에 도착하였다.

十二月戊午朔大盡,乙丑, [辛酉,元以改元泰定,遣直省舍人交化的來,頒詔→忠肅王11年 2月로 옮겨감].199)

甲子7日, 遣萬戶曹頔如元, 獻方物.

[→□遣萬戶曹碩~~曹頔~~如元, 獻方物:節要轉載].200)

○司憲糾正安軸·趙廉·崔龍甲應擧于元.~~遣安軸·趙廉·崔龍甲如元~~, ~~應擧會試~~ 201). .

[辛未14日, 月與東井·北垣, 同舍:天文3轉載].

[壬申15日, 熒惑犯鉤鈐:天文3轉載].

乙酉28日, 上王寄書宰樞曰, "寡人於十一月十日, 到大都, 十三日, 利見至尊. 猶念國王年少, 昵比憸人, 多行不義. 卿等懷祿, 無所匡救, 焉用彼相, 自今, 可小心輔國".

[是月頃, 以崔安碩爲永州判官:追加].202)

[是年, 遣權廉如元, 進奉帝所:追加].203)

[○以李達尊爲別將:追加].204)

· 열전24, 廉悌臣, "賊臣御史大夫帖失誅, 以女弟賜之, 悌臣曰, 臣雖無知, 不願近逆黨. 帝益重之".

· 『원사』 권29, 본기29, 泰定帝1, 至治 3년 10월 甲子, "遣右丞相旭邁傑·御史大夫紐澤誅逆賊知樞密院事鐵失·大司農失禿兒·前平章政事赤斤鐵木兒·典瑞院使脫火赤·同知樞密院事章台等於大都, 竝戮其子孫, 籍入家產".

199) 몽골제국이 年號를 泰定으로 바꾸기로 결정하고 詔書를 내린 것은 是年 12월 丁亥(30일)이므로 (『원사』 권29, 본기29, 泰定帝1, 至治 3년 12월 丁亥), 이보다 26일 먼저인 12월 4일(辛酉) 元의 詔使가 고려에 도착할 수 없다. 그러므로 詔使가 1~2개월 후에 고려에 도착하므로 이 기사는 충숙왕 11년 2월로 옮겨가야 할 것이다[校正事由].

200) 이 記事와 같이 『고려사절요』는 너무 많이 축약하고, 또 潤文을 하다가 本意를 잃어버리는 경우가 많이 있다.

201) 元代 科擧의 考試程式에 의하면 鄕試는 各地에서 8월에, 會試는 大都에서 明年 2월초에, 廷試(御試)는 3월초에 실시되므로(『원사』 권81, 지31, 選擧1, 科目), 이 句節은 "遣安軸·趙廉·崔龍甲如元, 應擧會試"로 고쳐야 옳게 될 것이다. 이들은 몽골제국이 明年(泰定1, 충숙왕11) 3월 12일(戊戌) 廷試를 실시하여 八剌(捌剌, bala)·張益 등 84人에게 及第·出身을 하사할 때(『원사』 권29, 본기29, 태정제1, 태정 1년 3월 戊戌·권81, 지31, 선거1, 科目), 安軸이 第3甲 第7名으로 급제하여 遼陽路 蓋州判官에 임명되었고, 나머지 2人은 敎官에 임명되었다(열전22, 安軸 ; 지28, 選擧2, 科目2, 制科 ; 『가정집』 권1, 安軸墓誌銘 ; 『동현사략』, 安軸 ; 『목은문고』 권8, 送楊廣道按廉使安侍御詩序 ; 『양촌집』 권38, 安宗源墓碑銘). 또 이때의 策問과 安軸의 對策이 『근재집』 권3, 策에 수록되어 있다.

202) 이는 『영천선생안』에 의거하였다.

203) 이는 「權廉墓誌銘」, "至治癸亥, 又如京, 進奉帝所"에 의거하였다.

[○律宗僧木軒□丘, 起工開國寺殿宇:追加].[205]

[○某等鑄成開州幸西寺小鍾:追加].[206]

甲子[忠肅王]十一年, 元泰定元年, [西曆1324年]

1324년 1월 27일(Gre2월 4일)에서 1325년 1월 14일(Gre1월 22일)까지, 354일

春正月[戊子朔小盡,丙寅], 王在元.

庚寅[3日], [立春]. 延慶宮門火.[207]

[丁酉[10日], 月與鎭星, 同舍於畢:天文3轉載].

[庚子[13日], 木稼:五行2轉載].

甲寅[27日], 帝勑王還國, 復賜國王印章.[208]

丙辰[29日晦], 帝流孛刺太子于我[白翎鎭]大青島.[209]

[某日, 以薛文遇爲慶尙道提察使:慶尙道營主題名記].[210]

[○是月丙辰[19日], 優婆塞崔永昌·大匠崔某鑄成河陰縣文聖庵小鍾:追加].[211]

[是月朔, 元改元泰定:追加].

---

204) 이는「李達尊墓誌銘」에 의거하였다.

205) 이는『익재난고』권6, 重修開國律寺記에 의거하였다("… 自至治癸亥, 迄泰定乙丑, 三秋而畢工, 作慶□[讚]會, 以落厥成. 見聞者, 莫不嗟賞焉").

206) 이는 開州 幸西寺 小鍾의 銘文에 의거하였다(許興植 1984년 1126面).
- 銘文, "至治二年壬戌十月十六日, 海州首陽山藥師寺禁口造成, 棟梁道人守琓, 同願道人孝宣, 大匠道人性令, 同願散員同正金世丁, 伏願皇帝萬萬歲".

207) 이와 같은 기사가 지7, 五行1, 火, 火災에도 수록되어 있다.

208) 중국 측의 자료에도 같은 내용이 있다.
- 『원사』권29, 본기29, 泰定帝1, 泰定 1년 1월 甲寅, "敕高麗王還國, 仍歸其印".

209) 이와 관련된 기사로 다음이 있다.
- 지12, 지리3, 白翎鎭, "[忠肅]十一年, 流孛刺太子于此. 十六年, 召還".
- 『세종실록』권152, 지리지, 海州牧, 甕津縣, "大青島, … [忠肅王]十一年甲子, 流勃刺太子于此島, ~~十六年~~己巳三月, 召還. 여기에서 ~~添字~~가 추가되어야 좋을 것이다.

210) 薛文遇는 李仁復의 外祖로서 大司成에 이르렀다(李仁復墓誌銘).

211) 이는 다음의 자료에 의거하였는데, 몽골제국의 年號가 바뀐 것을 認知하지 못했기에 至治四年으로 刻字하였을 것이다(許興植 1984년 1127面).
- 『河陰縣文聖庵小鍾』, "先世父母, 往生淨界之願,」至治四年正月十九日河陰縣土文聖庵小鍾, 施主崔永昌, 大匠崔□」.

二月[丁巳朔[大盡,丁卯], 熒惑犯南斗:天文3轉載].

[辛酉[5日], 元以改元泰定, 遣直省舍人交化的來, 頒詔←충숙왕 10년 12월에서 옮겨옴].

丁卯[11日], 大護軍張公允賫批目, 還自元,[212] △[以]琮爲大匡·定安君, 察罕帖木兒爲大匡·安山君, 琯爲成安君, 理爲富平君, 鑄·義並爲正尹, 權漢功爲醴泉君, 崔有渰△[爲]守□[都]僉議政丞·判選部事·大寧府院君, 金深△[爲]守□[都]僉議政丞·判摠部事, 權準·[前贊成事]金怡~~金廷美~~△△△[並爲都]僉議贊成事,[213] 崔誠之·尹莘傑爲三司□□~~左右~~使,[214] 林仲沇爲推誠亮節功臣, 任子松爲直朝言亮翊贊功臣, 並△△[爲都]僉議評理, 元忠△△[爲都]僉議評理,[215] 李齊賢爲密直司使,[216] 朴仁幹~~朴文忠~~爲盡誠秉義翊贊功臣·知密直司事, 崔天藏爲推誠佐命保節功臣·同知密直司事, 金千寶△[爲]同知密直司事·大司憲, 柳仁奇△[爲]同知密直司事,[217] 趙瓊·元善之·全彥△[並]爲密直副使,[218] 宦者·□□[院使]李信爲輸忠保節同德佐理功臣·寧越府院君.[219] [文忠卽仁幹也:節要轉載].[220]

[○是時, 罷判三司事金台鉉:追加].[221]

[丙子[20日], 月犯房星:天文3轉載].

丁丑[21日], □[遣]吉昌君權準如元, 賀改元.

---

212) 批目은 6월(小政, 權務政)과 12월(大政, 都目政)의 인사행정이 이루어질 때 만들어진 官吏의 任命名簿를 가리킨다. 또 이때 都僉議贊成事 吳潛은 柳淸臣과 함께 大都에서 瀋王 暠의 一黨이 되어 충숙왕의 미움을 받아 免職되었던 것 같다(吳潛墓誌銘 ; 열전38, 吳潛·柳淸臣).

213) ~~添字~~는 『고려사절요』 권24에 의거하였다.

214) 이때 尹莘傑은 그의 묘지명에 의하면 大匡·三司使·進賢館大提學·上護軍에 임명되었다고 한다.

215) 이때 元忠은 推誠佐理功臣·重大匡·□[都]僉議贊成事·判民部事·上護軍에 임명되었다고 하여(元忠墓誌銘), 官職에 있어 차이가 있다.

216) 이때 李齊賢은 匡靖大夫·密直司使에 임명되었다(李齊賢墓誌銘).

217) 柳仁奇는 열전18, 柳璥, 陞에는 仁琦(柳璥의 4子)로 달리 표기되어 있는데, 文化君으로 책봉되었고, 시호는 瑶靖이라고 한다(柳甫發墓誌銘).

218) 이때 元善之는 密直副使·上護軍에 임명되었던 것 같다(金賆妻許氏墓誌銘).

219) 李信은 이보다 3년 후인 1327년(충숙왕14) 5월 몽골제국의 榮祿大夫(종1품)·通政院使(종2품), 고려의 寧越大君[大府院君]을 띠고 있었다(文殊寺藏經碑).

220) 朴仁幹은 『고려사절요』 권24에는 朴文忠으로 되어 있는데, 이때 이름을 下賜[賜名]받았던 것 같다.

221) 이는 다음의 자료에 의거하였다.

- 「金台鉉墓誌銘」, "泰定甲子[忠肅11年], 上王得復政, 多所更改, 而欲罷公, 王曰, '此老終始無他, 不宜去', 執政無贊之者, 卒見罷".
- 열전23, 金台鉉, "忠肅復莅政, 多所更改, 欲罷台鉉, 旣而曰, '此老終始無他, 不宜去'. 執政無贊之者, 卒罷".

○以朴瑗爲右副代言.[222] [初[忠肅9年頃?], 瀋王之黨, 誣王以罪, 上書都省[中書省]也, 逼延興君朴全之署名. 全之憤然曰, “狗奴敢汙我耶?”. 遂遣其子瑗, 聞于王所. 至是, 拜瑗代言, 任銓選:節要轉載].

[→時[忠肅9年頃?], 瀋王之黨, 誣王以罪, 上書都省, 逼全之署名, 全之奮然曰, “狗奴敢汚我邪?”. 遂遣其子瑗, 聞于王所. 及王還國, 拜瑗右副代言任銓選:列傳22朴全之轉載].

壬午[26日], 以前三司使[~~三司左使~~]金元祥·[三司右使]趙延壽貳於瀋王, 並下巡軍, 籍沒其家, 杖流于島. [元祥, 嘗爲巡軍萬戶, 使造械重百斤. 至是首自及. 後[是年4月], 帝命赦之:節要轉載].[223]

○下延德大君塤于巡軍獄.

[→後, 坐奸衛士金永長妻, 下巡軍, 永長妻, 內侍閔元濟女, 本有穢行:列傳4忠烈王王子江陽公滋轉載].[224]

[○赤祲見于東方:五行1轉載].

三月[丁亥朔小盡,戊辰], [某日, 敎曰, “食君之祿, 而貳其心, 非人臣也. 其上書京師, 請立瀋王者, 三品致仕以上, 皆停祿俸”:節要·食貨3祿俸轉載].

戊戌[12日], 以旱, 禱雨于演福寺.

乙巳[19日], [中部]鶩溪里□□[~~民戶~~]百餘家火.[225]

丁未[21日], 地藏坊里三百餘家火.[226]

己酉[23日], 槐洞里火. 無風自熾, 延爇人物, 死者甚衆. 人謂之天火.[227]

辛亥[25日], 王遣贊成事韓渥來, 歛[斂]盤纏布.

[壬子[26日], 白氣見于西方:五行2轉載].

乙卯[29日晦], 上王械送伍尉方連·宦者方元,[228] 囚于巡軍. 上王之在吐蕃也, 連·元兄

222) 朴瑗(朴全之의 子)은 1324년(충숙왕11) 2월 21일에서 1327년(충숙왕14) 11월 24일 사이에 朴遠으로 改名하였던 것 같다(열전22, 朴全之 ; 朴遠墓誌銘).

223) 이와 같은 기사가 열전38, 金元祥에도 수록되어 있으나 자구에 출입이 있다.

224) 이 기사는 『고려사절요』 권24에 “延德大君塤, 坐奸衛士金永長妻, 囚于巡軍”으로 축약되어 있다.

225) 鶩溪里는 開京의 中部에 소속된 鶩溪坊 □□里(自然里名) 또는 鶩溪坊 第□里(編戶里名)의 略稱일 가능성이 있다(지10, 지리1, 王京開城府, 朴龍雲 1996년). 鶩溪는 開京의 중심지인 十字街를 東西로 橫斷하는 川이다. 그리고 ~~添字~~는 지7, 五行1, 火, 火災에 의거하였다.

226) 이와 같은 기사가 지7, 五行1, 火, 火災에도 수록되어 있다.

227) 이와 같은 기사가 지7, 五行1, 火, 火災에도 수록되어 있다.

弟苦其久從艱險，欲弑之而逃還，中夜火行幄，事覺.

[是月戊戌12日，元廷試進士，賜八剌·張益等八十四人及第·出身有差．會試下第者，亦賜教官有差．時安軸及第:追加].[229)]

[→安軸, 忠肅十一年，中元朝制科，授遼陽路盖州判官．時忠肅被留于元，軸謂同志曰，"主憂臣辱，主辱臣死"．乃上書訟王無他，王嘉之，超授成均樂正．盖州守遣人禮請，王方嚮用，故不能去:列傳22安軸轉載].

夏四月丙辰朔小盡,己巳，戊辰13日，雨雹·雪，人有凍死者.[230)]

[辛未16日，月食:天文3轉載].[231)]

壬申17日，以旱禁酒.

丁丑22日，雨.

戊寅23日，以金仁沇爲知申事，慶斯萬·李撰爲右·左代言.[232)]

壬午27日，以李光逢爲三司使，朴仁幹朴文忠爲密直使,[233)] 張元祉爲推忠勁節功臣·密直副使，其爲矯署名於書者，皆罷.

[某日，曹頔·蔡河中等，又令留元無賴子弟二千餘人，連名呈省，訴王不已:節要轉載].[234)]

辛未癸未28日,[235)] 中書省差官脫脫帖木兒來，鞫延德大君王埧奸事.

---

228) 宦者는 延世大學本과 東亞大學本에는 官子로 되어 있으나 誤字이다.

229) 이는 『원사』 권29, 본기29, 泰定帝1, 泰定 1년 3월 戊戌에 의거하였다. 이때 안축은 第3甲 第7名으로 급제하여 遼陽路 盖州判官에 임명되었다(열전22, 安軸 ; 지28, 選擧2, 科目2, 制科 ; 『가정집』 권1, 安軸墓誌銘 ; 『동현사략』, 安軸 ; 『목은문고』 권8, 送楊廣道按廉使安侍御詩序 ; 『양촌집』 권38, 安宗源墓碑銘).

230) 이 기사는 지7, 오행1, 水, 恒寒에도 수록되어 있다.

231) 이날 일본의 교토에서도 월식이 있었다고 한다. 이날은 율리우스력의 1324년 5월 9일이고, 월식 현상이 심했던 때의 世界時는 17시 20분, 食分은 1.16이었다(渡邊敏夫 1979年 483面).

232) 慶斯萬은 이 시기 이후에 摩尼山 塹城壇의 祭告使로 다녀온 후 逝去하였던 것 같다.
· 열전24, 慶復興, "父斯萬, … 官至右代言, 嘗受命醮摩利山塹城, 聞空中若有呼, 慶代言不幸短命者再. 還謂友人曰, 吾不久於世矣. 未幾果卒".

233) 添字는 『고려사절요』 권24에 의거하였다.

234) 이와 같은 기사가 열전38, 蔡河中에도 수록되어 있다.

235) 4월(丙辰朔)의 辛未(16일)는 壬申(17일), 戊寅(23일), 壬午(27일) 등의 다음에 位置하여 있다. 이는 日辰의 順序가 바뀌었을 수도 있지만, 日辰이 없는 『고려사절요』 권24에도 이 位置에 있으므로 癸未(28일)의 誤字일 것으로 보는 것이 좋을 것이다.

[→元遣脫脫帖木兒等來, 問延德大君奸事, 旣服, 釋之:節要轉載].

[→元中書省差脫脫帖木兒·樞密院差脫隣·御史臺差也素不花等來, 鞫塡于行省. 塡旣服, 當抵罪, 以兄暠私謁, 釋不治:列傳4忠烈王王子江陽公滋轉載].[236]

[史臣兪思廉曰, "延德大君, 以宗戚之尊, 穢行升聞, 其在天王, 當置於法. 今乃徇其兄瀋王暠之私謁, 獄成而反釋之, 何以紀綱四方哉?":節要轉載].

○帝命赦[前三司右使]金元祥·[前三司左使]趙延壽.

五月[乙酉朔大盡,庚午], 己丑[5日], □[都]僉議贊成事致仕閔宗儒卒,[237] [年八十, 謚依故事爲忠順:追加].[238] [宗儒, 天資莊重, 風度秀朗, 明識典故, 優於吏幹. 不妄交游, 篤於宗族, 未嘗干謁. 退公, 便杜門謝客, [洒掃庭堂淨如也. 性好馬, 聞人有良馬, 必購致之, 每繫堂下, 朝夕愛賞.] 晩年喜絲竹, 廣植花木, 以聲妓自娛:節要轉載].[239] [子頔·敍:列傳21閔宗儒轉載].

壬辰[8日], [元使]脫脫帖木兒還, [守都僉議]政丞崔有渰率百官·軍民, 附書, 呈中書省曰, "小邦, 始自太祖聖武皇帝草創之際, 我忠憲王[高宗]首先附屬, 歲修朝聘, 依本分, 出氣力. 至忠敬王[元宗], 躬親赴闕, 令王京去水就陸. 以至忠烈王·老瀋王及今國王, 欽蒙累朝聖旨, 釐降公主, 世爲駙馬, 優承恩眷, 海隅小民, 眠食無虞. 乃於至治元年[忠肅王8年]四月, 國王赴闕朝見, 有本國奸臣等, 捏合虛辭, 冒告朝廷, 因此折證, 遷延未還. 纔於今年正月內, 欽蒙聖恩, 復襲王爵, 依舊行事, 闔國臣民不勝懽忭, 不期奸臣罔有悛心, 依前說謊捏告, 致有省院臺, 差來官前來審問, 備知虛僞. 某等伏慮, 小邦隣接日本, 極邊重地, 相離中原四千里. 久曠無主, 儻有不測之變, 無所啓稟, 利害非輕, 以此, 某等日夜爲懼, 未得寧心. 若蒙聞奏天聽, 將說謊人等, 嚴加禁治, 回送本國, 毋令再行捏告. 令國王早還本國, 安撫百姓, 似望讒慝杜絶, 臣民獲安, 幸甚".

[乙未[11日], 熒惑犯哭星:天文3轉載].

---

236) 여기에서 몽골제국이 省·院·臺 三司의 官員을 파견하여 함께 推鞫한 것은 事案이 重大하였다고 판단한 결과로 추측된다.

· 『자치통감』 권197, 唐紀13, 太宗貞觀 17년(643) 4월, "庚辰朔, 承基上變, 告太子[承乾]謀反. 敕長孫無忌·房玄齡·蕭瑀·李世勣與大理·中書·門下參鞫之[胡三省注, 唐制, 凡國之大獄, 三司詳決. 三司, 謂給事中·中書舍人與御史參鞫也. 今令三省與大理參鞫, 重其事], 反形已具. …".

237) 이날은 율리우스曆으로 1324년 5월 27일(그레고리曆 6월 4일)에 해당한다.

238) 이는 「閔宗儒墓誌銘」, "有司依故事, 謚曰忠順"에 의거하였는데, 有司가 謚號를 元壓制 以前의 방식대로 忠順이라고 정하였다고 한다.

239) 첨자는 열전21, 閔宗儒에 의거한 것이다.

[○鹿入城中:五行2轉載].

丙申[12日], 以成均學諭沈宗叔爲合浦萬戶府錄事. 先是, 以式目·中軍錄事爲之, 刀筆吏往往貪汚不法, 王知其然, 特命經術士, 代之.

丁酉[13日], 帝以册皇后[八不罕]·皇太子[阿剌吉八], 詔天下, 遣直省舍人禿魯不花來, 頒詔.[240]

丙午[22日], 禱雨.[241]

[○月犯歲星:天文3轉載].

是月, 以林仲沇△△[爲都]僉議贊成事, 全英甫·尹碩△[並]爲評理, 朴仁幹[~~朴文忠~~]△[爲]判密直司事,[242] 崔天藏爲密直司事[~~密直司使~~],[243] [密直副使]元善之△[爲]同知密直司事, 金仁沇爲密直副使. [○王謂仲沇曰, 卿亂我之政, 人目之曰林權. 嘗有鄭權者, 參銓注, 多受賄賂, 故王比仲沇於權:節要轉載].[244]

六月[乙卯朔大盡,辛未], [某日, 以上王命, 囚正尹朴惟正于巡軍. 其父密陽君義, 富而吝, 欲以黃金二十錠·白金三十斤, 爲上王施納佛寺. 義死, 惟正私用之. 於是, 下旨徵金二十兩·銀七十斤·銀甁六十口·布一千匹·奴婢三十口·田二十結:節要轉載].[245]

戊午[4日], □[遣]評理黃瑞如元, 賀册皇后·太子.

[戊寅[24日], 震人:五行1雷震轉載].

辛巳[27日], 慮囚.

[夏某月, 以[開城少尹]朴元桂爲知寶城郡事:追加].[246]

秋七月[乙酉朔小盡,壬申], 壬辰[8日], [立秋]. 元遣闊闊出來, 求童女.[247]

---

240) 몽골제국이 皇后(八不罕)와 皇太子(阿剌吉八)를 책봉한 것은 3월 20일(丙午)이었다(『원사』 권29, 본기29, 태정제1, 태정 1년 3월 丙午).

241) 지8, 五行2, 金行에는 丙午 앞에 五月이 탈락되었다.

242) ~~添字~~는 『고려사절요』 권24에 의거하였다.

243) 密直司事는 密直司使의 오자이다. 『고려사절요』 권24에는 옳게 되어 있다.

244) 林仲沇에 관한 기사는 열전37, 嬖幸2, 鄭方吉, 林仲沇에도 수록되어 있다.

245) 열전37, 朴義에는 銀甁六百으로 되어 있다.

· "義, 富而吝, 初欲以黃金二十錠·銀三十斤, 爲忠宣施佛寺. 義死, 子正尹惟正私用之. 忠宣囚惟正于巡軍, 徵金二十兩, 銀七十斤, 銀甁六百, 布千匹, 奴婢三十口, 田二十結".

246) 이는 「朴元桂墓誌銘」에 의거하였다.

247) 闊闊出[Kököcu]은 前月 12일(丙寅)에 元에서 파견되었다.

[丙午[22日], 月犯歲星:天文3轉載].

[丁未[23日], 處暑. □[月]犯鎭星:天文3轉載].

癸丑[29日晦], 倭船飄風, 至靈光郡, 凡二百二十餘人, 具舟楫, 歸之.[248]

[某日, 慶尙道提察使薛文遇, 仍番:慶尙道營主題名記].

[是月頃, 以[成均博士]柳仁恕爲雞林府司錄:追加].[249]

八月[甲寅朔大盡,癸酉], 戊午[5日], 王娶魏王阿木哥女金童公主.[250]

甲子[11日], 上王傳旨曰, "判三司事朴虛中年已八十, 尙慕利祿, 被此交構, [贊成事]韓渥·[同知密直司事]元善之·[密直副使]金仁沇又有所犯, 已令勿仕, 渥等略不疑懼, 公然視事, 殊無臣禮. 可自今, 一從前旨".

[癸酉[20日], 月犯畢星. 鎭星犯天關:天文3轉載].

[是月, 僧仁詗·演洪·永暉等寫成'紺紙銀字大方廣佛華嚴經':追加].[251]

[是月頃, 以金立封爲永州副使:追加].[252]

· 『원사』 권29, 본기29, 泰定帝1, 泰定 1년 6월 丙寅, "遣闊闊出等詣高麗, 取女子三十人".

248) 일본에서는 7월 16일 교토[京都]에서 暴風雨와 洪水가 있었다고 한다(中央氣象臺 1941年 1冊 47面).

· 『花園院御記』, "終夜大風雨, 發屋拔樹所々皆破損, 今夜風雨·洪水, 四十年來, 未曾有云々, 或云建保以後, 無如之洪水云々, 諸河溢流, 民屋多以流失, 人馬死者, 不知數云々, 鳥羽門顚倒, 比叡山諸堂, 多顚倒之由".

249) 이는 『동도역세제자기』에 의거하였다.

250) 이 기사는 열전2, 忠肅王妃, 曹國長公主에도 수록되어 있다.

251) 이는 다음의 자료에 의거하였는데, 이는 京畿道 安城市 元谷面 聖恩里 397 淸源寺 腹藏遺物이라고 한다(80卷本, 黃壽永 1975년 ; 호암갤러리 1993년 166面 ; 南權熙 2002년 367面 ; 張忠植 2007년 140面 ; 郭丞勳 2021년 334面). 여기에서 檀那는 Sanskrit語[梵語, 古代印度語]의 施主, 布施의 音譯이라고 한다.

· 『紺紙銀泥大方廣佛華嚴經』 권40,41, 卷末題記, "弟子比丘仁詗,以次敬寫,」 大經功德,三處廻向,普皆圓滿,次以壽」 君,次以福國,三世師親,同得解脫.施銀檀那大師演洪·永暉爲」 首,或施金泥,或施」 布物,同辨善者,執勞運力,見聞隨喜,共增福」 慧,當成佛果.惟願仁詗,始終今日,終至菩提,不傲」 金言,」 求名求利,但爲敎化.一切衆生,生生世世,在在處處,或以香」 墨,或以金銀,乃至刺血,書寫全部,讀已能誦,誦已能持,持」 經心上,即見極樂」,阿彌陀佛受授記.已還於六趣,遊戲自在,如說修行,普令衆生,未聞者」 聞,未信者信,未解者解,行同普賢,知同文殊,同證」 毗盧,圓滿果海,衆生界盡,我願乃盡,摩訶般若婆」 羅蜜.時,泰定元年甲子八月 日,寓金生謹誌」.

· 『剪燈餘話』 권3, 武平靈怪錄, "檀那一去寺久荒, 淸宵賦咏來諸郞".

252) 이는 『영천선생안』에 의거하였다.

九月[甲申朔大盡,甲戌], [乙酉[2日], 熒惑犯哭星:天文3轉載].

[丙戌[3日], 太白犯房次相:天文3轉載].

[庚寅[7日], □□[太白]又犯大微[~~太微~~]右執法:天文3轉載].

[辛卯[8日], □□[太白]犯心星:天文3轉載].

[癸巳[10日], 寒露. 鎭星犯天關:天文3轉載].

[丁酉[14日], 熒惑犯哭:天文3轉載].

[壬寅[19日], 太白犯天江:天文3轉載].

乙巳[22日], 慮囚.

[是月頃, 以[武德將軍·管軍萬戶·匡靖大夫·~~知密直司事~~]羅益禧爲雞林府尹:追加].[253]

[冬十月[甲寅朔小盡,乙亥]],[254] 庚申[7日], □[遣]三司使尹莘傑如元, 賀聖節.

[丙寅[13日], 太白犯南斗魁:天文3轉載].[255]

[丁卯[14日], 月食:天文3轉載].[256]

[己巳[16日], 月犯鎭星:天文3轉載].

[辛未[18日], □[月]又犯東井南垣:天文3轉載].

[某日, 前密直副使李宜風死. 宜風, 宋泉州人, 嘗從王獵, 鹿走乘輿前, 一箭殪之. 王悅, 驟拜密直□□[~~副使~~]. 爲人, 性奇巧, 專事媚悅, 招權納賄, 恣行威福:節要轉載].

[→宜風, 本元人, 善射御. 爲忠肅嬖臣, 朝夕出入禁闥, 年十五補散員. 嘗從王獵, 鹿走駕前, 一箭殪之, 王悅, 授別將·行首, 驟拜摠部典書, 累陞密直副使. 性奇巧, 惟務媚悅, 招權納賄, 恣行威福. 愛晋陽妓月娥, 夤緣得官者甚衆. 祖倫, 亦諂事宜風, 遂近幸, 頗與朝政, 逞私撓法:列傳37李宜風道轉載].

[是月頃, 以[承奉郞]兪珙俊爲福州判官, 從事郞李文藹爲福州司錄:追加].[257]

[十一月[癸未朔大盡,丙子], 壬辰[10日], 霧:五行3轉載].

---

253) 이는 『동도역세제자기』에 의거하였는데, 羅益禧의 열전과 묘지명에서도 확인된다.

254) 9월(甲申朔) 庚申은 10월 7일이므로, 庚申 앞에 冬十月이 탈락되었다.

255) 지3, 天文3에는 丙寅 앞에 十月이 탈락되었다.

256) 이때 일본의 교토에서는 15일(戊辰)에 月食이 있었다고 한다. 이날은 율리우스력의 1324년 11월 1일이고, 월식 현상이 심했던 때의 世界時는 21시 47분, 食分은 1.07이었다(渡邊敏夫 1979年 484面).

257) 이는 『안동선생안』에 의거하였다.

[某日，上王遣繕工令趙石堅□[来]，戒諭國人曰，“予早厭富貴，愛靜好閑，修善是樂，傳國於子，傳瀋於姪，願終天年．而未免吐蕃之行，及還，見從臣交構瀋王及國王，以致鬩墻之變．因丞相敷奏宸聽，賜還國印，復定王位．而姦臣不悛尙肆誣構，不使兄弟再和，幸蒙皇帝，務存大體，已許國王，尙公主歸國．特命省院臺官，召致兩王從臣，咸使和解．惟爾臣民，毋惑間言，毋懷貳心，善事國王，以安家邦．其上書請立瀋王之時，聽一二姦臣誑誘，不得已署名者，予已諭國王，毋念舊惡．又一二首惡，規免己罪，歸罪於脅從四千餘人，欲徙之遼瀋，此輩非其本意，而坐此，離鄕里，去親戚，可不悲乎？王感予言，一皆原宥，其悉知之”．於是，宰樞召往來謀議爲屬上書者，　民部典書致仕李伯經·前司憲掌令李東吉·前民部議郞趙湜·前成均樂正權賀，令俯伏聽教:節要轉載].[258]

[是月丙寅[13日]，元太僕寺卿渾丹·寺丞塔海等奏，“自耽羅選牛八十三頭至此，不伏水土，乞付哈赤，換作三歲乳牛，印烙入官”:追加].[259]

冬十二月[癸丑朔小盡，丁丑]，甲寅[2日]，△[遣]政丞崔有渰如元，賀正．

○宰相會旻天寺，上書中書省云，“前於延祐七年[忠肅王7年]十二月間，大尉王[~~太尉王~~]欽蒙皇帝聖旨，流去西土住坐，在後至治元年[忠肅王8年]四月內，國王赴闕朝見，因事未還．其間，在此有奸臣等，會聚衆官員省會，要具衆人文狀，赴都，告乞大尉王[~~太尉王~~]回還，恁等於文狀上，各各書名畫字者．遂行粘連到數張白紙，勒要衆官名字，以此，各員准信，依從所說，書名畫字了．當在後聽知，前項奸臣等謀構却落，寫做干礙國王幷瀋王兩王語句文狀，將衆人書名白紙粘連，送與訖在都同黨人員處，賫赴都，幷問事官處呈下．聽得如此，今來思忖，得前項奸臣等用謀，不行吐露實情，虛稱告乞大尉王[~~太尉王~~]回還文狀，誑瞞衆人，於數張白紙，勒要訖名字，衆官委實，不知書寫是何詞．因却有奸臣等，依憑前狀，到今，胡亂告說未絶．爲此，今具文狀，付賀正官崔政丞，收管前去，代告中書省，伏乞詳狀施行”．

---

258) 이와 유사한 기사가 열전4, 忠烈王王子, 江陽公滋에도 수록되어 있다.

259) 이는 다음의 자료에 의거하였는데, 不伏水土[不伏服土, 不習水土]는 ‘氣候, 飮食, 習慣 등과 같은 環境에 적응하지 못해’로 해석하는 것이 좋을 것이다.

- 『신원사』 권100, 지67, 병3, 馬政, “泰定元年太僕卿渾丹等奏, 自耽羅選牛八十三頭至此, 不習水土, 乞付哈赤, 換作三歲乳牛, 印烙入官”.
- 『大元馬政記』, “泰定元年十月十三日, 太僕卿渾丹·丞塔海等奏, 自耽羅起至牛八十三頭至此, 不伏水土, 乞付哈赤, 令變換作三歲乳牛, 印烙入官, 奉旨准”.

[→宰相呈中書省書曰, "上王之在吐蕃也, 姦臣詐以請還上王, 會國人, 署名於狀, 其實請立瀋王也.[260] 其後, 國人皆知其詐, 而姦臣猶以前狀藉口, 構釁不已, 請察其情":節要轉載].

[癸亥11日, 月犯畢星:天文3轉載].

[甲子12日, 小寒. □月又犯天關:天文3轉載].

壬申20日, 太白晝見.

丙子24日, 慮囚.

[己卯27日, 月犯太白:天文3轉載].

[某日, 以尹莘傑爲重大匡·杞城君:追加].[261]

[是月, 僧仁訶與其弟子而幻, 寫成'紺紙銀字大方廣佛華嚴經':追加].[262]

[是年, □□□大名知貢擧, 取進士, □□某月, 賜河楫等□□□三十三?人及第:選擧1選場轉載].[263]

[○都僉議贊成事崔誠之乞致仕, 許之:追加].[264]

[○以權廉爲中正大夫·司僕正:追加].[265]

[○以東大悲院錄事崔宰爲內侍:追加].[266]

[○以奉雲寺眞殿直尹之彪爲司設直長, 時之彪年十五:追加].[267]

---

260) 이 시기에 瀋王 屬의 관작이 구체적으로 무엇인지를 알 수 없으나 1327년(충숙왕14) 5월 건립된 「文殊寺藏經碑」, 陰記에 '開府儀同三司·駙馬都尉·瀋王'으로 되어 있다.

261) 이는 「尹莘傑墓誌銘」에 의거하였다.

262) 이는 이해[是年] 8월 是月條의 脚注와 같다.

· 『紺紙銀泥大方廣佛華嚴經』 권12,16(40卷本), 卷末題記, "弟子比丘仁訶, 以此敬寫,」 大經功德,三處廻向,普皆圓滿,次以壽」 君,次以福國,三世師親,同得解脫.或施金銀,或施」 餘財,執勞運力,見聞隨喜,凡有緣者,共增福慧,」 當成佛果.惟願弟子,始終今日,終至菩提, 生生世世,」 在在處處,或以香墨,或以金銀,乃至刺血,書寫」 此經,受持讀誦,廣能利益,一切衆生,如說修行, 同入」 圓通,三昧性海,卽見」 毘盧, 圓滿果海,衆生界盡,我願乃盡,摩訶般若婆羅蜜.」 時泰定元年甲子十二月 日, 寓金生 謹誌,」 弟子道人 而幻, 因請敬寫".

263) 이는 『등과록』에 의거하여 是年에 급제하였다는 河楫을 근거로 再構成하였는데, 미심한 점도 없지 않다(許興植 2005년 515面).

264) 이는 「崔誠之墓誌銘」에 의거하였다.

265) 이는 「權廉墓誌銘」에 의거하였다.

266) 이는 「崔宰墓誌銘」에 의거하였다.

267) 이는 「尹之彪墓誌銘」에 의거하였다.

[○以[奉順大夫]李伯敬爲福州牧使:追加].[268]
[○以[前知慶原府事]朴華爲廣州牧使:追加].[269]
[○以朴永林爲延安府使:追加].[270]
[○冊彌授爲國尊, 賜號悟空眞覺妙圓無礙:追加].[271]

乙丑[忠肅王]十二年, 元泰定二年, [西曆1325年]

1325년 1월 15일(Gre1월 23일)에서 1326년 2월 2일(Gre2월 10일)까지, 13개월 384일

春正月[壬午朔大盡,戊寅], 王在元.
[丁亥[6日], 月與熒惑, 同舍于婁:天文3轉載].
[庚寅[9日], □[月]又與歲星, 同舍于畢, 二日:天文3轉載].
辛亥[30日], □[都]僉議評理致仕鄭僐卒.[272] [年七十五. □[僧], 屛浮華, 日以閱釋典持戒爲事. 子光祖·光緖·光度. 光祖子珚:列傳21鄭僐轉載].
[某日, 以慶尙道提察使薛文遇, 仍番:慶尙道營主題名記].

閏[正]月[壬子朔小盡,戊寅], 丙辰[5日], 宥二罪以下.
庚申[9日], 上王以朝廷寢立省之議, 遣人祭告高[忠烈王妃]·慶[忠烈王]二陵.
甲戌[23日], 元遣直省舍人塔不歹舍兒·別赤伯顔帖木兒來, 頒赦.[273]

二月[辛巳朔大盡,己卯], 甲午[14日], 燃燈, 王如奉恩寺.[274]
[某日, 敎曰, "近者, 紀綱不振, 惡小成群, 奪人財物, 淫人婦女, 攘宰牛馬, 人

268) 이는『안동선생안』에 의거하였다.
269) 이는「朴華墓誌銘」에 의거하였다.
270) 이는『연안부지』에 의거하였다.
271) 이는「俗離山法住寺慈淨國尊碑銘」에 의거하였다.
272) 이날은 율리우스曆으로 1325년 2월 13일(그레고리曆 2월 21일)에 해당한다.
273) 몽골제국은 閏1月 1일(壬子) 天下에 赦免令을 내렸다(『원사』 권29, 본기29, 泰定帝1, 泰定 2년 윤1월 壬戌).
274) "二月甲午, 燃燈, 王如奉恩寺"는 오류이다. 이때 王과 王妃[金童公主]는 다이두[大都]에 滯在하다가 5월 13일(辛酉) 開京에 到着하였다.

甚怨慭，仰司憲·巡軍，體察究理．山林川澤，與民共利，近來，權勢之家，自占爲私，擅禁樵牧，以爲民害，仰憲司禁約，違者治罪．不畜雞豚，宰殺牛馬，甚爲不仁，自今，畜養雞豚鵝鴨，以備賓祭之用，宰殺牛馬者，科罪．州縣吏，有三子者，毋得剃度爲僧，雖多子，須告官，得度牒，許剃一子．違者，子及父母，俱治其罪":刑法2禁令轉載].

[○遣使如元，上表謝不立行省，又移咨中書省請刷還流民:追加].[275]

三月[辛亥朔小盡,庚辰]，辛未[21日]，慮囚.

[某日，[都僉議政丞]崔有渰還自元，時朝廷欲立省我國，革世祿，奴婢之法．有渰詣中書省，力言請因舊制，從之．及還，國人擧手加額，泣曰，"存我三韓者，崔侍中~~政丞~~也"．時有渰年八十六:節要轉載].[276]

[某日，□[贊]化平府使李晟卒．晟，弱冠登科，窮討墳典，若將終身，年五十九，拜左思補，棄官歸田．上王在燕邸，聞其名，拜內書舍人，累遷至成均祭酒，所至學者如雲，人謂之五經笥:節要轉載].

---

275) 이는 다음의 자료에 의거하였다.

· 『졸고천백』 권2, 國王與中書省請刷流民書，泰定乙丑，"竊念本國屬太祖龍興，肇造區宇，時有契丹遺民，奉其主後金山，僞署官吏，自號大遼收國王，驅掠人物東來，據險陸梁，逆命重煩．朝廷遣帥臣合臣·扎臘等致討，我高祖太師·忠憲王供偫大犒，掎角而滅之．自是擧國內附，恪修職貢，歲無有闕．以至世祖回自征南，將登寶位，我曾祖太師·忠敬王，以世子入朝，迎拜於梁楚之郊，欽遇聖恩，許以己未[高宗46年]二月以後逃虜人口歸元．而我祖大師·忠烈王，得尙皇姑齊國大長公主，生我父太尉·瀋王．累蒙朝廷特遣使臣，與遼陽省及征東□[省]委官會刷歸之，而每緣土官占吝，刷之不悉．又予至治元年[忠肅8年]入朝以後，五載之間，國人失於防閑，逃入遼瀋·開元地面，不知其數．今者欽具表文，遣人聞奏，伏望上念累朝字小之本意，下察小國勤王之微勞，導降兪音，使散渙之民，得令復業，則海隅小邦，永荷覆育，不勝幸甚，不宣"(藝文應教崔瀣撰)".

· 『졸고천백』 권2, 又謝不立行省書，是年[乙丑]，"伏念小邦世荷累朝涵育，國中君臣之分，一皆依舊．不料邇年樂禍之人間起，以致朝廷有議立省．百姓聞之，人不自安，近者欽蒙聖旨，一切禁之，擧國上下實獲再生，唯知蹈舞而已．玆遣小介，奉表進謝，伏望善爲聞奏，永示字小之仁，不勝忻慶，不宣"(藝文應教崔瀣撰).

276) 이 기사는 열전23, 崔有渰에도 수록되어 있고, 이때 몽골제국에 立省을 주장한 인물은 左丞相 倒剌沙[Doras]이고, 이를 저지시킨 인물 중의 1人은 太子詹事 忙古台[Mungketai], 곧 方臣祐였던 것 같다.

· 『익재난고』 권7, 方臣祐祠堂碑，"… 倒剌沙之爲左□[丞]相也．主立省之議甚力．平章[方臣祐]白中宮，諭輔臣如前意，倒剌沙議詘，事遂寢．由是，忠宣·忠肅兩王，皆體貌之．爵上洛府院君，階三重大匡，號推忠·敦信·翼亮功臣"．여기에서 ~~添字~~가 탈락되었을 것이다.

· 열전35, 方臣祐，"又嘗欲立省于本國，臣祐白壽元皇后，事遂止．由是，忠肅亦厚遇之，封上洛府院君，賜推誠·敦信·亮節功臣號".

[→[李]晟, 潭陽人. 弱冠登第, 調溫水監務, 移水原司錄. 秩滿, 挈家歸竹溪村舍, 不求祿仕, 日以討墳典爲事. 後被薦, 補國子博士, 除閤門祗候. 年五十九, 拜左司補, 入直西省, 作詩云, 藥砌淸風欺我老, 竹溪明月誘吾情. 昨宵已決歸田計, 雪盡江南匹馬行. 翌日, 棄官歸田, 一時名儒, 會晟草堂, 設尊俎餞之. 忠宣在燕邸, 聞其名, 超授內書舍人, 遷典儀副令·藝文應教, 轉選部議郞. 忠肅元年, 棄官南歸, 加民部典書致仕. 後爲化平府使, 未幾又辭. 卒年七十五, 無子. 爲人質素無華, 自少力學, 卷不釋手, 所至學者如雲, 時人謂之五經笥:列傳22李晟轉載].

夏四月[庚辰朔小盡,辛巳], 甲辰[25日], 禱雨.

[某日, 以朴全之爲推誠贊化功臣·三重大匡·守都僉議政丞·右文館大提學·監春秋館事·上護軍·延興君致仕,[277)] 崔雲爲知密直司事·右常侍·上護軍,[278)] 金子松爲檢校神虎衛保勝中郞將:追加].[279)]

[某日, 王寫成銀字'銀字阿育王太子法益懷目因緣經':追加].[280)]

[是月頃, 以[前監察執義]尹宣佐爲通憲大夫·判典校寺事:追加].[281)]

五月[己酉朔大盡,壬午], 辛酉[13日], 王及[金童]公主至自元, 山棚結彩, 陳雜戲, 獻歌謠, 以迎.
○是日, 上王薨于 燕邸.[282)]

[→辛酉, 太尉王[注, 卽忠宣王]薨于燕邸:禮6國恤轉載].

---

277) 이는 다음의 자료에 의거하였는데, 이하의 崔雲과 金子松도 같은 날짜에 임명되었을 것이다.
- 「朴全之墓誌銘」, "泰定乙丑四月, 加三重大匡·守□[都]僉議政丞·右文館大提學·監春秋館事·上護軍치사, 延興君·功臣號如故".
- 열전22, 朴全之, "… 起[朴]全之視事, 以老固辭. 乃授政丞致仕, 賜推誠贊化功臣號, 俸祿如故".

278) 이는 「崔雲墓誌銘」에 의거하였는데, 이때 崔雲은 通憲大夫·知密直司事·右常侍·上護軍에 임명되었다.

279) 이는 金子松의 官敎에 의거하였다(川西裕也 2014年 45面).
- "鈞旨, 金子松爲檢校神虎衛保中郞將者, 泰定二年四月日」.

280) 이는 『紺紙銀泥阿育王太子法益懷目因緣經』題記에 의거하였다(京都國立博物館 所藏, 京都國立博物館 1964年 ; 權熹耕 1986년 391面 ; 李基白 1987년 140面 ; 張東翼 2004년 730面 ; 張忠植 2007년 92面).
- 題記, "泰定二年乙丑四月 日,高麗」 國王發願寫成銀字大藏".
- [背書] "正菴". 이는 筆寫者로 추측된다.

281) 이는 「尹宣佐墓誌銘」에 의거하였다.

282) 이날은 율리우스曆으로 1325년 6월 23일(그레고리曆 7월 1일)에 해당한다.

[○□□[是月], 旱, □□[某日], 雨:五行2轉載].[283)]

甲戌[26日], 遣三司使尹莘傑·[巡軍]萬戶姜融, 迎梓宮于平壤.

[→甲戌, 訃至, 遣三司使尹莘傑·萬戶姜融, 迎梓宮于平壤:禮6國恤轉載].

[某日, 命巡軍·忽赤等, 別行巡綽, 禁街衢閑雜人:兵2宿衛轉載].

六月己卯朔[小盡,癸未], 加上先王·先后尊號, 又加境內山川神號.[284)]

壬寅[24日], 三司右使趙延壽卒, [年四十八:追加].[285)] [延壽, 豪逸敢言, 然貪財好色, 貳於瀋王. 時議薄之:節要轉載].

[→延壽, 一門貴盛, 乘勢使氣. 其弟僧義璇, 奪占寺院, 贊成事朴虛中, 坐都堂, 斥其罪. 延壽右義璇, 虛中執不可, 延壽遂辱罵之. 高峯縣吏愁萬, 依延壽勢, 避吏役, 與延壽家奴等, 强姦成均生周覬女, 覬告巡軍, 杖殺之. 延壽貪財好色, 嘗與密直白元恒, 私取行宮盤纏金銀·苧布用之, 爲世所鄙:列傳18趙延壽轉載].

[○鎭星犯東井:天文3轉載].

[某日, 上護軍致仕崔有倫寫成'紺紙銀字妙法蓮華經':追加].[286)]

---

283) 이 시기 곧 泰定年間(1324~1328)에 몽골제국에서는 陝西(關陝, 現 陝西省 地域)地域에서 每年 큰 旱魃이 있었던 것 같다(陳高華 2010年 66面).

· 『揭文安公全集』 권13, 故榮祿大夫·陝西等處行中書省平章政事呂公[元]墓誌銘, "… 泰定之際, 關·陝連歲大旱, 父子相食, 死徙者十九. 文宗卽位, 詔起公爲陝西等處行中書省平章政事, 以撫其民, 公曰'民急矣', 卽日就道, 晝夜兼行, 及到官宣布天子德意 發楮幣百萬緡·米萬斛, 命有司賑之, 公乃齋, 不食三日, …"(四庫全書本11右末行).

284) 이때의 尊號는 『고려사』에는 반영되어 있지 않다.

285) 이는 「趙延壽墓誌銘」에 의거하였는데, 이날은 율리우스曆으로 8월 3일(그레고리曆 8월 11일)에 해당한다.

286) 이는 福井縣 小濱市 羽賀町 82-5 羽賀寺에 소장된 『紺紙銀泥妙法蓮華經』 권7의 末尾 題記에 의거하였다(福井縣 編 1989年 790面 ; 菊竹淳一 1981年 單色圖版69 ; 權熹耕 1986년 410面 ; 張東翼 2004년 710面 ; 福井縣 編 1989年 790面). 또 이 사경의 追記되어 있는 일본 측의 기록에 의하면, 1422년(세종4, 應永29) 일본 승려 乘海가 조선으로부터 하사받아 羽賀寺에 寄進하였다고 한다.

· 題記,"特爲已身現增福壽,當生淨界之願,」 債人[倩人]敬寫蓮經七卷尒,」 泰定二年六月 日 誌,」 上護軍致仕崔 有倫 立願"(卷7卷末). 여기에서 債人(채인)은 倩人(천인, '他人에게 付託하여')으로 고쳐야 옳게 될 것이다.

· 追記,"奉寄附若州國富庄羽賀寺」 唐本法華經一部七軸,」 欽其志於仰寺講經讀師公用□偏以年捻」 講問薰修答三世三寶四恩聖, 凡無彊帝君」 久昌, 檀信聚崇, 法輪常轉,玆尊朝續而已,」 應永廿九年壬寅[世宗4年]月日, 小僧都得號」 乘運載船渡海, 密藏教湛, 故以藏海」 教迷凡乘船從果向因全名左之, 乘海」".

秋七月[戊申朔大盡,甲申]，己巳[庚午23日]，知密直□[司]事崔雲卒，[年五十一:追加].[287]

癸酉[26日]，鷄林府院君王煦·密直副使李凌幹等奉上王梓宮，至自元，百官玄冠·素服郊迎，殯于淑妃宮.[288]

甲戌[27日]，延興君朴全之卒,[289] [年七十六，謚文匡:追加].[290] [忠烈王選衣冠子弟二十人，入侍中朝，全之與焉．與中原名士，商確古今，如指諸掌．時忠宣爲世子，令全之爲傅，及卽位，以師傅舊恩，封延興君．爲人，溫厚慈愛，通經史究術數．忠宣常招入內，廣平[鑑]·江陵[燾]二君侍，王令各自書名，以示全之曰，誰享國者．全之不敢對，王固要之，全之良久避席曰，“觀兩君筆迹，亞君當璧矣”．不數月，廣平公卒，江陵果爲嗣:節要轉載]，[其識見如此．子遠，初名瑗，登第仕至政堂文學．有寵忠肅，久典政柄．性仁柔，頗有簠簋之誚:列傳22朴全之轉載].

[某日，散員張世奪少尹林俊卿馬，司憲府究治之，世亡匿．搜捕逼其族親，世乃到[司憲]持平金開物第，拔劍自刺大叫．憲司下世獄，遂詣闕請罪．世妹夫王三錫，從中沮不達，以杖擊開物．又擅釋世，開物與掌令金元軾·持平金永煦等，復詣闕，請世罪．王怒歐啓事者．憲司閉門，不視事累日．王遣近臣諭元軾等曰，“待葬上王，治三錫等罪，卿等宜視事”．○三錫本蠻人，隨商舶至燕，王之入朝也，因幸臣以求見，王見而悅之，寵眷無比，稱爲師傅:節要轉載].[291]

[史臣兪思廉曰，“王三錫，無學術，一蠻人也．王惑信之，密邇於側，非唯賣官鬻獄，至於廷辱風憲．而王不悟，佞人之難遠也，如此哉”:節要轉載].

[→忠肅十二年，啚新庶政，拜開物司憲持平，强起之，視事數月，士林屬望．時散員張世奪少尹林俊卿馬，憲府究治之，世亡匿．搜捕逼其族，世至開物第，拔劍自刺大叫．憲司下世獄，遂詣闕請罪．世妹壻王三錫從中沮不達，杖擊開物，又擅釋世．翌日，開物與掌令金元軾·持平金永煦等，復詣闕，請世罪．王先入三錫言，怒毆啓事

---

287) 崔雲의 묘지명에 의하면, 그의 逝去는 7월 己巳(22일)가 아니라 庚午(23일)라고 되어 있다. 이는 『고려사』의 편찬자가 『충숙왕실록』을 축약할 때 날짜[日辰]를 잘못 정리한 사례의 하나가 될 것이다. 이날은 율리우스曆으로 1325년 8월 31일(그레고리曆 9월 8일)에 해당한다.

288) 이 기사는 지18, 禮6, 國恤에도 수록되어 있고, 이와 관련된 기사로 다음이 있다.
- 열전23, 王煦, “及忠宣薨，服衰麻，奉柩東還．旣葬，每朔望，私祭陵下，至歿身”.
- 열전23, 李凌幹, “[忠宣]王薨，奉梓宮東歸，號呼跋涉，勤苦備至”.

289) 이날은 율리우스曆으로 9월 4일(그레고리曆 9월 12일)에 해당한다.

290) 이는 「朴全之墓誌銘」에 의거하였다.

291) 이때 金開物은 通直郞·司憲持平이었다(金開物墓誌銘).

者, 憲司閉門, 不視事. 王遣近臣, 諭開物等曰, "待德陵事畢, 治三錫罪, 卿等宜視事. 若張世之罪, 聽本府科斷". 開物移病不出, 人惜其去:列傳19金開物轉載].

[某日, 以慶尙道提察使薛文遇, 仍番:慶尙道營主題名記].

[是月頃, 以通直郎·攝部直郎金景直爲雞林府判官:追加].[292]

八月戊寅朔大盡,乙酉, [甲申7日, 時坐宮廚火:五行1轉載].[293]

壬辰15日, 王與公主幸漢陽, 張氈幕於富原龍山高阜, 望海處, 而御之.[294]

[→尹宣佐, 俄以民部典書出尹漢陽. 旣而王及公主如龍山, 謂左右曰, "尹尹淸儉, 故使牧民, 汝曹愼勿擾溷":列傳22尹宣佐轉載].

[戊戌21日, 寒露. 雷電:五行1雷震轉載].

[○鵂鶹鳴于市屋, 烏鵲隨噪之:五行1轉載].

癸卯26日, 以公主彌月, 宥二罪以下.

九月戊申朔大盡,丙戌, 己酉2日, 以金章鷹坊·內乘之讒, 杖中道楊廣道提察使李衍宗於行宮.[295]

---

292) 이는 『동도역세제자기』에 의거하였다.

293) 原文의 "八月甲申, 時坐宮廚火. 九月癸酉, 市廛火"는 충숙왕 11년에 연결되어 있으나 이해[是年]의 日辰과 부합하지 않는다. 또 이 사실이 충숙왕 16년 3월 以前이므로 그 사이에 8月 甲申과 9月 癸酉가 있는 年度는 없으므로 1325년(충숙왕12)의 誤謬로 추측된다.

294) 이때의 漢陽府尹은 民部典書 尹宣佐였다(열전22, 尹宣佐 ; 尹宣佐墓誌銘). 또 이와 같은 氈幕[Pao, 蒙古包, Mongolian Yurt]은 조선 전기에 波吾達[驛·院의 宿所]이라고 불렸고, 국왕의 행차에 따라 廣州 樂生驛, 伊川 吾川驛, 驪州 江邊, 楊州 月介田, 加平縣 連洞驛, 坡州 廣灘, 長湍 通濟院, 鐵原府 永平縣 梁文驛·風流巖, 抱川 每場, 金化縣 都昌 등에 設置되었던 것 같다.

- 『세종실록』 권78, 19년 9월 戊戌11日, "… 上遂書世子講武之制, 以示曰, '行幸稱山行, 動駕稱上馬, 下輦稱下馬, 隨駕稱隨行, 駕前稱馬前, 還宮稱歸宮, 敬奉敎旨稱奉令旨, 啓稱申, 波吾達·晝停通稱. 軍士三分之二隨行, 兵曹·鎭撫所減半'. …".
- 『세조실록』 권40, 12년 11월 丙申28日, "遣巴山君趙得琳·鎭撫閔惲, 審定巡幸所過波吾達".
- 『성종실록』 권9, 2년 3월 壬辰19日, "下役民式于戶曹. 一應收稅田, 每八結出一夫, 觀察使量功役多少, 循環調發. …其京藏氷·採金·修站館·築牧場·埋貢炭·造橋梁·刈郊草·鐵物吹鍊·牧場驅馬·禮葬造墓, 爲常例調發. 築城·運米·天使轎夫·新築牧場·波吾達, 焰硝·輸木·石築·堤堰·山臺·採葛·石灰燔造, 爲別例調發".
- 『성종실록』 권236, 21년 1월 丁丑24日, "前掌樂院正林重上書曰, '臣嘗爲布營使從事官, 凡耳目所覩記者, 與夫平日之所欲陳者, 謹條列以獻. 一曰, 大駕不宜輕動. 臣聞古者, 吉行日五十里, 師行三十里. 今之波吾達, 相距幾四五十里, 或至八九十里, 相其地利與水草而然也'. …".

295) 中道는 楊廣道(忠淸道의 改稱)의 略稱이다(→원종 13년 9월 13일의 脚注).

[己未[12日], [金童]公主生子於龍山:節要轉載],[296)] [是爲龍山元子:列傳2忠肅王曹國長公主轉載].

辛酉[14日], 以僧祖衡爲王師.

戊辰[21日], 慮囚.

[癸酉[26日], 市廛火:五行1轉載].

[甲戌[27日], 鵂鶹鳴於旻天寺三層閣:五行1轉載].

[乙亥[28日], 亦如之[鵂鶹鳴於旻天寺]:五行1轉載].

[丙子[29日], 獐入旻天寺, 毛色異常:五行2轉載].

冬十月[戊寅朔小盡,丁亥], 戊子[11日], 遣摠部典書李光時如元, 賀聖節.

乙未[18日], 敎曰, "孤承先業, 謬荷丕圖, 常思置器之難, 深極臨淵之懼. 迺者, 奉詔入朝. 時, 有負罪奸臣, 飾辭誣譖, 謀傾寡人. 適新皇帝御極, 肅將天威, 掃清內亂, 賞罰至公, 曲直自辨. 於是, 紀祖宗之功, 廓天地之度, 釐降公主, 命復侯藩, 曠遇之幸, 顧不偉哉. 孤賴父王嚴訓, 得免悔尤, 式至今日, 皇天不弔, 奄爾弃世, 萬機之繁, 無所咨. 况近來, 官吏弄法, 寃枉甚衆, 以致乾文屢變, 時令不順, 慄慄危懼, 罔知攸濟. 推廣天子好生之德, 遹追先考愛物之仁, 宜宣實惠, 以闡大和, 其二罪以下, 咸宥除之. 於戱, 易俗移風, 庶啓維新之化, 仁民愛物, 旁推不忍之心.

一. 尊祖報本, 孝理所先. 太祖以來, 歷代君王, 加上尊號.

[□一. 祖王[太祖]苗裔, 雖挾三女, 許初入仕, 屬南班者, 改屬東班, 勿差國仙, 仍免軍役:選擧3祖宗苗裔轉載].

[□一. 歷代功臣蔭職, 並依舊制, 其甲戌年[忠烈卽位年]以來, 有戰功人及戰亡人子孫, 各加敍用:選擧3功臣子孫轉載].

一. 國內名山大川, 載諸祀典者, 各加德號, 修葺祠宇, 圓丘籍田, 社稷寢園, 佛宇道觀, 修營以祭. 先代陵廟, 官禁樵牧, 毋令踐蹂. 箕子始封本國, 禮樂敎化, 自此而行, 宜令平壤府, 立祠以祭.[297)] 其祭文宣王·十哲·七十子, 本國文昌侯[崔致遠]·弘儒侯[薛聰], 務致蠲潔.

一. 大師[太師]·右丞相·東平王拜住, 於我父子, 臨危救難, 永安社稷, 恩莫重焉. 每歲貢獻之時, 幷土物于其子孫.

---

296) 『고려사절요』 권24에서 己未 앞에 九月이 탈락되었다.

297) 이 구절은 지17, 禮5, 雜祀에도 수록되어 있다.

一. 父王吐蕃之行, 侍從艱險者, 忠義殊等, 宜加異奬.

一. 辛酉年忠肅8年以來, 隨從功臣, 奮義忘身, 夷險一節, 帶礪難忘. 別加褒奬, 延及子孫. 其留在本國, 不顧利害, 一心輔佐者, 亦加旌賞, 其已身沒者, 追封爵號, 賞及子孫.[298)]

一. 孝子·節婦, 旌表門閭, 勸勵風俗.

一. 前者, 奸臣謀構, 危言以動衆心, 能執君臣之義, 奮不顧身者實少, 而顧望疑遲, 中立觀變者, 一國皆是. 及乎孤之危急, 甚於累卵, 孰不靡然從於奸黨. 義當治罪, 以爲人臣之戒, 然迹其心, 盖不得已, 已皆寬宥, 不介于懷. 彼尙不曉, 自懷疑懼, 故玆原宥, 以定其志. 其忠節雖虧, 而有才幹者, 皆許敍用.

一. 郡縣大小, 本有定制, 近來, 無功而升號者頗多. 其非先代所設, 皆仍舊號.

一. 守令, 分憂宣化, 當小心供職, 務安百姓, 近賞罰不明, 無有懲勸, 率皆貪汚廢職, 各道存撫·提察, 考其殿最以聞.[299)]

[□一. 風憲之司, 糾察百官非違, 凡官政廢擧, 民生休戚所係. 其司憲部·讞部, 各思所職, 彈糾不諱, 以振紀綱, 如有挾私遠害者, 亦加理罪:刑法1職制轉載].

一. 內外兩班·鄕吏·百姓, 冒受金印·檢校職, 結銜避役, 甚爲淆濫. 司憲府·各道存撫·提察使, 皆收職, 各從本役. 如有不從條令, 不納職牒者, 嚴行斷罪. 又冒受摠·選部入仕上典, 幷僞造謝牒者, 不在此例.

一. 各領府隊正人等, 俸祿歲減, 勞役日深, 孤甚恤焉. 宜令重房, 體察完護, 甲戌年忠烈卽位年以來, 有戰功人及戰亡人子孫, 各加敍用.

[□一. 學校風化之源, 嚴加勸勵, 以備擢用:選擧2學校轉載].

[□一. 茂才碩德, 孝廉方正之士, 側微無聞者, 所在官司, 錄名升薦 :選擧3薦擧轉載].

[□一. 本國鄕吏, 非由科擧, 不得免役從仕. 近者, 逋亡附勢, 濫受京職, 又令子弟, 不告所在官司, 投勢免役, 內多濫職, 外損戶口. 今後, 外吏及其子弟, 毋得擅

---

298) 조선시대에 官僚의 승진에서 정해진 在職期間을 채워 승진하는 것을 仕加, 恩賞을 받아 승진하는 것을 別加, 父兄의 恩典을 子弟가 대신하여 받는 것을 代加라고 하였다.

· 『象村雜錄』, "我朝取人之路有三, 曰文科, 曰武科, 曰蔭職, … 資級有九品, 由郞至大夫, 陞資者必計朔, 滿朔乃遷, 稱爲仕加. 國有恩賞, 而頒給於百官者, 稱爲別加. 父兄官高, 不親受恩加者, 子弟代受之, 稱爲代加. 別加·代加, 非常典也. 待滿而遷者, 必閱數年, 纔陞一階, 故其在理, 平居官者, 非有閥閱功勞, 不得橫遷, 故筮仕者, 雖十年, 猶未得通訓□□大夫階. …".

299) 이 구절은 지38, 刑法1, 職制에도 수록되어 있다.

離本役, 其受京職者, 限七品, 罷職從鄕:選擧3鄕職轉載].[300]

[□¯. 惠民局·濟危寶·東西大悲院, 本爲濟人, 今皆廢圮, 宜復修營, 醫治疾病:百官2東西大悲院·食貨3水旱疫癘賑貸之制轉載].

[□¯. 權勢之家, 奪人土田, 田屬勢家, 稅仍本主, 甚爲民害. 自今, 受賜田, 雖功臣, 毋得過百結, 式目都監, 考覈賜牌, 削其贏數:食貨1功蔭田柴轉載].

[一. 開城府五部及外方州縣, 以百姓爲兩班, 以賤人爲良人, 僞造戶口者, 據法斷罪:食貨2戶口轉載].

[一. 權勢之家, 廣置田莊, 招匿人民, 不供賦役者, 所在官司, 推刷其民, 以充貢戶:食貨2戶口轉載].

[□¯. 農桑, 王政所先, 其罷不急之役, 以時勸課, 毋致失業:食貨2農桑轉載].

[□¯. 各處塩戶, 人有定數, 貢有定額, 近年以來, 塩戶日損, 貢數仍存, 內外管塩官, 不行察体, 以逋戶貢塩, 加徵貢戶, 以充本數, 民甚苦之. 如有逋逃者, 所在官司, 推還本役, 其有未得根尋, 與夫故沒無後者, 並除貢數, 諸倉貢民, 亦依此例:食貨2塩法轉載].

[□¯. 公私諸債, 年月雖多, 止還一本一利. 如有倒換文契, 恣行不法者, 官治其罪. 貧民未償宿債, 賣其子女者, 所在官司, 贖還父母. 役使歲月, 旣准其價, 官收文契, 各令放還:食貨2借貸轉載].

[一. 西海·平壤兩道·近因行李往來, 供億煩劇, 平壤道官給粮以賑之, 西海道, 復今年租稅之半:食貨3恩免之制轉載].

[一. 漢陽·富原, 今値南巡, 慮多供億, 其復今年租稅:食貨3恩免之制轉載].

[一. 官吏貢賦欠納者, 截自甲子年忠肅11年以前, 一切蠲免:食貨3恩免之制轉載].

[□¯. 年九十以上, 官給資糧, 七十以上, 給侍丁一人, 復其身, 鰥寡孤獨·疲癃殘疾者, 所在官司, 優加賑恤:食貨3鰥寡孤獨賑貸之制轉載].

[□¯. 合浦等處, 鎭戍軍人, 大小郡縣, 數目不均, 今後, 巡撫鎭邊使, 斟酌殘盛, 改定數目. 凡侵擾營鎭, 以濟私欲者, 嚴加禁恤:兵2鎭戍轉載].

[□¯. 驛路凋弊, 盖因內外官司, 濫騎驛馬, 或持私馬, 須索供給, 所在官司, 不能禁止, 以致驛戶逃移. 今後, 影占驛戶者, 推還本驛, 嚴行徵罰:兵2站驛轉載].

[□¯. 官私奴子, 妄稱南班, 引誘良家婦女婚嫁, 據法禁理":刑法1戶婚轉載].

---

300) 鄕吏가 及第하지 아니하고 免役된 경우는 아들이 3人이 있을 경우는 가능하였다고 한다.
· 열전19, 嚴守安, "寧越郡吏, 身長有膽氣. 國制, 吏有子三, 許一子從仕, 守安, 例補重房書吏".

丁酉[20日], [金童]公主薨于龍山行宮,[301)] [年十八. 時有飛書云, "禪師祖倫·師傅王三錫, 誘引主上, 久留龍山濱海卑濕地, 至使公主, 免身氈幕, 遘疾莫救. 若達帝聰, 二人之罪, 在所不赦". 祖倫諂事李宜風, 遂得近幸, 頗與朝政, 逞私撓法, 人皆疾之:節要轉載].[302)]

丙午[29日晦], 遣右代言李揆如元, 告公主喪.

十一月[丁未朔大盡,戊子], 庚戌[4日], 王至自漢陽.

甲寅[8日], [冬至]. 葬上王于德陵.[303)]

[○鶉入市廛閒:五行1轉載].

乙卯[9日], [金童]公主之喪至自龍山.

丙辰[10日], 移御于吉昌君權準第. [周觀屋宇之美, 嘆曰, "非寡躬所當居也":節要轉載].[304)] 自是, 屢移私第.

[癸亥[17日], 月犯畢:天文3轉載].[305)]

[甲子[18日], □[月]犯天關:天文3轉載].

[丁卯[21日], 鵂鶹鳴于演福寺:五行1轉載].

庚午[24日], [小寒]. 以李齊賢爲推誠亮節功臣·政堂文學.

---

301) 이날은 율리우스曆으로 1325년 11월 26일(그레고리曆 12월 4일)에 해당한다.

302) 이 내용의 일부가 열전37, 폐행2, 王三錫에도 수록되어 있다. 또 이 시기 이후에 王三錫은 儒學提學司의 提學에 임명되어 몽골제국의 경우와 마찬가지로 孔子의 塑像을 만들어 大成殿에 봉안하였던 것 같다. 이후 大成殿의 諸賢들이 모두 塑像으로 代替되었고, 이것이 朝鮮前期까지 이어지다가 中期에 이르러 木主로 교체되었던 것 같다.

- 열전37, 王三錫, "… 三錫, 嘗爲儒學提學, 欲塑文宣王像, 成均館閉大成殿不納. 三錫譖之, 囚博士李暄, 學錄申諝於理問所, 並罷其職. 其專恣如此".
- 『佔畢齋集』, 文集권1, 謁夫子廟賦, "景泰甲戌[端宗2年]秋, 嚴君, 自成均司藝, 出爲星州敎授, 乙亥[3年]春, 余及仲氏, 往省焉. 因留黌序讀書, 携諸子, 入禮夫子廟, 見大聖以下四聖十哲, 皆塑以土, 歲月已遠, 黯黮如入古寺, 見千歲偶人. 予愕然不敢指視, 以爲大聖·大賢如有靈, 其肯依此, 而受享乎? 於是, 咎始作者之無稽, 書此賦, 遺諸子, 俾改以木主云. …".
- 『懶齋集』 권1, 遊松都錄(1477년 3월), "癸未[16日], … 至成均館謁聖, 五聖十哲, 皆土塑, 元人所造也".

303) 이 기사는 지18, 禮6, 國恤에도 수록되어 있다.

304) 이와 같은 기사가 열전20, 權咺, 準에도 수록되어 있다.

305) 이 기사는 다음의 a와 같지만, b와 같이 고쳐야 옳게 될 것이다.

- a지3, 天文3, "十二月癸亥, 月犯畢, 甲子犯天關. 壬申太白晝見. 己卯月與太白, 同舍于南斗".
- b지3, 天文3, "十一月癸亥[17日], 月犯畢, 甲子[18日], 犯天關. 壬申[26日], 太白晝見. □□□~~十二月~~己卯[3日], 月與太白, 同舍于南斗"[校正].

[壬申26日, 太白晝見:天文3轉載].

十二月丁丑朔小盡,己丑, [己卯3日, 月與太白, 同舍于南斗:天文3轉載].

癸未7日, 元中書省移牒曰, "自成吉思皇帝以來, 出氣力有功者, 抄錄史策以進". 從□□翰林國史院之奏也.[306]

乙未19日, 元遣左司郎中脫必歹□來, 賜王寶鈔一百錠·宣醞二十壺, 弔慰兼致奠金童公主.[307]

[→元遣左司郎□中脫必歹來, 致奠:列傳2忠肅王曹國長公主轉載].

[是月, 遣使如元, 奉方物, 賀正旦:追加].[308]

[冬某月, ~~左政丞致仕~~趙簡卒, ~~年六十三~~. 諡文良:追加].[309]

---

306) 國史院은 『고려사』의 편찬자가 翰林國史院을 줄여서 표기한 것 같다. 後者는 몽골제국 때에 國史院이 翰林院에 병합된 것이고, 이곳에 李穀이 在職한 적이 있다.

307) 『고려사절요』 권24에는 이 기사 앞에 十二月이 탈락되었다.

308) 이는 다음의 자료에 의거하였다.

· 『원사』 권30, 본기30, 泰定帝2, 泰定 3년 1월, "丙午朔, 征東行省左丞相·高麗國王王璋~~王燾~~, 遣使奉方物, 賀正旦". 여기에서 ~~添字~~와 같이 고쳐야 옳게 될 것이다.

309) 趙簡(朴華의 妻男)의 沒年을 알 수 없으나 1336년(충숙왕 後5)이전으로 文良이라는 諡號가 추증되었다(朴華墓誌銘). 또 ~~添字~~는 후대에 만들어진 그의 行狀에 의거하였다. 그리고 李穡이 禑王代에 가지고 있던 犀帶·紅鞓의 2점 중 1점은 趙簡이 충렬왕으로부터 받은 것이 李齊賢(이색의 知貢擧)에게 전해진 것이고, 이것이 다시 이색에게 주어진 것이라고 한다. 다른 1점은 權漢功(金光濟의 知貢擧)이 金光濟에게 준 것을 그의 後孫이 이색(權漢功의 孫壻)에게 전달한 것이라고 한다.

· 열전19, 趙簡, "以贊成事卒, 諡文良. 簡既老, 瘇疽肩項幾不辨. 有醫僧~~妙圓者~~曰, '疽根於骨, 骨當半朽, 不刮去不理. 唯恐不能忍'. 簡曰, '死等耳, 第試之'. 乃以利刃剸之, 骨果朽, 刮之傅藥, 絶而瞑者二日. 上洛君金恂, 簡牓第二人, 往問涕泣不已. 簡忽張目, 使人語曰, '不謂公之憫我如此. 豈心於喜而色於悲耶'. 恂曰, '是何言. 四紀同年契, 烏得無情'. 簡曰, '我死, 牓中無先公者'. 恂收涕笑曰, 子不死". 여기의 金恂은 1321년(충숙왕8) 8월 21일 서거하였다. 여기에서 ~~添字~~가 추가되면 좋을 것이다.

· 『역옹패설』前集2, 末尾에서 셋째기사, "金文英公恂, 爲趙文良公簡榜第一人~~第二人~~, 文良既老, 瘇疽肩項幾不辨. 衆醫拱手, 僧有妙圓者曰, '此疽根於骨, 骨當半朽, 不刮去不理. 唯恐不能忍之也'. 文良曰, '死等耳, 第試之'. 乃以利刃割肉, 骨果朽, 刮之傅藥, 文良絶而瞑者二日. 文英聞而往問, 坐門涕泣不能已. 文良忽張目, 使人語曰, '不謂公之憫我如此. 豈心於喜而色於悲耶'. 文英曰, '烏是何言. 四紀同年之契, 其可忽諸'. 文良曰, '我死, 牓中無先公者'. 文英收涕笑曰, '老子不死矣', 乃歸". 여기에서 ~~添字~~와 같이 고쳐야 옳게 될 것이다.

· 『錦谷集』 권18, 高麗門下侍中·左政丞趙公狀錄, "… 忠烈己卯5年, 年爲十六, 擢第壯元, 補書籍店錄事, … 加門下侍中·左政丞, □□~~仍令~~致仕. 歸別墅, 與諸生講論經典, 勉以忠孝, 卒于乙丑忠肅12年冬, 諡文良". 여기에서 門下侍中은 잘못이고, ~~添字~~가 추가되어야 옳게 될 것이다.

[是年, 分藝文春秋爲二館, 藝文館, 置脩撰·注簿各一人, 檢閱二人. 後[恭愍5年以前]改供奉正七品, 脩撰正八品, 檢閱正九品:百官1藝文館轉載].

[○分藝文春秋爲二館, 春秋館, 置脩撰·注簿各一人, 檢閱二人. 後[恭愍5年以前]改供奉正七品, 脩撰正八品, 檢閱正九品. 又有領館事·監館事, 首相爲之, 知館事·同知館事, 二品以上爲之, 充脩撰官·充編修官·兼編修官, 三品以下爲之:百官1春秋館轉載].

[○改義成倉, 爲內房庫, 罷員吏:百官2內房庫轉載].

[○改德泉倉, 爲德泉庫, 罷員吏:百官2德泉庫轉載].

[○以閔漬爲推誠守正保理[輔理]功臣·三重大匡·□[都]僉議政丞·右文館大提學·驪興君致仕:追加].[310]

[○以金台鉉爲三重大匡·都僉議政丞, 仍令致仕:追加].[311]

[○以金深爲輸誠守義忠亮功臣·三重大匡·守僉議政丞·判典理司事·上護軍·化平府院君:追加].[312]

[○以[廣州牧使]朴華爲通憲大夫·密直副使·上護軍, 仍令致仕:追加].[313]

[○以[司設直長]尹之彪爲郎將, 時之彪年十六:追加].[314]

[○以閔思平爲藝文館修撰:追加].[315]

[○僧千熙[千禧]赴敎宗選, 登上品科:追加].[316]

[○律宗僧木軒□丘, 以開國寺殿宇工畢, 設慶讚會, 以落厥成. 見聞者, 莫不嗟賞焉:追加].[317]

· 『목은시고』 권14, 犀帶行, [注, 犀帶紅鞓二腰, 益齋·松亭[金光載]所傳].

310) 이는 「閔漬墓誌銘」에 의거하였는데, 功臣號의 保理는 輔理의 오자일 것이다(→공민왕 12년 12월 某日 李穡의 脚注).

311) 이는 다음의 자료에 의거하였다.

· 「金台鉉墓誌銘」, "明年[忠肅12年]王歸國, 以三重大匡·僉議政丞致仕. 是年, 大夫人年等百歲, 賜歲廩三十石".

· 열전23, 金台鉉, "尋以僉議政丞致仕. 台鉉母年百歲, 歲賜廩三十碩, 及百二歲而卒".

312) 이는 「金深墓誌銘」에 의거하였다.

313) 이는 「朴華墓誌銘」에 의거하였다.

314) 이는 「尹之彪墓誌銘」에 의거하였다.

315) 이는 『급암시집』 연보에 의거하였다.

316) 이는 「水原彰聖寺眞覺國師大覺圓照塔碑」에 의거하였다.

317) 이는 『익재난고』 권6, 重修開國律寺記에 의거하였다("… 自至治癸亥, 迄泰定乙丑, 三秋而畢

[是年, 元以權廉爲宣武將軍·合浦鎭邊萬戶府萬戶, 萬戶襲職也:追加].[318]

丙寅[忠肅王]十三年, 元泰定三年, [西曆1326年][319]

1326년 2월 3일(Gre2월 11일)에서 1327년 1월 23일(Gre1월 31일)까지, 355일

[春正月丙午朔大盡,庚寅, 某日, 以尹堯瞻爲慶尙道提察使:慶尙道營主題名記].

[某日, 僧行淳與僉議贊成事趙璉之卑屬印成'大般若波羅蜜多經'於杭州餘杭縣大普寧寺:追加].[320]

[二月丙子朔小盡,辛卯, 是月, 以王旨印成'金剛般若波羅蜜多經'壹萬卷:追加].[321]

[是月頃, 以禹承孫爲永州判官, 律學助教金仁撿爲雞林府法曹:追加].[322]

工, 作慶□讚會, 以落厥成. 見聞者, 莫不嗟賞焉").

318) 이는「權廉墓誌銘」에 의거하였다.

319) 이해의 기사가 극히 소략하기 때문에 [增補]에서 官僚가 在職한 사실도 수록하였다(以下 同一함).

320) 이는『大般若波羅蜜多經』의 題記에 의거하였는데, a의 文字排列도 b와 같았을 것으로 추측된다. 여기에서 趙璉은 그가 逝去한 1322년(충숙왕9) 8월 16일 이전에 승려 行淳과 함께 대장경의 印出을 준비하였던 것 같다.

- a 권291, 題記, "宣授中儀大夫中議大夫·王府斷事官·匡靖大夫·僉議贊成事·上護軍趙璉,」 化主行淳,」 泰定三年正月孟春印成」(長崎縣 對馬市 上對馬町 西福寺所藏, 山本信吉 1974年 ; 德永健太郞 2007年 ; 淸州古印刷博物館 2010년 89面, 筆者未見).
- b 권331,題記,"宣授中儀大夫中議大夫·王府斷事官·匡靖大夫·僉議贊成」 事·上護軍趙璉,」 化主行淳,」 泰定三年正月孟春印成」.
- c 권337裏書, "對馬州豊崎郡西伯西福寺常住」 檀越宗彦六貞晟, 住持沙門 祖傳僧 安置之」(b, c는 學習院大學 所藏 末松保和資料 9box에 判讀文이 있음).

321) 이는 忠淸南道 靑陽郡 大峙面 長谷里 15번지 長谷寺 下大雄殿의 金銅藥師如來坐像(보물 제337호)의 복장유물 중에서 下記의 墨書에 의거하였다. 이 腹藏物 중에는 至正六年(1346)이 記載된 封套[封筒], 苧布片 각 1枚도 있었다고 한다(李殷昌 1962년 ; 閔泳奎 1966년). 이 자료를 통해 볼 때 前年 10월 20일 龍山行宮에서 王妃 曹國長公主의 逝去를 계기로 국가에 의한 대규모의 佛典 刊行作業이 이루어졌던 것 같다.

- 『金剛般若波羅蜜多經』末尾跋, "金剛經者,以空爲宗,空性無导,一切圓應,」 求長壽者,能得壽,故謂之續命經,是以伏爲」 皇帝萬萬歲,」 皇后,」 皇太子齊年享福兼及寡躬延壽保安,上昇」 公主,超生淨刹,社稷長興,法界生土,俱霑妙益, 印成一萬卷, 廣施無窮者,」泰定三年二月 日誌」.

322) 이는『영천선생안』;『동도역세제자기』에 의거하였다.

[三月乙巳朔大盡,壬辰, 是月, 胡僧指空自大都來, 住王京西甘露寺:追加].[323)]

是月頃, 以李稷爲永州副使:追加].[324)]

---

323) 이는 다음의 자료(a)에 의거하였다(閔漬 撰 ; 許興植 1997년 316面). 指空(生沒年不明, 1300~1363 추정)은 號이고, 法名은 禪顯인데, 그의 行蹟記錄은 마치 마르크 폴로의 『東方見聞錄』처럼 과장된 면이 많지만(b), 그의 實相을 보여주는 자료도 있다(d, e, 張東翼 1997년 338面). 그리고 f, g의 元從功臣은 高麗末以來 洪武帝 朱元璋을 避諱한 原從功臣의 원래의 글자일 것이다(→우왕 9년 11월 某日의 脚注).

- a 『禪要錄』序, "… 越泰定三年三月日, 指空, 到于我王京城西甘露寺, 城中士女咸曰, '釋尊復出, 遠來至此', 盖往觀乎, 莫不鷄鳴, 而其奔走往來, 道路如織, 寺門如市者, 幾於二旬. …".
- b 『목은문고』 권14, 西天提納薄陁尊者浮屠銘幷序, "迦葉百八傳提納薄陁尊者禪顯, 號指空, …".
- c 『危太樸雲林集』 권10, 文殊師利菩薩無生戒經序, 癸巳, "… 皇元泰定初, … 因東游高句驪, 禮金剛山法起菩薩道場. 國王衆諸臣僚合辭, 勸請少留, 師乃出文殊師利菩薩無生戒經三卷, 欲使衆生, 有情無情, 有形無形, 咸受此戒. 聞者歡喜諦聽, 血食是邦者, 曰三岳神, 亦聞此戒, 卻殺生之祭, 愈增敬畏. 師之言曰, '直指人心, 見性成佛, 我道則然'. 說法放戒, 老婆心切, 故是經因事證理, 反覆詳明, 讀者若楞伽之, 初至歎息希有, … 今皇帝眷遇有加, 資政院使姜金剛既施財, 命工刻是經以傳, 門人達蘊請予爲序". 이 자료가 붙어 있는 『文殊師利菩薩無生戒經』은 梁山 通度寺에 보관되어 있는데, 이것에 1386년(우왕12) 李穡이 지은 跋이 추가되어 있다(보물 제738호, 千惠鳳 等編 1985년 65面).
- d 『宋學士全集』增補권3(補遺권7), 寂照圓明大禪師璧峯金公設利塔碑, "禪師諱寶金, 族姓石氏, 其號爲璧峯 … 至正戊子冬, 順帝遣使者, 召至燕都, 慰勞甚至. 天竺僧指空, 久留燕都, 相傳能前知, 號爲三百歲, 人敬之如神. 禪師往與叩擊, 空瞪視不答, 及出空嘆曰, 此眞有道者也". 이와 유사한 내용이 『補續高僧傳』 권14, 習禪傳, 金碧峰傳에도 수록되어 있다.
- e 『庚申外史』, 至正十九年條, "指空者, 西番西蕃剎帝利王第三子也, 狀貌魁偉, 不去鬚鬢, 服食擬於王者, 居京師四十年, 習靜一室, 未嘗出門. 王公貴人, 多見呵斥, 雖帝亦不免, 百八歲而死". 여기에는 指空이 108세에 入寂하였다고 하여, 그의 불분명한 出生年을 알 수 있는 하나의 자료를 제공한다.
- f 『목은문고』 권4, 松月軒記, "前林觀寺住持玉田達蘊禪師, 以吾李穡座主歐陽先生歐陽玄所書松月軒三字, 求記於予曰, '泰定間, 西天指空師至東國, 予以夙因, 見而悅之, 遂從之, 薙髮受戒'. … 師名達蘊, 玉田其號也, 俗姓曺氏曹氏, 昌寧人, 有爲今」 上元從功臣爲政丞者曹益清, 師其季也". 여기에서 夙因(숙인)은 前世의 因緣을 가리키고, 大都에서 燕邸隨從功臣으로 入相한 昌寧人은 공민왕대 좌정승에 임명된 曹益清이기에 玉田達蘊은 曹益清의 弟로 추측된다(열전21, 曹益清, 姜好鮮 2011년 60面).
- g 『昌黎先生集』 권30, 唐故鳳翔隴州節度使李公墓誌銘, "公諱惟簡, …, 上德宗曰, '卿有母, 可隨我耶', 曰, '臣以死從衛'. 及幸還錄功, 封武安郡王, 號元從功臣[注, 孫曰, 四月, 奉天隨從, 壯士並賜號元從功臣], 圖其形御閣[注, 韓曰, 圖形淩煙閣, 賜鐵券]".
- h 『樂全堂集』 권7, 書指空畫像軸, "余申翊聖以辛未仁祖9年秋入金剛, 遍觀名藍寶坊, 亡論勝絶偉麗之觀, 往往有古器法畫世間所無者. 最後到摩訶衍, 得一敝幀於塵埃中, 頭佗像也. 初不設采績, 天然有生色, 必國手或異方奇蹟也. 訪諸老僧, 云'是指空和尙眞, 不可詳也'. 雖非指眞空, 決知其非凡僧留影. 余愛其畫而懼其湮滅, 遂携來洛下, 改修邊幅, 仍付道僧雙仡還之山中. 夫畫中之人, 不知其爲何如人, 畫之者亦不知其爲何如人, 其人與骨皆已朽矣. 則破楮殘幅, 不足惜, 而余顧惜之, 欲求其傳者, 果何心哉. 後之見吾說者, 必不知余爲何如人也".

[夏四月乙亥朔[小盡,癸巳]:追加].

[五月[甲辰朔小盡,甲午], 戊午[15日], 胡僧指空, 說戒於開京, 優婆夷妙德受無生戒:追加].[325]

[是月, 僧山亘·備巡衛精勇郎將鄭仁鉉·前左右衛保勝郎將宋珪等開板'妙法蓮華經三昧懺法'三卷:追加].[326]

[六月癸酉朔[大盡,乙未]:追加].

[秋]七月[癸卯朔小盡,丙申], 丁卯[25日], 教曰, "聞者, 亂賊之徒, 欲覆邦家, 擅呈都省, 請立省比內地. 于時諸臣同心戮力, 奏帝罷之, 再造邦家, 其功莫大, 帶礪難忘. 以贊成事金怡·全英甫·甘泉君全彥·評理尹碩·知密直司事[·右常侍]李凌幹·密直副使朴仲

---

324) 이는 『영천선생안』에 의거하였는데, 李稷(李行儉의 長子, 奇皇后의 外三寸)은 급제한 후 成均大司成에 이르렀다고 한다(열전19, 李湊, 行儉).

325) 이는 「妙德戒牒」에 의거하였다. 이는 1326년(충숙왕13, 泰定3) 5월 15일 印度僧 指空(1300~ 1363 추정)이 승려 妙德에게 戒를 내리면서 준 紺紙金銀泥의 文殊最上乘無生戒牒이다(大邱廣域市 유형문화재 제78호). 이는 1첩 13폭 8.9×58cm, 全長 76.4cm으로 末尾는 다음과 같다(南權熙 2002년 368面 ; 郭丞勳 2021년 340面).

· 「妙德戒牒」, "如斯勝利廣大無窮祝延」 皇帝聖壽萬歲,」 □[皇]太子·諸王壽筭千秋,」 皇后·皇妃·金枝永茂,」 國王殿下福壽無疆,文武官僚,」 高遷祿位,天下太平」,風調雨順,國泰民安,」 佛日增輝,法輪常轉者.」 泰定三年丙寅五月十五日牒,」 如來遺教,弟子傳受□[广]乘戒法,西天禪師指空」付受優婆夷妙德」.

이에서 指空과 妙德은 手決인데, 후자는 1377년(우왕3) 淸州牧 興德寺의 『直指』, 驪州 慧目山 鷲巖寺의 목판본 『白雲和尙語錄』의 간행에 참여했던 인물로 추정된다. 또 이와 같은 계첩이 同年 8月 覺慶에게 주어진 것(海印寺 所藏), 明年(泰定4, 1327) 2월 懶翁惠勤에게 發給된 것(現 北韓 江原道 高城郡 楡岾寺 所藏, 朝鮮總督府 1920年 912面 ; 李基白 1987년 143面) 등이 있다.

326) 이는 다음의 자료에 의거하였다(宋日基 2008년 ; 郭丞勳 2021년 341面).

· 『妙法蓮華經三昧懺法』권하, 권말간기, "從序品至化城喩品, 凡七品, 分爲四科合爲一卷,」 從五百弟子授記品至分別功德品, 凡十品, 分爲四科合爲一卷,」 從隨喜功德品至勸發品, 凡十一品, 分爲四科合爲一卷,」 故成上中下三卷.」 傳天台敎觀天幕沙門釋 山亘 集,」 勸集」 前深岬寺住持·慈惠大禪師 止西,」 校勘」 前德周寺住持·廣智大禪師 之山」 前國淸寺住持·興法大禪師 眞安」 神溪寺住持·淸虛大禪師 智安」 前金藏寺住持·妙圓大禪師 宏之」 沙門 六修, 一眉,」 泰定三年丙寅五月 日, 奉敎 月山寺開板,」 勸發 白月山淨蓮社典香比丘 元昨,」 緣化 中德 信行, 入選 弘一,」 書寫 玄解, 打鐵 林世, 德仁,」 練板 知識, 中悟, 法仝,」 彫刻 入選 信淵, 敬蓮, 玄解,」 隨喜 管軍千戶·中軍指諭·備巡衛精勇郎將鄭仁鉉,」 同願 前左右衛保勝郎將 宋珪,」 同願 雲梯郡夫人白氏,」 施主 中德法住, 居士朴椿, 老婆中台,」 各納白金壹斤」.

仁·左常侍尹莘係·上護軍崔安道·中郎將孫守卿等爲一等功臣，賜土田·臧獲，及父母妻子爵，有差”.[327]

[某日，以慶尙道提察使尹堯瞻，仍番:慶尙道營主題名記].

[八月壬申朔大盡,丁酉，某日，辛蕆，□□□□掌擧子試，取李達中等:選擧2國子試額轉載].[328]

[是月某日，胡僧指空授僧覺慶無生戒:追加].[329]

[○驪興君閔漬撰‘指空和尙禪要錄’序文:追加].[330]

[增補].[331]

[九月壬寅朔小盡,戊戌:追加].

[是月頃，贊成事權準知貢擧，政堂文學朴瑗朴遠同知貢擧，取進士，□□某日，賜崔元遇等□□□三十三?人及第:選擧1選場轉載].[332]

---

327) 이때의 공신 책봉과 관련된 기사로 다음이 있다.
- 열전23, 李凌幹, “遷知司事·右常侍. 元嘗欲立省本國，凌幹與金怡·全英甫等，奏請于帝，議遂寢. 論功爲一等，爵其父母妻子，賜田及臧獲”.
- 열전37, 尹碩, “… 元欲立省于本國，評理尹碩與金怡·李凌幹等，奏于帝，議遂寢，論功爲一等”.
- 열전37, 崔安道, “時元欲立省本國，安道與金怡等，力辨乃止，以功又賜田民，累轉上護軍”.

328) 이때의 擧子試(成均試)는 月次가 표기되어 있지 않으나 8월 또는 9월에 실시되었을 것이다. 또 이때 李仁復도 합격하였다(李仁復墓誌銘).

329) 이는「覺慶戒牒」에 의거하였다(海印寺 所藏，許興植 1997년a ; 南權熙 2002년 368, 369面 ; 국립중앙박물관 2019년 161面 ; 郭丞勳 2021년 342面).
- 『紺紙金泥文殊最上乘無生戒法』，末尾題記，“如斯勝利廣大無窮祝延」 皇帝聖壽萬歲,」 皇太子·諸王壽筭千秋,」 皇后·皇妃·金枝永茂,」 國王殿下,福壽無疆,文武」 官僚,高遷祿位,天下太平,」 風調雨順,國泰民安,」 佛日增輝,法輪常轉者.」 泰定三年八月 日」 受持弟子**覺慶**,」 如來遺敎弟子傳受,一乘」 戒法,西天禪師 **指空**」 **梵語**」”.

330) 이는 다음의 자료에 의거하였다(指空和尙禪要錄序文，許興植 1997년 316面).
- 『指空和尙禪要錄』序文，“… 宗室昌原君，見此禪要，切欲鋟梓流傳，請予閔漬爲序. 予雖老病，亦參門弟之數，故不敢固辭，粗記海山之一滴一塵云耳. 宣授翰林直學士·朝列大夫兼本國三重大匡·僉議政丞·右文館大提學·上護軍·判選部事致仕·驪興君·默軒居士閔漬序”.

331) 이달 16일(丁亥)에 일본의 교토[京都]에서 월식이 있었다고 한다.
- 『師守記』，康永 4년 8월，“十四日乙丑，… 嘉曆元年八月十六日，月蝕，四分，… 十四日乙丑，駒牽當月蝕例，… 嘉曆元年八月十六日，駒牽如常，子斜被始行，今夜月蝕，子丑剋正現，但蝕遲々，丑剋正現云々”.

332) 이는 지27, 선거1, 科目1, 選場에 의거하여 다시 구성하였다. 이와 관련된 기사로 다음이 있다. 또 同知貢擧 朴遠(改瑗)은 이보다 먼저 權征東行省左右司郎中에 임명되었다고 한다(朴遠墓誌銘).

[○秋某月，設行征東行省鄕試，取趙廉·李穀等三人:追加].[333]

[冬十月辛未朔[大盡,己未]:追加].
[十一月辛丑朔[大盡,庚子]:追加].

[十二月[辛未朔大盡,辛丑]，壬申[2日]，三重大匡·判都僉議府事·驪興府院君致仕閔漬卒,[334] 年七十九，諡文仁:追加].[335) [忠烈，嘗命漬增修鄭可臣所撰'千秋金鏡錄'，國家多故，未暇及焉. 後與權溥同校撰成，名曰'世代編年節要'. 上自虎景大王，迄于元王，分爲七卷，幷世係圖[~~系圖~~]以進. 又撰本國'編年綱目'，上起國祖文德大王[~~元德大王~~]，下訖高宗，書凡四十二卷. 其昭穆之論，與'編年節要'不同. 漬，稍有文藻而多俗習，心術不正，謟事內人. 且不知性理之學，其論有背於聖人，至以朱子昭穆之議爲非，所見之偏類此. 子祥正:列傳20閔漬轉載].[336]
[→檢校□[都]僉議政丞閔漬卒，諡文仁:節要轉載].[337]

[是年，遣使如元，上表請大行王[忠宣王]諡:追加].[338]

· 지27, 선거1, 科目1, 選場, "[忠肅]十三年, 權準□□□□[爲知貢擧], 朴瑗[朴遠]□□□□□[爲同知貢擧], 取崔元遇等".
· 「權準墓誌銘」, "事定, 拜贊成事, 且知應擧試".
· 열전19, 鄭瑎, 誧, "年十八中第".
· 「李仁復墓誌銘」, "泰定丙寅先生年十九, 判書辛蕆監試, 吉昌君權公準·密直朴公遠知貢擧, 先生一擧連中之".
· 열전25, 李仁復, "忠肅朝, 年十九登第, [明年]調福州司錄".
이때 崔元遇·鄭誧·[八關寶判官]李挺(丙科2人, 李挺神道碑)·金臺卿·[新進士]李仁復·李達衷(鷄林赴任後再謝表) 등이 급제하였다(『등과록』, 朴龍雲 1990년 ; 許興植 2005년). 여기의 金臺卿은 『고려사』에서는 찾아지지 않으나 1360년(공민왕9) 여름[夏]에 李穡과 교유하였던 것 같다(『목은시고』 권5, 次金月塘所寄詩韻, 臺卿, 字仲始 ; 次金月塘立秋所寄詩韻).

333) 이는 征東行省의 鄕試가 明年의 會試, 廷試에 앞서 실시됨을 考慮하여 추가한 것이다.
· 『가정집』연보, "泰定三年秋, 中征東省鄕試第三名".

334) 이날은 율리우스曆으로 1326년 12월 26일(그레고리曆 1327년 1월 3일)에 해당한다.

335) 이는 「閔漬墓誌銘」 ; 「閔漬妻申氏墓誌銘」 등에 의거하였다.

336) 文德大王은 元德大王(太祖 王建의 高祖 寶育)의 오자일 것이다.

337) 이 기사는 『고려사절요』 권24, 충숙왕 13년에 수록된 1件의 기사일 뿐인데, 그마저 月日이 없다. 이는 『고려사』와 『고려사절요』가 精誠[誠心]을 다하여 편찬된 史書가 아님을 보여주는 사례의 하나가 될 것이다.

338) 이는 다음의 자료에 의거하였는데, 添字와 같이 고쳐야 옳게 될 것이다.

[○以都僉議贊成事金怡爲都僉議政丞:追加].[339)]

[○以政堂文學李齊賢爲三司使:追加].[340)]

[○以權廉爲鷹揚軍大護軍:追加].[341)]

[○以奉常大夫金元軾爲福州牧使:追加].[342)]

[○以文景爲延安府使:追加].[343)]

[○以朴公淑爲江陵道按廉使:追加].[344)]

[○命藝文館修撰閔思平曝晒國史於海印寺:追加].[345)]

[增補][346)]

[是年頃, 同知密直司事元善之罷, 爲檢校僉議評理:列傳20元善之轉載].[347)]

[增補].[348)]

· 『졸고천백』 권2, 又與翰林院藝文館員爲太尉王請謚書, 丙寅, "伏以聖朝功臣世家, 例得贈謚, 而先太尉·瀋王薨逝逾年, 尙未擧行, 今具表文啓省上聞外. 念先王歷事六朝, 實多勞績, 累被天獎, 元臣懿戚, 無有不知. 若蒙平生行跡得列華藻, 以示將來, 則先王可爲死而不死, 其於存歿, 爲榮莫大. 伏惟照察, 不宣[注, 以上三書, 皆藝文應敎所製, 追錄]".

339) 이는 열전21, 金怡, "忠肅十三年, 陞僉議政丞"에 의거하였다.

340) 이는 「李齊賢墓誌銘」에 의거하였다.

341) 이는 「權廉墓誌銘」에 의거하였다.

342) 이는 『안동선생안』에 의거하였다.

343) 이는 『연안부지』에 의거하였다.

344) 이는 다음의 자료에 의거하였다.

· 『신증동국여지승람』 권44, 江陵大都護府, 樓亭, "鏡浦臺, … 安軸記, 天下之物, … 越泰定丙寅, 今知秋部·學士朴公淑自關東杖節而還, 謂余曰, '臨瀛鏡浦臺, 羅代永郎仙人所遊也', …".

345) 이는 『급암시집』연보에 의거하였다.

346) 이해에 在職한 官僚로 다음이 찾아진다.

· "是年冬十月, 李偰爲重大匡·僉議贊成事·上護軍, 在職"(李德孫妻庾氏墓誌銘).

· "十二月, 金元祥爲重大匡·前三司右使·藝文館大提學·上護軍, 羅益禧爲管高麗軍萬戶·匡靖大夫·僉議評理·上護軍, 閔祥正爲中正大夫·密直司知申事·司憲執義·進賢館提學·知製敎·知選部事, 閔祥伯爲通直郎·讞部直郎, 在職"(權廉墓誌銘).

347) 이는 다음의 기사를 전재하였다.

· 열전20, 元傅, 善之, "累遷同知密直司事, 尋罷爲檢校僉議評理. 家居六年卒, 年五十".

348) 이해에 高麗의 境內에서 다음과 같은 일이 있었다고 하는데, 同一한 船舶인지 아닌지는 알 수 없다.

· 3월 이후에 江南地域[元]의 僧侶 淸拙正澄(せいせつしょうちょう, 1274~1339)이 海路로 高麗의 沿岸을 통과하다가 험난한 風浪[風濤]를 만났다가 11월에 相州(相模國, 現 神奈川縣) 建長寺에 도착하였다고 한다(『金山卽休和尙拾遺集』, 大鑑禪師舍利塔銘幷序).

丁卯[忠肅王]十四年, 元泰定四年, [西曆1327年]

1327년 1월 24일(Gre2월 1일)에서 1328년 2월 11일(Gre2월 19일)까지, 13개월 384일

[春正月[辛丑朔小盡壬寅], 某日, 以李景安爲慶尙道提察使:慶尙道營主題名記].

[二月[庚午朔大盡,癸卯], 庚辰[11日], 月與歲星同舍:天文3轉載].

[辛巳[12日], □[月]犯軒轅, 與歲星同舍:天文3轉載].

[丁亥[18日], □[月]犯氐星:天文3轉載].

[戊戌[29日], 前司憲持平金開物卒:追加],[349] [年五十五. □□[開物], 性剛正, 詩與字畫, 俱有家法. 與人交, 一以信. 子鈺, 及第:列傳19金開物轉載].

[是月, 胡僧指空授僧懶翁惠勤無生戒:追加].[350]

[三月庚子朔[大盡,甲辰], 都僉議政丞金怡奏大元司徒剛塔里·中政院使忽篤帖木兒受皇后之命, 歸佛書一藏於淸平山文殊寺, 又施楮鏹萬:追加].[351]

· 이해에 相州 龜峯壽福寺의 僧侶 遠上人(えんしょうにん) 등 70餘人이 元에서 日本으로 歸還하다가 濟州島에서 難破하여 그 중의 일부는 被殺되고 생존자 50餘人은 歸還하였다고 한다(『乾峰和尙語錄』 권2, 悼高麗鬪死僧軸序).

349) 이는 「金開物墓誌銘」에 의거하였는데, 이날은 율리우스曆으로 1327년 3월 22일(그레고리曆 1327년 3월 30일)에 해당한다.

350) 이는 다음의 자료에 의거하였다(국립중앙박물관소장, 張忠植 1997년a ; 南權熙 2002년 370面 ; 郭丞勳 2021년 347面).

· 「懶翁戒牒」, "皇帝聖壽萬歲,」 皇太子·諸王壽筭千秋,」 皇后·皇妃·金枝永茂,」 國王殿下, 福壽無疆, 文武官僚, 高遷祿位, 天下太平,風調雨順,國泰民安,」 佛日增輝,法輪常轉者.」 泰定四年二月日牒,」 付弟子懶翁惠勤,」 如來遺敎弟子傳受一乘戒法,」 西天禪師指空」.

351) 이는 『익재난고』 권7, 有元高麗國淸平山文殊寺施藏經碑 ; 「春川文殊寺藏經碑」에 의거하였다. 이 자료에서 言及된 都僉議政丞 金恰(김흡)은 金怡(김이)의 誤字인데, 실제의 碑文에서도 金恰으로 刻字되어 있었던 것 같다. 이것에 대해 筆者는 60代 후반에 이르러 겨우 찬찬히 살펴보게 되었지만[熟視], 조선후기의 관료였던 申緯(1769~1845), 李裕元(1814~1888) 등이 이미 金恰은 金怡의 誤謬임을 지적했던 사실을 알고서 얼굴이 화끈거렸다[慙而面赤].

· 『警修堂全藁』 권6, 貊錄4, 余前入淸平, 拓取坦然文殊院碑, 限於日暮, 未能并拓後面祭眞樂公文, 此亦坦然書也. 兒子命準再入淸平, 并拓其前後面. 又於千年古樹下廢池邊, 掘得一碑, 洗視之, 乃李益齋先生所撰施藏經碑也. 準精拓三本, 此碑與文殊院碑, 均爲山中之文獻, 諄囑主僧松坡長老, 移置藏經碑僧簷下, 以庇風雨, 石斷裂, 大小凡五段云. "我初訪碑到慶雲, 但文殊院半段文, 小兒耽古乃過我, 再來氈蠟窺山門, 隸書不苟唐臨晉, 乃其坦然之自運. 一碑又出此碑餘, 掘地洗剔苔盈寸, 佛書一藏施三韓, 刻石紀跡淸平山, 貝署官銜體嚴謹. 益齋先生文筆嫺,

[某日, 永州副使李稷, 以[全羅道]錦州副使移任:追加].[352)]

[是月丙午[7日], 元廷試進士, 賜阿察赤·李黻等八十五人及第·出身有差. 時趙廉及第:追加].[353)]

書者內侍秩賜紫, 名字泐損唯姓李. 有元泰定四年春, 皇后祈福皇太子[注, 元史, 泰定皇帝諱伊蘇特穆爾, 在位五年而崩, 文宗不爲帝立廟謚, 世止稱爲泰定帝. 泰定元年春, 立子喇宲晉巴, 爲皇太子], 樂善敦義是高麗, 我甥允也誠祝釐, 俾轉食輪護法藏, 飯僧閱經無替時, 恭惟無爲有契聖, 廣度爲心補仁政, 用其土苴作九垠, 利生禁暴是崇敬, 其書千函浩煙瀾, 異香薝葡熏人寰, 俶裒于笠難與葉, 俶播于震騰若蘭, 粱取其秕我嚌穀, 砦石者唐我割玉, 鯷岑石爛鰈海塵, 維悳聚無陵谷, 王拜稽首天子庭, 后暨皇嗣千億齡, 豈料磨挲感銅狄, 僅辨錯落捫斗星, 于時大臣金匡定, 綠髮貴人詩夢醒, 我喜讀碑徵國史, 家集圖經誤堪證[注, 碑文所謂僉議政承臣怡等, 卽匡定公金怡也. 本集與圖經, 皆作臣恰, 考之麗史, 更無以恰爲名而官政承者, 此碑臣怡之爲匡定無疑也. 又按匡定以僉議中贊, 卒於泰定四年五月, 則立碑時, 尙無恙而居位也. 匡定少時, 宿華藏寺, 夢王御殿唱一句云'靑雲紫氣知仙閣', 匡定賡云'綠髮淸談是貴人', 以是卜其貴顯]. 更將誕辰補闕文, 每於各取異傳聞[注, 碑文曰, '爲皇太子皇子祈福, 各取其誕辰, 飯僧閱經歲以爲凡'. 麗史云, '每於誕辰, 飯僧歲以爲常', 按每於字, 語不了, 不如各取字之爲詳備也. 碑第二行, 推誠亮節功臣重大臣金海君臣李, 此以下泐損, 按先生始封金海君, 後改封鷄林府院君]".

- 『息山集』別集권4, 淸平□[山], "… 有文殊寺. 高麗希夷子李資玄所居也. 山初名慶雲, … 及資玄父監倉使顗[顗], 乃就白巖舊址, 重建曰普賢, 希夷子仍來隱居, 遂易山名·寺名, 稱淸平文殊. 有元泰定藏經碑及希夷子碑. 文字剝落". ~~添字~~와 같이 고쳐야 옳게 될 것이다.
- 『嘉梧藁略』冊14, 玉磬觚賸記, "淸平山古楙下廢池邊, 掘得一碑, 乃益齋李先生所撰施藏經碑也. 此碑與文殊院碑, 爲山中之文獻, 主僧松坡長老移置寺簷下, 以庇風雨. 石斷裂, 大小凡五段, 碑文曰爲皇太子·皇子祈福, 各取其誕辰, 飯僧·閱經, 歲以爲凡, 麗史云每於誕辰飯僧, 歲以爲常. 第二行, 推誠亮節功臣·重大匡·金海君臣李, 此以下泐損. 按先生[李齊賢]始封金海君, 後改封鷄林府院君. 按所謂僉議政承[僉議政丞]臣怡等, 卽匡定公金怡也, 本集與圖經, 皆作臣恰, 考之麗史, 更無以恰爲名, 而官政承[政丞]者. 此碑臣怡之爲匡定無疑也, 又按匡定以僉議中贊, 卒於泰定四年五月, 則立碑時尙無恙而居位也. 匡定少時宿華藏寺, 夢王御殿唱一句云'靑雲紫氣知仙閣', 匡定賡云'綠髮淸談是貴人', 以是, 卜其貴顯".
- 『農巖集』 권24, 東征記, "丙子[肅宗22年]八月十六日, 巳時, 農巖[金昌協]發行, … 十九日, 曉雨乍止, 復作, 午後快霽. 朝發行, 登昭陽亭, … 歸路觀極樂殿, 夜宿禪堂, [注, 寺謂淸平寺]. 二十日, 曉起月明, 從一僧觀影池, … 飯後復見西川, 讀金富軾所撰眞樂碑, 石色瑩膩, 字畫無少泐, 獨上面數掌, 大爲冬月打者, 火炙剝裂, 可惜".

352) 이는 『영천선생안』에 의거하였다.

353) 이는 『원사』 권30, 본기30, 泰定帝2, 泰定 4년 3월 丙午에 의거하였다. 또 『고려사』, 選擧志 및 권109, 열전22, 趙廉 등에는 급제 시기가 나타나지 않으나 『증보문헌비고』에는 이때 급제하였다고 되어 있다. 이 책에서 權近은 1328년(致和1, 충숙왕15)에 급제하였다고 하였으나 錯誤일 것이다. 이후 조렴은 遼陽路 總管知府事에 임명되었다고 한다(『동현사략』, 趙廉 ; 『신증동국여지승람』 권39, 淳昌郡, 人物 ; 『증보문헌비고』 권185, 選擧考2, 賓貢科). 한편 이해의 及第者를 정리한 業績에서 高麗人 趙廉의 존재를 파악하지 못했다(沈仁國 2002年).

- 『가정집』年譜, "泰定四年, 會試京師, 不第".
- 열전22, 趙廉, "忠肅朝登第, 又中元朝制科, 授遼陽等路摠管知府事".

[是月頃, 以[奉翊大夫·~~知密直司事~~]權皐爲雞林府尹, 金永煦爲尙州牧使, [通仕郞]李仁復爲福州司錄:追加].[354)]

[夏四月[己巳朔大盡,乙巳], 壬午[14日], 熒惑·鎭星, 同舍于井. 歲星犯鬼星. 月犯亢:天文3轉載].

[癸未[15日], 熒惑·鎭星, 同舍于井:天文3轉載].

[是月頃, 以[承奉郞]李英弼爲福州判官, [成均博士]李光順爲雞林府司錄:追加].[355)]

[三,四月, 某日, 復忠烈時官制. 以[都僉議政丞]金怡爲都僉議中贊, 以金台鉉爲三重大匡·都僉議中贊·修文館大提學·上護軍·判典理司事致仕, 閔頔爲重大匡·驪興君:追加].[356)]

[○是時, 復稱選部, 爲典理司, 摠部爲軍簿司, 讞部爲典法司, 司憲府爲監察司:百官1六曹·司憲府轉載].[357)]

---

354) 權皐는 『동도역세제자기』에, 金永煦는 다음 자료에 각각 의거하였다. 또 李仁復은 그의 墓誌銘에 이해의 3월에 임명되어 1329년(충숙왕16)까지 재직하였다고 한다.

- 『근재집』 권2, 尙州客館重營記, "至正三年癸未, 余[安軸]受尙州之命, 是年夏四月, 到州視事, … 今東征省郞[~~征東省郞~~]金相國永煦之所營也, 州在八達之衢, 乘傳奉使者, 無虛日也. 古之客館, 湫隘卑陋, 而又年代綿久, 棟已撓矣. 常爲惡賓所嗔, 人甚病焉. 越丁卯四月, 公出判[刺]是州, 卽有重新之意. …". 이 자료의 일부는 『신증동국여지승람』 권28, 尙州牧, 宮室, 客館에도 수록되어 있는데, 添字는 이에 의거하였다.

355) 이는 『안동선생안』; 『동도역세제자기』에 의거하였다. 李光順의 職責이 記室로 되어 있으나 이는 司錄의 별칭이다(→충숙왕 15년 7월 30일).

- 『동도역세제자기』, "記室·成均博士李光順, 丁卯五月十八日, 到任".

356) 이는 열전21, 金怡 ; 金台鉉墓誌銘 ; 閔頔鉉墓誌銘 등에 의거하였다. 또 이해의 官制改定은 『고려사』백관지에 반영되어 있지 않지만, 金怡列傳과 金台鉉의 墓誌銘에 반영되어 있는데, 그 시기는 僉議政丞 金怡의 上奏와 그의 逝去가 있었던 5월 이전인 3~4월 사이일 것이다. 또 이때 提察使가 다시 按廉使로 환원되었던 것 같다.

- 열전21, 金怡, "[忠肅]十三年, 陞僉議政丞. 明年, 改中贊, 加賜推忠保節同德功臣號, 圖形功臣堂, 賜田及臧獲".
- 「金台鉉墓誌銘」, "丁卯, 復忠烈時官制, 以三重大匡·僉議中贊·修文舘大提學兼春秋館□[事]·上護軍·判典理司事致仕, 如故".
- 열전23, 金台鉉, "後革官制, 改中贊致仕".
- 「閔頔鉉墓誌銘」, "丁卯, 封驪興君, 階重大匡".

357) 이는 다음의 여러 기사를 전재하여 적절히 변개하였다.

- 지30, 百官1, 六曹·司憲府, "後[忠肅王14年]復稱典理司", "三十四年, 忠宣併于選部, 後改摠部, 又復稱軍簿司", "後復稱典法司", "後復改監察司".

夏五月[己亥朔小盡,丙午], [某日], □[都]僉議中贊金怡卒, [年六十三, 謚匡定:列傳21金怡轉載]. [怡, 性豁達, 有長者風. 久從忠宣, 入侍于元, 有負紲之勞, 終始一節. 時, 王爲姦臣所誤, 謂左副代言韓宗愈曰, "吾欲表請于元, 禪位瀋王". 遂密以表, 授宗愈趣令印之. 宗愈曰, "國家傳之祖宗, 豈宜廢嫡, 以與旁支乎?". 固諫不得命, 旣退, 托以墜馬, 不起. 與李兆年, 謀諸大臣, 執姦臣斥之, 事竟不行:節要轉載].[358] [子文貴, □□[仕至]密直使:列傳21金怡轉載].

[○是月辛亥[13日], 僧禪旦與優婆塞康甫來等造成安養山寂照寺飯子一口, 入重十五斤:追加].[359]

[是月, 元使不花帖木兒[~~帖木兒不花~~]立春州文殊寺藏經碑:追加].[360]

[是月頃, 以任臣齡爲雞林府判官:追加].[361]

[六月戊辰朔[小盡,丁未]:追加].

[秋七月[丁酉朔大盡,戊申], 某日, 以慶尙道按廉使李景安, 仍番:慶尙道營主題名記].

[八月丁卯朔[小盡,己酉]:追加].

[九月丙申朔[大盡,庚戌]:追加].

[閏九月丙寅朔[小盡,庚戌]:追加].

[冬十月乙未朔[大盡,辛亥]:追加].

---

358) 『고려사절요』 권24에서 金怡를 줄곧 金廷美로 표기하였는데, 이 기사에서 金怡로 표기한 점이 특이하다. 또 이때 한종유의 관직은 知申事로 된 기록도 있으나 사실이 아닐 것이다(韓宗愈墓誌銘). 그리고 이 기사는 이 기사는 열전23, 韓宗愈에도 수록되어 있다.

359) 이는 安養山寂照寺 飯子의 銘文에 의거하였다(國立中央博物館 所藏, 許興植 1984년 ; 文明大 1994년 3책 280面).

· 銘文, "泰定四年丁卯五月十三日,安養山寂照寺般子,入重十五斤造成,延三勸化道人禪旦,同願康甫來,同願大通天一·赴宣".

360) 이는 『大東金石書』, 文殊寺藏經碑에 의거하였다(許興植 1984년 1134面). 여기에서 不花帖木兒(普化鐵木兒, buqa Temur)는 帖木兒不花(鐵木兒不花, Temur Buqa)의 誤謬일 것이고, 그는 下記의 脚注에 의하면 崔濬(崔帖木兒不花)일 것이다.

361) 이는 『동도역세제자기』에 의거하였다.

冬十一月乙丑朔大盡,壬子, 戊子24日, 敎曰, "寡人在都五年, 姦臣謀移國祚, 侍從之臣, 盡節輔佐, 終始一心, 其功可錄. 以□都僉議政丞尹碩·化平君金深·上黨君韓渥·西河君任子松·贊成事元忠·全英甫·參理安文凱·李恭·崔濬[362]·甘泉君全彥·豊壤君趙瓊·密直使孫琦·朴仲仁·同知密直司事曹碩·密直副使金之鏡·軍簿判書李那海·判司宰寺事李仁吉·判繕工寺事張逸·右副代言奉天祐·鷹揚上護軍崔安道·上護軍申時用·韓季輔·上護軍致仕姜彥·護軍全世貞·朴松·中郎將崔孫祐等,[363] 爲一等功臣. ○贊成事鄭方吉·密直副使鄭孫英·□判內府寺事羅英秀·淳昌君林仲沇·通化君金千寶[364]·政堂文學朴遠·密直副使李揆·判典儀事趙石堅·檢校評理金富·民部典書權謙·鄭順·判典校寺事李兆年·奉翊致仕裴英之·李連·檢校判書韓永·羅州牧使張沆·上護軍崔德符·劉方世·檢校上護軍朴連·尹吉甫·執義鄭瑚·大護軍張英伯·金彥丘·洪贇·金梓·前典客令朴永林·護軍吳挺仁·宋善莊·崔昌義·李重陽·李暉·鄭仁伯·尹安淑·趙甫·典醫副正金碩·平海副使朴玄柱·中郎將崔雲·桓允全·白元泰·金壽·金成傑·文成柱·高宗甫·金迪·朴成瑞·金天鏡·庾良俊·密城副使劉臣啓·郎將白仁庇·金琈·韓璡·劉椿·散郎金仁鏡爲二等功臣,[365] 賜田及臧獲, 父母妻子爵, 有差".[366]

---

362) 최준(崔濬)은 高麗人으로 본관은 慶州, 初名은 伯淵, 字는 耐卿, 號는 遯齋이다. 그는 資政院使 申當住의 甥姪로 從軍으로 起身하여 京城의 徵稅에 있어 공정을 기하고 혜정을 베풀어 민심을 안정시키다가 內史府官에 발탁되었다. 이어서 晋宗[泰定帝]의 총애를 받아 1324년(태정1, 충숙왕11)에 兵部員外郎이 되었다가 郎中에 올랐다. 이어서 1329년(天曆2, 충숙왕16)에 江南諸道行御史臺의 監察御史로 부임한 후 僉湖北道廉訪司事 등을 역임하였다. 이러한 과정에서 吳澄·袁桷·貢奎·虞集·胡助 등과 교유하였던 것 같다.

그는 是年(1327년) 5월 몽골제국의 奉成庫提點·中順大夫(정4품)를, 고려의 保節功臣·匡靖大夫·僉議參理·上護軍을 각각 띠고 있었고(文殊寺藏經碑), 1351년(至正11, 충정왕3) 11월 무렵 通議大夫(정3품)·肅政廉訪使에 이르렀다가 몽골제국 말기에 遼陽行省 參知政事가 되었다고 한다. 또 그는 고려로부터 月城府院君에 책봉되었던 것 같다(張東翼 1997년 269~277面 ;『紺紙金泥金剛般若波羅密經』, 題記, 日本所藏 ; 李基白 1987년 203面 ; 張東翼 2004년 733面).

· 『至正金陵新志』 권6하, 官守志2, 題名, 行御史臺 ; 監察御史, 奉議大夫 崔帖木兒不花(崔特穆爾巴哈, 淸代의 改書, Temur Buqa).

· 『설곡집』권상, 題伯淵崔御史慶親詩卷[注, 御史名濬, 以小字帖穆爾普化行, 累官至遼陽行省參知政事云].

363) 朴松은 이 시기 이후에 朴靑으로 改名하였다

· 열전37, 申靑 ; 朴靑, "朴靑, 一名松, 素微賤. 以養鷹, 得幸忠肅, 累遷上護軍. 以罪, 收賜田, 屬興善宮".

364) 金千寶의 封君號인 通化는 어느 지역의 別號인지를 알 수 없으나 通化驛이 옛 長平鎭에 있었고, 이 시기에는 雙城摠管府(後日의 和寧府 ; 永興都護府)의 관내에 있었다(『신증동국여지승람』 권48, 永興大都護府, 驛站).

365) 이때 韓永(1285~1336, 禿魯花 韓謝奇의 子)은 元의 官僚로서 遼陽行省 大寧路 錦州(現 遼寧

[十二月乙未朔[大盡,癸丑], 大寒. 無礙國尊彌授入寂:追加].[367)]

[是月, 遣使如元, 賀正旦:追加].[368)]

[是年, 以[正順大夫·上護軍]崔安道爲鷹揚軍上護軍·判軍簿書:追加].[369)]

[○以[鷹揚軍大護軍]權廉爲選軍別監:追加].[370)]

[○以[藝文館修撰]閔思平爲承奉郎·左正言·知製敎:追加].[371)]

[○以[內侍]崔宰爲散員:追加].[372)]

[○以李子深爲永州副使, 安超爲永州判官:追加].[373)]

[○以金特爲延安府使:追加].[374)]

[○某等造成五峯山甘露寺石塔:追加].[375)]

省 錦州市, 小凌河가 이곳을 지나 高家屯에서 渤海 遼東灣에 流入함), 高州의 知州를 歷任하고 있었다(『가정집』 권12, 韓永行狀 ; 『滋溪文稿』 권17, 韓永墓誌銘).

366) 尹安淑은 尹莘係(尹時遇의 父)의 弟이고(→충정왕 2년 5월 22일), 金碩은 密直司使 李思溫의 壻인 寺卿[司卿] 金碩으로 추정된다(『紺紙銀泥大方廣佛華嚴經行願品』 권1, 題記, 1350년 ; 李基白 1987년 200面 ; 張忠植 2007년 210面). 또 이때의 공신책봉과 관련된 기사로 다음이 있다.

· 열전20, 韓康, 渥, "元, 詔王入朝, 渥從之. 時瀋王暠, 覬覦王位, 讒構百端. 渥以奇謀, 脫王于禍, 功在一等, 賜鐵券, 圖形壁上, 封上黨府院君, 賜宣力佐理功臣號".

· 열전20, 元傅, 忠, "忠肅留元, 侍從大臣皆携貳, 忠獨終始一節. 忠肅復位還國, 陞授贊成事, 賜推誠佐理功臣號. 忠宣謂忠肅曰, 元忠世家舊臣, 盡忠輔翊, 且連外戚, 非他臣比. 又謂忠曰, 肩乃心, 輔爾主. 然自後漸見踈外, 閑居五年".

· 열전22, 李兆年, "忠肅見留于元五年, 瀋王暠內懷覬覦, 左右多反覆. 兆年發憤獨如元, 獻書中書省, 訟王之直, 朝廷美之".

· 열전22, 張沆, "官累左司議大夫. 忠肅見譖, 留元五年未歸, 沆奮義忘身, 侍從有勞, 以功賜鐵卷. 尋牧羅州".

· 열전37, 孫琦, "[孫琦], 陞知密直司事, 賜推誠協輔功臣號. 王見讒留元, 奸臣附瀋王, 謀竊王位. 琦能忘身辨理, 王復位還國, 賜鐵券, 加推誠守義佐理功臣號".

· 열전44, 權謙, 충숙왕 8년 4월 24일의 脚注.

367) 이는 「俗離山法住寺慈淨國尊碑銘」에 의거하였는데, 이날은 율리우스曆으로 1328년 1월 13일(그레고리曆 1월 21일)에 해당한다.

368) 이는 다음의 자료에 의거하였다.

· 『원사』 권30, 본기30, 泰定帝2, 致和 1년 1월, "乙丑朔, 高麗王遣使來, 朝賀, 獻方物".

369) 이는 「崔安道墓誌銘」에 의거하였다.

370) 이는 「權廉墓誌銘」에 의거하였다.

371) 이는 『급암시집』연보에 의거하였다.

372) 이는 「崔宰墓誌銘」에 의거하였다.

373) 이는 『영천선생안』에 의거하였다.

374) 이는 『연안부지』에 의거하였다.

[○某等重刱黃州成佛寺應眞殿:追加].[376)]

戊辰[忠肅王]十五年，元泰定五年→2月致和元年→9月上都天順帝天順元年 →9月大都文宗天曆元年，[西曆1328年]

1328년 2월 12일(Gre2월 20일)에서 1329년 1월 30일(Gre2월 7일)까지, 354일

[春正月[乙丑朔小盡,甲寅]，某日，以慶尙道按廉使李景安，仍番:慶尙道營主題名記].

春二月[甲午朔大盡,乙卯]，[辛丑[8日]，月暈東井:天文3轉載].
[壬寅[9日]，月與鎭星，同舍于井:天文3轉載].
[庚戌[17日]，□[月]又入氐星:天文3轉載].
丁巳[24日]，遣世子禎如元，宿衛，又遣左常侍尹莘傑[尹莘係]，獻童女.[377)]
[是月，故全州戶長朴環妻李氏印成'大般若波羅蜜多經'於杭州大普寧寺:追加].[378)]
[○僧釋瑚撰'通度寺事蹟略錄':追加].[379)]

---

375) 이는 다음의 자료에 의거하였다.
- 『瞻慕堂集』 권2, 遊天摩山錄(1570年), "… 八月八日癸卯，… 行幾數里，有泉湧出，路傍可灌百，頃到甘露寺，寺在五鳳峯下，臨西湖負岩壁，商船賈舶，往來軒下. 昔有萬景樓，立柱湖中，多景樓，駕棟岩上，各擅奇勝，今皆不見，中庭有塔，石理如玉，雕刻頗巧，泰定四年大元造建也. 穆淸□[殿]參奉梁子徵仲明，適寓於此，邀余[林芸]西樓，盃酒團欒，歡若平生，書贈姓名，副以所詠，其開心見誠如是".

376) 이는 應眞殿의 台輪 下端의 墨書銘에 의거하였다(申榮勳 1964년 172面 ; 杉山信三 1996年 26面).
- 墨書銘, "泰定四年丁卯年重創，年數二百七十四年，嘉靖九年庚寅[中宗25年]，開重創，…".

377) 이 기사에서 尹莘傑은 尹莘係의 오자인데(→충숙왕 13년 7월 25일), 『고려사절요』 권24에는 옳게 되어 있다.

378) 이는 長崎縣 對馬市(對馬島) 上縣町 桂輪寺에 보관되어 있는 『大般若波羅蜜多經』 권1의 제기에 의거하였다(山本信吉 1974年 ; 張東翼 2004년 719面).
- 題記,"淸信戒弟子故全州戶長朴環妻李氏女,仰告十方」 諸佛諸菩薩,向立願言,女以多生惡業,所鐘禀受,女身於諸善根,多有留」 難,今者幸遇桑門正西,廣借檀施,予成一代藏教,與子桑門臨川正柔,同」 堅願幢,捨納銀泥,寫成題目,願以善當當來世,我等母子,及與朴氏,於」 佛法中,作大檀那,寫成銀字,」 佛佛藏教,助揚法化,救衆生界,」 佛教海盡,我願乃盡耳，手決」 泰定五年二月日，臨川寺住持·大德正柔志」.

379) 이는 다음의 자료에 의거하였다.
- 『通度寺事蹟略錄』, "… 蓋識諸板永不使泯滅乎? 告道者釋瑚，於泰定五年戊辰二月晦揭干記"

[是月庚申[27日], 元改元致和:追加].

[三月[甲子朔小盡,丙辰], 壬申[9日], 月犯軒轅左角:天文3轉載].
[丁丑[14日], □[月]入氐星:天文3轉載].
[己丑[26日], □[月]與太白同舍:天文3轉載].

夏四月[癸巳朔大盡,丁巳], 甲午[2日], 以[都僉議政丞]尹碩爲海平府院君, 鄭方吉△△[爲都]僉議政丞, 姜融·林仲沇·全英甫△[並]爲贊成事,[380] 孫琦·崔濬△[並]爲評理.[381]
乙未[3日], 元以改元致和, 遣闍里帖木兒來, 頒詔.[382]
戊戌[6日], 郎將李自成還自元言, "帝封我化平君金深女達麻實里爲皇后". 先是, 深女爲仁宗皇帝偏妃.
[己亥[7日], 月犯軒轅:天文3轉載].
[辛丑[9日], □[月]又犯紫微·左執法:天文3轉載].
[壬寅[10日], 太白犯東井, 月入大微[~~太微~~], 犯東藩上相, 又與歲星同舍:天文3轉載].
辛亥[19日], 王率內竪畋于西海道.

五月[癸亥朔小盡,戊午], 辛未[9日], 幸木村高圓寺.
[癸酉[11日], 太白·鎭星同舍:天文3轉載].
辛卯[29日晦], 幸白州.
[是月, 奉翊大夫·判內府寺事·上護軍羅英秀, 寫成'金字密教大藏'舊本九十卷·新本四十卷, 王命李齊賢撰其序文:追加].[383]

(複寫本 45面).

380) 僉議贊成事 姜融은 이 시기 이후에 判密直司事 金資와 함께 平壤府를 방문하여 分司雜材署丞으로 재직 중인 효자 黃守를 격려하였다고 한다.
· 열전34, 孝友, 黃守, "… 世居平壤府, 忠肅時, 爲本府雜材署丞. 父母年俱七十餘, 有弟曰賢, 曰仲連, 曰季連, 又有姉妹二人, 同爨而食. 日三時具甘旨, 先奉父母, 退而共食. 二十餘年, 子孫服習無小怠. 贊成□[事]姜融, 判密直□□[司事]金資, 親訪其第, 父母皆皓首, 出迎于庭, 止之使坐. 融, 垂涕歎曰, '今世士大夫間, 亦所罕聞, 豈意此城中, 有此孝子之門'. 令府人, 具狀以聞, 里閭聳觀".

381) 崔濬(최준)은『고려사절요』권24에는 崔璿(최선)으로 되어 있으나 前者(蒙古名 崔帖木兒不花)가 옳을 것이다(盧明鎬 等編 2016년 621面, 충숙왕 14년 11월 24일의 脚注).

382) 몽골제국이 2월 27일(庚申)에 年號를 致和로 바꾸고 天下에 詔書를 내렸다(『원사』 권30, 泰定帝2, 致和 1년 2월 庚申).

六月[壬辰朔大盡,己未], 戊申[17日], 遣密直副使李撰如元, 賀改元.

[戊午[27日], 月與太白, 同舍于井:天文3轉載].

[某日, 以趙邦珦[~~趙方珦~~]爲慶尙道按廉使:慶尙道營主題名記].[384]

秋七月[辛酉朔[大盡,庚申], [上自白州,]還宮:節要轉載].

己巳[9日], 帝遣平章政事買驢·舍人亦忒迷失不花等來,[385] 興禮君朴仲仁及曹頔·趙雲卿·上護軍高子英等從之, 皆瀋王之黨也. 時柳淸臣·吳潛詣中書省, 誣王盲聾喑啞, 不親政事, 遂訴云, "上王奏仁宗皇帝, 以燾爲高麗王, 以暠爲世子, 已有定命. 至英宗時, 燾與伯顏禿古思謀, 令金怡[金廷美]說上王,[386] 奪暠世子印". 又奪上王所賜暠田宅及陪臣淸臣·潛等百四十人田宅等事. ○於是, 帝遣買驢來, 質問, 王辭疾不迎. 買驢意王實聾啞, 徑詣王宮, 宣詔詰問. 王對曰, "世祖皇帝賜我父王高麗王世子印, 武宗皇帝授父王瀋王爵. 未幾, 襲封高麗王, 洪重喜來曰, 一身上, 不宜兼綰兩王印. 奏于帝, 命我爲高麗王, 延祐三年[忠肅王3年], 我朝京師, 父王授我世子印, 謂曰, 世祖皇帝賜此印曰, 待胤子長專與之. 今黨暠者言, 父王聽金怡[金廷美]說, 以印與我, 然仁宗賓天二年, 父王竄吐蕃. 時予在國, 何暇與伯顏禿古思謀. 且印乃延祐三年所授, 而言英宗時所與, 其言謬妄, 但使吾父子相夷耳, 我父王以世祖外甥, 又有累朝佐命之功. 重喜尙曰, 一身不可兼兩王. 況暠有何功, 旣爲瀋王, 又要高麗世子印耶. 父王田宅, 已與暠者, 曾蒙帝旨, 孰敢違異. 但[遼陽行省]懿州所置廨典庫店鋪·江南土田,[387] 父王所與文契俱在, 營城·宣城兩掃里,[388] 世祖爲高麗王朝見往來供給,

---

383) 이는 『益齋亂藁』 권5, 金書密敎大藏序에 의거하였다.

384) 趙邦珦은 趙方珦의 오자일 것이다(→충혜왕 즉위년 6월 16일).

385) 몽골제국에서 買閭(買驢, Mailiu)의 파견은 6월 15일(丙午) 이전에 결정되었다. 이 기사에서 瀋王 完者禿(Öljeitu, 暠)이 高麗世子로 表記된 것이 特異한데, 그는 『고려사』의 기록과 같이 高麗王의 世子로 册封된 적이 없고, 忠宣王(瀋王)의 奏請에 의해 瀋王世子로 册封되었다가 瀋王에 임명되었다.
· 『원사』 권30, 본기30, 태정제2, 致和 1년 6월, "高麗世子[瀋王]完者禿訴取其印, 遣平章政事買閭往諭高麗王, 俾還之".

386) ~~添字~~는 『고려사절요』 권24에 의거하였다.

387) 廨典庫(解典庫)는 충선왕이 懿州(現 遼寧省 阜新市의 北東部地域 塔營子城)에 설치한 각종 물품의 購買機關으로 추측된다. 또 이는 조선시대에 宮闕에서 소요된 제반 물품을 공급하면서 殖利·典當도 일삼던 內需司와 비슷한 성격을 띠고 있었던 것 같다(→공민왕 19년 5월 19일). 또 江南土田은 구체적으로 어떠한 내용의 土地인지는 알 수 없으나 고려 왕실이 소유하고 있던 토지로 추측된다. 이는 高麗人들이 江浙行省 杭州路에 위치한 高麗慧因寺에 施納했던 嘉興路

許置之, 子不得傳之於父, 而他人有之, 豈其理也. 又淸臣等田地, 皆奪他人所有, 非其傳於祖父者, 令有司, 考其文契, 還與舊主耳". ○買驢見王禮容嚴肅, 言辭有叙曰, "帝所以命臣來者, 察王疾也, 以今所見, 向者之訴皆誣也". 於是, 頔等惶懼無言.389) 時上國使臣, 絡繹而來, 王皆不接見, 使臣陵辱宰相, 擅作威福, 多納賄賂, 荒滛荒淫聲色, 淹留旬月. 買驢疾其所爲, 並督令還歸.

辛未11日, 元遣不家奴來, 求童女.

[甲戌14日, 太白·鎭星, 同舍于柳:天文3轉載].

乙亥15日, 下政丞尹碩于巡軍獄, 杖之. [碩, 性急, 好罵辱嬖人, 嬖人多怨之. 嘗與贊成事林仲沇偕行, 仲沇有違言, 碩以馬策抶之. 嬖人以聞, 王怒:節要轉載].390)

丙子16日, 買驢·亦忒迷失不花還, 王遣上護軍崔安道于平壤,391) 餽金銀·綾羅·苧布, 買驢不受. [初, 買驢之來也, 幸臣崔安道·密直副使金之鏡等, 恐禍及己, 日夜憂懼, 及其還也, 喜而益驕:節要轉載].

[史臣白文寶曰, "王留燕五年, 憂勞驚悸, 損傷天性, 及還國, 常居深殿, 忽忽不樂, 不接朝臣, 不親政事. 由此, 小人並進, 如祖倫·安道·之鏡·申時用等, 專擅權柄, 賣官鬻獄, 無所不至. 臺諫章疏, 中沮不啓, 其不遭譴責於買驢, 幸矣":節要轉載].

[→王留燕五年, 憂悸傷性, 及還國, 常居深殿, 忽忽不樂, 不親政事. 崔安道與金之鏡·申時用·僧祖倫等, 擅權柄, 賣官鬻獄, 無所不至. 臺諫章疏, 中沮不啓. 元使買驢來, 安道·之鏡, 自以專恣, 恐禍及己, 日夜憂懼, 及買驢還, 喜益驕. 王遣安道

嘉興縣(현, 절강성 嘉興市)의 土地와 같은 것이었을 것이다(『玉岑山慧因高麗華嚴教寺志』 권10, 高麗衆檀越布施增置常住田土碑, 張東翼 1997년 145~146面).

· 『國朝典章』 권29, 禮部2, 禮制2, 牌面, 軍官解典牌面, "皇慶二年五月, … 今後軍官敢有不虔, 擅將所備牌面解典質當者, 取問明白, 卽將所質牌面追給, 仍斷五十七下, 削降散官一等, …".

· 『肅宗實錄補闕正誤』 권19, 14년 6월, "乙卯14日, 吏曹判書朴世采上辭職疏, 附陳册子, 論時務十二條[大條小目見上] 其一, 論奮大志. … 其小目, 曰罷內司, 曰汰宦寺, 曰敎戚屬. 罷內司者, 人主以一國爲家, 一國之內, 無非已分之所有, 供奉頒賜, 皆從此出, 則不宜又於其中, 割裂以自私, 如今內司之設也. 蓋聞其法, 始於麗末, 我太祖開國, 嘗議釐革, 而未及遂成. 後代莫大之弊, 雖或制爲常典, 使其文書, 關由吏曹, 而終亦無補, 今當大加商量, 亟罷內司, 苟以爲難, 更令朝廷議定本司諸官, 如司饔·尙衣之制, 不得典以私暬之人, 以昭國家公正之理可矣".

388) 營城과 宣城의 掃里[sauri]는 몽골제국의 요청에 의해 고려가 요동 지역에 설치한 宿驛[旅館]이었다(→충렬왕 5년 6월 27일, 森平雅彦 1998年).

389) 이상의 내용은 열전38, 柳淸臣에도 수록되어 있으나 文章의 構成에서 차이가 있다.

390) 이 기사는 열전37, 尹碩에도 수록되어 있다.

391) 崔安道는 『고려사절요』 권24에는 崔汝道로 되어 있으나 오자일 것이다(盧明鎬 等編 2016년 622面).

于平壤, 餽買驢金銀·綾羅·紵布, 買驢不受, 安道私用之:列傳37崔安道轉載].

[辛巳21日, 太白犯軒轅大星:天文3轉載].

壬午22日, 遣護軍尹桓如元, 獻苧布及紙.

庚寅30日, 胡僧指空, 說戒於延福亭, 士女奔走以聽. 雞林府司錄李光順亦受無生戒. 之任, 令州民祭城隍, 不得用肉, 禁民畜豚甚嚴, 州人, 一日盡殺其豚.[392]

是月□□~~庚午~~10日, 泰定皇帝崩.

[→庚午10日, 帝崩, 壽三十六, 葬起輦谷:追加].[393]

八月辛卯朔小盡,辛酉, [癸巳3日, 太白犯軒轅:天文3轉載].

[辛亥21日, 月與熒惑同舍:天文3轉載].

癸丑23日, 盜竊寢園祭器.

甲寅24日, [寒露]. 王微行, 幸禮成江, 以商人子李奴介爲密直副使, 內竪壻金就起爲軍簿判書·鷹揚軍上護軍.[394]

乙卯25日, 幸平州.

○下瀋王黨趙湜·金溫·權賀·田宏等于巡軍, 流之.

丙辰26日, 貶樂安君金之謙金之兼爲寧海府使, 流判事金千鎰于田里. 先是, 之謙之兼·千鎰與萬戶洪綏, 歸心于暠, 誣以本國背上國, 又以王盲聾喑啞, 譖于元, 故及.

[○太白·歲星相犯:天文3轉載].

九月庚申朔小盡,壬戌, [庚午11日, 風雨雷電, 震人于松嶽:五行1雷震轉載].

[某日, 皇太子阿剌吉八卽位於上都, 改元天順:追加].

壬申13日, 武宗皇帝次子懷王圖帖睦爾皇帝卽位于上都~~武宗皇帝次子懷王卽皇帝位于大都~~, 是爲文宗. [遣使來,告改元天曆,赦天下→이 句節은 11월로 옮겨감].[395]

---

392) 鷄林府司錄 李光順은 『동도역세제자기』에 의하면, 成均博士로서 雞林府의 司錄兼參軍事[記室]에 임명되어 1327년(丁卯, 충숙왕14) 5월 18일 到任하여 1329년(己巳, 충숙왕16) 12월 28일 上京하였다고 한다. 그러므로 李光順이 指空을 만나 無生戒를 받은 것은 雞林府에 부임하기 이전이 아니라 在職 중에 일시 上京하여 戒를 받았던 것으로 추측된다.

393) 이는 『원사』 권30, 본기30, 泰定帝2, 致和 1년 7월 庚午를 轉載하였는데, 그는 上都 起輦谷에서 崩御하였다. 이날은 율리우스曆으로 1328년 8월 15일(그레고리曆 8월 23일)에 해당한다.

394) 金就起는 贊成事致仕 金富允의 아들이다(열전20, 金富允).

395) 이 기사의 前半部는 大元蒙古國에서 일어난 것이고, 後半部는 元의 使臣이 고려에 온 것이기에 11월로 移動시켜야 한다[校正事由]. 또 前者는 添字와 같이 고쳐야 옳게 될 것이다. 이때 몽골

[→壬申, 帝卽位於大都大明殿, 受諸王·百官朝賀, 大赦:追加].[396)]

○左散騎常侍~~左常侍~~尹莘係還自元, 元欲徵兵本國, 令莘係同洪伯顔不花, 賫文牒以歸. 莘係還國, 匿不見.[397)]

[○雨雹:五行1雨雹轉載].

[丙子[17日], 大雷電, 雨雹:五行1雷震轉載].

[丁丑[18日], 霧:五行3轉載].

[○月犯畢星:天文3轉載].

[庚辰[21日], □[月]犯輿鬼. 流星入於越分:天文3轉載].

[壬午[23日], □[月]又犯軒轅女御:天文3轉載].

[癸未[24日], □[月]又犯軒轅左角及左執法:天文3轉載].

[甲申[25日], □[月]又入大微右掖~~太微右掖門~~:天文3轉載].[398)]

[乙酉[26日], 立冬. 月入大微左掖門~~太微左掖門~~:天文3轉載].

冬十月[己丑朔[大盡,癸亥], 雷電, 雨雹:五行1雨雹轉載].

乙巳[17日], 地震.

[壬子[24日], 月犯大微~~太微~~左執法:天文3轉載].

[是月, 海印寺僧木庵體元撰'白花道場發願文略解題記':追加].[399)]

[是月辛亥[23日], 帝[文宗]以高麗宦者米薛迷奴婢·家貲, 賜伯顔:追加].[400)]

제국에서의 帝位繼承은 다음과 같이 展開되었다.

· 致和(天曆) 1년(1329) 7월 10일(庚午), 泰定帝가 上都에서 崩御하였다(36歲)(『원사』 권30 ; 『고려사』 권30).

· 9월 13일(壬申), 武宗의 次子인 懷王 圖帖睦爾(Tug Temur, 後日의 文宗, 25歲)가 킵착(Qibcaq) 軍團長 燕鐵木兒[El Temur]의 推戴를 받아 大都에서 즉위하고 年號를 天曆으로 바꾸었다. 이때 左丞相 倒剌沙[doras]가 上都에서 皇太子 阿剌吉八[Aragilbal, Aragibaq]을 皇帝[天順帝]로 擁立하고 天順으로 年號를 바꾸었다(『원사』 권30·31·32).

· 10월 13일(辛丑), 懷王 圖帖睦爾의 兵이 上都를 포위하자 倒剌沙가 皇帝寶를 받들고 降服하고, 天順帝는 행방불명이 되었다[兩京內戰, 兩都之戰]. 懷王 圖帖睦爾가 兄인 和世剌(qosila, 武宗의 長子, 明宗)을 漠北에서 맞이하였다(『원사』 권31·32).→明年(충숙왕16) 4월의 是月 脚注에서 계속됨.

396) 이는 『원사』 권32, 본기32, 文宗1, 致和 1년 9월 壬申에 의거하였다.

397) 이날 左散騎常侍 尹莘係가 元에서 돌아왔다고 하는데, 左散騎常侍는 左常侍의 오류이다(→是年 2월 24일).

398) 大微右掖은 太微右掖門을 指稱할 것이다.

399) 이는 1334년(충숙왕3) 7월 是月條의 脚注에 의거하였다.

十一月己未朔大盡,甲子, [辛未13日, 月犯畢星:天文3轉載].

[壬申14日, 元遣使來, 告新皇帝卽位, 改元天曆, 赦天下←9월에서 옮겨와 修正함].[401]

[○霧:五行3轉載].

[丁丑19日, 月犯軒轅女御星:天文3轉載].

[戊寅20日, 木冰:五行2轉載].

[己卯21日, □月犯大微太微右執法:天文3轉載].

[甲申26日, 大風, 雨土:五行3轉載].

乙酉27日, [小寒]. 地震.

[是月己未朔, 帝文宗放高麗宦者米薛迷·剛答里歸田里:追加].[402]

十二月己丑朔大盡,乙丑, 庚寅2日, 遣監察大夫李凌幹如元, 賀卽位·改元,[403] 海平府院君尹碩, 賀正.[404]

[己亥11日, 月犯畢星:天文3轉載].[405]

[某日, 上護軍崔安道詣行在. 王望見騶從甚繁, 意元使者來, 驚駭, 及至乃安道也. 王怒流于島, 安道不卽行, 留十餘日乃行, 猶率傔從十餘, 馬數十匹, 其自恣如此:節要轉載].

[→上護軍崔安道, 又與金之鏡·李仁吉·辛貞·李仲陽·裵佺·李吉祥·鄭都赤不花等, 牧

---

400) 이는 다음의 자료에 의거하였다.
· 『원사』 권32, 본기32, 문종1, 天曆 1년 10월 辛亥, "以宦者米薛迷奴婢·家貲, 賜伯顏".

401) 9월 壬申(13일)의 기사는 文宗(懷王, 武宗의 次子)이 卽位하고 年號를 바꾼 것을[天曆] 기록한 것으로, 『원사』의 내용 일부를 轉寫한 것이다. 이때의 詔使가 고려에 도착하기에는 1~2개월이 소요되므로 11월 壬申(14일)로 옮겼다[校正事由].
· 『원사』 권31, 본기31, 明宗 致和 1년, "九月壬申, 懷王卽位, 是爲文宗, 改元天曆, 詔天下曰, 謹俟大兄之至, 以遂朕固讓之心".

402) 이는 다음의 자료에 의거하였다.
· 『원사』 권32, 본기32, 문종1, 天曆 1년 11월 己未朔, "放高麗宦者米薛迷·剛答里歸田里".

403) 李凌幹은 1326년(충숙왕13) 7월 25일에 知密直司事로 在職하고 있었으므로 이때의 監察大夫는 宰臣 또는 密直으로 兼職한 官職일 것이다.

404) 尹碩은 明年 1월 2일(庚申) 文宗을 알현하고 하례를 드렸다.
· 『원사』 권33, 본기33, 문종21, 天曆 2년 1월 庚申, "高麗國遣使來, 朝賀".

405) 지3, 天文3에는 己亥 앞에 "十二月丁丑, 月犯軒轅女御"가 있으나, 이는 11월 丁丑(19일)의 기사가 反復된 것이므로 削除하여야 한다[重出].

內乘馬三百匹于江華，多所侵暴，民不堪苦，流散殆盡．王獵于平州，安道詣行在，騶從甚衆，王望見，意元使來驚駭．及至，怒流于島:列傳37崔安道轉載].

[某日，資贍司□[士]言，“銀甁之價日賤，自今，上品甁，折賓布十匹，貼甁，折布八九匹，違者科罪”，從之．○時鑄甁雜以銅，官雖定價，人皆不從:節要轉載].[406)]

[→資贍司狀申，“銀甁之價日賤，自今，上品甁，折賓布十匹，貼甁，折布八九匹，違者，有職徵銅，白身及賤人，科罪”．判可[從之]．○時鑄銀甁，雜以銅，銀少銅多，故官雖定價，人皆不從:食貨2市估轉載].[407)]

[某日，王將入朝，置盤纏都監，令百官及五部坊里，出苧布．又於京畿八縣民戶，斂[斂]布有差．於是，姦吏，因綠橫斂[橫斂]，中外騷擾．時又出內帑甁子，市米，內臣因之，誅求無已．兩府患之，欲遣察訪□[使]于五道，以救民瘼．內人從，中止之．○王性好潔，一月湯浴之費，諸香十餘盆，苧布至六十餘匹，名曰手巾．多爲內豎所竊，王不之知:節要轉載].[408)]

[→王將入朝，置盤纏都監，令各品及五部坊里，出白紵布有差，又於京畿八縣民戶，斂布有差．於是，奸吏，因緣橫斂，中外騷擾．內臣又因內出甁子，市米，誅求無已，兩府患之，欲遣察訪□[使]于五道，以救民瘼，內人從，中止之:食貨2科斂轉載].

壬寅[14日]，遣密直使金承用如元，賀聖節．

[甲辰[16日]，月與鎭星同舍:天文3轉載].

[丙午[18日]，□[月]又犯大微[太微]上相:天文3轉載].

[戊申[20日]，□[月]又與歲星同舍:天文3轉載].

[是月甲辰[16日]，天台僧無寄撰‘釋迦如來行蹟頌’二卷，將開板:追加].[409)]

[是年，遣鷹揚軍大護軍權廉如元:追加].[410)]

[○以尹之彪爲護軍，時之彪年十九:追加].[411)]

---

406) 添字가 추가되어야 옳게 될 것이다.

407) 이 기사에서 制可는 從之로 고쳐야 옳게 될 것이다.

408) 이와 관련된 기사로 지30, 百官2, 盤纏都監, “忠肅王十五年, 王將入朝, 置之”가 있다.

409) 이는 다음의 자료에 의거하였다(閔泳珪 1994년).

· 『釋迦如來行蹟頌』卷首, 序, “詳夫法性圓融無二相, 寧存乎依正根塵, … 時天曆元年戊辰臘月既望序述云”.

410) 이는 「權廉墓誌銘」에 의거하였다.

411) 이는 「尹之彪墓誌銘」에 의거하였다.

[○以[散員]崔宰爲別將:追加].[412]

[○以朴麟祐爲永州判官:追加].[413]

[○以趙臣堯爲延安府使:追加].[414]

[○都僉議政丞尹碩以下兩府宰相募捐, 以助長湍縣聖燈庵長明燈油錢:追加].[415]

[是年頃, 印度僧指空, 被聖旨還京師, 其弟子玉田達蘊隨從:追加].[416]

己巳[忠肅王]十六年, 元天曆二年, [西曆1329年]

1329년 1월 31일(Gre2월 8일)에서 1330년 1월 19일(Gre1월 27일)까지, 3354일

[春正月, 王在平州. 王自去年八月, 出次天神山下, 構假屋以御, 問虞人曰, "盖屋何物爲佳?" 虞人對曰, "樸木皮最佳." 卽命取之, 民甚苦之. 王耽于遊田, 支費浩繁, 招集虞人, 皆授檢校郞將·別將, 賜衣服穀米, 動以百計. 己未□[朔], 瀋王公主訥倫之喪至自元].[417]

[→春正月己未朔[小盡,丙寅], 王在平州. 王自去年八月, 出次天神山下, 構假屋以御, 問虞人曰, "盖屋何物爲佳?". 虞人對曰, "樸木皮最佳". 卽命取之, 民甚苦之. 王耽于遊田, 支費浩繁, 招集虞人, 皆授檢校郞將·別將, 賜衣服·穀米, 動以百計. ○瀋王□[妃]公主訥倫之喪至自元:校正].

---

412) 이는 「崔宰墓誌銘」에 의거하였다.

413) 이는 『영천선생안』에 의거하였다.

414) 이는 『연안부지』에 의거하였다.

415) 이는 다음의 자료에 의거하였다.

- 『신증동국여지승람』 권12, 장단도호부, 佛宇, 聖燈庵長明燈記(『양촌집』 권13, 五冠山聖燈庵重創記), "… 於是就其陽崖巨石之上, 樹石柱四方列如屋, 置長明燈以鎭戟巖之災, 且以明君相繼·忠臣不絶爲願, 故王氏世世令大府寺供其燈油. 致和戊辰[忠肅15年], 侍中[政丞]尹碩相忠肅王, 至順庚午[17年], 侍中[三司右使]韓渥相忠惠王, 皆與兩府諸公添其油錢, 列名于板. 洪武癸亥[禑王9年], 侍中曹敏修等又與兩府出米若布, 以續其用, 韓山李穡爲文以記".

416) 이는 다음의 자료에 의거하였다.

- 『목은문고』 권4, 松月軒記, "… 天曆初, 吾師[指空]被旨還京師, 吾[玉田]從而而西, 天下之壯觀皆在焉, …".

417) 이 기사의 己未(1일) 앞에 있는 '충숙왕이 平州에 머물면서 假屋을 축조하였다'는 기사는 前年의 末 또는 己未의 다음으로 이동시켜야 옳게 될 것이다. 또 己未에 朔이 탈락되었다[校正事由].

[己巳11日, 月入井星:天文3轉載].

[壬申14日, □月犯軒轅女御, 入大微太微端門:天文3轉載].

[甲戌16日, □月入大微太微:天文3轉載].

[丁丑19日, □月犯氐星:天文3轉載].

丁亥29日晦, 元遣崇祥院摠管府判明理和尙來, 頒赦.[418]

[某日, 以慶尙道按廉使趙方珚·楊廣道按廉使馬季良, 仍番:慶尙道營主題名記].[419]

[是月丙戌28日, 皇兄和世剌明宗卽皇帝位於和寧和林之北, 是爲明宗, 仍用天曆年號:追加].[420]

[二月戊子朔大盡,丁卯, 丙申9日, 月犯東井:天文3轉載].

[戊戌11日, □月掩輿鬼:天文3轉載].

[庚子13日, □月掩軒轅左角, 入大微太微右執法:天文3轉載].

[己酉22日, □月犯東井北垣, 與熒惑相犯. 熒惑又犯西頭第一星:天文3轉載].

[辛亥24日, 熒惑犯東井:天文3轉載].

[某日, 召還前上護軍崔安道. 安道不入海島, 遊遍楊廣道, 按廉□使馬季良及諸州郡, 爭相勞慰, 其或支待稍薄, 輒加鞭撻. 季良, 貪惏嗜牛肚, 民譏之曰, “馬食牛”:節要轉載].

[→前上護軍崔安道留旬餘乃行, 其傔從尙多. 不入配所, 遊遍楊廣道. 時, 按廉□使馬季良貪婪嗜牛肚, 民譏之曰, “馬食牛”. 及安道至, 季良及州郡, 爭勞慰, 待遇稍薄, 安道輒加鞭撻:列傳37崔安道轉載].

---

418) 崇祥院摠管府는 崇祥院 또는 崇祥摠管府로 불리던 官署로서 大承華普慶寺(現 北京市 西城區 平安里 大街 북쪽에 있던 寺刹)의 財產을 관리하였다. 이에는 達魯花赤·總管·副達魯花赤·同知·治中·府判 등이 설치되어 있었고, 예하에 永福營繕司·昭孝營繕司·普慶營繕司·崇祥財用所 등의 관서가 있었다(『원사』 권87, 지37, 백관3, 崇祥院摠管府).

또 明理和尙(洪詵의 孽子)은 이 시기에 고려에서 不法을 恣行하였다고 한다(열전43, 洪福源, 詵, “孽子明理和尙, 貪暴驕橫, 其妹適元寵臣亦剌赤, 明理和尙隨之, 遂爲亦剌赤所愛. 嘗奉御香來, 强奸評理洪順女, 女從兄洪承衍, 面辱之, 明理和尙訴行省, 囚承衍”). 洪順은 洪子藩의 둘째 아들이고, 洪承衍은 홍자번의 長子인 洪敬의 2子이다(열전18, 洪子藩).

419) 馬季良은 是年 2월 某日에 의거하였다.

420) 이는 『원사』 권33. 본기33, 문종2, 천력 2년 1월 丙戌에 의거하였다. 和寧은 和林(Qara-Qorum, 현재의 몽골국의 哈爾和林Halahelin 地域)이다.

三月戊午朔大盡,戊辰, [某日, 盜發金馬郡馬韓祖虎康王~~武康王~~陵, 捕□賊繫典法司. 及賊逸, 政丞鄭方吉欲劾典法官, 贊成事林仲沇沮之曰, “賊繫獄二年, 無見贓, 而死者多矣”. 方吉曰, “固知發塚人多金”. 仲沇慙恚:節要轉載].[421]

[→鄭方吉, 後拜僉議政丞. 時盜發金馬郡馬韓祖武康王陵, 捕繫典法司, 盜逸. 方吉欲劾典法官, 贊成事林仲沇沮之曰, “賊繫獄二年, 無現贓, 死者多矣”. 方吉曰, “吾固知發塚~~塜~~人多金”.[422] 且云, “潛用巨濟田租者誰?”. 屢罵辱之, 仲沇慚恚移病, 人以方吉言爲是:列傳37鄭方吉轉載].

[辛酉4日, 枉矢墜于西北:天文3轉載].

[丙寅9日, 月與鎭星同舍:天文3轉載].

[丁卯10日, 虹貫日:天文1轉載].

[○月犯軒轅大星:天文3轉載].

[戊辰11日, □月入大微~~太微~~中:天文3轉載].

[己巳12日, □月入大微~~太微~~左掖門:天文3轉載].

[庚午13日, □月又與歲星同舍. 熒惑犯五諸侯:天文3轉載].

甲戌17日, 密直司使金承用還自元, 道卒, [年六十二:追加][423]

[→密直使金承用還自元, 卒于道. 承用, 以淸廉稱, 人皆惜之:節要轉載].

[丙子19日, 奉先庫失火, 延燒民家三十六戶, 老小多焚死:五行1火災轉載].

[己卯22日, 雨, 大風:五行2轉載].

庚辰23日, 帝召還孛剌~~孛剌~~太子.

[丙戌29日, 大雨雹, 震樹木:五行1雨雹轉載].

[是月辛酉4日, 帝文宗遣前知樞密院事燕鐵木兒奉皇帝寶于明宗行在所:追加].

夏四月戊子朔小盡,己巳, [3月辛酉,帝文宗讓位周王,1月丙戌,周王卽皇帝位,是爲明宗.四月癸卯,以文宗爲皇太子:校正對象].[424]

---

421) 武康王[虎康王]은 百濟 武王(600~641 在位) 璋의 다른 이름[別名]으로 추측되는데, 이 기사에서 馬韓의 始祖[馬韓祖]로 표기한 점이 이색적이다.

422) 添字와 같이 고쳐야 옳게 될 것이다(東亞大學 2006년 27冊 591面).

423) 金承用(金方慶의 長孫, 副知密直司事 金愃의 長子)은 郭州 新安驛[新安旅館]에서 逝去하였다고 한다(金承用墓誌銘).

424) 이 事件은 天曆內亂이라고 불린 泰定帝의 事後에 전개된 武宗의 長子 和世剌(Qosila, 明宗)과 次子 懷王 圖帖睦爾(Tug Temur, 文宗)의 皇位繼承을 둘러싼 對立이었기에 事實을 재정리할

庚寅3日, 葬訥倫公主.[425]

翼日辛卯4日, 盜發其墓.

[甲午7日, 獐入康安殿:五行2轉載].

[丙申9日, 太白犯東井. 月入大微太微, 又與歲星同舍:天文3轉載].

[丁酉10日, 太白犯東井南垣. 月入大微太微, 犯東藩上相, 與歲星同舍:天文3轉載].

[戊戌11日, □月犯大微太微東藩上相:天文3轉載].

[壬寅15日, 小滿. 太白入東井:天文3轉載].

丁未20日, 王不豫, 移御雙峯寺.

[○熒惑·鎭星同舍:天文3轉載].

[丙辰29日晦, 熒惑·鎭星相犯:天文3轉載].

[是月癸卯16日, 明宗和世㻋遣武寧王徹徹禿·中書平章政事哈八兒禿來大都, 錫命, 立帝文宗圖帖睦爾爲皇太子, 命仍置詹事院, 罷儲慶司.[426]

五月丁巳朔大盡,庚午, 戊午2日, 帝遣洪末的里·廉悌臣, 賜王衣酒, 又召還金之謙金之兼·金溫·趙湜.

[○熒惑·鎭星同舍:天文3轉載].

[己未3日, 晡時, 星隕艮方, 狀如火:天文3轉載].

[○晡時, 白氣竟天:五行2轉載].

庚申4日, 以旱禁酒.

[癸亥7日, 太白犯鬼. 月犯大微太微西藩次將星:天文3轉載].

丁卯11日, 聚巫, 禱雨六日. [巫苦之, 皆逃匿. 搜捕者遍閭巷:節要轉載].

[史臣白文寶曰, "燮理陰陽, 宰相職也. 旱氣太甚, 尤當敬畏, 以答天譴, 曾是不思, 而徒責雨於巫覡, 豈不謬哉?":節要轉載].

[○月入氐中. 太白·鎭星同舍:天文3轉載].

[庚午14日, 太白·鎭星同舍:天文3轉載].

乙亥19日, 幸白州般若寺.

丁丑21日, 遣朴之環如元, 獻文苧布.

필요가 있다.

425) 訥倫公主(瀋王妃)는 몽골제국으로부터 책봉된 封國號를 알 수 없다.

426) 이는 『원사』 권33, 본기33, 문종2, 天曆 2년 4월 癸卯에 의거하였다.

[己卯[23日], 熒惑犯軒轅大星. 太白與熒惑同舍:天文3轉載].

[庚辰[24日], 太白·熒惑同舍, 與軒轅大星, 如鼎足. 熒惑與大星, 西北相對:天文3轉載].

癸未[27日], 雨.

丙戌[30日], 以王不豫, 禱于<u>氈城</u>.[427]

[○自四月至五月, <u>旱</u>:五行2轉載].[428]

[是月, 僧<u>向如</u>寫成'紺紙銀字大方廣佛華嚴經':追加].[429]

[是月丁丑[21日], <u>帝</u>[皇太子~~圖帖睦爾~~]發京師, 北迎明宗皇帝:追加].[430]

六月[丁亥<u>朔</u>[小盡, 辛未], 太白晝見:天文3轉載].[431]

庚戌[24日], 高興府院君<u>柳淸臣</u>死于元.[432] [初, 淸臣與吳潛, 從王如元, 見瀋王暠, 欲簒王位, 遂背王附暠, 詭謀萬端. 及王復位, 二人懼罪, 不敢還. 淸臣留燕<u>九年</u>,

---

427) 氈城(전성)은 흰색의 氈子(두꺼운 毛布, 카페트)로 만든 氈房(유목민족의 천막집, gel), 곧 흰색의 殿閣을 가리키는 것 같다(→충렬왕 4년 7월 4일의 脚注).

428) 이해에 몽골제국의 陝西行省에서도 饑饉이 심하였다고 한다. 또 이 시기인 天順·至順年間(1328~1333)에 中原의 全域에서 큰 旱魃이 있었던 것 같다(陳高華 2010年 66面).

- 『원사』 권33, 본기33, 문종2, 천력 2년 5월, 6월, "[5月]庚辰[24日], 陝西行省言, 鳳翔府饑民十九萬七千九百人, 本省用便宜賑以官鈔萬五千錠". … [6月,] 是月, 命中書集老臣議賑荒之策. 時陝西·河東·燕南·河北·河南諸路流民十數萬, 自嵩·汝至淮南, 死亡相籍, 命所在州縣官, 以便宜賑之".
- 「大元故銀靑光祿大夫司徒汪公[壽昌]神道墓誌」, "… 天曆二年, 陝民饑歉, 特奉玉旨, 賜御衣·御酒·白金百兩, 遂加榮祿大夫·陝西□[行]省平章政事. 公因奏准鈔壹十萬錠, 以賑饑民. 旣任, 數陳救荒之策, 數次歲下鈔百萬餘錠. 又設輸粟補官之法, 革除鈔法凝滯之弊, □□朝廷皆從其議, 民之疾者治之, 死者葬之, 所活之人, 不下百十餘萬. 民思遺愛, 紀之于石. 入覲, 賜金帶二條"(甘肅省 漳縣 徐家坪 出土, 趙一兵 2010年 ; 王楷 2011年 34面). 여기에서 인용된 두 자료집의 판독 내용에 약간의 차이가 있어 보다 구체적인 검정이 있어야 하겠다. 이 책에서 인용된 大陸의 金石文은 筆者가 實見하지 않은 것이고, 자료집에 따라 判讀에 차이가 많아 여러 가지의 한계가 있을 것이다.
- 『揭文安公全集』 권13, 甘景行墓銘, "豊城甘君, 諱<u>果</u>, 字景行, 早以郡學諸生, 受業熊先生<u>朋來</u>之門, … 天曆·至順之間, 天下大旱·蝗, 民相食. 天子下詔賑, 粟五百石以上與秩有差, 三百石旌其門, 君出粟, 或賑, 或貸, 或以爲粥以食, 日所活以百計, 而不受償"(四庫全書本11右末行).

429) 이는 『紺紙銀泥大方廣佛華嚴經』 권13, 권49의 題記에 의거하였다(前者, 寶物 第1103號, 湖林博物館 所藏, 南權熙 2002년 370面).

- 題記, "天曆二年己巳五月日寺住持 <u>向如</u> 補秩書」.

430) 이는 『원사』 권33, 본기33, 문종2, 천력 2년 5월 丁丑에 의거하였다.

431) 丁亥에 朔이 탈락되었다.

432) 이날은 율리우스曆으로 1329년 7월 21일(그레고리曆 7월 29일)에 해당한다.

而死:節要轉載].433)

[→柳清臣·吳潛等懼不敢還, 清臣留元九年而卒. 不學無知, 有機變, 恃勢弄權, 爲國害. 時有猫部曲人仕朝, 則國亡之讖, 俗稱猫曰高伊. 子攸基, 官至判密直□司事, 攸基子濯, 自有傳:列傳38柳清臣轉載].434)

[○太白犯右執法:天文3轉載].

[某日, 以慶尙道按廉使趙方珚·楊廣道按廉使馬季良, 仍番:慶尙道營主題名記].

秋七月丙辰朔小盡,壬申, 日食.435)

○太白晝見.

[己未4日, 月入大微太微中, 犯東藩上相:天文3轉載].

[壬戌7日, □月犯氐星:天文3轉載].

丙寅11日, □都僉議政丞致仕·鈴平君尹珤卒,436) [謚文顯:列傳9尹珤轉載].

[戊辰13日, 大雨, 人有溺死者:五行2轉載].

[丁丑22日, 月掩畢:天文3轉載].

戊寅23日, 賜政丞鄭方吉□几杖.

[→時僉議政丞鄭方吉年七十六, 王賜以杖:列傳37鄭方吉轉載].

[某日, 忠翊校尉·管耽羅軍民千戶所達魯花赤·奉善大夫·典客副令鄭楫, 與其夫人羅氏寫成'紺紙銀字法華經':追加].437)

---

433) 柳清臣이 충숙왕을 수종하여 다이두[大都]에 들어간 것이 1317년(충숙왕8) 4월 24일이므로 현재의 計算에 의하면 8년 만에 逝去한 셈이다.

434) 조선왕조 말기에 叛逆行爲를 일삼았던 親日派인 宋秉濬(1858~1925)이 撰한 柳升茂의 墓表가 있다(『淵齋集』 권41, 高麗贈平章事柳公升茂墓表). 여기에 柳清臣의 7人에 달하는 婦人[七房, 七妻]의 所生이 7男 1女라고 하는데(4妻, 7妻는 無後), 그중 위의 기사에 보이는 攸基[有奇]와 濯의 父子가 兄弟 行列로 編成되어 있어 자료의 信憑에 문제가 있을 것이다.

435) 지3, 天文3에는 丙辰에 朔이 탈락되었다. 또 이날 元에서도 일식이 있었다(『원사』 권33, 본기33, 文宗2, 天曆 2년 7월 丙辰). 이날은 율리우스력의 1329년 7월 27일이고, 開京에서 일식 현상이 심했던 시간은 8시 28분, 食分은 0.32이었다(渡邊敏夫 1979年 311面).

436) 이날은 율리우스曆으로 1329년 8월 6일(그레고리曆 8월 14일)에 해당한다.

437) 이는 京都市 北區 大宮栗栖町 常德寺에 소장되어 있는『紺紙銀泥法華經』第七의 題記에 의거하였다(京都府文化財保護基金 1986年 248面 ; 張東翼 2004년 711面).

· 題記, "以此殊勝功德,」 皇帝陛下,統臨億載,」 國王元子,壽筭無窮,三世師親,善惡知識,具足靈駕,」 其證菩提,己身夫婦,一門眷屬,同增福壽,當生佛剎,」 伏願,」 佛日恒明,法輪常轉,干戈息,農桑稔,六道生死,解冤助願,俱登」 樂岸,謹扣」 天曆二年己巳七月日誌,」 宣授忠翊校尉·管耽羅軍民千戶所達魯花赤·奉善大夫·典客副令鄭楫,」 妻通義郡夫人羅氏」.

[是月丙子[21日], 帝[皇太子~~圖帖睦爾~~]授皇太子寶:追加].[438]

八月[乙酉朔大盡,癸酉], [庚寅[6日]], 帝[明宗]崩.[439]

[己亥[15日]:追加], 皇太子[文宗]復位, 赦天下.

[庚寅[6日], 月掩房:天文3轉載].

[乙巳[21日], □[月]犯畢:天文3轉載].

[丁未[23日], □[月]犯東井南垣第一星:天文3轉載].

[庚戌[26日], 鎭星犯軒轅大星:天文3轉載].

[是月乙酉朔, 明宗次于王忽察都. 丙戌[2日], 帝[皇太子]入見, 明宗宴帝[皇太子]及諸王·大臣于行殿. 庚寅[6日], 明宗崩,[440] 帝[皇太子]入臨哭盡哀. 燕鐵木兒以明宗后之命, 奉皇帝寶授于皇太子, 遂還. 己亥[15日], 帝[皇太子]復卽位于上都大安閣, 大赦天下:追加].[441]

[□□[~~是時~~], 六軍亂, 高麗世子禎入侍宿衛, 其從臣正郎李君侅·護軍尹之彪·中郞將曹益淸等臨機衛護, 世子恃以無事, 後册拜功臣, 授鐵券:追加].[442]

九月[乙卯朔小盡,甲戌], [某日], 前忠州牧使金用卿從瀋王, 留于元. 其妻私義女壻別將王之祐, 監察司鞫問, 俱服.

[辛酉[7日], 月犯東北第二星:天文3轉載].

丙寅[12日], 檢校贊成事安于器卒, [年六十五:追加].[443] [于器, 時稱有高節淸德:節要轉載].

辛未[17日], 元帝[文宗]以卽位, 遣直省舍人完者·省委官文伯顔不花來,[444] 頒詔, 元[王]

438) 이는 『원사』 권33, 본기33, 문종 2, 천력 2년 7월 丙子에 의거하였다.

439) 이날은 율리우스曆으로 1329년 8월 30일(그레고리曆 9월 7일)에 해당한다.

440) 여기에서 明宗이 王忽察都(現 河北省 張北)에서 갑자기 崩御하였는데(30歲), 皇太子 圖帖睦爾(Tug Temur, 文宗)에 의해 毒殺되었다고 한다(天曆內亂).
- 『원사』 권36, 본기36, 문종5, 至順 3년 8월 己酉, "帝[文宗]崩, 壽二十有九, 在位五年. … 後至元六年六月, 以帝[文宗]謀爲不軌, 使明宗飮恨以崩, 詔除其廟主",

441) 이는 『원사』 권33, 본기33, 문종2, 천력 2년 8월의 記事에 의거하였다.

442) 이는 다음의 자료에 의거하였다.
- 『목은문고』 권17, 尹之彪墓誌銘, "… [忠肅王15年.]□[年]十九而拜護軍, 從永陵在朝之明年也. 時晉邸陟遐, 文宗自江南先入宮正位, 迎明宗于朔方. 文宗出勞于野, 丞相燕帖木兒進毒酒, 明宗中夜崩. 六軍亂, 公[尹之彪]與宰相曹益淸·李君侅等官, 左右永陵[忠惠王], 永陵恃以無恐. □[後]賜功臣鐵券".

443) 이는 「安于器墓誌銘」에 의거하였는데, 이날은 율리우스曆으로 1329년 10월 5일(그레고리曆 10월 13일)에 해당한다.

444) 委官은 東亞大學本과 延世大學本에는 委宮과 같이 刻字되어 있다.

在白州, □[稱?]病不出迎.[445)]

壬申[18日], 完者詰問其由, [都僉議政丞]鄭方吉以實對, 王猶憂懼, 完者遣忽赤閔子明, 謂王曰, "上國稱高麗多過失, 今宜先賀登極". 王喜曰, "使臣右我, 復何憂". [內臣·密直□□[副使]金之鏡曰, "完者族黨, 在本國, 完者似欲官其族人". 乃命之鏡及大司成高用賢·右副代言奉天祐, 掌銓注. 王謂用賢曰, "向授汝祗候, 今宜加四品". 蓋不知用賢已拜大司成矣. 幸臣擅除授, 而王不之察, 類此. 內臣申時用至政房, 罵之鏡曰, "今日除授爲使臣也, 乃輩, 奚獨鬻官, 而不官吾子孫耶". 時喪職者皆在庭, 時用顧曰, "若等無錢, 又誰怨也". 求官者雲集, 之鏡等, 夜匿村舍注擬. 上護軍申丁, 請官未遂, 罵之鏡·天祐曰, "壅蔽聰明, 專擅除授, 何也?". 又大呼曰, "無錢者, 毋求職". 之鏡等不能對, 批旣成, 密直副使李仁吉, 擅改于其第. 及批目下, 用事者爭相塗抹竄定, 朱與墨, 至不可辨. 時人謂之黑册政事:節要轉載].[446)]

[→密直□□[副使]金之鏡, 掌銓注, 專擅除授, 及批目下, 用事者, 爭相塗抹竄定, 朱與墨, 至不可辨. 時人謂之黑册政事[注, 黑册者, 兒輩用厚紙, 黑而油之,[447)] 以習寫字]:選擧3選法轉載].

[→[金之鏡,] 累遷密直副使. 王幸白州, 元使完者來, 之鏡白王曰, "完者族黨在本國, 完者將欲官之". 王命之鏡及高用賢·奉天祐掌銓注, 申時用至政房, 罵之鏡曰, "今日除授, 爲使臣也. 爾輩鬻官, 何不官吾子孫耶". 時失職者皆在庭, 時用顧曰, "若等無錢, 又誰怨耶". 求官者雲集, 之鏡等夜匿村舍, 注擬. 上護軍申丁求官未得, 罵之鏡·天祐曰, "爾何壅蔽聰明, 專擅除授也". 又大呼曰, "無錢者, 毋求官". 之鏡等不能對. 批成, 李仁吉擅改于其第, 及批目下, 用事者爭相塗竄朱墨, 至不可

---

445) 元字는 王字의 오자이다(東亞大學 2008년 9책 469面).

446) 黑册政事의 由來를 唐 中宗代에 韋后, 安樂·長寧公主, 上官婕妤 등에 의해 행해진 賣官賣職에 의해 中宗이 적법한 任命節次를 밟지 않고 墨勅[親筆]으로 작성한 告身[墨勅除官]인 斜封官과 관련지울 수도 있을 것이다.

· 『자치통감』 권209, 唐紀25, 中宗景龍 2년(708) 7월, "安樂·長寧公主及皇后妹郕國夫人·上官婕妤 … 皆依勢用事, 請謁受賕, 雖屠沽臧獲, 用錢三十萬, 則別降黑敕除官, 斜封付中書, 時人謂之斜封官], … 時斜封官皆不由兩省而授, 兩省莫敢執奏, 卽宣示所司. 吏部員外郞李朝隱前後執破一千四百餘人, 怨謗紛然, 朝隱一無所顧".

447) 1488년(성종19) 2월 朝鮮에 使臣으로 파견되어온 董越에 의하면, 이러한 厚紙로 비바람[風雨]을 막는 油席을 만들었던 것 같다.

· 『신증동국여지승람』 권1, 京都上, 國都, "大明董越'朝鮮賦', 眷彼東國, 朝家外藩, … 布之精以細密如縠, 紙所貴在棬束如筒. 傳油則可禦雨[注, 其厚紙有以四幅爲一張者, 有以八幅爲一張者, 通謂之油席, 其自視亦不輕]. 連幅則可障風[隨處皆以白布爲障幕, 陸行則以馬馱之以隨]".

辨. 時有童謠云, "用綜布作都目, 政事眞黑册. 我欲油之, 今年麻子少, 噫, 不得": 列傳37金之鏡轉載].[448]

[○月犯畢:天文3轉載].

[戊寅[24日], □[月]犯軒轅大星, 又與鎭星同舍. 流星出紫微, 入大微[太微]中:天文3轉載].

[庚辰[26日], 月犯右執法:天文3轉載].

[是月頃, 以[版圖正郎] 尹毗爲雞林府判官:追加].[449]

冬十月[甲申朔小盡,乙亥], 丁亥[4日], 完者·文伯顔不花·洪末的[洪末的里]等見王于白州藤巖寺[燈巖寺], 左右皆匿. 完者等直入臥內, 王慰諭之.[450]

己亥[16日], 遣定安君琮如元, 賀帝復位.

[○月入畢:天文3轉載].

[壬寅[19日], □[月]犯東井北垣:天文3轉載].

庚戌[27日], 又遣[密直副使]金之鏡□□[如元], 請傳位世子禎. [時世子在元:節要轉載].[451]

[○大霧:五行3轉載].

壬子[29日晦], 廣興倉頒祿. 時國無紀綱, 人無廉恥, 諸衛別將·散員等, 親到倉門, 或冒受, 或劫奪. 糾正不能糾治, 手執鞭杖, 終不能禁.[452]

[十一月[癸丑朔大盡,丙子], 丁卯[15日], 月犯畢大星. 太白·歲星相對:天文3轉載].

[辛未[19日], 太白入氐:天文3轉載].

---

448) 여기에서 都目은 大政[都目政]을 결정하기 위해 준비한 都目狀을 指稱하는 것 같다(朴龍雲 1995년b). 또 이 시기에 李仁吉은 奴婢를 둘러싸고 護軍 李安과 다투었다고 한다.

- 열전37, 崔安道, 李仁吉, "李仁吉, 累官密直副使. 與護軍李安爭奴婢, 毆安, 又毆其妻傷胎, 監察司囚仁吉家奴, 仁吉至監察司門, 伺臺官出, 罵辱之".

449) 이는 『동도역세제자기』에 의거하였다.

450) 洪末的(洪末赤, Maguchi)은 是年 5월 2일에는 洪末的里[Maguchili]로 되어 있다. 또 藤巖寺는 燈巖寺로 고쳐야 옳게 될 것인데, 이는 五行志3, 土行, 地震에 後者로 되어 있고, 『신증동국여지승람』 권43, 배천군[白川郡] 佛宇에도 그렇게 되어 있다.

451) 密直副使 金之鏡이 元 文宗에게 高麗國王位의 襲位를 요청한 것은 11월 27일(己卯)이었다.

- 『원사』 권33, 본기33, 문종2, 天曆 2년 11월 己卯, "高麗國王燾久病, 不能朝, 請命其子禎襲位".
- 『元史續編』 권10, 己巳文宗皇帝天曆 2년 11월, "高麗王燾請傳位於其子禎, 燾以有病不能朝, 請命其子禎襲位".

452) 이 기사는 지34, 食貨3, 祿俸에도 수록되어 있으나 別將·散員의 順序가 散員·別將으로 되어 있다. 이는 轉寫 또는 組版 때의 오류일 것이다.

[癸酉21日, 月掩軒轅左角:天文3轉載].

[甲戌22日, □月入大微太微右掖門:天文3轉載].

[十二月癸未朔大盡,丁丑, 甲午12日, 月掩畢:天文3轉載].

[戊戌16日, 月蝕:天文3轉載].[453)]

[是月甲辰22日, 元以明年正月武宗忌辰, 命高麗·漢僧三百四十人, 預誦佛經二藏于大崇恩福元寺:追加].[454)]

[是年, 以鷹揚軍上將軍金就起兼知軍簿司事:追加].[455)]

[○以重大匡·僉議贊成事奉君宰爲福州牧使:追加].[456)]

[○以洪休爲延安府使:追加].[457)]

[○以前福州司錄李仁復爲典校寺校勘:追加].[458)]

[○以左正言閔思平爲右正言:追加].[459)]

[○逆臣韓愼之子, 方固·用盉皆許通, 方固出守梁州, 用盉拜成均學諭:列傳43崔坦轉載].[460)]

---

453) 이때 月食을 月蝕으로 표기한 것은 『고려사』에서 예외적이다(→禑王 6년 9월 16일). 이날은 율리우스력의 1330년 1월 5일이고, 월식 현상이 심했던 때의 世界時는 19시 14분, 食分은 0.36이었다(渡邊敏夫 1979年 484面).

454) 이는 『원사』 권33, 본기33, 문종2, 천력 2년 12월 甲辰에 의거하였다.

455) 이는 다음의 자료에 의거하였다.

· 『졸고천백』 권1, 軍簿司重新廳事廳舍記, "… 自此至天曆己巳, 又閱六十年之久, 其間未有紹繼而能繕理者, 則棟榱欄楹, 胡得不腐敗摧折而日就傾圮哉. 鷹揚上將金侯就起適貳于司, 始莅之日, 郞署官吏, 軍衛將士以次進賀而退, 侯復進之, 顧視廳事, 而喟然謂郞署曰, 諸君到此, 各有幾年, 公宇有責, 誰任之者. …".

456) 이는 『안동선생안』에 의거하였는데, 재상이었던 奉君宰의 인적사항은 알 수 없다. 그는 江華島 河陰縣의 土姓으로 忠穆王代의 知密直司事 奉天祐의 父일 가능성이 있다(李樹健 1984년 275面).

457) 이는 『연안부지』에 의거하였다.

458) 이는 「李仁復墓誌銘」에 의거하였다.

459) 이는 『급암시집』연보에 의거하였다.

460) 韓愼은 1269년(원종10) 10월 3일 崔坦과 함께 반역을 일으켜 서북지역의 수많은 官僚들을 살해하고, 몽골제국에 투항하여 東寧府를 설치하게 한 主役의 1인이다. 그 후 고려의 官人이 되었지만 忠宣王을 謀害하다가 1307년(충렬왕33) 4월 10일 大都에서 誅殺되고, 그의 두 아들인 方固·用盉는 政案[名籍]에서 삭제되고 驛戶에 충당되었다. 이때 이들 형제가 赦免된 事由를 알 수 없고, 下位職에 머물고 있던 이들 兄弟가 『고려사』에 謄載된 것도 特異하다.

[○元以承徽政院使忙古台方臣祐爲光祿大夫·儲慶司使:追加].461)

[○元以承務郎·抄紙房提令洪彬爲承直郎·松江府判官:追加].462)

[增補]463)

庚午[忠肅王]十七年, 元 天曆三年→5月至順元年, [西曆1330年]

1330년 1월 20일(Gre1월 28일)에서 1331년 2월 7일(Gre2월 15일)까지, 13개월 384일

[春正月癸丑朔小盡,戊寅, 庚申8日, 月入東井:天文3轉載].

[戊辰16日, □月入大微太微中:天文3轉載].

[辛未19日, □月犯氐:天文3轉載].

[是月, 以金永煦爲慶尙道按廉使:慶尙道營主題名記].

[○天摩山寶城寺開板'正本一切如來大佛頂白傘蓋陀羅尼':追加].464)

春二月壬午朔大盡,己卯, 元策世子禎爲王, 遣客省副使七十堅來, 取國璽.465) [王傳國後, 至復位, 凡二十四月月, 在忠惠世家:下記의 記事에서 옮겨옴].466)

---

461) 이는 『익재난고』 권7, 方臣祐祠堂碑에 의거하였다.

462) 이는 「洪彬墓誌銘」에 의거하였는데, 松江府는 현재의 上海市 松江區 一帶이다.

463) 이해에 재직한 官僚로 다음이 있다.
- "四月, 李叔琪爲中正大夫·左副代言·三司右尹·寶文閣提學·知製教, 在職"(金承用墓誌銘).
- "十月, 安牧爲奉常大夫·司憲掌令, 在職"(安于器墓誌銘).

464) 이는 『正本一切如來大佛頂白傘盖摠持』(一切如來大佛頂白傘蓋陀羅尼, 보물 제959호, 慶州市 祇林寺 毗盧遮那佛腹藏)의 題記a에 의거하였다(許興植 1997년 351面 ; 南權熙 2002년 96面 ; 郭丞勳 2021년 449面).
- 題記, a "…」 皇帝億載,」 主上千齡,天下昇平,法輪常轉,助緣檀越,各增」 苐祿,法界有情,同成正覺尒, 時天曆三年孟」 春月日,東韓光明禪寺比丘圓庵空之謹題.」 天曆三年庚午正月上旬,天摩山寶城寺開板,幹辨露庵亂山達牧書,」 同願比丘 達全刀,」 同願比丘 惠一」.
  b 功德主 前中顯大夫·書雲正 全忠秀,」 至正二十五年乙巳三月日牛頭山見岩寺開板」.
  c [墨書追記], "辛亥三月日,令成大佛頂二百七十卷,」 施主 志義」 化士 志案」.

465) 이때 前成均學官 金光載(金台鉉의 子)가 충혜왕을 大都에서 隨從하고 있었다.
- 「金光載墓誌銘」, "至順庚午, 從忠惠王京師, 以勞授司僕寺丞".
- 열전23, 金光載, "補成均學官. 從忠惠王如元, 以勞授司僕寺丞".

466) 注의 二十四月은 延世大學本과 東亞大學本에 二十四字로 되어 있으나 誤字일 것이고(東亞大學 1982년 9책 470面), 이 기사의 原位置도 적절하지 못하였다[校正事由].

[秋閏七月庚辰朔小盡,甲申, 甲申5日, 王如元→閏7月 5日로 옮겨감]. [王傳國後,至復位,凡二十四月, 在忠惠世家:上記로 옮겨감].

[以下의 記事는 忠惠王世家篇에서 移動해옴]

忠肅王十七年二月壬午朔大盡,己卯,[467] [□□□□世子在元:追加]. 帝命典瑞院使阿魯委·頭曼台·客省太史九住, 策王曰, "世篤忠貞, 足任人民之寄, 家興仁讓, 宜膺爵土之傳, 庸非其人, 胡能立國. 咨, 爾高麗國世子王禎, 肇由懿戚, 獲建鴻名. 奕業相仍, 奉聲敎而彌謹, 歷年滋久, 守臣節而靡虧. 玆因乃父之求閑, 爰承正系之攸屬. 於戱, 藩維宗社, 毋忘爾先世之忠, 帶礪山河, 永固我大邦之慶. 勉修令德, 丕集繁禧. 可特授開府儀同三司·征東行中書省左丞相·上柱國·高麗國王".

○遂遣客省副使七十堅來, 取國王印.

[己丑8日, 月入東井:天文3轉載].

癸巳12日, 王放鷹于平則門外, 凡六日.[468]

○西河君任子松, 萬戶·密直副使權謙等從七十堅[等, 從七十堅:節要轉載], 賫國印如元.

丁未26日, 帝文宗御奎章閣, 授王國印. 王命政丞致仕金台鉉, 權征東行省事.[469]

---

467) 이달의 記事는 12일(癸巳) 西河君 任子松과 萬戶·密直副使 權謙(崔誠之의 壻) 등이 元의 使臣 七十堅을 따라서 國印을 가지고 元에 간 것을 제외하고 모두 元에서 일어난 일을 기록한 것이다. 또 이날 이후 6月末까지 忠惠王이 元에 滯在하고 있었기에 고려와 원에서 일어났던 사건들이 뒤섞여 있다[混在].

468) 平則門은 大都城의 西門 중(和義門, 肅淸門)의 하나(現 北京市 西城區 中部에 위치)로 明代에 阜成門으로 改稱되었다.

469) 이때 충혜왕에 의해 權征東行省事에 임명된 金台鉉에 관한 기록으로 다음이 있다. 이에 의하면 元의 使臣인 客省使 七十堅이 와서 國王印(金印]을 回收하고 金台鉉을 權征東行省事로 임명하고 2월 2일에 歸國하자, 29일 忠肅王[前王]의 命에 의해 당시의 宰相[時宰]들이 金台鉉을 불러 丞相印을 回收하였다고 한다. 그렇지만 距離上으로 七十堅[Chisigen]이 2월 2일에 귀국할 수가 없으므로, 이에 나타난 二月은 三月의 오자일 가능성이 있다.

· 「金台鉉墓誌銘」, "至順庚午春, 國王受嗣封之命, 朝廷遣客省使七十堅來, 取金印, 而命公權行省事, 公重違其命, 且起署事, 朝使以二月二日而回, 至廿九日, 時宰會坐巡軍所, 以前王命召公, 至則收丞相印于省府, 出公, 听命, 歸家數月, 別無行遣, 四月, 挈家東游金剛山, 蓋避嫌也, 五月, 王使至自都, 責時宰以擅收丞相印事, 罷左右司官, 皆停月俸, 遣宣使一人到山傳命, 公乘驛還京, 復署省事, 非其好也. 七月, 氣疾作, 藥治不効, 至十月六日癸丑, 卒于家".

· 열전23, 金台鉉, "忠肅十七年, 忠惠以世子在元, 王請傳位, 元遣使來, 取國王印, 令台鉉權行省

戊申[27日], 王置知印房[政房], 以三司右尹尹之賢·起居注李湛·都官正郎李君侅·典籤金漢龍, 充其任.[470)]

己酉[28日], 王與右丞相燕帖木兒[燕鐵木兒, 471)] 放鷹于柳林.[472)]

[是月己丑[8日], 萬德山白蓮寺僧□[某]豈撰'釋迦如來行蹟頌'跋:追加].[473)]

[是月, 僧戒眞·心惠等道俗廿餘人造成瑞州浮石寺觀音菩薩像:追加].[474)]

三月[壬子朔大盡,庚辰], [某日], 王委機務於嬖臣[·護軍]裴佺·朱柱等, 日與內竪, 爲角力戲, 無上下禮. 由是, 君子見斥, 直言不得進, 起居注李湛白王曰, "君擧不可不愼, 一動一靜, 左右書之". 王曰, 書者誰歟. 湛曰, "史臣之職也". 王曰, "書我過失者, 皆書生也". 王本不好儒, 由是, 益惡之.[475)]

丁巳[6日], □[遣]大護軍崔成等齎白苧布·虎豹皮如元, 獻王.

戊寅[27日], 王尙闊西王焦八長女[亦憐眞班公主], 是爲德寧公主. 宣徽院宴王及公主於燕

事. 使者還, 宰相以忠肅命召台鉉, 至則收省印, 囚台鉉及尹碩·元忠等, 以鄭方吉, 權行省事. 於是, 台鉉挈家東遊金剛山, 盖遠嫌也. 忠惠遣使, 責宰相擅收省印, 罷左右司官, 馳召台鉉, 復署省事".

470) 知印房은 笏子房과 함께 政房의 別稱이다.
· 지31, 백관2, 尙瑞司, "尙瑞司, 卽政房, 或稱知印房, 或稱笏子房".

471) 右丞相 燕帖木兒[El Temur]는 『원사』에서도 燕鐵木兒 또는 燕帖木兒로 並用되어 있다. 이때 燕帖木兒 등의 諸族 親衛軍團長에 의한 軍閥執政이 이루어졌고, 이후 이들이 장기간에 걸쳐 朝廷의 실권을 장악하였다(杉山正明 1997年 471面 年表).

472) 柳林은 大都의 東南쪽인 中書省 通州(現 北京市 通縣)의 남쪽에 위치한 元 皇室의 사냥터(獵場, 不剌, 部落)로서 行宮이 설치되어 있었다.

473) 이는 다음의 자료에 의거하였다(閔泳珪 1994년).
· 『釋迦如來行蹟頌』권하, 跋, "… 天曆三年庚午二月八日, 萬德山白蓮社沙門 □豈 跋".

474) 이는 忠淸南道 瑞山市 浮石面 翠坪里 島飛山 浮石寺(忠淸南道 文化財資料 第195號)에 소장되었던 金銅觀音菩薩像(對馬島, 長崎縣 對馬市 豊玉町 小綱183 觀音寺 所藏)의 鑄成記에 의거하였다(菊竹淳一 1974年 ; 松原三郞 1985年 141面 ; 文明大 1980년 292面 ; 1985년 ; 南權熙 2002년 520面 ; 崔聖銀 2013년 362面 ; 鄭恩雨 等編 2017년 156, 309面)에 의거하였다.
· 鑄成記, "南贍部洲高麗國瑞州地浮石寺堂主觀音鑄成結願文,」 盖聞諸佛菩薩發大誓願, 而度衆生也,雖無彼我平等, 以視之,然」 佛言無因, 衆生難化,依此金口所說,弟子等, 同發大願,鑄成觀音一存,安于」 浮石寺, 永充供養者也, 所以現世消災致福,後世同生安養, 而願也,」 天曆三年二月 日 誌.」 伏願先亡父母·普勸道人戒眞,」 同願,」 玄一, 心惠,」 金同, 惠淸,」 兪石, 法淸,」 田甫, 道淸,」 金成, 幼淸,」 國應達, 達淸,」 難甫, 所火伊,」 萬大, 淡回,」 件伊三, 道者,」 萬大, 國沙,」 國樂三, 石伊,」 仁哲, 徐桓,」 防同, 仍火八,」 守旦, 國閑,」 惡三, 豕守,」 金龍」.

475) 『고려사절요』 권24에는 이 기사 앞에 三月이 탈락되었다. 또 ~~添字~~는 열전37, 裴佺에 의거하였다("裴佺, 興海郡人, 其母宮婢. 佺爲忠惠嬖幸, 累轉護軍, 委以機務").

帖木兒第.[476]

[是月戊午7日, 元廷試進士, 賜篤列圖·王文燁等九十七人及第·出身有差. 是時, 高麗人一人及第:追加].[477]

夏四月壬午朔小盡,辛巳, 護軍趙得圭如元, 白王曰, "上王囚權省金台鉉及尹碩·贊成事元忠等, 以政丞鄭方吉△爲權行省事".

庚寅9日, 以金深爲都僉議中贊,[478] 任子松·元忠·全彥△並爲贊成事, 李凌幹·李揆△並爲□都僉議參理, 李齊賢爲政堂文學, 全英甫·韓渥爲三司□□左右使, 尹奕爲密直使, 權謙·金文貴·金之鏡△並爲密直副使, 全信爲監察大夫,[479] 左副代言韓宗愈△爲知申事, 李湛·尹安庇爲右·左代言, 李君俵爲右副代言,[480] [李叔琪爲左副代言·判繕工寺事:追加].[481]

[○是時, 復改政丞, 爲中贊, 評理爲參理:百官1門下府轉載].

甲午13日, 王獻白馬八十一匹. 帝御興聖殿, 會諸王·駙馬, 置酒, 勑王以屬序坐.

戊戌17日, 王宴關西王焦八.

○上王遣軍簿判書張沆如元,[482] 請太醫, 仍以書諭王曰, "聞俗儒有冒進者, 王其勿用".

[庚子19日, 流星入大微太微, 犯亢:天文3轉載].

---

476) 關西王 焦八은 열전2, 忠惠王妃, 德寧公主에는 鎭西武靖王 焦八(搠思班, jochi bal, 世祖忽必烈의 孫)로 표기되어 있다.

477) 이는 『원사』 권34, 본기34, 文宗3, 至順 1년 3월 戊午에 의거하였다. 이때(1330년) 高麗人 1人이 급제하였던 것으로 추측되지만 구체적인 人名을 알 수 없다. 곧 『졸고천백』 권2, 送奉事李中父還朝序에 의하면 1335년(元統1) 이전에 이미 6人이 廷試에 급제하였다고 한 점을 보아(현재 確認되는 及第者는 1318년 安震, 1321년 崔瀣, 1324년 安軸, 1327년 趙廉, 1333년 李穀 등 5人) 이해에도 1人이 급제하였음을 알 수 있다(張東翼 1994년 173~174面).

478) 이때 金深은 輸誠守義協輔忠亮功臣·三重大匡·都僉議中贊·判典理司事·化平府院君에 임명되었다(金深墓誌銘).

479) 이때 全信은 奉翊大夫·監察大夫·進賢館大提學·上護軍에 임명되었다(全信墓誌銘).

480) 이때 李君俵는 右副代言兼監察執義에 임명되었던 것 같다(열전24, 李嵒, "忠惠初, 擢密直代言兼監察執義").

481) 이는 다음의 자료에 의거하였는데, 現存하는 이 책은 이 시기 이후에 開板되었던 것 같다. 곧 天曆 年號는 5월 8일에 至順으로 改元되었기에 至順四月庚午日은 존재할 수 없다.
- 『釋迦如來行蹟頌』卷首序, "正順大夫·密直司左副代言·判繕工寺事·進賢館提學·知製教李叔琪述. 夫業於儒者, 雖未窮五常之源而行之, … 時大元至順庚午四月日~~天曆庚午四月日~~, 晦岩老人書于柯亭"(黃壽永 編 1985년 539面).

482) 張沆의 官職인 軍簿判書는 그의 열전에 의거하였다(열전22, 張沆).

癸卯[22日], 王享右丞相燕帖木兒于其第, 酒半, 丞相起舞, 王亦起舞, 獻酬劇飮.

[某日, 兩府, 以行邸用度不足, 科斂文武官布貨, 抽索富人財:食貨2科斂轉載].

[是月, 林州鴻山郡戶長李臣起與僧正因寫成'紺紙銀字妙法蓮華經'七軸:追加].[483)]

[○正順大夫·密直司左副代言·判繕工寺事·進賢館提學·知製教李叔琪撰'釋迦如來行蹟頌':追加].[484)]

五月[辛亥朔大盡,壬午], [癸丑[3日], 流星出心星, 落地:天文3轉載].

[丙辰[6日], 王弟生, 上王賜名祺[恭愍王]:追加].

[丁巳[7日], 鎭星貫月:天文3轉載].

己未[9日], 帝命王之國.

壬戌[12日], 以代言李君侅·前掌令安牧·成均丞鄭頔·都官佐郎鄭世忠掌銓注, 賜從臣爵, 嬖幸冒濫者頗多.

乙丑[15日], 帝御大明殿, 受尊號, 改元至順, 大赦天下. 王就駙馬之列, 以賀. 翰林學士闊闊歹獻王玉帶[485)].

乙亥[25日], 帝幸上都,[486)]

丙子[26日], 王從至龍虎臺,[487)] 拜辭. 帝賜衣慰諭.

---

483) 이는 다음의 자료에 의거하였다(湖巖美術館 所藏, 국보 제234호, 趙明基 1962년 ; 南權熙 2002년 370面 ; 張忠植 2007년 154面). 여기에서 嚴侍義方은 '父母는 子息을 法度있게 訓育하는 것'을 가리키고, 壽倒三松은 '늘 푸르고 늙지 않는 소나무가 넘어질 때까지 長壽하라'는 의미인 것 같다.

· 『紺紙銀泥妙法蓮華經』 권7, 권말제기, "鴻山郡戶長李臣起, 特爲」 嚴侍義方,壽倒三松,先亡聖善,足躡九蓮,普及.」 自他現在,未來獲福,無邊之願,寫成銀字蓮經,」 七軸,廣施無窮者,」 天曆三年庚午四月 日, 臣起 誌,」 同願比丘 正因」.

· 『춘추좌씨전』傳, 隱公 3년 末尾, "… 石碏諫曰, '臣聞, 愛子敎之以義方, 不納于邪. …".

· 『王荊公文集』 권4, 酬王濬賢良松泉二詩, 松, "世傳壽可三松倒, 此語難爲常人道, 人能百歲自古稀, 松得千年未爲老, …".

484) 이는 是月 9일 李叔琪의 脚注에 의거하였다.

485) 乙丑(15일)에 文宗이 大明殿에서 尊號를 받았다고 되어 있으나, 『원사』에는 戊午(8일)로 되어 있다(권34, 본기34, 문종 至順 1년 5월 戊午).

486) 乙亥(25일)에 文宗이 上都에 幸次하였다고 되어 있으나, 『원사』에는 戊辰(18일)에 출발하였다고 되어 있다(권34, 본기34, 문종 至順 1년 5월 戊辰).

487) 文宗은 19일(己巳) 昌平縣 龍虎臺(現 北京市 昌平區 西部 位置)의 納巴(行宮, 契丹語로 納鉢→우왕 9년 2월 某日의 脚注)에 幸次하였다고 한다(『원사』 권34, 본기34, 문종 至順 1년 5월 己巳).

· 『扈從集』前序, "至正十二年, 歲次壬辰四月, 予由翰林直學士·兵部侍郎, 拜監察御史, 視事之

[某日, 軍簿司廳舍成. 先是, 鷹揚軍上將軍·知軍簿司事金就起, 使佐郎金玩董其役, 玩乃出公庫羡財, 先市材瓦, 凡所指畫, 皆出至誠, 故軍卒樂其赴, 不督而自辦. 是年二月起工, 至是功訖:追加].[488)]

[是月, 香徒金思達·松連·草兼等造成'釋迦如來三尊阿難迦葉圖':追加].[489)]

[是月頃, 以律學助敎權晃爲雞林府法曹:追加].[490)]

[是月戊午[8日], 元改元至順:追加].

六月[辛巳朔小盡,己未], 丙申[16日], 監察司論□[前]楊廣道按□[使]廉馬季良·□[前]慶尙道按廉□[使]趙方珚,[491)] 貪汚不法, 流于島.

丁未[27日], 祔忠宣王于寢園,[492)] 以忠正公洪子藩·文靖公鄭可臣配享. 遷仁宗主, 權安康宗主于東夾室.[493)] [是祭, 衆闌入廟庭, 爭奪奠物而去. 法司不能禁, 凡行事,

---

第三日, 實四月二十六日, 大駕北巡上京, 例當扈從, 是日, 啓行至大口, 留信宿, 歷皇后店皁角, 至龍虎臺, 皆巴納也. 國語曰巴納[納巴]者, 猶漢語宿頓所也. 龍虎臺在昌平縣境, 又名新店[辛店], 距京師僅百里. …"(四庫全書本).

· 『扈從集』後序, 龍虎臺[注, 在昌平縣境, 北距居庸關廿五里] ; 大口[注, 其地有三大垤, 土人謂之三疙疸, 距都北門二十里].

488) 이는 다음의 자료에 의거하였다.

· 『졸고천백』 권1, 軍簿司重新廳事[廳舍]記, "… 於是, [鷹揚軍上將軍·知軍簿司事金就起,]出令新之, 仍委佐郎金君玩董其役, 金君乃出公庫羡財, 先市材瓦, 凡所指畫, 皆出至誠, 故軍卒樂其赴, 不督而自辦. 經始於翌年庚午二月, 至五月而功告訖, 堂宇比舊頗寬敞, 崇庳損益, 俱有制度, 可以永久".

489) 이는 埼玉縣 入間郡 越生町 大字越生 704 法恩寺에 소장된 「絹本著色釋迦如來三尊阿難迦葉圖」의 畵記에 의거하였다(熊谷宣夫 1967年 ; 菊竹淳一 1981年 單色圖版30 ; 菊竹淳一 1997년 ; 洪潤植 1995년 23面 ; 張東翼 2004년 737面).

· 畵記, "香徒等」 金思達, 松連,」 草兼, 古火□[也],」 金□[三], 松百,」 閑守, 助達,」 金呂, 所閑,」 金□[二], 金甫,」 仁界, 水口,」 尹白, 戒□[明],」 万眞, 戒□[山],」 正延, 大□,」 于斤伊, 孝□,」 永宣, 三□[日],」 幹善禪□,」 天曆三年庚午五月」.

490) 이는 『동도역세제자기』에 의거하였다.

491) 慶尙道按廉使 趙方珚은 『경상도영주제명기』에 의하면 1328년(戊辰, 충숙왕15) 秋冬番[秋冬等]提察使로서 임명되어 다음 해(己巳, 1329)의 秋冬番提察使까지 3回를 連任하였고[仍番], 이 해의 提察使는 아니었다. 그렇다면 馬季良도 1328년(충숙왕15) 秋冬番[秋冬等]提察使로서 임명되어(→충숙왕 16년 2월 某日), 다음 해(己巳, 1329)의 秋冬番提察使까지 3回를 連任하였을 것으로 추측된다. 그리고 『경상도영주제명기』에는 提察使로 되어 있으나 1327년(충숙왕14) 이후에 按廉使로 改稱되었던 것 같다.

492) 이 구절은 禮志6, 國恤에도 수록되어 있다.

493) 이에서 寢園은 陵墓의 그것이 아니라 太廟의 寢園을 가리키고, 夾室은 붙어 있는 房[脇室]을 가리킨다. 곧 太廟 內의 東西廂[東西堂]의 兩側에 위치한 房으로 5世祖 以上 遠祖의 神主를 모시는 곳이다(竹內照夫 1993年 655面).

皆不如儀:節要轉載], [日昏乃畢. 初, 典理佐郎趙廉言, 本國昭穆之序, 有乖古制. 宜以太祖, 居中室, 高宗爲第一昭, 元宗爲第一穆, 忠烈王爲第二昭, 忠宣王爲第二穆, 惠王·明王, 居東夾室, 如周制武王, 居東北夾室之例, 顯王·康王, 居西夾室, 如周制文王, 居西北夾室之例. 如是, 則惠·顯二主, 分居東西, 爲不遷之主, 明·康父子, 亦分東西, 爲假安之位, 於禮, 便, 而昭穆之序, 亦合古制. 不從:禮3吉禮大祀轉載].

[某日, 以李元幹爲慶尙道按廉使:慶尙道營主題名記].

秋七月庚戌朔大盡,甲申, 丁巳8日, 元流明宗太子妥懽帖睦爾于我白翎鎭大青島, 年十一歲.[494)]

癸亥14日, 光陽君崔誠之卒,[495)] [年六十五, 諡文簡, 官庀葬事:追加].[496)] [誠之, 性剛直, 精於數學. 忠宣在元, 定內亂, 立武宗, 誠之在左右, 多所贊襄. 忠宣賜金百斤, 令求師, 學授時曆法, 東還遂傳其學. 及畾黨疏國家得失, 將言於朝廷. 誠之不肯署名, 主謀者同坐府中, 令□□□都僉議錄事請署, 誠之厲聲曰, 吾嘗備位宰相, 僉錄~~都僉議錄事~~欲脅我耶. 衆沮喪:節要轉載].[497)]

· 『禮記』, 雜記下第21, "成廟則釁之. 其禮, … 門·夾室皆用鷄, 先門而後夾室[注, 孔穎達疏, 夾室, 東西廂也]".

494) 이와 관련된 기사로 다음이 있다. 妥懽帖睦爾(陶于帖木兒, togon Temur)는 明宗 和世剌(qosila)의 長子로서 明宗이 崩御하고 文宗이 復位하자 1330년(至順1, 충혜왕 즉위년) 4월 20일(辛丑) 이후 高麗에 流配되었다.

· a 지12, 지리3, 白翎鎭, "忠肅十七年, 流陶于帖木兒太子于此. □□□忠惠後元年, 召還". 여기에서 토콘 테무르[陶于帖木兒]는 1331년(忠惠後1, 辛未) 12월에 召還되었으므로 ~~添字~~가 追加되어야 옳게 될 것이다.

· b 『신증동국여지승람』 권43, 黃海道, 長淵縣, 古跡, 大青島, "… 忠肅十七年, 流陶于帖木兒于此, □□□忠惠後元年召還, 其所居宅基猶在, 有牧牛場".

· c 『세종실록』 권152, 지리지, 海州牧, 甕津縣, "大青島, … 忠肅十七年庚午, 流先帝太子陶于帖木兒于此島, 壬申十二月, 召還. 今牛隻入放". 여기에서 '壬申十二月'은 '1332년(忠肅王 後1, 至順3) 12월'에 해당하므로 d와 부합되지 않는다. 추측하건데 『세종실록』지리지를 편찬할 때, a의 ~~添字~~[忠惠王]를 忠肅王으로 誤解하여 '辛未十二月'을 前者로 잘못 記錄하였던 것 같다.

· d 『원사』 권38, 본기38, 順帝1, 總論, "… 至順元年四月辛丑20日, 明宗后八不沙被讒遇害, 遂徙帝于高麗, 使居大青島中, 不與人接. 閱一載至順2年, 復詔天下, 言明宗在朔漠之時, 素謂非其己子, 移于廣西之靜江. 三年八月己酉12日, 文宗崩, …".

495) 이날은 율리우스曆으로 1330년 7월 29일(그레고리曆 8월 6일)에 해당한다.

496) 이는 「崔誠之墓誌銘」에 의거하였는데, 열전21, 崔誠之에는 66세에 逝去하였다고 한다("居七年卒. 年六十六, 諡文簡, 官庀葬事").

497) 崔誠之에 의한 授時曆의 導入에 관련된 기사로 다음이 있다(宋春永 1996년).

· 『세종실록』 권156, 七政算內外篇, 序文, "高麗崔誠之, 從忠宣王, 在元得授時曆法, 以還本國,

閏[七]月庚辰朔小盡,甲申, [甲申5日, □±王如元←앞에서 옮겨옴].

[丙戌7日, 前征東行省都鎭撫·檢校都僉議評理·上護軍致仕元善之卒, 年五十:追加].498) [□□善之, 爲人多能, 處事安詳, 善琴·碁. 常劑藥活人, 丐者日踵門, 應對無惰容. 子龜壽·松壽:列傳20元善之轉載].

[某日, 上王將如元, 至海州. □前政丞鄭方吉·□前贊成事姜融·前評理金元祥,499) 白曰, "今王之位, 殿下與之, 王宜誠心, 以事殿下, 而反如仇讎. 殿下之臣, 一皆褫職,500) 唯以義成倉, 屬之殿下, 供億不給, 辱莫大焉. 又今王與龍山元子, 有不友之心, 勢不可兩存. 請殿下, 與元子入朝".501) 上王遂命德妃忠惠王母, 歸田里, 使不與王相見. ○中郎將曹益淸, 自王所來. 上王召謂曰, "王奪吾從臣等官, 何也? 雖畧爲王, 豈至如此, 吾欲朝元, □□奏帝何如?". 益淸力陳, 王位父子相傳之法, 言甚切至, 上王嘉納. 然以方吉等言, 猶不能自安:節要轉載].

[→忠惠旣卽位, 忠肅聽鄭方吉·姜融·前僉議評理金元祥讒間, 遂勒后洪氏歸田里, 不許母子相見:列傳2忠肅王明德太后洪氏轉載].

戊子9日, 郎將金天祐還自元言, "朝廷據前征東行省左右司郎中·蠻人蔣伯祥狀, 議於東國, 將置行省".

庚寅11日, 王寄書太師·右丞相燕帖木兒曰, "禎, 專荷洪造, 尙主受封, 今已就國, 天地父母恩何報謝. 竊聞前行省左右司郎中蔣伯祥, 上告都堂中書省, 欲於小邦, 立省置

始遵用之. 然術者且得其造曆之法, 其日月交食·五星分度等法, 則未之知也. 世宗命鄭欽之·鄭招·鄭麟趾等, 推算悉究得其妙, 其所未盡究者, 加以睿斷始釋然矣. 又得太陰太陽通軌於中朝, 其法小與此異, 稍加檃括爲內篇. 又得回回曆法, 命李純之·金淡考校之, 乃知中原曆官有差謬者, 而更加潤正爲外篇. 於是, 曆法可謂無遺恨矣".

· 『授時曆捷法』卷首, 序, "… 國初設太史局, 今改爲書雲觀, 宣明曆法雖存, 而編帙脫遺, 而義亦未備, 故昔我」 忠宣王當戊午年忠烈24年入侍」 天廷, 久留輦下, 見太史院館之精於此術, 欲以其學流傳」 我邦家. 越大德癸卯·甲辰年間忠烈30·31年, 光陽君崔公誠之捐內帑金百斤, 求師而受業, 具得其不傳之妙, 及還」 本國, 欲傳其術者久之, 難得其人, 萬索而得之今之姜公保, 一學而盡通其法捷, 而信明精通之聞, 傳播人口.」 忠肅王嘉其能, 越乙亥年忠肅後4年擢爲書雲司曆, …" (韓國學中央研究院 奎章閣文庫 所藏, 郭丞勳 2021년 399面).

498) 이는「元善之墓誌銘」에 의거하였는데, 이날은 율리우스曆으로 1330년 8월 21일(그레고리曆 8월 29일)에 해당한다.

499) 이때 鄭方吉과 姜融은 現職이 아니었을 것이다(→是年 4월 9일).

500) 添字와 같이 고쳐야 옳게 될 것이다(東亞大學 2006년 27冊 591面).

501) 이때 曹國公主 金童의 所生인 龍山元子는 6세이다. 또 曹益淸에 관한 기사는 열전21, 曹益淸에도 수록되어 있는데, 添字에 이에 의거하였다. 또 이 기사는 열전37, 嬖幸2, 鄭方吉에도 수록되어 있다.

官, 變更國俗, 上下無不驚惶. 況予東來, 坐席未暖, 遽聞此事, 安得無恐. 切念, 小邦臣服聖朝, 歲修職貢, 百有餘年, 未嘗小懈. 歲戊寅[高宗5年], 太祖聖武皇帝應天奮擧之初, 有亡遼遺種金山王子, 驅掠中原, 陸梁東土, 略無歸順之意, 妄有興復之謀. 朝廷命哈眞·札剌[札剌], 以討其罪, 天寒雪深, 粮道不繼, 我五代祖忠憲王[高宗]遣趙冲·金就礪, 助兵餽餉, 恊[協]力攻破. 於是, 兩元帥聞奏朝廷, 與冲等, 結兄弟之盟, 世世子孫, 無忘今日. 歲己未[高宗46年], 世祖皇帝回軍江南, 我四代祖忠敬王[元宗]率群臣, 跋涉六千餘里, 迎拜於梁楚之地.[502] 世祖大加褒賞, 卽降聖訓, 不改國俗, 依舊管領. 中統元年[元宗1年], 詔諭安南國, 有曰, 本國風俗, 一依舊制, 不須更改. 況高麗比遣使來請, 已經下詔, 悉依此例. 至元三年[元宗7年], 賜日本國書, 有曰, 朕卽位之初, 以高麗無辜之民, 久瘁鋒鏑, 卽令罷兵, 還其疆域, 反[返]其旄倪.[503] 高麗感戴來朝, 義雖君臣, 懽若父子. 計王之君臣, 亦已知之. 高麗朕之東藩也. 其後, 我三代祖忠烈王入侍輦下, 釐降帝女, 世叨甥舅之親. 當其立諸處行省, 獨於小邦不設, 後因征日本, 雖有名額, 不拘常選. 大德末, 我祖太尉王[忠宣王]佐仁宗皇帝, 平定內亂, 行至央骨, 迎立武宗皇帝, 爲定策一等功臣. 時有遼陽人重喜, 請立省小邦, 天心赫怒, 杖重喜, 流遠方. 今伯祥挾恨飾辭, 謀欲覆我宗國, 不畏累朝聖訓. 朝廷若從其說, 小邦所以首先歸服, 歲修職貢, 不敢自以爲功, 其於累朝存恤之意何, 其賜日本·安南之詔何. 又念小邦, 黑誌之地, 山川林藪, 土石磽薄, 稅地賦民, 不周於用. 地遠民愚, 言語趨舍, 婚姻風俗, 不同中國. 若其聞此, 必皆惶懼. 伏望, 大丞相閣下無納巧言, 導開天意, 許土風之不改, 令祖業以相安. 則豈惟山澤之民, 皆懷聖德, 抑亦宗祧之鬼益感至仁".

○遂寢立省議.

○上王將如元, 至黃州, 王道上, 胡跪迎謁. 上王曰, "汝之父母皆高麗也, 何見我行胡禮, 且衣冠太侈, 何以示人? 可速更衣". 訓戒嚴厲, 王涕泣而出.

[○前密直副使李仁吉, 以姦幸於王. 上王曰, "汝眞犬豕也". 杖之, 流于島. 王中止之:節要轉載].

[→[李]仁吉又以姦諂, 幸於忠惠. 忠肅嘗見忠惠衣冠太侈, 訓戒之, 且謂仁吉曰, "汝眞犬豕也". 杖流于島. 忠惠中止之:列傳37李仁吉轉載].

---

502) 梁楚는 汴梁(北宋의 首都였던 開封府 汴京의 改稱, 現 河南省 開封)의 다른 표기인 것 같다(→충렬왕 23년 2월 6일).

503) 反은 返으로 읽어야 할 것이다[讀].

丙午27日, 王及公主還自元, 入御延慶宮.

○帝文宗遣翰林學士阿塔歹·戶部郎中禿憐·宣使孟士泰, 護行而來.

[是月頃, 以姜彥爲福州牧使, 通直郎·版圖正郎 辛引琚爲雞林府判官:追加].[504)]

八月己酉朔大盡,乙酉, 丙辰8日, 王卽位於康安殿.

戊午10日, 赦.

辛酉13日, 遣上護軍朱柱如元, 賀加上尊號.[505)]

[丙子28日, 雨雹, 大如李·梅:五行1雨雹轉載].

[是月頃, 以奉翊大夫·檢校僉議參理趙石堅爲雞林府尹, 成均博士柳之澤爲雞林府司錄兼參軍事:追加].[506)]

九月己卯□朔小盡,丙戌, 幸王輪·乾聖二寺.[507)]

壬寅24日, 王如見州, 謁德妃忠肅王妃洪氏.

[是月, 代言尹之賢, □□□□掌擧子試, 取孫光嗣等九十九人:選擧2國子試額轉載].

冬十月戊申朔小盡,丁亥, 癸丑6日, 檢校政丞金台鉉卒,[508)] [年七十, 謚文正:列傳23金台鉉轉載].[509)] [台鉉, 風儀端雅, 眉目如畫. 少與儕輩, 受業先進之門, 先進奇愛之, 屢引入內餉之. 其家有女新寡, 稍解詩, 忽一日, 窗隙間, 以詩投而挑之. 自此, 絶不復往. 性廉正, 言語擧止, 動循法禮, 事母孝, 睦親姻, 與人無妄交, 歷事三朝, 進退以義, 言歷代典故, 如昨日事, 每國有大疑, 必就而咨決焉:節要轉載].

[→□□台鉉, 性廉直, 言動循禮, 晝不臥, 暑不袒. 待人以和, 事母孝, 敎子孫有方, 不妄交人, 亦無爲仇怨者. 歷事三朝, 進退以義, 處煩劇, 裁決精敏, 人服其明. 言歷代典故, 如昨日事, 每國有大疑, 必就咨決. 嘗手集東人詩文, 號'東國文鑑.'[510)]

---

504) 이는『안동선생안』;『동도역세제자기』에 의거하였다.

505) 文宗은 5월 8일(戊午) 右丞相 燕帖木兒(燕鐵木兒, El Temur)를 위시한 百官으로부터 尊號를 받았다(『원사』 권34, 본기34, 문종3, 至順 1년 5월 戊午).

506) 이는『동도역세제자기』에 의거하였다.

507) 己卯에 朔이 탈락되었다.

508) 이날은 율리우스曆으로 1330년 11월 16일(그레고리曆 11월 24일)에 해당한다.

509) 이는 열전23, 金台鉉 ;「金台鉉墓誌銘」에 의거하여 전재·추가하였다.

510)『東國文鑑』에 관련된 기사로 다음이 있다.

子光軾·光轍·光載·光輅. 光軾登第, 官至摠部議郞. 光轍登第, 官累判密直□□[司事], 封化平君. 光輅登第而夭. 光轍·光載·光輅, 繼室王氏出也, 王氏以三子登科, 食國廩, 歲二十碩:列傳23金台鉉轉載].

[某日, [上護軍]朱柱還自元, 言元寢立省議:節要轉載].

辛酉[14日], 賜宋天鳳等及第, 賜知貢擧安文凱玉帶·同知貢擧李湛紅鞓, 及第第二人洪彦博馬, 第三人李達尊鞓帶.[511]

[□□[是時], 復稱□□□□□□[考試官·同考試官], □[爲]知貢擧·同知貢擧. 國俗, 掌試者, 謂之學士, 門生稱之, 則曰恩門. 門生·座主之禮甚重, 學士有父母, 若座主在, 旣放榜, 必具公服, 往謁, 而門生綴行隨之. 學士拜於前, 門生拜於後, 衆賓雖尊長, 皆下堂庭立俟, 禮畢, 揖讓而升, 以次拜賀. 於是, 學士邀至其第, 奉觴稱壽:選擧2試官轉載].

甲子[17日], 遣□[都]僉議評理李凌幹如元, 賀改元, 謝釐降公主.

○移御永安宮.

戊辰[21日], 王畋于[西海道]海安.

甲戌[27日], 禿赤國王遣使□[來], 獻馬六匹.[512]

· 『세종실록』 권89, 22년 4월 丙申[24日], "傳旨開城府留守, 本府刊板東國文鑑·銀臺集·儀禮·御製太平集·新千集·三禮疏·孟子疏·論語等, 各模印一二件以進".

· 『세종실록』 권148, 지리지, 衿川縣, "人物, 門下侍中仁憲公姜邯贊[高麗顯宗時人. 金台鉉東國文鑑云, 有一使臣, 夜入始興郡, 見大星隕于人家, 遣吏往視之, 適其家婦生男, 使臣心異之, 取歸以養, 是爲姜邯贊. 後宋使見之, 不覺下拜曰, 文曲星, 不見久矣, 今在此. 是說似涉荒唐, 然傅說爲箕尾之精. 申甫維崧嶽之降, 獨於邯贊何疑乎". 申甫는 周代의 인물인 申伯과 仲山甫의 竝稱이다.

· 『동문선』序文, "… 奈何金台鉉作文鑑, 失之踈略, 崔瀣著同人□[之]文, 散逸尙多, 豈不爲文憲之一大概也哉". 이에서 之字가 탈락되었을 것이다.

511) 이와 관련된 기사로 다음이 있다. 이때 宋天鳳·洪彦博(乙科2人)·[別將]李達尊(乙科3人)·李文挺·[別將]崔宰(崔宰墓誌銘)·鄭云敬(同進士, 『삼봉집』 권4, 鄭云敬行狀) 등이 급제하였다(『登科錄』, 朴龍雲 1990년 ; 許興植 2005년). 또 宋天鳳은 『고려사』에서는 宋天逢과 並用되었고, 『고려사절요』에서는 後者로만 표기되었는데, 당시의 기록인 『익재난고』를 통해 볼 때 전자가 옳을 것이다.

· 지27, 선거1, 科目1, 選場, "[忠肅]十七年十月, 順興府院君安文凱知貢擧, 右代言李湛同知貢擧, 取進士, [辛酉], 賜宋天鳳等三十三人, 明經·恩賜各二人及第".

· 『익재난고』 권4, 癸巳[恭愍2年]五月, 掌試棘圍, 呈同知貢擧洪二相[洪彦博], "今年監試, 試官宋天鳳諫議[司議大夫], 爲安質齋·李陋室門下壯元, 洪公爲同榜榜眼, 其第三人, 則亡子摠郞[李達尊]也".

· 열전23, 李齊賢, 達尊, "忠肅朝, 登第, 賜鞓帶".

· 열전24, 洪彦博, "忠肅十七年, 登第, 王賜廐馬一匹".

· 열전24, 宋天逢, "金海人. 擢魁科". 宋天逢은 宋天鳳의 다른 표기라고 한다(『登科錄』).

十一月丁丑朔大盡,戊子, 丙戌10日, 地震.

[癸巳17日, 木稼:五行2轉載].

[某日, 賜雜科及第:追加].[513)]

十二月丁未朔大盡,己丑, 己酉3日, 以知中事韓宗愈爲密直提學, 李兆年爲掌令.[514)]

乙卯9日, 遣上護軍朱柱如元, 賀正.

甲子18日, 王如見州, 謁德妃忠惠王母.

[丙寅20日, 立春:追加].[515)]

癸酉27日, 自見州巡南京, 乃還.

[某日, 始令擧子, 誦律詩四韻一百首, 通'小學', '五聲字韻', 乃許赴試:節要·選擧1轉載].

[某日, 護軍姜允忠康允忠, 强奸郎將白儒妻. 監察司鞫問, 請罪之, 不允. 監察·□都僉議·典法, 交章極論, 留中不下. 監察司累日不視事. 王不獲已, 杖流允忠于島:節要轉載].[516)]

[是年, 復內房庫, 爲義成倉, 置員吏, 委糾正監之:百官2內房庫轉載].

[○復德泉庫, 爲德泉倉, 置員吏, 委糾正監之:百官2德泉庫轉載].

[○以平壤道存撫使, 亦爲巡撫使:百官2外職轉載].

---

512) 禿赤(禿忽赤, Tuguchi) 國王은 누구인지를 알 수 없다.

513) 이는 「李子脩紅牌」에 의거하였는데, 이의 내용은 다음과 같다(『眞寶李氏世譜遺事』所收 ; 張東翼 1982년b ; 盧明鎬 2000년 68面).

"准」 王命, 賜鄕貢擧人李自脩」 二科第四人明書業及第者, 至順元年十一月 日,」 同知貢擧·奉順大夫·密直司右代言·左常侍·藝文館提學·知」 製敎·同知春秋館事·知軍簿事李湛」, 知貢擧·東韓保節盡忠無極功臣·三重大匡·順興府院君·領藝文館事安文凱」.

한편 「李子脩政案」에 의하면, 李子脩는 이해의 9월 4일 通仕郎·都染令同正으로 明書業에 급제하였다고 하는데, 이날은 雜科가 실시된 날이고, 11월은 及第紅牌가 下賜된 날짜일 것이다.

514) 이때 李兆年은 奉善大夫·司憲掌令監察掌令에 임명되었다(李兆年墓誌銘, 添字와 같이 고쳐야 옳게 될 것이다).

515) 이날이 立春인 것을 말해주는 자료로 『全元散曲』, 張可久(『張可久詩集』), 庚午臘月二十日立春, 次日大雪, 盧彦遠使君索賦, "詩文省略"이 있다(呂薇分 2012年).

516) 姜允忠은 康允忠의 오자일 것이다. 이 기사는 康允忠의 열전에도 수록되어 있다.

- 권124, 열전37, 嬖幸2, 康允忠, "康允忠, 本賤隸, 始事忠肅, 拜護軍. 嘗强淫郎將白儒妻, 監察司鞫問, 具服, 請罪之, 不允. 監察·僉議·典法, 交章極論, 留中不下. 監察司累日不視事, 乃杖流海島".

[○前□[都]僉議贊成事吳潛歸國:追加].[517)]

[○以[前上護軍]崔安道爲奉翊大夫·副知密直司事, 尋爲同知密直司事:追加].[518)]

[○以[護軍]尹之彪爲大護軍, 時之彪年二十一:追加].[519)]

[○以[典校寺校勘]李仁復爲典儀寺直長:追加].[520)]

[○以[右正言]閔思平爲通直郞·左獻納·知製敎:追加].[521)]

[○以朴資守爲永州副使, 鄭之枰爲永州判官:追加].[522)]

[○以高應爲福州判官:追加].[523)]

[○[鷹揚軍大護軍]權廉還自元, 爲正順大夫·左常侍:追加].[524)]

[○三司右使韓渥等兩府宰相募捐, 以助長湍縣聖燈庵長明燈油錢:追加].[525)]

[○某等改修全州牧金馬郡彌勒寺及獅子寺:追加].[526)]

[○元以崔安道爲征東行省左右司員外郞:追加].[527)]

[○光祿大夫·儲慶司使忙古台[方臣祐], 乞退東歸, 修禪興寺, 極其壯麗:列傳35方臣祐轉載].[528)]

[增補][529)]

[是年頃, 以[右司議大夫]安軸爲江陵道存撫使:追加].[530)]

---

517) 이는「吳潛墓誌銘」에 의거하였다.

518) 이는「崔安道墓誌銘」에 의거하였다.

519) 이는「尹之彪墓誌銘」에 의거하였다.

520) 이는「李仁復墓誌銘」에 의거하였다.

521) 이는『급암시집』연보에 의거하였다.

522) 이는『영천선생안』에 의거하였다.

523) 이는『안동선생안』에 의거하였다.

524) 이는「權廉墓誌銘」에 의거하였다.

525) 이는『신증동국여지승람』권12, 장단도호부, 佛宇, 聖燈庵長明燈記(『양촌집』권13, 五冠山聖燈庵重創記)에 의거하였다(→충숙왕 15년 是年條의 脚注).

526) 이는 全羅北道 益山市 金馬面 箕陽里 23 彌勒寺址와 新龍里 산609-1 獅子庵址에서 출토된 瓦銘, '天曆三年庚午」年施主張介耳」'에 의거하였다(世宗文化財研究院 編 2015년 443面, 447面).

527) 이는「崔安道墓誌銘」에 의거하였다.

528) 이와 같은 기사가『익재난고』권7, 方臣祐祠堂碑에도 수록되어 있다.

529) 이해에 재직한 관료로 다음이 있다.

· "七月頃, 權謙爲合浦萬戶·密直副使, 在職"(崔誠之墓誌銘, 이때 崔誠之의 壻인 權謙이 合浦萬戶인 것은 忠肅王 復位年 是年條의 脚注와 같다).

530) 이는「安軸墓誌銘」에 의거하였다.

辛未[忠惠王]元年, 元至順二年, [西曆1331年]

1331년 2월 8일(Gre2월 16일)에서 1332년 1월 27일(Gre2월 4일)까지, 354일

春正月[丁丑朔小盡,庚寅], 乙酉[9日], 元遣郞中摩合冒鏁南來, <u>頒赦</u>.[531)]
丁亥[11日], 王宴元使.
壬辰[16日], 王獵于江陰.
辛丑[25日], 地震.
[某日, 以慶尙道按廉使李元幹, 仍番:慶尙道營主題名記].
[某日, 以[前年同進士]鄭云敬爲尙州牧司錄:追加].[532)]
[是月頃, 以都僉議中贊金深爲壁上三韓三重大匡·化平府院君, 仍令致仕:追加].[533)]

二月[丙午朔大盡,辛卯], 庚戌[5日], 以韓渥爲□□□[~~都僉議~~]中贊, <u>崔安道</u>爲[同知密直司事·]監察大夫.[534)]
癸丑[8日], 移御康安殿.
甲寅[9日], 王畋于西郊.
戊午[13日], 以公主生日, 宴于延慶宮.
己未[14日], 燃燈, 王如奉恩寺.
壬戌[17日], 以僧乃圓爲王師.
乙丑[20日], 王獵于海州[金剛野:節要轉載].

三月[丙子朔大盡,壬辰], 壬寅[27日], 王畋于江陰.

[春某月, 以<u>李穀</u>爲藝文檢閱:追加].[535)]

---

531) 文宗이 前年 12월 12일(戊午) 百官의 朝賀를 받고 천하에 赦免令[大赦]을 내렸다(『원사』 권34, 본기34, 文宗3, 至順 1년 12월 戊午).

532) 이는 『삼봉집』 권4, 鄭云敬行狀에 의거하였다.

· 열전34, 良吏, 鄭云敬, "忠肅朝登第, 補尙州司錄. 有誣告龍宮監務贓者, 按廉□[使~~李元幹~~], 遣<u>云敬</u>鞫之. <u>云敬</u>至龍宮, 見監務不問, 而還曰, '吏之貪汚, 雖曰惡德, 非才足以弄法, 威足以畏人者, 不能. 今監務老且不勝任, 誰肯賂乎?'. 按廉□[使]果知其誣, 嘆曰, '近官吏尙苛酷, 司錄誠長者也'. ○州有宦者, 得幸天子, 奉使來, 欲加以非禮. <u>云敬</u>卽棄官去, 宦者慚懼, 夜追至龍宮, 謝之, 乃還".

533) 이는 「金深墓誌銘」에 의거하였다.

534) 이때 崔安道는 監察大夫·同知密直司事에 임명되었다(崔安道墓誌銘).

535) 이는 다음의 자료에 의거하였다.

夏四月[丙午朔小盡,癸巳], 辛酉[16日], 王畋于郊.

[某日, 內人崔安桂, 譖監察掌令鄭頎於王曰, "頎, 謂王年少, 不諳政體". 王怒, 下理問所杖之:節要轉載].[536)]

[某日, 成均祭酒金右鏐, □□□□[掌學子試], 取卓光茂等九十人:選擧2國子試額轉載].[537)]

[是月戊申[3日], 帝[文宗]以宮中高麗女子不顔帖你賜燕鐵木兒, 高麗國王請割國中田爲資送, 詔遣使往受之:追加].[538)]

[是月頃, 以安英爲雞林府法曹:追加].[539)]

[五月[乙亥朔大盡,甲午]:追加], 癸未[9日], [夏至]. 王率幸臣, 幸延福亭, 觀水戲·擊毬.[540)]

戊子[14日], 賜周贇等及第.[541)]

庚寅[16日], 以五道人民, 流入雙城·女眞·遼陽·瀋陽等處, 表請刷還曰, "天本無私, 雖高卽聽, 人如有告, 所欲必從. 故罄卑情, 冀回大度. 欽惟世祖偏恤我邦, 高[元宗]·曾[忠烈王]繼以親朝, 適此一千年際, 父子因而入覲, 于今七十歲餘. 緊當時凡所奏陳, 自先代悉皆僉允, 欽蒙世祖皇帝, 元降聖旨, 自己未年[高宗46年]二月已後, 被擄逃來人

· 『가정집』연보, "至順二年春, 拜藝文檢閱".
· 열전22, 李穀, "忠惠元年, 遷藝文檢閱".

536) 이와 같은 기사가 열전19, 鄭瑎, 頎에도 수록되어 있다.

537) 이때 柳淑·崔璟도 합격하였는데, 添字와 같이 고쳐야 옳게 될 것이다.
· 「柳淑墓誌銘」(『목은문고』 권18), "年十六, 中辛未進士科, 諫議大夫[司議大夫]金右鏐其試官也".
· 열전37, 崔安道, "[成均]祭酒金右鏐掌監試, 安道子璟, 年纔十餘不學, 得中試".

538) 이는『원사』권35, 본기35, 문종2, 至順 2년 4월 戊申에 의거하였다.
· 『원사』 권138, 열전25, 燕鐵木兒, "… 先是, 燕鐵木兒自秉大權以來, 挾震主之威, 肆意無忌. 一宴或宰十三馬, 取泰定帝后爲夫人, 前後倘宗室之女四十人, 或有交禮三日遽遣歸者, 而後房充斥不能盡識".

539) 이는『동도역세제자기』에 의거하였다.

540) 4월 癸未는 5월 9일이므로 癸未 앞에 五月이 탈락되었다.

541) 이와 관련된 자료로 다음이 있고, 韓宗愈는 이해에 政堂文學에 승진하여 知貢擧가 되었다고 하지만 오류일 것이다. 이때 周贇·朴仁祉(朴華墓誌銘)·閔愉·閔忭(閔頔行狀)·崔璟(改源) 등이 급제하였다(『등과록』, 朴龍雲 1990년 ; 許興植 2005년 ; 金龍善 2006년 820面).
· 지27, 선거1, 科目1, 選場, "忠惠王元年四月, 密直提學韓宗愈知貢擧, 右代言李君侅[李嵒]同知貢擧, 取進士, 賜周贇等三十三人及第".
· 열전23, 韓宗愈, "忠惠初, 進密直提學, 與右代言李君侅同掌試, 取周贇等. 崔安道子璟, 借作中試, 諫官許邕·趙廉·鄭天濡等, 論宗愈等取士不公, 請令覆試".
· 「韓宗愈墓誌銘」, "明年, 加政堂文學, 典試貢士".
· 열전37, 崔安道, "提學韓宗愈·代言李君侅, 掌貢擧, 璟又中".

等, 凡有司刷會見數, 悉令歸國, 至至元二十一年忠烈王10年, 又降聖旨如前. 本國以此, 累次差官, 前去遼陽·瀋陽等處, 欲行分揀, 所在官司濫稱軍戶, 或稱農民, 沮遏不刷者久矣. 而又比年間, 本國州縣當役人民并官寺私奴婢人口逃往遼陽·瀋陽·雙城·女眞等處, 影避差役, 散漫住坐. 雖或差人前去, 將欲推刷, 所轄官司并頭目人, 擅自挾帶, 當欄不與, 甚爲未便. 矧今特降聖旨云, 元附籍冊人民, 水土文字有的人每, 根底奴婢不揀, 是誰休爭者麽道. 前後制勑, 一皆如此, 然彼處人等久爲淵藪, 仍要堤防. 更依累降之明文, 欲行分揀, 第恐罔悛其固執, 不使發還. 伏望皇帝陛下, 紀臣翊戴之世功, 察彼挾持之戶計, 命馳使節, 刷復民編. 則臣謹當樂與群黎, 益飽包荒之德, 勉供弊賦, 永酬字小之恩".

[某日, 始用新小銀甁, 一當五綜布十五匹, 禁用舊甁:節要·食貨2貨幣轉載].[542]

辛丑27日, 王率幸臣, 幸延福亭, 觀水戲.

[是月乙未21日, 元奎章閣學士院纂修'皇朝經世大全'成:追加].[543]

六月乙巳朔小盡,乙未, [某日, 上護軍朴連白王曰, "近日有司, 銓注不公". 王命收還批判, 有改注者. 於是, 杖流掌銓注·密直使金文貴等:節要轉載].

[→金怡之子文貴, 忠惠初, 以密直使, 掌銓注. 上護軍朴連白王曰, "近日銓注不公". 王命收還批判, 果有改注者, 乃杖流文貴于巨濟縣加羅山防禦所:列傳21金怡轉載].

己未15日, 幸廣德寺, 觀水戲.

辛酉17日, 嬖人·中郎將韓不花, 矯旨放囚, 典法司請治其罪, 不報.

秋七月甲戌朔大盡,丙申, 丙子3日, 幸壽康宮.

辛丑28日, 大寧府院君崔有渰卒,[544] [年九十三, 謚忠憲:列傳23崔有渰轉載]. [有渰, 平章□事滋之子, 性恬退, 不求名譽, 故久從仕宦, 十年不遷, 時論惜之. 忠烈□王聞其名久, 及卽位, 除監察雜端, 自是, 歷仕四朝, 爲國元老:節要轉載], [子持:列傳23崔有渰轉載].

---

542) 지33, 食貨2, 貨幣에는 이 기사가 4월에 이루어졌다고 되어 있으나 오류일 것이다.

543) 이는 『원사』 권25, 본기25, 문종4, 至順 2년 5월 乙未(21日)에 의거하였는데, 다음의 자료에는 添字가 追加되어야 옳게 될 것이다.

· 『國朝文類』 권40, 經世大典序錄, "… 以至順二年五月□廿一日, 草具成書, 繕寫呈上, 臣集等皆以空疎之學, …".

544) 이날은 율리우스曆으로 1331년 8월 31일(그레고리曆 9월 8일)에 해당한다.

[某日, 以金朱暉爲慶尙道按廉使, 興福都監判官·知製敎朴忠佐爲全羅道按廉使:慶尙道營主題名記].545)

八月甲辰朔小盡,丁酉, [某日, 獻納許邕·正言趙廉·鄭天濡等上書曰, "密直提學韓宗愈等, 取士不公, 請令覆試. 同知密直司事·監察大夫崔安道, 濫居風憲, 其子璟, 口尙乳臭而中第, 請論如法". 王欲下邕等獄, 內竪·上護軍朴連進曰, "諫官不可罪". 王乃止, 以其書示安道:節要轉載].546)

丙辰13日, 以尹碩爲中贊, 宋瑞爲監察大夫, 內竪·上護軍朴連亦拜典理判書. 連居母喪, 娶妻, 每入見, 王不之咎. 嘗有僧白王曰, "宦寺之奴, 或有拜高官大職者, 不可與士族齒". 王怒曰, "以吾愛朴連耶". 連聞之, 涕泣曰, "他日, 豈念吾等功乎?". 王賜酒, 慰諭之.

[某日, 罷畿內賜給田, 以充祿科:節要·食貨1祿科田轉載].

丙寅23日, 王畋于馬堤山.

丁卯24日, 元遣宦者洪大不花來, 求童女, [內外騷然:節要轉載].

九月癸酉朔大盡,戊戌, [某日], 西北普賽因遣使來, 獻土物.547)

○元遣文伯顔不花來, 頒赦, 王出迎.548)

[辛卯19日, 匡靖大夫·福州牧使姜彦, 以雞林府尹就任, 奉翊大夫·雞林府尹石堅, 以福州牧使就任:追加].549)

545) 朴忠佐는 明年(충혜왕2) 1월 15일(乙酉)에 의거하였다.

546) 이는 다음의 기사에도 수록되어 있다.

· 열전22, 趙廉, "忠惠初, 除正言, 與許邕·鄭天濡等上書, 論崔安道子璟借述登第, 韓宗愈取士不公. 王欲下廉等獄, 嬖臣朴連進曰, 諫官不可罪. 乃止".

· 열전37, 崔安道, "… 獻納許邕·正言趙廉·鄭天濡等上書言, 安道濫居風憲, 子璟乳臭中第, 請罪之. 不從, 以其書, 示安道. 臺官以璟借述登第, 祖母又賤, 不署依牒凡九年, 王督省官署之".

547) 西北 普賽因은 이해의 8월 1일(甲辰) 使臣 忽都不丁[Qutugbudin]을 몽골제국에 도착시켜 朝貢을 바친 西域諸王(伊利汗國, Ilkhanate의 汗) 卜賽因(不賽因, Busain, 1316~1335 在位)로 추정된다. 이때의 사신은 不賽因이 파견한 것이 아니라 그의 臣僚 怯列木丁[Keremudin]이 王命을 속여 보낸 것이라고 하여 재차 사신을 보냈다고 한다(『원사』 권35, 본기35, 문종4, 지순 2년 8월 甲辰1日, 庚申17日).

548) 이때 元에서의 赦免은 무슨 名目인지는 알 수 없으나 8월 13일(丙辰) 星變으로 인해 群臣에게 赦免을 議論하라는 帝命이 내려졌다(『원사』 권35, 본기35, 文宗4, 至順 2년 8월 丙辰).

549) 이는 『동도역세제자기』; 『안동선생안』에 의거하였다.

丙申[24日], 命修'忠敬王實錄'[元宗].

冬十月[癸卯朔小盡,己亥], [辛亥[9日], 雷:五行1雷震轉載].

癸亥[21日], 王畋于西郊.

丙寅[24日], 幸壽康宮.

[是月, 桃李華:五行1轉載].

[○前藝文應教崔瀣撰'關東錄'後題:追加].[550)]

[○海印寺僧體元撰'華嚴經觀自在菩薩所說法門別行疏'·'大方廣佛華嚴經觀音知識品跋':追加].[551)]

十一月壬申朔[大盡,庚子], 日食.[552)]

---

550) 이는 다음의 자료에 의거하였다.

· 『근재집』 권1, 跋, '關東錄'後題, "近閱'金無迹集', 集多關東紀行. 余謂登臨之賦, 備極無餘矣. 今觀當之[安軸]此錄, 詞意精妙, 自成一家, 皆無迹所不道也,余於是, 拊卷歎賞者久之 至順辛未孟冬, 崔瀣謹題".

551) 이는 다음의 자료에 의거하였다.

· 『華嚴經觀自在菩薩所說法門別行疏』跋,"海東沙門體元錄疏註經竝集略解,」 入法界品五十三知識中第二十八觀世音菩薩所說法問,」 佛菩薩中觀自在聖利物大悲廣大無等, 凡爲佛者, 慕我大悲願力亦猶行, 堯之言堯而已矣. 夫我兄月光大師源公[忍源], 深信大聖, 別誦華嚴經大聖所說, 廣勸道俗受持, 歲已久矣. 頃命山人錄疏經下, 鋟梓已畢, 又別寫一卷, 爲持經, 募工刻板, 乃使於奉持者也. 山人嘉其用, 必於大聖如是切倒, 謹按疏科安於至首, 使讀誦, 行人有條不紊渙, 然無疑而心觀契合也. 是法味相餉友于兄弟之義耳.」 至順二年十月日, 寓出現盤龍寺佛華閣, 海印寺沙門木庵向如體元謹沐手焚香題"(海印寺 所藏, 국보 제206-2호, 崔凡述 1970년 ; 蔡尙植 1991년 199·211面, 筆者未見).

· 『大方廣佛華嚴經觀音知識品』跋, "予於齠齔時, 先人早逝, 就先師慧覺」尊院內, 日侍甁錫, 未幾,師又棄世, 遂」 抱疇依之念思, 欲頌此觀音別品.迄」 今三十年受持不絶,其爲信向罔不」 淺矣,越己巳[忠肅16年]冬, 寓靈通寺普勸同住,」諸宗長闍院同頌, 募工繡梓, 廣施無」窮, 所冀皇齡有永, 國祚彌長, 三世師」長父母, 與同頌之人,親承菩薩大悲」願力, 恒聞菩薩微妙法音普及, 法界」有情, 同入圓通三昧性海者. 佛菩薩」中觀自在聖利物大悲廣大無等. 凡」爲佛者, 慕我大悲願力, 亦猶行, 堯之」言堯而已矣.夫我兄月光大師源公[忍源],」深信大聖, 別誦華嚴經大聖所說, 廣」勸道俗, 受持, 歲已久矣. 頃命山人錄」疏經下, 鋟梓已畢, 又別寫一卷, 爲持」經, 募工刻板, 便於奉持者也. 山人嘉」其用, 必於大聖如是切倒,謹按疏科」安於經首, 使讀誦, 行人有條不紊渙,」然無疑而心觀契合也.是法味相餉」友于兄弟之義耳. 至順二年十月日,」寓出現盤龍社佛華閣, 海印沙門木」庵·向如體元謹沐手焚香題」(海印寺 所藏, 국보 제734-16호, 林基榮 2009년 70面).

552) 이날 中原에서도 일식이 있었으나(『원사』 권35, 본기35, 文宗4, 至順 2년 11월 壬申), 일본에서는 보이지 않았다고 한다. 이날은 율리우스력의 1331년 11월 30일이고, 개경에서 일식 현상이

辛丑[30日], [小寒]. 遣□□□[都僉議]贊成事元忠如元, 賀正.[553)]

十二月[壬寅朔小盡,辛丑], 甲寅[13日], 元遣樞密院使尹受困·中丞厥干等, 召還妥懽帖睦爾太子. 王遣護軍曹益淸, 奉迎于大靑島.[554)]

[某日, 海印寺覺海大師體元開板'三十分功德疏經':追加].[555)]

[是年, 置三司都事:百官1三司轉載].

[○復置衛尉寺, 判事正三品, 令從三品, 少尹從四品, 丞從六品, 注簿從七品:百官1衛尉寺轉載].

[○復置爲小府寺, 判事正三品, 尹從三品, 少尹從四品, 丞從六品, 注簿從七品:百官1少府寺轉載].

[○復置開城府五部令, 後改令爲副令:百官2五部轉載].

[○置:吏學都監百官2吏學都監轉載].

[○以[重大匡·驪興君]閔頔爲密直司使·進賢館大提學:追加].[556)]

[○前漢陽府尹尹宣佐引年致仕:追加].[557)]

[○以[監察大夫]全信爲同知密直司事·商議會議都監事:追加].[558)]

심했던 시간은 16시 47분, 食分은 0.41이었다(渡邊敏夫 1979年 311面).

· 『續史愚抄』19, 元弘 1년 11월, "一日壬申, 日蝕".

553) 元忠은 明年 正旦에 文宗에게 表를 바쳐 賀禮하고 貢物을 바쳤다.

· 『원사』 권36, 본기36, 文宗5, 至順 3년 1월, "辛未朔, 高麗國王王禎遣其臣元忠, 奉表稱賀, 貢方物".

554) 이후 妥懽帖睦爾(陶于帖木兒, Togon Temur, 후일의 惠宗·順帝)는 廣西(湖廣行省) 靜江府(現 江西省 桂林市)에 移配되었다(『원사』 권38, 본기38, 順帝1, 總論).

555) 이는 다음의 자료에 의거하였는데, 이 佛典은 僞經으로 추측되고 있다(海印寺 所藏, 국보 제206-11호, 『한국불교전서』6책 604面 ; 蔡尙植 1991년 212面 ; 林基榮 2009년 71面).

· 『三十分功德疏經』跋,"… 若人念佛菩薩, 功德無窮, 況爲他禮」 念, 其利萬倍.古人云, '菩薩利他,還是」 自利', 斯言可信. 此經上爲靈官, 下愍」 三塗, 念禮尊號,利洽聖凡, 靈驗頗多.」 其欲行於世間, 望儲冥扶, 當於淨土,」 見佛聞法, 何莫由斯. 舊本二十六分,」 後有碩德, 補入添分, 皆有所據. 我兄」 月光普應大師源公[忍源], 別信觀音大聖,」 而爲靈官及諸苦類, 代念諸聖,歲月」 久換, 美哉美哉. 至誠所格, 何災患之」 不消,何願欲之不受. 壽君福國, 成道」 濟生, 不外乎是, 今募工繡梓, 廣勸道」 俗, 予佑兄勝心, 稽首謹書耳. 至順二年辛未冬十二月 日,海印典」 灶覺海大師木庵體元題」 施主月光大師忍元[忍源]誌,」 同願海印大師向如書」.

556) 이는 「閔頔墓誌銘」에 의거하였다.

· 열전21, 閔宗儒, 頔, "忠惠授密直司事[使]·進賢館大提學·知春秋館事".

557) 이는 「尹宣佐墓誌銘」에 의거하였다(열전22, 尹宣佐, "忠惠元年, 引年致仕").

[○以[左正言]閔思平爲右獻納, 尋爲軍簿郎中·藝文應教·知製教:追加].[559]

[○以韓孫爲延安府使:追加].[560]

[○以李儒爲永州副使:追加].[561]

[○遣[同知密直司事·監察大夫]崔安道如元, 充宿衛:追加].[562]

[是年頃, 以前軍簿司佐郎金玩爲正郎:追加].[563]

壬申[忠惠王]二年→二月, 忠肅王後元年, 元至順三年, [西曆1332年]

1332년 1월 28일(Gre2월 5일)에서 1333년 1월 16일(Gre1월 24일)까지, 355일

春正月[辛未朔大盡,壬寅], 庚辰[10日], 遼陽省遣人來, 索朱帖木兒□□[~~不花~~]·趙高伊.[564] 先是, 二人誣譖于帝曰, "遼陽與高麗謀, 欲奉妥懽□□□[~~帖睦爾~~]太子叛". 已而來奔[于我:節要轉載].

乙酉[15日], 盜殺二人于街.

[○[典理判書]朴連, 譖全羅道按廉□[~~使~~]朴忠佐, 杖流海島:節要轉載].[565]

丙戌[16日], 夜, 王率嬖人梁宣·宋明理等, 微行.[566]

---

558) 이는「全信墓誌銘」에 의거하였다.

559) 이는『급암시집』연보에 의거하였다.

560) 이는『연안부지』에 의거하였다.

561) 이는『영천선생안』에 의거하였다.

562) 이는「崔安道墓誌銘」, "至順二年, 奉旨入朝, 克[充]宿衛"에 의거하였는데, 克은 充의 오자일 것이다.

563) 이는『졸고천백』권1, 軍簿司重新廳事[~~廳舍~~]記에 의거하였다.

564) 朱帖木兒는 是年 3월 4일에 朱帖木兒不花[朱鐵木兒不花, Temur Buqa]로 되어 있다.

565) 이때 朴忠佐와 관련된 기사로 다음이 있다.

- 열전22, 朴忠佐, "忠肅朝, 按全羅, 嬖人朴連傳內旨, 認良民爲隷, 忠佐執不許. 連譖曰, '按廉不敬王旨, 棄如弊紙'. 王怒, 杖流海島".
- 「朴忠佐墓誌銘」, "五遷爲興福都監判官·知製教, 按部全羅道, 事有□怨, 必力爲, 有嬖人, 私受內旨, 以良民爲賤, 公堅執不許, 遂讒公曰, '按部不敬王旨, 棄如弊紙, 宜加責讓'. 上大怒, 遣使者於全州, 流海島一方, 皆拊心泣血".

566) 이때 忠惠王의 微行을 宋明理가 담당하였던 것 같다.

- 열전37, 盧英瑞, 宋明理, "[宋]明理, 歷官上護軍, 每從王微行. 王嘗作儺戲, 命明理主之, 賜布二

[某日, 以朴松生爲慶尙道按廉使, 旣而遆, 以金冏代之:慶尙道營主題名記].

二月[辛丑朔小盡,癸卯], 丁未[7日], 王畋于西海道.

○盜發高陵[忠烈王妃].

庚申[20日], 王致自畋.

甲子[24日], 元遣留守寶守, 前理問·郞中蔣伯祥等來, 王郊迎. 伯祥傳聖旨云, "已於正月三日[癸酉], 命上王復位".[567] 王及左右皆失色. 伯祥收國璽, 封諸庫. 王遂如元.[568] 初, 王以世子入朝, 丞相[右丞相]燕帖木兒見之大悅, 視猶己子, 因忠肅辭位, 奏帝[文宗]錫王命. 時太保伯顔惡帖木兒專權, 待王不禮. 及忠肅復位, 燕帖木兒已死, 伯顔待王益薄. 王與燕帖木兒子弟及回骨少年輩, 飮酒爲謔. 因愛一回骨婦人, 或不上宿衛. 伯顔益惡之, 目曰, "撥皮", 奏帝云, "王禎素無行, 恐累宿衛, 宜送乃父所, 使敎義方", 制可.

[以上의 記事는 忠惠王世家篇에서 移動해왔음]

春二月[辛丑朔小盡,癸卯], [王在元:追加].[569]

甲子[24日], 元遣留守寶守, 前理問·[左右司]郞中蔣伯祥等來, 命王復位.

○王以蔡洪哲·林仲沇△[並]爲[都僉議]贊成事,[570] 尹莘傑爲評理, 金資·金仁沇△[並]爲密直使, 曹頔·閔祥正△△[並爲]知密直□[司]事, 又令伯祥·仲沇, 攝行征東省事.

百匹. 役百工, 奪市中物, 以供其費, 市鋪皆閉".

567) 『원사』에도 같은 날에 충숙왕을 復位시켰다고 한다.

· 권36, 본기36, 文宗5, 至順 3년 1월, "癸酉, 命高麗國王王燾仍爲高麗國王, 賜金印. 初, 燾有疾, 命其子禎襲王爵, 至是, 燾疾愈, 故復位".

· 『元史續編』 권11, 壬申[至順]3년 1월, "高麗王燾復位, 初, 燾以有疾, 傳位於其子禎, 至是, 疾愈復位".

또 이해에 典校校勘 尹澤이 다이두[大都]에서 忠肅王을 侍從하고 있었다고 한다(尹澤墓誌銘 ; 『동문선』 권69, 尹氏墳廟記, 白文寶 撰).

568) 이때 定安府院君 許琮(忠宣王의 壻)이 충혜왕을 따라 다이두에 들어가 5년간 머물렀다고 한다.

· 열전18, 許珙, 琮, "忠肅還國, 加封定安府院君. 又從忠惠入元, 留五年".

569) 이때 忠肅王이 大都에 滯在하고 있었기에 王在元을 추가하여야 옳게 된다.

570) 이때 蔡洪哲에 관련된 기사로 다음이 있다.

· 「蔡洪哲墓誌銘」, "至順壬申, 毅陵復位, 圖任舊人, 再起相之".

· 열전21, 蔡洪哲, "忠肅復位, 起爲贊成事".

[□□~~是時~~, 賀正使·贊成事元忠落職, 因留大都:列傳20元忠轉載].

戊辰28日, 王遣知密直司事閔祥正·趙炎輝□來, 下前王嬖幸政丞前中贊尹碩·宰相都僉議評理孫琦·金之鏡·上護軍裵佺·吳子淳·康庶·朴連·□右代言李君侅·左代言尹桓·大護軍丘天佑~~丘天祐~~·護軍崔安壽·金天祐·郎將盧英瑞于巡軍.[571]

[→忠肅復位在元, 遣知密直司事閔祥正·趙炎輝·蔣伯祥·仁守~~仁沈~~等□來, 下碩及宰相孫琦·金之鏡, 上護軍裵佺·吳子淳·康庶·朴連, □右代言李君侅·尹0桓, 大護軍丘天祐, 護軍崔安壽·金天佑, 郎將盧英瑞等于巡軍, 皆忠惠嬖幸也:列傳37尹碩轉載].[572]

[→閔祥正, 累轉知密直司事. 尹碩·孫琦之獄起, 王在元, 遣祥正與趙炎輝·蔣伯祥·仁守仁沈等鞫之. 其黨有訴寃於上國者, 遣使覆問. 伯祥等, 皆以受賕枉法論,[573] 輸憲司, 祥正獨不染. 命長監察, 以榮之:列傳20閔祥正轉載].

[某日, 攝行征東省事蔣伯祥鞫尹碩以四事. 初, 王之朝元也, 碩, 勒止行邸錢粮, 罪一也. 前王與小人亂政, 爲相不言, 罪二也. 與前王, 謀叛上國, 罪三也. 與內堅朴連等, 交構王父子, 罪四也:節要轉載].

[→伯祥鞫碩以四事曰, 王之朝元也, 汝勒止行邸錢粮. 前王與小人亂政, 汝爲相不言. 又與前王謀叛上國. 又與內豎朴連等, 交構王父子. 乃囚其子之彪·之賢, 奪之彪告身, 杖流海島, 又流孫琦等二十餘人:列傳37尹碩轉載].

[是月丙午6日, 僧玄哲·法諧, 中瑞司丞吳季儒等寫成'紺紙銀字妙法蓮華經':追加].[574]

---

571) 李君侅는 1349년(충정왕1) 9월 2일(庚申)에서 1358년(공민왕7) 8월 25일(辛卯) 사이에 李嵒(혹은 嵓)으로 改名하였다(열전24, 李嵒).
또 丘天佑는 이날과 다음 달 6일(乙亥)에는 丘天佑로, 1332년(충혜왕2) 5월 13일(辛未)·1349년(충정왕1) 8월 27일(乙卯)·열전37, 尹碩·열전44, 曹頔 등에는 丘天祐로, 열전44, 趙日新에는 仇天祐(丘天祐의 誤字)로 달리 표기되어 있다. 이는 『고려사』를 乙亥字로 조판할 때 같은 音의 활자를 잘못 採字한 결과일 것이다.

572) 이와 관련된 기사로 다음이 있고, 仁守는 金仁沈(金之淑의 次子)의 오자일 것이다(열전21, 金之淑, 仁沈).

· 열전27, 尹桓, "忠肅在元復位, 黨獄起, 囚桓于巡軍, 奪告身, 杖流海島, 遂亡入元".

573) 受賕에 대한 설명으로 다음이 있다.

· 『자치통감』 권192, 唐紀8, 高祖武德 9년(626) 12월 己巳, "上患吏多受賕[胡三省注, 枉法受賂曰受賕. 賕, 音求], 密使左右試賂之. 有司門令史受絹一匹[注, 司門郎, 屬刑部, 掌天下門關出入往來之籍賦而審其政, 有令史六人. 唐令, 布帛皆闊尺八寸長四丈爲匹], 上欲殺之, 民部尙書裵矩諫曰, …".

574) 이는 佐賀縣立博物館에 소장된 『紺紙銀泥妙法蓮華經』 권8의 末尾 題記에 의거하였다(權熹耕 1986년 414面 ; 張東翼 2004년 730面 ; 張忠植 2007년 166面).

· 題記, "特爲」 皇帝萬年」 國王宮主福壽無疆, 國泰民安, 法界含靈, 同生淨土, 盡」 未來際, 同

三月庚午□[朔大盡,甲辰], □[蔣]伯祥囚判事[判典客寺事]權適·上護軍金銳于巡軍.[575)]

壬申[3日], [淸明]. 又囚奉翊□□[大夫]尹佺·知申事尹之賢·前大司成高用賢·大護軍洪瑞·尹之彪·金上璘·梁宣·前內府令桓允佺·護軍金鏡·[護軍]韓不花·中郞將宋明理·梁和尙·林仲甫[于巡軍:節要轉載].

癸酉[4日], 遼陽使者, 以[左右司員外郞]崔安道及護軍孫遠, 辭連朱帖木兒不花,[576)] 執之以歸. 中書省亦遣其掾任志, 搜檢軍器, 因前日之誣訴也.

乙亥[6日], 杖金天佑·丘天佑[丘天祐]·[前護軍]崔安壽·孫琦·尹桓·梁宣·金銳·吳子淳·洪瑞·尹之彪·[前內府令]桓允佺·[前郞將]盧英瑞·金鏡等, 追奪職牒, 幷[前判事]權適·[護軍]韓不花, 流于海島.

庚辰[11日], 杖[前右代言]李君侅·[前大司成]高用賢·林仲甫, 流于島.[577)] [初:節要轉載], 金之鏡, [誘王辭位, 立前王, 自以爲功. 及前王卽位, 不用, 之鏡, 怏怏而還. 至是, 王復位, 以之鏡背恩, 囚之, 之鏡憂恚:節要轉載], 瘦死[瘐死]獄中.[578)]

[夏四月[庚子朔小盡,乙巳], 某日, 以行邸用度不足, 科斂[科歛]文武官布貨, 抽索富人財. [攝行征東省事]蔣伯祥謂[贊成事]蔡洪哲曰, "君爲老相, 强斂[歛]民財何也". 洪哲曰, "非吾過

作佛事, 無一可度, 然後乃已, 冀見聞」十方, 施主同起佛種, 同斯願海,」時大歲[太歲]壬申二月始六日 誌,」棟梁道人 玄哲,」同願 法諧,」同願中瑞司丞[中瑞司丞]吳季儒,」鄭氏,」士龍,」達修」. 여기에서 添字와 같이 고쳐야 옳게 될 것이다. 또 여기에서 中瑞司는 元代의 中政院 隷下의 官署로 寶冊을 담당하였고(『원사』 권88, 지38, 백관4, 中政院, 中瑞司), 吳季儒는 後日 僉議贊成事에 임명되었던 것 같다(→충혜왕 후2년 閏5월 23일).

· 追記, "此經者, 靜室妙安大姉, 曾所納」于妙安禪寺也. 頃年零落邊境,」實爲可惜矣, 今緣快巖和尙之」請, 而尋思, 國家禱尒之要,乃」興法施, 再奉納于當寺者也」寬文三年十二月良辰[吉日],」枝吉利,左衛門順之敬白,」法名泰譽宗徹居士」. 이것은 1663년(寬文3) 12월 某日에 檀越[居士] 左衛門順之라는 인물이 『紺紙銀泥妙法蓮華經』을 妙安寺에 再次 奉獻한 것을 기술한 것이다.

575) 庚午에 朔이 탈락되었다. 또 添字는 『고려사절요』 권25에 의거하였다. 그리고 判事는 判典客寺事로 고쳐야 옳게 된다.
· 열전20, 權溥, 適, "爲忠惠嬖幸, 累遷判典客寺事. 元廢忠惠, 命忠肅復位, 囚適及上護軍金銳于巡軍, 杖流海島".

576) 朱帖木兒不花[Temur Buqa]는 『고려사절요』 권25에는 朱帖木兒로 되어 있지만, 후자가 옳을 것이다(盧明鎬 等編 2016년 630面, 是年 1월 10일의 脚注).

577) 이때 李君侅는 海島에 流配되고 그의 父인 李瑀는 歸鄕 措置가 이루어졌던 것 같다.
· 열전24, 李嵒, "忠肅復位, 以嵒[君侅]爲忠惠嬖幸, 杖流海島, 罷瑀歸田里".

578) 金之鏡에 관련된 기사로 다음이 있는데 添字와 같이 고쳐야 옳게 될 것이다(→명종 3년 8월 20일의 脚注).
· 열전37, 崔安道, 金之鏡, "…忠肅復位, 以之鏡背恩, 囚巡軍, 憂恚瘦死[瘐死]".

也, 今王在京邸, 多所須用, 有旨徵錢, 府藏虛竭, 不堪支用, 不歛[斂]何爲?":節要轉載].

[→時兩府以行邸用度不足, 科斂文武官布, 抽索富人財, [征東行省]理問·郎中蔣伯祥謂洪哲曰, "君爲老相, 强斂民財何也". 洪哲曰, "非吾過也. 今王在燕邸, 多所須用, 有旨徵錢, 府藏虛竭, 不能支用, 不斂何爲?":列傳21蔡洪哲轉載].

[某日, 以[尙州牧司錄]鄭云敬爲典校校勘:追加].[579]

夏五月[己巳朔大盡,丙午], 癸未[15日], 元遣客省太史都赤來, 囚[蔣]伯祥·仁守·[閔]祥正·[趙]炎輝于行省, 釋尹碩·[尹]之賢·康庶·裴佺·朴連·尹吉甫, 召還配島孫琦等二十餘人. [以前政丞金深·萬戶洪綏, 權省[權征東行省事]. 時[蔣]伯祥多作威福, 黷于賄賂. 國人怨之:節要轉載].[580]

[→攝行征東省事蔣伯祥, 瀆貨多作威福, 國人怨之. 元遣客省太史都赤, 來囚[蔣]伯祥, 以深及萬戶洪綏, 權省事:列傳17金深轉載].

乙酉[17日], 百官以書, 訴伯祥不法于都赤.

丙戌[18日], 都赤執[蔣]伯祥以歸.

辛卯[23日], 聚巫, 禱雨.

甲午[26日], 雩.[581]

丙申[28日], 雨.

六月[己亥朔小盡,丁未], [某日], 以蔡河中爲密直使.

[秋七月[戊辰朔大盡,戊申], 丙子[9日], 松岳大石頹, 裂爲五:五行3轉載].

[某日, 以慶尙道按廉使金冏, 仍番:慶尙道營主題名記].

秋八月[戊戌朔大盡,己酉], [己酉[12日]], 帝[文宗]崩[于上都.[582] 壽二十有九, 在位五年. 癸丑[16日],

---

579) 이는 『삼봉집』 권4, 鄭云敬行狀에 의거하였다.

580) 尹吉甫(尹秀의 子, 尹桓의 父)는 大護軍에 이르렀다가 1320년(충숙왕 7) 무렵, 몽골제국의 宦官 伯顔禿古思에게 거슬리어 고려에 돌아와 務安監務로 좌천되었다가 복직되어 合浦鎭邊使에 이르렀다고 한다.

· 열전37, 尹秀, 吉甫, "後[大護軍尹]吉甫忤伯顔禿古思, 失職東還, 尋貶務安監務, 起爲合浦鎭邊使. 子桓, 自有傳".

581) 지8, 五行2, 金行에는 雩가 雨로 되어 있으나 오자일 것이다.

靈駕發引, 葬起輦谷, 從諸帝陵:追加].[583]

[九月戊辰朔[小盡,庚戌]:追加].

[秋某月, 以[前知寶城郡事]朴元桂爲通禮門判官:追加].[584]
[○設行征東行省鄕試, 取[藝文檢閱]李穀等三人:追加].[585]

冬十月[丁酉朔大盡,辛亥], [庚子[4日]], 明宗次子鄜王[懿璘質班]. 卽皇帝位, 是爲寧宗.[586]

十二月[~~十一月丁卯朔~~小盡,壬子], [壬辰[26日]], 帝[寧宗]崩, 年七歲.[587]

[十二月丙申朔[大盡,癸丑]:追加].

[是年, 以祥原郡任內順和縣, 移屬三和縣:轉載].[588]
[○罷同知密直司事·商議會議都監事全信:追加].[589]
[○罷判典校寺事·知典法司事安軸. 時忠肅王復位, 凡得幸於永陵者, 皆斥之:

582) 이날은 율리우스曆으로 1332년 9월 2일(그레고리曆 9월 10일)에 해당한다.

583) 날짜[日辰]는 『원사』 권36, 본기36, 문종5, 至順 3년 8월 己酉·권37, 본기37, 寧宗, 至順 3년 8월 己酉에 의거하였다.

584) 이는 「朴元桂墓誌銘」에 의거하였다.

585) 이는 征東行省의 鄕試가 明年의 會試, 廷試에 앞서 실시됨을 감안하여 추가한 것이다.
· 열전22, 李穀, "忠肅後元年, 中征東省鄕試第一名, 遂擢制科".
· 『가정집』年譜, "至順三年秋, 中征東省鄕試第一名".

586) 날짜[日辰]는 다음의 記事에 의거하였다.
· 『원사』 권37, 본기37, 寧宗, 至順 3년, "十月庚子[4日], 帝卽位于大明殿, 大赦天下"

587) 날짜[日辰]는 다음의 기사에 의거하였는데, 『고려사』의 十二月은 十一月의 잘못이다. 이날은 율리우스曆으로 12월 14일(그레고리曆 12월 22일)에 해당한다.
· 『원사』 권37, 본기37, 寧宗, 至順 3년 11월, "壬辰[26日], 帝崩, 年七歲. 甲午[27日], 葬起輦谷, 從諸陵[~~從諸帝陵~~]".

588) 이는 지12, 지리3, 順和縣, "後屬於祥原. 忠惠王二年, 移屬三和"를 전재한 것이다.
· 『세종실록』 권154, 지리지, 평안도 順和縣, "高麗仁宗十四年丙辰分西京畿爲六縣時, 以楸子島部曲櫻遷村·龍坤村·禾山村爲順和縣, 置令, 後爲祥原屬縣. 忠惠王二年辛巳[元至正元年], 移屬三和".

589) 이는 「全信墓誌銘」에 의거하였다.

追加].[590]

[○以藝文應敎閔思平爲奉善大夫·衛尉少尹·知製敎:追加].[591]

[○元遣崔安道來, 頒詔書:追加].[592]

[○元以答里麻爲遼陽行省參知政事. 時高麗國使朝京, 道過遼陽, 謁省官, 各奉布四匹, 書一幅, 用征東省印封之. 答里麻詰其使曰, “國制, 設印以署公牘, 防姦僞, 何爲封私書. 況汝出國時, 我尙在京, 未爲遼陽省官, 今何故有書遺我, 汝君臣何欺詐如是耶?”, 使辭屈. 還其書與布:追加].[593]

[□□□~~是年頃~~, 元以前合浦萬戶部萬戶·同知密直司事權謙爲巡軍萬戶府萬戶, 代萬戶李俊:列傳44權謙轉載].[594]

癸酉[忠肅王]後二年, 元至順四年→十月惠宗順帝元統元年, [西曆1333年]

1333년 1월 17일(Gre1월 25일)에서 1334년 2월 4일(Gre2월 12일)까지, 13개월 384일

春正月丙寅朔小盡,甲寅, 王在元.

[某日, 以慶尙道按廉使金冏, 仍番:慶尙道營主題名記].

[二月乙未朔大盡,乙卯:追加].

三月乙丑朔小盡,丙辰, [某日], 右丞相燕帖木兒奏于皇太后文宗妃卜答失里·皇太子安懽帖睦爾曰, “高麗隣于倭境, 今其王久在都下, 請令還國”, 制可. 時文宗·寧宗相繼而崩, 皇太子未卽位, 王以文宗舊臣, 不忍遽還, 遷延不發, 朝廷督之.

---

590) 이는 「安軸墓誌銘」에 의거하였다.

· 열전22, 安軸, “忠肅復位, 凡得幸忠惠者, 皆斥之, 或以軸爲所斥者親, 罷之”.

591) 이는 「閔思平墓誌銘」; 『급암시집』年譜에 의거하였다.

592) 이는 다음의 자료에 의거하였다.

· 「崔安道墓誌銘」, “… 再奉詔書以鄕國榮, 前以至順三年, 後以至元五年”.

593) 이는 『원사』 권144, 열전31, 答里麻에 의거하였는데, 數字를 改書하였다.

594) 原文에는 다음과 같이 되어 있다.

· “忠肅王還國, 錄功爲二等, 尋陞同知密直司事. 權謙嘗爲合浦萬戶, 及忠肅復位, 屢求爲萬戶, 王不聽. 謙如元, 依勢家, 代李俊, 爲巡軍萬戶”.

[某日, 以典校校勘鄭云敬爲典校主簿:追加].595)

[是月辛未7日頃, 元廷試進士, 賜同同·李濟等一百人及第·出身有差. 時李穀, 漢人·南人榜第二甲第八名及第:追加].596)

閏[三]月甲午朔小盡,丙辰, 丁酉4日, 王與公主伯顔忽都, 發京, 是爲慶華公主. 皇太子遣院使阿也赤, 餞之, 千官出餞者頗多.597)

庚子7日, 王至通州, □皇太子又遣集賢學士舍羅八, 餞之.

庚申27日, 王禁迎駕·油蜜·茶食.

[是月頃, 元遣□□院使·御香使張海來, 以典校主簿鄭云敬爲接伴錄事:追加].598)

夏四月癸亥朔大盡,丁巳, 丁卯5日, 王至臨江卵山寨, 瀋王暠來, 謁行宮, 遂從王東還.599)

丁亥25日, 王至平壤府, 謁御容殿, 權省丹陽大君王珛及贊成事曹頔·密直使鄭頎奉國印, 上謁.600)

己丑27日, 幸大同江, 張水戲, 慰瀋王, 晩御樓船, 自浮碧樓, 沿流而下, 歌吹聞于十里.

[→後王還自元, 次平壤, 贊成事孫琦與萬戶曹碩·政堂文學朴遠·大司成大護軍張公允

595) 이는『삼봉집』권4, 鄭云敬行狀에 의거하였다.

596) 이는『원사』권81, 지31, 選擧1, 科目에 의거하였는데 날짜는 알 수 없으나 廷試에서 及第의 下賜는 보통 3월 7일에 擧行된다. 이때 李穀(36歲)이 會試에서 第50名으로 합격한 후 廷試에서 漢人·南人 第2甲 第8名으로 선발되어 翰林國史院檢閱官으로 임명되었다(「元統元年進士錄」; 열전21, 李穀 ; 지28, 選擧2, 科目2, 制科 ;『가정집』年譜 ;『양촌집』권40, 李穡行狀 ;『浩亭集』권3, 李穡墓誌銘).

· 열전22, 李穀, "忠肅後元年三年, 中征東省鄕試第一名, 遂擢制科. 前此, 本國人雖中制科, 率居下列, 穀所對策, 大爲讀卷官所賞, 置第二甲. 宰相奏, 授翰林國史院檢閱官". 이 기사는 ~~添字~~와 같이 고쳐야 옳게 된다.

·『가정집』연보, "元統元年, 會試中第, 殿試第二甲, 賜進士出身, 授承事郞·翰林國史院檢閱官".

597) 慶華公主에 관한 기사는 열전2, 忠肅王妃, 慶華公主伯顔忽都에도 수록되어 있다.

598) 이는『삼봉집』권4, 鄭云敬行狀에 의거하였다.

599) 臨江 卵山寨의 구체적인 위치는 알 수 없다.

600) 丹陽府院大君 珛가 權征東行省事에 임명된 것은 열전4, 忠烈王王子, 江陽公滋에도 수록되어 있다. 또 이때 藝文檢閱 尹澤이 權西京參軍事로서 왕을 접대하였다고 한다.

·「尹澤墓誌銘」, "明年, 上駐駕西京, 以檢閱·權叅軍, 供頓有制, 民賴以安, 上每歎曰, 賢哉, 回也, 以公貌類西人故云".

· 열전19, 尹諧, 澤, "明年, 駐駕西京, 澤以檢閱, 權西京叅軍, 供頓有制, 王每歎曰, 賢哉, 回也, 以貌類回回故云".

等, 沿大同江, 携妓縱樂. 王命衛士執琦等, 反接囚巡軍:列傳37孫琦轉載].[601)]

[五月癸巳朔小盡,戊午:追加].

六月壬戌朔大盡,己未, [己巳8日:追加],[602)] 元明宗長子妥懽帖睦爾卽皇帝位, 是爲順帝惠宗.[603)]
○遣密直□使金資等如元, 賀卽位.
[某日, 王還京:類推].[604)]
戊子27日, 帝以卽位, 遣都兒赤來, 頒詔. 王率百官, 出迎于郊. 王宴使臣, 懽甚, 賦絶句, 命文臣和進.[605)]

[秋七月壬辰朔大盡,庚申:追加].
[某日, 以慶尙道按廉使金冏, 仍番:慶尙道營主題名記].

[八月壬戌朔大盡,辛酉:追加].

[九月壬辰朔小盡,壬戌, 某日, 禁內藝文春秋館·典校寺廳舍成:追加].[606)]

---

601) 이에서 張公允의 관직인 大司成은 大護軍의 오류일 가능성이 있다. 이 시기에 大司成에 임명된 張公允을 찾을 수 없고, 그는 1318년(충숙왕5) 4월 18일과 1324년(충숙왕11) 2월 11일에 大護軍으로 재직하고 있었다.

602) 이날의 날짜[日辰]는 다음의 자료에 의거하였다.
· 『원사』 권38, 본기38, 順帝1, "至順四年六月己巳, 帝卽位于上都, 詔曰, …".

603) 順帝는 明帝國이 내린 廟號이고, 몽골제국에서 올린 묘호는 惠宗이다. 이때 황제(明宗의 長子, 1320~1370)는 恭愍王(1330~1374)보다 10년 年上인 셈이다.

604) 이때 다이두[大都]에서 復位하여 귀환하던 忠肅王이 몽골제국에 파견되던 鄭誧(鄭瑎의 孫, 25歲)의 알현을 받고서 使行을 중지시키고 扈從하게 하였던 같다.
· 열전19, 鄭瑎, 誧, "… 年十八中第忠肅14年. 忠肅後2年以藝文修撰正7品, 奉表如元, 會忠肅東還, 誧道謁, 王愛之, 留以自從".

605) 이때 藝文檢閱·權西京參軍事 尹澤이 詔書를 읽었다고 한다.
· 「尹澤墓誌銘」, "詔使至, 命公讀詔, 左右曰, 讀詔自有內外製, 叅軍恐非例, 上曰叅軍爲兩製, 顧不在吾耶. 逐權應教, 賜紫".

606) 이는 『가정집』 권2, 禁內廳事舍重興記에 의거하였다. 이를 지은 李穀에 의하면, 이해의 6월에 春秋修撰 安輔의 發議에 의해 8월 4일(乙丑) 공사를 시작하여 50일에 걸쳐 완성하였다고 하는데, 이날은 9월 24일(乙卯) 무렵이다. 또 당시 禁內의 文翰官은 藝文春秋館과 典校寺만이 남아 있었고 나머지는 모두 革罷되었다고 한다.

[是月，某等造成金銅觀音菩薩立像壹軀:追加].[607]

[冬十月辛酉朔[大盡,癸亥]:追加].
[是月戊辰[8日]，元改元，以至順四年爲元統元年:追加].[608]

[十一月辛卯朔[小盡,甲子]:追加].

[十二月[庚申朔大盡,乙丑]，壬申[13日]，元以奴列你他代其父塔剌赤爲耽羅國軍民按撫使司達魯花赤，錫三珠虎符:追加].[609]

[是年，以[元尹]趙瑋爲知密直司事:列傳18趙瑋轉載].[610]
[○元以[前征東行省員外郞]崔安道爲奉議大夫·中尙監丞:追加].[611]
[○中書左丞史惟良請罷 于丞相撒敦高麗宦者·貢女簡選事，撒敦肯之:追加].[612]

---

607) 이는『李王家博物館陳列品寫眞帖』上, 1917, 圖37의 至順銘金銅觀音菩薩立像(國立中央博物館所藏) 腹藏의 造成記에 의거하였는데, 現在 造成記의 所在는 알 수 없다고 한다(崔聖銀 2013년 368面).
· 造成記, "…」 至順四年九月二十日造成」.

608) 이는 다음의 자료에 의거하였다.
·『원사』 권38, 본기38, 順帝1, 至順 4년 10월, "戊辰, 改元, 詔曰, … 乃新紀號, 誕告多方, 其以至順四年爲元統元年, …".

609) 이는『원사』 권38, 본기38, 順帝1, 元統 1년 12월 壬申에 의거하였다.

610) 이는「趙瑋墓誌銘」에도 수록되어 있다.

611) 이는「崔安道墓誌銘」에 의거하였다.

612) 이해에 中書左丞 史惟良이 左丞相 撒敦[Sadun]에게 書狀을 올려 高麗宦者와 貢女의 揀選을 중지해달라고 건의하였던 것 같다.
·『金華黃先生文集』 권26, 史惟良神道碑, "[至順4年,] … 又貽書左丞相諫選高麗閹豎·女子, 辭愈迫切. 明日遂行. 元統元年除山東東西道肅政廉訪使, 以母老力辭. 三年, 召拜樞密副使, …"(四部叢刊本15右1行).

甲戌[忠肅王]後三年, 元 元統二年, [西曆1334年]

1334년 2월 5일(Gre2월 13일)에서 1335년 1월 24일(Gre2월 1일)까지, 354일

[春正月庚寅朔小盡,戊寅, 某日, 慶尙道按廉使金冏, 仍番:慶尙道營主題名記].613)

[是月某日, 元以高麗人李達漢爲武德將軍·高麗國萬戶府萬戶:追加].614)

[二月己未朔大盡,丁卯, 甲子6日, 前藝文應教崔瀣撰'軍簿司重新廳事記':追加].615)

[乙酉27日, 征東行省儒學制擧司敎授盧欽還, 欽前知河東山西廉防事盧仲勉孫也:追加].616)

[三月己丑朔小盡,戊辰, 癸卯15日, 月食:天文].617)

[某日, 遣密直蔡某密直使蔡河中?·書狀官典儀寺直長鄭誧如元, 賀聖節:追加].618)

[是月, 某等東京管內茸長寺造成:追加].619)

[夏四月戊午朔小盡,己巳, 日食:追加].620)

---

613) 金冏(김경)에 대한 기록은 『達摩大師觀心論』刊記에도 있다.

614) 이는 八思巴文字로 쓰여진 「李達漢宣勅」(『平昌李氏啓仁君荏子洞派譜』, 1966)에 의거하였는데, 李達漢은 고려 측의 자료에서는 확인되지 않으나 고려인 출신의 宦者 平昌君 李淑(李福壽, quso)과 관련이 있는 인물로 추측된다(金芳漢 1971년 ; 張東翼 2009년 484面). 또 이 시기에 몽골제국에 의해 임명된 高麗國萬戶府萬戶는 고려 측의 자료에는 管軍萬戶로 略稱되었다.

615) 이는 『졸고천백』 권1, 軍簿司重新廳事記에 의거하였다.

616) 盧欽(號 伯敬)은 知河東山西廉防事를 역임한 盧東庵의 孫子, 瀋陽節推[節椎] 達齋(號임)의 아들이라고 하는데, 盧東庵은 遼陽行省의 右丞 洪重喜와 交遊하던 盧仲勉의 號인 것 같다(『졸고천백』 권1, 送盧敎授西歸序 ; 『中庵先生劉文簡公文集』 권22, 題葉國瑞遼陽諸公詩卷後 ; 張東翼 2011년).

617) 이날 中原에서 皆旣月蝕이 있었기에(『원사』 권38, 본기38, 順帝1, 元統 2년 3월 癸卯), 고려에서도 관측되었을 것이다. 일본의 교토에서는 16일(甲辰)에 관측되었던 것 같다(高麗曆과 同一, 『日本史料』6-1, 480面). 이날은 율리우스력의 1334년 4월 19일이고, 월식 현상이 심했던 때인 19일(癸卯)의 世界時는 21시 59분, 食分은 1.38이었다(渡邊敏夫 1979年 484面).
· 『東寺長者補任』, 建武 1년, 權僧正亮禪, "三月十六日, 月蝕御祈, 勤之".
· 『續史愚抄』20, 建武 1년 3월, "十六日甲辰, 月蝕, 蝕御祈權僧正亮禪奉仕".

618) 이는 『졸고천백』 권2, 送鄭仲孚書狀官序 ; 『西原世稿』 권1, 雪谷詩稿序에 의거하였다.

619) 이는 「茸長寺瓦銘」, "元統二年甲戌三月日,茸長寺"에 의거하였다(瓦片, 嶺南大博物館 所藏, 柳煥星 2010년 ; 洪榮義 2015년).

[五月丁亥朔[大盡,庚午], 是月, 榮祿大夫·徽政院使·領掌謁卿延慶司事鄭禿滿達兒寫成'紺紙金字大方廣佛華嚴經'·'首楞嚴經':追加].[621)]

[六月丁巳朔[小盡,辛未]:追加].

[是月某日, 前正順大夫·千牛衛上護軍崔文度發願'大般若波羅蜜多經', 仍印成一部:追加].[622)]

[夏某月, 元遣翰林檢閱官李穀來, 宣諭勉勵學:追加].[623)]

---

620) 이날 中原에서 일식이 있었고(『원사』 권38, 본기38, 順帝1, 元統 2년 4월 戊午朔), 일본에서도 관측은 되었던 것 같다. 그런데 이날(율리우스력의 1334년 5월 4일)의 일식은 북동아시아 3국이 中心食帶에 속해 있었기에 고려에서도 일식이 관측될 수 있었다(渡邊敏夫 1979年 311面).

· 『續史愚抄』 권20, 建武 1년 4월, "一日戊午, 日蝕, 蝕御祈權僧正道祐奉仕, 依蝕旬儀延引, 或作依雨云, 謬歟".

621) 이는 다음의 자료에 의거하였다(보물 제1412호, 서울시 江南區 코리아나美術館 所藏, 張忠植 2007년 171面 ; 郭丞勳 2021년 366面). 여기에서 覆燾(혹은 覆幬)는 德이 높고 名望이 重한 것을 가리킨다. 또 鄭禿滿達兒[禿滿迭兒, Tumander]에 관련된 것으로 추측되는 자료도 찾아진다.

· 『紺紙金泥大方廣佛華嚴經』 권15, 卷首題記, "榮祿大夫·徽政使·領掌謁卿延慶司事臣鄭禿滿達兒,」 竊念,荷父母訓育之德,」 皇帝,」 皇太后, 舍人太子,眷遇之恩,獲事」 兩宮,位階一品,永懷罔極,徒感寸誠.於是,金字書寫」 佛'華嚴經'一部,凡八十一卷·'首楞嚴經'一部十卷,爰伏」 佛乘,祈」 天永命,伏願」 乾坤比於覆燾,日月幷於照臨,」 家國咸寧,人神均慶,」 元統二年甲戌五月日 謹誌」. 이 題記의 舍人太子는 文宗(1329~1332 在位)의 아들인 燕帖古思[El Tegus]로 추측되므로 이 題記는 文宗의 在位年間에 이미 作成되었던 것 같다.

· 『中庸』, 第5段 第3節, "仲尼祖述堯舜, 憲章文武, 上律天時, 下襲水土. 譬如天地之無不持載, 無不覆幬, …"(朱子章句第30章).

· 『宋學士全集』 권18, 故翰林侍講學士…危公新墓碑銘, "… 公諱素, 字太樸, 姓危氏, … 奉勅書徽政院使禿滿達兒神道碑, 其從子以白金五十兩爲壽, 公卻之曰, '國體當爾'. 居中書, 凡請文來謝者, 皆不受". 여기에서 徽政院使 禿滿達兒는 上記의 高麗人 출신의 鄭禿滿達兒일 것이다.

622) 이는 對馬島 金剛院(혹은 長安寺, 現 長崎縣 對馬市 濱町에 位置한 高野山 眞言宗 寺刹)에 소장된 『大般若波羅蜜多經』, 題記에 의거하였다. 이 佛典은 1237년(丁酉, 고종24), 1238년(戊戌), 1239년(己亥), 1240년(庚子, 고종27)에 開版된 海印寺大藏經을 1334년(元統2, 忠肅王後2, 甲戌)에 印刷된 것으로, 그 중의 一部에는 '天和寺大藏'이라는 붉은색의 印章[朱印]이 찍혀 있다고 한다. 또 이 經典은 對馬島主 宗貞盛(소우 사다모리, ?~1452, 1414~1452 在職)이 金剛院에 寄進한 것으로 추측된다(德永健太郞 2007年).

· 題記, "先考光陽□[君]崔文簡公諱誠之, 與先妣馬韓國大夫人金氏, 同發願許造一大藏□[經]事, 巨未就而相次下世, 文度泣血繼述本,已□[樞]置先考所營天和禪寺,恭願」 三寶證明功德者,元統二年甲戌六月日, 男前正順大夫·千牛衛上護軍崔文度謹識". 여기에서 添字는 충숙왕 후7년 7월 某日의 脚注에 의거하였다.

· 追記, "大檀那宗刑部少輔貞盛」, 院主良覺, 院主良藏」.

[秋七月[丙戌朔大盡,壬申], 某日, 以慶尙道按廉使金冏, 仍番:慶尙道營主題名記].[624)]

[是月, 權知雞林府尹·都官佐郎·知蔚州事兼勸農使盧愼開板'白花道場發願文略解':追加].[625)]

[八月丙辰朔[大盡,癸酉]:追加].

[九月[丙戌朔小盡,甲戌], 庚子[15日], 月食:天文].[626)]

---

623) 이는 『燕石集』 권7, 高麗人李穀,字中甫, 元統元年登乙科, 爲翰林檢閱官. 明年被命使本國, 宣諭勉勵學校制書, 其行也, 贈之以詩 ; 『가정집』年譜·권14, 稼亭雜錄 ; 『安雅堂集』 권4, 送李中父使征東行省序 등에 의거하였다.

- 열전22, 李穀, "授翰林國史院檢閱官. 穀與中朝文士, 交遊講劘, 所造益深. 爲文章, 操筆立成, 辭嚴義奧, 典雅高古, 不敢以外國人視也. 奉興學詔還國".
- 『가정집』연보, "元統二年, 奉勉勵學校詔書, 使本省[征東行省]".

624) 이때 金冏은 1332년(충혜왕2)이래 慶尙道按廉使를 6回씩이나 連任[仍番]한 셈인데, 이는 1331년(충혜왕1) 이래 守令의 임용에서 久任制를 실시하였기 때문일 것이다. 실제의 사례를 보면, 雞林府尹 姜彦은 1331년(충혜왕1) 9월 19일에서 1334년(충숙왕 후3) 2월 17일까지 29개월을, 福州牧使 趙石堅은 1331년(충혜왕1) 9월에서 1333년(충숙왕 후2) 5월까지 32개월을 在職하였으며, 이들 兩者는 前職에서 相互 交替하였다. 또 知永州郡事 李儒는 1331년(충혜왕1) □월에서 1334년(충숙왕 후3) □월까지, 그의 判官 鄭之枰은 1330년(충혜왕 즉위년)에서 1334년(충숙왕 복위3) □월까지 재직하였다(『동도역세제자기』; 『안동선생안』; 『영천선생안』).

- 『가정집』 권2, 金海府鄕校水軒記, "國家以諸道首令, 久不移易, 頗有厲民".

625) 이는 다음의 자료에 의거하였다(海印寺所藏版本, 국보 제206-25호, 『한국불교전서』6책 소수, 林基榮 2009년). 또 이때의 鷄林府尹은 匡靖大夫 姜彦이 上京한 이해[是年]의 2월 17일부터 後任者인 奉翊大夫·判典校寺事 尹宣佐가 부임한 明年(1335) 4월 22일까지 空席이었다(『동도역세제자기』).

- 『白花道場發願文略解』刊記, "我家兄普應大師源公, 一生遍信觀音大聖, 勸誦華」 嚴觀音, 法門三十餘人, 倩我注夾其經, 以淸凉疏箋」 於經下, 兼集略解,因成二卷,又依經旨略解白花道」場文, 以助家兄崇信之誠, 兼答同交于之意, 廣施法」 財, 上資玄福於一人, 下施法法於九流云耳, 致和元」 年七月日, 在海印寺」 集解,」 後學沙彌牧庵 體元 誌,」 覺華寺住持·比丘 性之校勘,」 元統二年甲戌七月日, 雞林府 開板,」 同願刻手 僧甫英,」 色記官崔汴,」 別色前戶長李奇,」 同願秀才金神器書,」 同願東泉社道人善珣,」 雞林府權知尹[~~權知雞林府尹~~]·承奉郎·都官佐郎·知蔚州事兼勸農使盧□[愼] 」". 여기에서 ~~添字~~와 같이 고쳐야 옳게 될 것이고, 이때 蔚州는 倭賊의 侵入을 피해 雞林府의 管內에 移住[寓居]하고 있었다.

626) 이 날의 월식은 일본에서 관측된 천문현상에 의거하였는데, 고려에서도 관측되었을 것이다. 이날은 율리우스력의 1334년 10월 13일이고, 월식 현상이 심했던 때의 世界時는 10시 42분, 食分은 1.43이었다(渡邊敏夫 1979年 484面).

- 『東寺長者補任』, 權僧正道我, "九月十日, 加任宣下, 同月十五日, 月蝕御祈, 勤之".
- 『續史愚抄』20, 建武 1년 9월, "十五日庚子, 月蝕, 蝕御祈權僧正道我奉仕".

[某日, 以鄭云敬爲三司都事:追加].[627)]

[是月, 資善大夫·將作院使安賽罕寫成'紺紙金字大方廣佛華嚴經行願品':追加].[628)]

[冬十月乙卯朔大盡,乙亥:追加].

[十一月乙酉朔大盡,丙子:追加].

[十二月乙卯朔小盡,丁丑:追加].

[是年, 以知密直司事趙瑋爲密直司使:追加].[629)]

[○以吳定爲延安府使:追加].[630)]

[○以許僎爲福州判官:追加].[631)]

[○元以前僉議贊成事元忠爲武德將軍·西京等處水手軍萬戶兼提調征東都鎭撫司事:追加].[632)]

[增補].[633)]

---

627) 이는『삼봉집』권4, 鄭云敬行狀에 의거하였다.

628) 이는 다음의 자료에 의거하였다(보물 제752호, 湖林博物館 所藏, 南權熙 2002년 371面 ; 張忠植 2007년 175面 ; 국립중앙박물관 2019년 271面).

· 『紺紙金泥大方廣佛華嚴經行願品』, 卷首題記, "資善大夫·將作院使安 賽罕,」切念,荷父母訓育之恩,」皇帝,」皇太后, 舍人太子,眷遇之德,獲事」兩宮位階二品,永懷罔極,徒感寸誠.於是,鉉金寫成」'大華嚴經'一部,凡八十一卷,爰仗」 佛乘,祈」 天永年,伏願」 乾坤比於覆燾,日月幷於照臨,」家國咸寧,人神均慶,」元統二年甲戌九月 日誌」.

629) 이는「趙瑋墓誌銘」, "癸酉忠肅後2年拜知密直, 乙亥4年遷判密直"에 의거하여 추정하였다.

630) 이는『연안부지』에 의거하였다.

631) 이는『안동선생안』에 의거하였다.

632) 이는『졸고천백』권2, 元忠墓誌에 의거하였는데, 元忠은 고려에 부임하지 아니하고 大都에 향후 2년 동안 계속 머물고 있었다.

633) 이해는『고려사』에 記事가 전혀 없는 공백의 시기인데, 이를 보완할 수 있을 자료는 다음과 같다(張東翼 2009년 304~307面).

[高麗]

· 2월 6일(甲子), 崔瀣가 軍簿司 廳舍의 重建記를 作成하였다(『졸고천백』권1).

· 9월 16일(辛丑), 李穀이「禁內廳事中興記」를 지었다(『가정집』권2).

· 12월 20일(甲戌), 西京等處水手軍副萬戶 朴禿滿[Tumen]의 母, 中政院長史 洪義孫, 王府斷事官 李齊賢의 丈母인 平原君夫人 元氏(朴居實의 妻)가 逝去하였다(47歲)(平原君夫人元氏墓誌).

· 是年, 廉悌臣이 征東行省 左右司郎中으로 在職하였다(『목은문고』권15, 廉悌臣神道碑).

[中國] 元統 2년,

· 2월 1일(己未)과 3월 1일(己丑)에 興學詔書가 각각 내려졌다(『원사』권38). 이때 李穀이 興學詔書를 宣布하기 위해 고려에 파견되자, 安軸·宋褧을 위시한 文人 14人이 餞別의 詩文을 지

乙亥[忠肅王]後四年, 元 元統三年→11月後至元 元年, [西曆1335年]

1335년 1월 25일(Gre2월 2일)에서 1336년 2월 12일(Gre2월 20일)까지, 13개월 384일

[春正月[甲申朔大盡,戊寅], 某日, 以[監察執義·]慶尙道按廉使金冏, 仍番:慶尙道營主題名記].

[是月, 知蔚州副使兼權知鷄林府尹盧愼等開板'觀心論':追加].[634]

[是月頃, 元使李穀還:追加].[635]

[二月甲寅朔[小盡,己卯]:追加].

[□□□[~~是月頃~~], [636] 典儀副令[·徵政院管勾]李穀在元, 言於御史臺, 請罷求童女, 爲代作

었다(『가정집』연보, 권14, 稼亭雜錄 ; 『燕石集』 권7, 高麗人李穀 …).

· 4월 15일(壬申), 燕鐵木兒[El Temur]의 아들인 御史大夫 唐其勢[Tanggichi]를 總管高麗女直漢軍萬戶府達魯花赤으로 삼았다(『원사』 권38·권138, 燕鐵木兒, 唐其勢).

· 4월 18일(乙亥), 國子監助教 陳旅가 李穀을 위한 餞別詩의 序文을 撰하였다(『安雅堂集』 권4, 送李中父使征東行省序 ; 『가정집』 권14, 稼亭雜錄).

· 이해에 全州 普光寺의 僧侶 中向이 大都에서 高龍普(禿滿達兒, Tumender)를 만나 楮幣 數千緡을 施主받았다(『가정집』 권3, 重興大華嚴普光寺記 ; 『신증동국여지승람』 권33, 全州府, 普光寺).

[日本] 建武 1년,

· 1월 29일(戊午), 建武로 改元하였다(『公卿補任』13).

· 2월 18일(丙子), 太白이 昴星을 犯하였다(『皇年代私記』, 後醍醐院).

· 3월 23일(辛亥), 宮中에서 五壇法을 修行하여 天變을 물리치려 하였다(『續史愚抄』20, 後醍醐院後紀).

· 4월 某日, 月이 鎭星을 犯하였다(『續史愚抄』20, 後醍醐院後紀).

· 8월 27일(壬午), 地震이 있었다(『皇年代私記』, 後醍醐院).

· 12월 13일(丁卯), 큰 地震이 있었다(『續史愚抄』20, 後醍醐院後紀 ; 『皇年代私記』; 『皇代略記』, 後醍醐重祚 ; 『日本史料』6-2册, 175面).

634) 이는 다음의 자료에 의거하였다(奎章閣 所藏, 蔡尙植 1991년 208面 ; 金聖洙 2019年).

· 『觀心論』跋, "… 元統三年乙亥正月日,雞林府開板,」 ~~刻手僧~~法玄·甫英,」 ~~別色~~ 記官崔卞,」 戶長金珎,」 ~~幹善~~ 堀玄寺住持·通玄普應大師性宏,」 ~~同願~~ 雞林府權知尹·蔚州副使盧愼,」 慶尙道按廉使·中顯大夫·監察執義金冏」.

635) 『가정집』연보, "[後]至元元年, 還京師"에 의거하였다. 또 이때의 至元을 當時人들은 世祖代의 至元과 구별하기 위해 後至元 혹은 重紀至元으로 표기하였다(洪金富 2004年 437面).

636) 이때 李穀이 작성한 「請罷取童女書」는 『고려사절요』 권25에는 是年의 末尾에 수록되어 있다. 그것이 옳다면 그 記事의 冒頭에 是年을 추가하여야 할 것이다. 이는 李穀이 「請罷取童女書」를 작성하여 그의 친구인 御史臺都事 蘇天爵로 하여금 上疏하게 하였기에, 이 位置에 收錄되어야 옳을 것이다(→是年 3월 18일).

疏曰, "古之聖王, 其治天下也, 一視而同仁. 雖人力所至, 文軌必同, 而其風土所宜, 人情所尙, 則不必變之. 以爲四方荒徼, 風俗各異, 苟使同之中國, 則情不順而勢不行也. 勢不行情不順而善治之, 雖堯·舜不能矣. 昔我世祖皇帝, 臨御天下, 務得人心, 尤於遠方殊俗, 隨其習而順治之. 故普天率土, 歡忻鼓舞, 重譯來王, 猶恐或後, 堯舜之治, 蔑以加也. 高麗, 本在海外, 別作一國, 苟非中國有聖人, 邈然不與相通. 以唐太宗之威德, 再擧伐之, 無功而還. 國家肇興, 首先臣服, 著勳王室, 世祖皇帝, 釐降公主, 仍賜詔書奬諭曰, '衣冠典禮, 無墜祖風'. 故其俗, 至今不變. ○方今天下, 有君臣有民社, 惟三韓而已. 爲高麗計者, 當欽承明詔, 率祖攸行, 修明政敎, 朝聘以時, 與國咸休可也. 而乃使其婦寺之流, 根據中國, 寔繁有徒, 怙恩恃愛, 反撓本國, 至有冒干內旨, 爭馳傳遽, 歲取童女, 絡繹輦來. 夫其取人之女, 以媚于上, 爲己之利, 此雖高麗自取也, 旣稱有旨, 豈不爲國朝之累乎? 自昔帝王, 發一號施一令, 天下喁喁, 望其德澤, 故稱詔旨曰德音. 今屢降特旨, 奪人室女, 甚爲不可. 夫人之生子, 鞠之育之, 將以望其反哺也. 無尊卑之別, 華夷之間, 其爲天性一也. 抑彼風俗, 寧使男異居, 女則不出, 若秦之贅壻然. 凡致養于父母者, 有女之尸焉, 故其生女也, 恩斯勤斯, 日夜望其長, 能有以奉養. 而一旦奪之懷抱之中, 送之四千里外, 足一出門, 終身不返, 其爲情何如也? ○今高麗婦女, 在后妃之列, 配王侯之貴, 而公卿大臣, 多出於高麗外甥者. 此其本國王族, 及閥閱豪富之家, 特蒙詔旨, 或情願自來, 且有媒娉之禮焉. 固非常事, 而好利者, 援以爲例. 凡今使其國者, 皆欲妻妾, 非但取童女而已. 夫使于四方, 將以宣布上恩, 咨詢民隱. 詩不云乎? '周爰咨詢, 周爰咨諏', 今乃使于外國, 貨色是黷, 不可不禁也. ○側聞高麗之人, 生女者, 卽秘之, 惟慮不密, 雖比隣不得見. 每有使臣, 至自中國, 便失色相顧曰, '胡爲乎來哉? 非取童女者耶, 非取妻妾者耶?' 已而軍吏四出, 家搜戶探, 若或匿之, 則繫累其隣里, 縛束其親族, 鞭撻困苦, 見而後已. 一遇使臣, 國中騷然, 雖雞犬, 不得寧焉. 及其聚而選之, 姸醜不同, 或啖其使臣, 而飽其欲, 雖美而舍之, 舍之而求他. 每取一女, 閱數百家, 唯使臣之爲聽, 莫或敢違何者? 稱有旨也. 如此者, 歲再焉, 或一焉間歲焉,[637] 其數多者, 至四五十. 旣在其選, 則父母宗族, 相聚哭泣, 日夜聲不絶, 及送于國門, 牽衣頓仆, 攔道呼號, 悲痛憤懣, 有投井而死者, 有自縊者, 有憂愁絶倒者, 有血泣喪明者. 如此之類, 不可殫記. ○其取爲妻妾者, 雖不若此, 逆其情取其怨, 則無不同也. 書曰, '匹夫匹婦, 不獲自盡, 民

---

637) 間歲는 '1년을 뛰어 넘어', 곧 '2年에 한번씩'으로 읽는 것이 좋을 것이다(→인종 2년 5월 1일의 脚注).

主罔與成厥功'.[638] 恭惟國朝, 德化所及, 萬物咸遂, 高麗之人, 獨有何罪而受此苦乎? 昔東海有冤婦, 三年大旱, 今高麗, 有幾冤婦乎? 比年, 其國水旱相仍, 民之飢莩者甚衆, 豈其怨歎, 能傷和氣乎? 今以堂堂天朝, 豈不足於後庭, 而必取之外國乎? 雖承恩於朝夕, 猶懷父母鄕黨, 人之至情也, 而乃置之宮掖, 慾期虛老, 時或出之, 而歸之寺人, 終無孚者, 十之五六, 其怨氣傷和, 又何如也? 事有小弊, 而爲國之利者, 容或有之, 然, 不若無弊之爲愈也. 況無益於國家, 取怨於遠人, 其爲弊不小者哉? ○伏望, 渙發德音, 敢有冒干內旨, 上瀆聖聰, 下爲已利, 而取童女者, 及使于其國, 而取妻妾者, 明示條禁, 絶其後望. 以彰聖朝同仁之化, 以慰外國慕義之心, 消怨致和, 萬物育焉, 不勝幸甚". ○帝納之:節要轉載].[639]

[三月癸未朔大盡,庚辰, 庚子18日, 元御史臺臣言, "高麗爲國首效臣節, 而近年屢遣使, 往選取媵妾, 至使生女不擧, 女長不嫁, 乞賜禁止", 從之:追加].[640]

---

638) 이 구절은『尙書』권4, 咸有一德第8(僞古文), 商書, "匹夫匹婦, 不獲自盡, 民主罔與成厥功"을 인용한 것이다.

639) 이는 열전22, 李穀에도 수록되어 있는데, 添字는 이에 의거하였다. 또 이의 原文은『가정집』권8, 代言官請罷取童女書이다.

640) 이는『원사』권38, 본기38, 順帝1, 後至元 1년 3월 庚子에 의거하였다. 이 기사는 당시 御史臺都事이었던 蘇天爵(1294~1352)의 建議를 壓縮한 것으로 추측된다.

· 『滋溪文稿』권26, 災異建白十事에 다음의 句節이 있다. "一. 國家之治, 當一視而同仁, 夫以高麗爲國, 僻居海隅, 聖祖肇興, 首效臣節. 世祖皇帝, 嘉其勤勞, 釐降公主, 盖所以懷柔小邦, 恩至渥也. 比年以來, 朝廷屢遣使者, 至于其國, 選取子女, 求娶妾媵. 需索百端, 不勝其擾, 至使高麗之民, 生女或不欲擧, 年長者不敢適. 人憤怨感傷, 無所伸訴, 方今遼東, 歲歉民適告飢, 和氣之傷, 或亦由此. 今後, 除內廷必合取索外, 其餘官員, 敢有不經中書, 擅自奏請取索高麗女子, 及因使其國娶妻妾者, 擬合禁治. 庶幾, 彰國家同仁之治, 慰小邦嚮化之心".

이는 蘇天爵이 災異에 대처해 賞罰·愛民節用·建官分職·錢幣之制 등에 대해 올린 10조의 上疏 중 마지막 조항이다. 이는 高麗 貢女의 선발에 따른 폐단을 열거하면서, 이의 해소책으로 朝廷에서 합법적으로 취하는 공녀 이외에, 官人들은 中書省의 허가를 받아 이를 취하게 하고, 중서성의 허가를 받지 않거나 사신으로서 파견되어 取妻妾하는 경우는 금하라는 제한적인 공녀 금지를 건의하고 있다.

이 시기에 그와 교유하던 李穀이 원의 관료로 재직하면서 御史臺로 하여금 貢女의 廢止를 건의하게 하고 長文의 상소를 代作하였다고 한다(열전22, 李穀). 이 자료의 내용은 이곡이 지은 상소문의 내용을 크게 압축하고 있다. 이로 보아 이 자료는 李穀의 意思가 많이 반영되어 있는 것으로 추측된다(張東翼 1997년 84~85面). 또 이와 관련된 자료로 다음이 있다(崔瀣 撰).

· 「王昷妻壽寧翁主金氏墓誌銘」, "先此, 東方子女, 被刮西去, 無虛年. 雖王親之貴, 不得匿. 母子一離, 杳無會期. 痛入骨髓. 至於感疾, 隕謝者, 非止一二. 天下孰有至冤過是哉. 今天子用御史言, 制禁之, 擧國老幼, 喜際仁□明?, 不知手舞足蹈者. 獨恨翁主, 未及而至於斯也, 嗚呼, 悲夫".

[是月，定州伊彥居民發願 埋沉香三百條:追加].[641]

[是月頃，以奉翊大夫·判典校寺事尹宣佐爲雞林府尹，中正大夫金允明爲福州牧使，朴受天爲雞林判官:追加].[642]

[→忠肅後四年，親注守令，至鷄林尹雞林尹，輟筆思曰，"朝臣盈廷，無如尹尹，即注之". 其見信於王，類此:列傳22尹宣佐轉載].[643]

[春某月，以通禮門判官朴元桂爲奉常大夫·監察掌令:追加].[644]

[○以前藝文檢閱李穀爲奉善大夫·試典儀副令·直寶文閣:追加].[645]

夏四月癸丑朔小盡,辛巳，己巳17日，王獵于海州.

丁丑25日，命佑文君梁將梁載·前郎將曹莘卿，掌銓注. 以姜融△△爲都僉議左政丞·判三司事，密直司使蔡河中△△爲都僉議贊成事,[646] 崔老星爲懷義君，曹莘卿爲左代言，申時用爲大匡·元尹,[647] 尹賢爲持平. [將，燕南人，初，從王三錫來，寅緣用事，朝野疾之. 三錫死，將，還燕，及王入朝，將又與蔣伯祥，構兇謀不克，遂諂事王左右，得幸封君，更名載. 交結宦寺，竊弄政柄，請謁盈門，賄賂公行，士大夫，多出其門. 莘卿，嘗爲僧，相風水，因載以進，同掌銓選. 老星，色目富商，亦因載得封君. 載，嫌物議，書批目云，百四歲老人崔老星 賢，起於典法掾，爲時用家臣，拜典法佐郎，賣獄，受人布百五十匹，事覺，憲司方劾其罪. 時批目下已二日，賢與宦官，謀寢其

641) 이는 다음의 자료에 의거하였는데, 定州의 어느 村落(옛 定州郡 伊彥面 沉香洞, 現 平安北道 定州郡 沈香里)의 人民들이 자신의 거주지를 '益州伊彥(益州管內의 聚落, 또는 益州의 人民)'이라고 표기한 점이 특이하다(→충렬왕 5년 4월 25일의 脚注).
· 定州埋香碑, "益州伊彥發」願,埋沉香三」百條,」元統三年三月」(『조선금석총람』上 483面).

642) 이는『동도역세제자기』;『안동선생안』에 의거하였다.

643) 添字와 같이 고쳐야 옳게 될 것이다.

644) 이는「朴元桂墓誌銘」에 의거하였다. 또 이 시기 이후에 選部典書 許富(許珙의 5子)가 朴元桂를 贓罪로 誣告하다가 妄信을 당했던 것 같다.
· 열전18, 許珙, 富, "富官至選部典書. 嘗與掌令成乙臣言，掌令朴元桂，受人賂布百匹. 元桂訟于王，王命蔡河中等鞫之. 富言，聽於判事李仁吉. 仁吉云，我無是言. 相持不服，河中等奏，富爲妄". 여기에 나오는 成乙臣은 成元度의 父라고 한다(『浮查集』권7, 浮查先生世系圖).

645) 이는『가정집』연보에 의거하였다.

646) 이때 蔡河中은 상당한 시일이 경과한 후 告身에 署經을 받았던 것 같다(열전38, 蔡河中, "累遷密直使，轉贊成事，臺官申君平不署告身，久之").

647) 申時用은 이해에 延安府使로 到任하였다(『延安府誌』，守臣).

劾, 收批入內, 抹持平李孫寶名, 改注己名. 納賂得官者, 幾至百餘, 王不之覺, 其欺君, 自恣如此.[648] 臺官申君平, 皆不署告身, 未幾見罷. 翌日, 掌令朴元桂署之, 人譏其怯. 融之妹爲巫, 食松岳祠, 大護軍金直邦, 以其所善巫代之. 融不可, 直邦罵融曰, "汝是官奴, 何驕乃爾":節要轉載].

[→忠肅朝爲臺官. 時賂權貴得官者, 幾百餘. 有崔琬者, 嘗匿父喪赴擧, 後中第, 爲水州參軍, 有穢聲, 爲同榜所斥. 倚權豪爲成均學錄, 君平皆不署告身, 又不署政丞姜融·贊成□[事]蔡河中·懷義君崔老星·左代言曹莘卿·元尹申時用·持平尹賢告身. 以故見忤罷, 朝野惜之. 翌日, 掌令朴元桂署之, 人譏其怯:列傳22申君平轉載].

[→梁載, 初名將, 燕南人.[649] 附三錫, 夤緣用事, 朝野疾之. 三錫死, 載還燕. 及忠肅如元, 載又與蔣伯祥, 構兇謀不克, 遂諂事王左右得幸, 封佑文君. 與郞將曹莘卿, 掌銓注, 交結宦寺, 竊弄政柄, 請謁盈門, 賄賂公行. 士大夫多出其門, 以莘卿爲左代言, 崔老星△[爲]懷義君, 申時用△[爲]大匡·元尹, 尹賢△[爲]持平. 行錢得官者, 幾至百餘, 王不之覺:列傳37梁載轉載].

[是時, 復改中贊, 爲左·右政丞:百官1門下府轉載].

○自三月不雨, 至于是月.

[→自三月至四月, 不雨:五行2轉載].

五月壬午朔[小盡,壬午], 以旱徙市, 聚巫禱雨.[650]

[○熒惑犯左執法:天文3轉載].

[甲申[3日], 亦如之[熒惑犯左執法]:天文3轉載].

[乙未[14日], 月暈:天文3轉載].

[丁酉[16日], □[月]又犯大微[~~太微~~]上相:天文3轉載].

庚子[19日], 禁酒.

---

648) 崔老星과 尹賢에 관한 기사는 열전37, 嬖幸2, 王三錫, 崔老星, 尹賢에도 수록되어 있다.

649) 梁將은 燕京人[大都, 燕南人]으로 後日 梁載로 改名하였고, 曹莘卿은 그에 趨附한 인물이다(열전37, 王三錫, 梁載, 曹莘卿). 여기에서 燕南人은 大都[燕京]에 거주하고 있던 南人[옛 南宋人, 蠻人, 蠻子]를 指稱하는 것 같지만, 清代의 顧嗣立(1665~1722, 江西地域의 詩仙, 酒仙)은 梁載가 江浙行省 處州路 麗水縣(現 浙江省의 西南部 長江三角洲 地域에 위치한 麗水市) 出身이라고 하였다.

· 『元詩選癸集』卷戍上, 梁載, "載, 字遜□, 處州麗水人, 通經博學, 著處州路志". 여기에서 『處州路志』20권은 梁載가 저술한 것이 아니고, 校正, 成書한 것을 잘못 記錄한 것이다.

650) 지3, 天文3에는 壬午에 朔이 탈락되었다.

庚戌29日晦，雨.

六月辛亥朔大盡,癸未，[戊午8日，月犯熒惑:天文3轉載].

辛酉11日，王至自海州.

秋七月辛巳朔大盡,甲申，丁亥7日，大雨.651)

○元以册皇后，遣直省舍人月魯博兒來，頒詔.652)

○元□遣斷事官敎化哥里廝哥來，斬御香使塔思不花，梟首于市，籍其家，囚其妻及黨惡護軍宋允時·中郞將許瑺於征東行省，人大悅.653)

[某日，以趙忠佐爲慶尙道按廉使:慶尙道營主題名記].

八月辛亥□朔小盡,乙酉，元遣舍兒八赤伯顔不花來,654) 詔王曰，"愼簡庶僚，各供爾位，一遵世皇帝聖訓，祗率舊章，整治邦家".

己未9日，幸海州. 初，王欲游獵海州，憚朝議未果. 御香使金信，本國人，希旨，口宣聖旨云，祝壽于海州神光寺. 乃托以行.655)

乙丑15日，納前左常侍權衡女，册爲壽妃.656) [初，衡女爲密直商議全信子婦，衡，

651) 일본의 京都에서는 이보다 먼저 계속되는 霪雨(음우, 계속 이어져 내리는 비)의 中止를 위해 6월 17일(丁卯, 降雨), 18일(戊辰, 降雨), 24일(甲戌, 降雨)에 각각 奉幣使를 社寺에 派遣하였던 점(『建武二年六月記』; 『日本史料』6-2册, 435面, 高麗曆과 同一)을 보아 7월에는 降雨前線이 한반도로 北上하였던 것 같다.

652) 이 시기에 皇后의 册封은 찾아지지 않는다.

653) 黨惡은 結黨하여 惡行을 恣行하는 무리[徒]를 지칭하는데, 이 기사에서는 黨與와 같은 의미일 것이다.

654) 辛亥에 朔이 탈락되었다. 또 舍兒八赤은 舍兒別赤·舍里八赤으로도 표기된 怯薛의 職名인데, 舍兒別은 페르시아語의 Sherbet의 音譯으로 治療用의 糖漿을 지칭한다고 한다(陳高華 1989年).

655) 神光寺(現 黃海南道 海州市 神光里)의 五百羅漢像은 국초 이래 존재해 왔으나 1337년(충숙왕 후6) 이래 몽골제국의 惠宗(順帝)에 의해 몇 차례에 걸쳐 增築될 때 改造되었을 가능성이 있는데, 이는 高城縣 동쪽 60餘里에 위치한 金剛山 楡岾寺의 羅漢像이 石造인데 비해 塑造라고 한다.

· 『목은문고』 권3, 慈悲嶺羅漢堂記, "西海·平壤交界，有山大而峻，行者甚苦之，故曰慈悲嶺. 嶺之北屬之平壤，其南屬之西海. 羅漢堂實據嶺北，俯黃州洞仙站，不知創於何代，然靈異頗著. 予少也，馳馹赴燕都，再過堂下，嘗一入門，而致禮焉. 幢幡甚盛，類皆行役者之願詞也".

· 『噬守堂集』 권18, 嶺東山水記(光海王 13년, 1621), "至月初三日 … 法堂諸寮，徑爇重新，五十三佛，幸而不灰，依舊木處，塔亦皆建，疊削玄石，金釵冠頂，鈴懸四稜，遭風冷然，傍啓羅漢殿，玉像背人，較以神光寺土像，則奇古不如. …".

656) 權衡(權溥의 孫，權準의 長子)은 이 시기 이후에 權廉으로 改名하였던 것 같다(열전20，權溥，

以全家不肖，欲離之而未果．至是，托內旨絶婚，遂納于王:節要轉載].657)

九月庚辰朔小盡,丙戌，[乙酉6日，故中原公昷妻壽寧翁主金氏卒，年五十五:追加].658)

甲辰25日，忠宣王順妃許氏卒，[年六十五:追加].659)

冬十月己酉朔大盡,丁亥，己巳21日，王聞元使黑厮來．

[○虹見:五行1虹霓轉載]．

庚午22日，王,還自海州，至國淸寺．王性厭人，左右不得近，忽赤李敍慮王獨行，從其後，王怒罪之．

翌日辛未23日，昧爽，百官會迎賓館，迎詔，始知車駕先至，驚惶行禮．王使人逐之，百官皆走匿．王之忌人如此．俄而元使至，王聽詔於行省，還幸國淸寺．

甲戌26日，復幸海州．

[○大雷電，風雨:五行1雷震轉載]．

[乙亥27日，雷電，以雪:五行1雷震轉載]．

[某日，以三司都事鄭云敬爲通禮門祗候:追加].660)

十一月己卯朔大盡,戊子，丙午28日，王以夢，改諱，燾爲卍，典理司貼牓喩人．

[是月甲午16日，帝惠宗以燕鐵木兒·唐其歲·答里所奪高麗田宅，還其王阿剌忒納失里~~阿剌納忒失里~~:追加].661)

[是月辛丑23日，元改元至元:追加]．

廉)．그의 열전에는 權廉으로，后妃列傳에는 權衡으로 달리 표기되어 있다(열전2，后妃2，忠肅王，열전20，權溥，廉)．

657) 이와 유사한 기사로 다음이 있다．이에 따르면 壽妃權氏가 前同知密直司事·商議會議都監事 全信의 며느리[子婦]였는데，全信의 세 아들[三子]은 司儀署丞 成安，僧 希璨，無職[未仕] 佛家奴[佛老，Qugiyaliu]이다(『졸고천백』 권2，全信墓誌銘)．

· 열전2，忠肅王妃，壽妃權氏，"壽妃權氏，福州人，左常侍衡之女．初嫁密直商議全信子，衡以全家不肖，欲離之而未果．忠肅後四年，托內旨絶婚，遂納于王，册爲壽妃"．

658) 이는 「王昷妻壽寧翁主金氏墓誌銘」에 의거하였다．이는 「王昷妻壽寧翁主金氏墓誌銘」에 의거하였는데，이날은 율리우스曆으로 1335년 9월 23일(그레고리曆 10월 1일)에 해당한다．

659) 이와 같은 기사가 열전2，忠宣王妃，順妃許氏；『익재난고』 권7，忠宣王妃順妃許氏墓誌銘에도 수록되어 있다．이날은 율리우스曆으로 1335년 10월 12일(그레고리曆 10월 20일)에 해당한다．

660) 이는 『삼봉집』 권4，鄭云敬行狀에 의거하였다．

661) 이는 『원사』 권38，본기38，順帝1，後至元 1년 11월 甲午에 의거하였다．

十二月己酉朔大盡,己丑, 辛酉13日, 葬順妃, 元遣完者來, 會葬.[662]
己巳21日, 元以改元至元, 遣使來, 頒詔.[663]
戊寅30日, 遣萬戶姜好禮·鄭天佐如元, 賀正.
[癸卯某日, 大霧:五行3轉載].[664]

閏[十二]月己卯朔小盡,己丑, 甲午16日, 元遣使□來, 詔王入朝.[665]
乙巳27日, 王至自海州.
丙午28日, 上護軍安士由還自元, 以前王悔過, 白王, 王泣下. 初, 宦者帖木兒不哥有罪, 王命李精, 杖流于島. 精, 故縱之, 帖木兒不哥亡入元. 一日, 王問精, 以帖木兒不哥安在, 精對以死. 至是, 大護軍朴青來自元, 告帖木兒不哥在大都, 揚殿下過惡. 王怒, 杖精流于島, 籍其家. 復屬延慶宮爲奴, 人多快之.

[是年, 以前左常侍權廉爲玄福君. 廉, 不樂治公務也:追加].[666]
[○以趙瑋爲判密直司事:追加].[667]
[○以前藝文應教·知製教閔思平爲奉善大夫·衛尉少尹·知製教:追加].[668]
[○以任玄玲爲永州副使, 崔英庇爲永州判官:追加].[669]
[○以申時用爲延安府使:追加].[670]
[○以書雲觀員姜保爲書雲司曆:追加].[671]

---

662) 이 기사는 열전2, 忠宣王妃, 順妃許氏에도 수록되어 있다. 또 順妃(忠宣王妃)의 묘지명에는 明年, 곧 1336년(충숙왕복위5) 2월 25일(壬寅)에 德水縣의 甑山에 葬事를 지냈다고 한다(『익재난고』 권7, 王順妃許氏墓誌銘).

663) 몽골제국은 11월 23일(辛丑) 年號를 至元으로 바꾸었다(『원사』 권28, 본기28, 순제1, 至元 1년 11월 辛丑).

664) 이달에는 癸卯가 없고, 11월 25일과 윤12월 25일이 癸卯인데, 後者일 가능성이 있다.

665) 惠宗[順帝]이 忠肅王의 入朝를 命한 것은 12월 8일(丙辰)이었다.
・『원사』 권38, 본기38, 순제1, 後至元 1년 12월 丙辰, "詔徵高麗王阿剌忒納失里阿剌納忒失里入朝".

666) 이는 「權廉墓誌銘」에 의거하였다.

667) 이는 「趙瑋墓誌銘」에 의거하였다.

668) 이는 『급암시집』 연보에 의거하였다.

669) 이는 『영천선생안』에 의거하였다.

670) 이는 『연안부지』에 의거하였다.

671) 이는 『授時曆捷法』 卷首, 序에 의거하였다(→충숙왕 17년 7월 14일의 脚注).

丙子[忠肅王]後五年, 元 後至元二年, [西曆1336年]

1336년 2월 13일(Gre2월 21일)에서 1337년 1월 31일(Gre2월 8일)까지, 354일

春正月戊申朔大盡,庚寅, 丙辰9日, 賜南宮敏等及第.[672)]

[□□是時, 梁載, 以李潤, 屬知貢擧蔡洪哲曰, "走馬看錦, 恐迷日五色". 洪哲, 果取之:節要轉載].

[→載, 又以所善李閏, 屬蔡洪哲·安珪中第:列傳37梁載轉載].

[某日, 代言曹莘卿矯旨, 令楊廣道貢物別監申淑, 獻熊掌·豹胎. 淑, 督索州郡, 都堂以聞. 王怒罷淑, 莘卿, 陽若不知:節要轉載].[673)]

[己未12日, 密直副使致仕朴華卒, 年八十五:追加].[674)]

戊辰21日, 召還德妃忠惠王母.

[己巳22日, 密直司使·進賢館大提學·知春秋館事·上護軍閔頔卒, 年六十七. 諡文順:追加].[675)] [□頔, 居第置園林, 每花時召客, 置酒賦詩以爲樂. 好賢愛士, 待孤寒晩進, 尤致情禮. 子思平·愉·抃·渙. 渙自有傳:列傳21閔頔轉載].

乙亥28日, 遣贊成事閔祥正如元, 賀改元.[676)]

---

672) 이와 관련된 기사로 다음이 있다. 이때 南宮敏·李潤·許齡(改絅)·成汝完·鄭思度(改思道, 鄭思道墓誌銘) 등이 급제하였다(『등과록』; 『전조과거사적』, 朴龍雲 1990년 ; 許興植 2005년).
- 지27, 선거1, 科目1, 選場, "忠肅王後五年正月, 贊成事·領藝文館事蔡洪哲知貢擧, 安珪同知貢擧, 取進士, 丙辰, 賜南宮敏等三十三人及第".
- 열전21, 蔡洪哲, "改封順天君, 進三重大匡, 賜純誠輔翊贊化功臣號. 命洪哲及安珪掌試, 梁載者, 王之嬖幸也, 操弄政柄, 士大夫多出其門. 載以李潤屬洪哲曰, '走馬看錦, 恐迷日五色'. 洪哲果取之, 王賜洪哲苧布五十匹, 珪玉帶·五綜布六百匹".
- 열전37, 王三錫, 梁載, "載, 又以所善李閏, 屬蔡洪哲·安珪中第, 時商賈雜類, 競依載".
- 「鄭思道墓誌銘」(『목은문고』 권19), "諱思道, 字思道, 幼名良弼, 旣登第, 有當避, 則名思度. 事玄陵始改今名, 其意盖曰, 或處或出, 無非道也 … 年十九, 順天君蔡公洪哲·延平君安公規珪, 同掌試, 公一擧中之, 後至元丙子也". 여기에서 ~~添字~~와 같이 고쳐야 옳게 된다.
- 『태조실록』 권11, 6년 1월 乙亥22日, 成汝完의 卒記, "… 後至元丙子登第, 拜藝文春秋檢閱".
- 『中溪集』續集, 世系圖, 五世成汝完, "初名漢匡, 自號怡軒, 至元丙子登第, 官至昌寧府院君, …".

673) 이 기사는 열전37, 嬖幸2, 王三錫, 曹莘卿에도 수록되어 있다.

674) 이는 「朴華墓誌銘」에 의거하였는데, 이날은 율리우스曆으로 1336년 2월 24일(그레고리曆 3월 3일)에 해당한다.

675) 이는 「閔頔墓誌銘」; 「閔思平墓誌銘」에 의거하였다. 또 열전21, 閔宗儒, 頔에는 "忠肅後四年後五年卒, 年六十七, 諡文順"으로 되어 있으나 忠肅王後四年은 後五年으로 고쳐야 옳게 될 것이다. 이날은 율리우스曆으로 3월 5일(그레고리曆 3월 13일)에 해당한다.

[某日, 以閔祥伯爲慶尙道按廉使:慶尙道營主題名記].
是月, 幸海州.

二月戊寅朔小盡,辛未, [春分]. 立公主府曰慶華, 置官屬.[677]

三月丁未朔大盡,壬辰, 丙辰10日, 王將如元, 發海州. 時王不欲入朝, 久留西京.
乙亥29日, 命右常侍鄭天起·執義王伯等, 徵前王所用財物. 免賤爲良者, 還屬賤隷, 又收前王功臣田, 並還本主.

夏四月丁丑朔小盡,癸巳, 戊戌22日, 禱雨.[678]

[五月丙午朔小盡,甲午, 某日, 敎曰, “西海·平壤·安定各站, 以三運盤纏, 民部盤纏, 令打軍, 每名下官馬外, 私馬亦皆喂養, 侵擾各站, 今後禁之”:兵2站驛轉載].

[六月乙亥朔小盡,乙未, 甲午20日, 震西京舟舡:五行1雷震轉載].
[庚子26日, 震興天寺碑:五行1雷震轉載].

[秋七月甲辰朔大盡,丙申, 某日, 以慶尙道按廉使閔祥伯, 仍番:慶尙道營主題名記].

[八月甲戌朔小盡,丁未, 癸巳20日, 前都僉議贊成事吳潛卒, 年七十八:追加],[679] [謚文齊. 子偕, 官至贊成事:列傳38吳潛轉載].
[是月, 祇林寺住持·大禪師善之, 前密直副使·上護軍任瑞, 奉聖寺住持·大師孜西等寫成‘銀字大方廣佛華嚴經’:追加].[680]

---

676) 이 시기에 閔祥正은 인사행정[銓注]을 장악하고 官制를 정비하였다고 한다.
· 열전20, 閔漬, 祥正, “閔祥正官至贊成事, 摠裁銓注, 減損官職, 以復古制”.

677) 慶華公主의 開府에 관한 기사는 열전2, 忠肅王妃, 慶華公主伯顔忽都에도 수록되어 있다.

678) 이해[是年]에 몽골제국의 江浙地域(揚子江의 下流인 現 江蘇省과 浙江省 地域)에서 봄[春]에서 8월까지 비가 내리지 않아 人民들이 크게 굶주렸다고 한다.
·『원사』 권39, 본기39, 順帝2, 後至元 2년 是歲, “江浙旱, 自春至于八月不雨, 民大饑”.

679) 이는 「吳潛墓誌銘」에 의거하였는데, 이날은 율리우스曆으로 1336년 9월 25일(그레고리曆 10월 3일)에 해당한다.

680) 이는 다음의 자료에 의거하였다(兵庫縣 神戶市 須磨區 須磨寺町 4-6-8 福祥寺 所藏, 權熹耕

[是月頃，以中正大夫金員爲福州牧使，從事郞·成均博士劉河一爲雞林府司錄兼參軍事:追加].681)

[九月癸卯朔大盡,戊戌:追加].

冬十月癸酉朔大盡,己亥，壬辰20日，辛彦卿還自元曰，“漢人盧康忠·王誼·王榮等十二人訴王之罪，謀欲除國，夷爲軍民，王宜急入覲”．[王聞之，遂如元:節要轉載].

[十一月癸卯朔大盡,庚子:追加].

十二月癸酉朔小盡,辛丑，辛卯19日，王渡鴨綠江．
○帝惠宗以前王忠惠王不謹，遣還國．

[是年，以前政堂文學李齊賢爲三重大匡·金海君·領藝文館事:追加].682)
[○以郞將柳甫發爲少府少尹:追加].683)
[○以監察掌令朴元桂爲監察中丞:追加].684)
[○以奉常大夫·版圖摠郞·知製敎閔思平爲慶尙道塩鐵使:追加].685)
[○以朴永爲延安府使，尋以申英代之:追加].686)
[○以三重大匡·判都僉議司事致仕閔漬妻申氏爲東韓國大夫人:追加].687)

1986년 420面 ; 張東翼 2004년 730面 ; 張忠植 2007년 181面 ; 郭丞勳 2021년 373面).
· 『紺紙銀泥大方廣佛華嚴經』 권60, 末尾題記, “比丘善之, 與密直副使任瑞, 知識雲山同發誓願, 普集」衆緣, 以黛紙銀泥, 倩人書寫,」是經三本, 流通供養, 以此功德, 仰願」王年有永, 國祚延洪, 於此善根, 或捨納財賄, 或設供養,」乃至讚歎隨喜, 凡有緣者, 生生世世,得大自在, 行普」賢行證, 如來智蠢, 衆生界一時成佛者,」至元二年丙子八月 日誌,」功德主祗林寺住持·大禪師善之,」前密直副使·上護軍任瑞,」奉聖寺住持大師 孜西,」禪師 雲其,」禪師 万一,」緣化比丘雲山, 明一」.
· 背書(銀書), “周經六十, 七幅, 至元二年五月二十七日 永麟書」.

681) 이는 『안동선생안』에 의거하였다.
682) 이는 「李齊賢墓誌銘」에 의거하였다.
683) 이는 「柳甫發墓誌銘」에 의거하였다.
684) 이는 「朴元桂墓誌銘」에 의거하였다.
685) 이는 「閔思平墓誌銘」 ; 『급암시집』연보에 의거하였다.
686) 이는 『연안부지』에 의거하였다.

[○元使·甄用太監李那壽徙利旨縣廳, 於永州新寧縣西, 仍置縣司·長吏. 那壽, 新寧縣梨旨銀所人也:追加].688)

[○盡誠秉義翊贊功臣·匡靖大夫·檢校僉議評理·漢陽府尹朴仁幹在任:追加].689)

[○元以奉議大夫·中尙監丞崔安道爲朝請大夫·太府監少監:追加].690)

[○以前翰林國史院檢閱官李穀爲儒林郎·徽政院管勾兼承發架閣庫:追加].691)

[○武德將軍·西京等處水手軍萬戶兼提調征東都鎭撫司事元忠, 奉徽政院差使, 乘馹東歸:追加].692)

---

687) 이는「閔漬妻申氏墓誌銘」에 의거하였다.

688) 이는『졸고천백』권2, 永州利旨銀所陞爲縣碑에 의거하였다. 또 이 자료를『동국여지승람』권27, 河陽縣과 新寧縣의 兩縣에 각각 수록되어 있는데, 兩者의 사이에 淸通縣과 新寧縣이 介在해 있었기에 接境하지 않았다. 곧 梨旨廢縣이 新寧縣의 서쪽 20里에 있다고 함을 보아 河陽縣에 수록된 기록은 잘못된 것 같다. 梨旨銀所(朝鮮時代以來 칠박골 銀店)의 銀鑛坑은 八公山 北東方 山麓 60%의 稜線에 있으며, 이곳은 1980년대까지 採掘되었는데, 銀鑛石(sag, 黑色 또는 灰色)과 金鑛石(AuAg, 白色의 石英이 小量 含有된 黃鐵石, Gold ore)이 混在되어 있었다고 한다. 또 河陽縣에는 조선후기까지 新寧縣의 越境地가 있었다고 하는데, 이는 麗末鮮初에 梨旨縣(後日 新寧縣에 병합됨)이 採掘하였던 것으로 추측되는 金鑛窟이 있었던 것 같다(현재 a永川市 新寧面, b慶山市 琴湖邑에 각각 廢鑛坑이 있는데, 後者는 조선후기까지 존재했던 河陽縣 管內에 위치했던 新寧縣의 越境地였던 것으로 추측된다). 그리고 梨旨縣의 官衙는 永川市 新寧面 旺山里에 위치했던 聚落으로 추측되지만, 이곳은 取水를 위해 축조한 貯水池인 大旺池(칠박골 貯水池)로 인해 완전히 水沒되고 말았다(隣近에 筆者의 山幕이 있다).
· 『동국여지승람』권27, 河陽縣, "梨旨廢縣, 在新寧縣西二十里, 本永州梨旨銀所, 高麗末陞爲縣, 仍屬永州, 本朝太祖時來屬, 崔瀣碑, …".
· 『동국여지승람』권27, 新寧縣, "梨旨廢縣, 在縣西二十里, 本永州梨旨銀所, 高麗末陞爲縣, 仍屬永州, 本朝太祖時來屬, 崔瀣碑, …".
· 『경상도지리지』, 永川郡, "新羅時, 領縣五, … 新寧縣, 移屬慶州任內, 恭讓王時庚午, 置監務. 高麗時所屬梨旨縣, 本朝太祖時洪武甲戌, 合屬新寧".

689) 이는「朴華墓誌銘」에 의거하였는데, 添字는 官職과 官階를 고려하여 필자가 추가하였다.

690) 이는「崔安道墓誌銘」, "至大至元二年, 轉太府監少監, 官朝請□□大夫"에 의거하였는데, 至大는 至元의 오자이다.

691) 이는『가정집』연보, "後至元二年, 儒林郞·敬政院管勾兼承發架閣庫"에 의거하였다. 이에서 敬政院은 徽政院을 가리키는데, 文宗의 이름을 避한 글자이다.

692) 이는「元忠墓誌銘」에 의거하였다.

丁丑[忠肅王]後六年, 元後至元三年, [西曆1337年]

1337년 2월 1일(Gre2월 9일)에서 1338년 1월 20일(Gre1월 28일)까지, 354일

春正月[壬寅朔大盡,壬寅], 王在元.

[某日, 以張耳爲慶尙道按廉使:慶尙道營主題名記].

[是月頃, 以[通仕郞]李芳實爲福州司錄:追加].[693]

二月[壬申朔大盡,癸卯], 乙未[24日], 杞城君尹莘傑卒,[694] [年七十二　謚莊明:列傳22尹莘傑轉載]. [莘傑, 爲人嚴重訥言, 若泥塑然, 通六經. 忠宣王使傅于王, 歷仕兩朝, 久典銓選, 不以私輕重之, 時稱長者. 無子:節要轉載].

[是月頃, [奉翊大夫·判繕工寺事]羅天富爲雞林府尹, 高驥善爲永州副使:追加].[695]

[三月[壬寅朔小盡,甲辰], 是月頃, 以金宗爲永州判官:追加].[696]

[夏四月[辛未朔大盡,乙巳], 乙酉[15日], 王孫生, 賜名昕:追加].[697]

[是月, 以柳濯爲監門衛大護軍:追加].[698]

[是月壬午[12日], 帝以高麗王阿剌忒納失里~~阿剌納忒失里~~朝賀, 還國, 賜金一錠·鈔二千錠, 從官賜與有差:追加].[699]

[是月, 太府少監·同知密直司事崔安道與其妻綾城郡夫人具氏寫成'紺紙銀字大方廣佛華嚴經':追加].[700]

---

693) 이는 『안동선생안』에 의거하였는데, 原文에는 李邦實로 표기되어 있다.

694) 이날은 율리우스曆으로 1337년 3월 26일(그레고리曆 4월 3일)에 해당한다.

695) 이는 『동도역세제자기』; 『영천선생안』에 의거하였다.

696) 이는 『영천선생안』에 의거하였다.

697) 이는 忠穆王世家 ; 總論에 의거하였다.

698) 이는 『양촌집』 권39, 柳濯神道碑銘에 의거하였는데, 그는 柳淸臣의 孫子이다(→충숙왕 16년 6월 24일의 脚注).

699) 이는 『원사』 권38, 본기38, 順帝1 ; 後至元 3년 4월 壬午에 의거하였다.

700) 이는 『紺紙銀泥大方廣佛華嚴經』 권31의 末尾 題記에 의거하였다(국보 제215호, 三星美術館 所藏, 호암갤러리 1993년 165面 ; 南權熙 2002년 373面 ; 張忠植 2007년 186面).

· 題記, "宣授太府少監·同知密直司事崔安道,」 與其妻綾城郡夫人具氏, 同發願銀書」 華嚴大經, 所願」 皇帝萬年, 下洎三途衆生, 先亡父母, 離苦得樂,」 次予夫婦, 現增福壽, 永滅災殃, 未來」

夏五月[辛丑朔小盡,丙午], [戊申[8日], 虎入城:五行2轉載].

己酉[9日], □[前都僉議]贊成事元忠卒, [年四十八:追加].[701] [忠, 雖不學, 善處事, 王之見留于元, 侍從大臣, 皆携貳. 忠, 獨終始一節:節要轉載]. [子顒·翊·顗:列傳20 元忠轉載].

庚戌[10日], 帝勑漢·南·高麗人, 不得盧藏軍器, 執把弓箭, 除官員存留馬匹外, 其餘盡行拘刷.[702] 於是, 百官皆不視事.

戊午[18日], 征東省據世祖皇帝不改土風之詔, 奏聞于帝, 請[藏兵器:節要轉載], 令百官騎馬. [從之:節要轉載]

[某日, 監察掌令許邕棄官, 歸鄕:節要轉載].

丙寅[26日], 彗見, 長仗餘[丈餘], [自天船北, 至王良·閣道:天文3轉載].[703]

六月庚午朔[小盡,丁未], [小暑]. 彗星見.

[→庚午朔, 小暑. 彗見艮方:天文3轉載].

癸酉[4日], 亦如之[彗星見].

[→癸酉[4日], [彗星]又見紫微西藩華盖·勾陳·北極:天文3轉載].

癸巳[24日], 亦如之[彗星見].

[→七月癸巳[24日], 又見紫微東藩:天文3轉載].[704]

丁酉[28日], 亦如之[彗星見].

[→丁酉[28日], [彗星]又犯貫星:天文3轉載].

[某日, 以慶尙道按廉使張耳, 仍番:慶尙道營主題名記].

得生, 蓮華之界, 見佛聞法, 悟無生忍.」如佛, 度一切四生之類, 共證菩提者.」□[後]至元三年丁丑四月 日, 化主 皎然」.

701) 이는 「元忠墓誌銘」에 의거하였는데, 이날은 율리우스曆으로 1337년 6월 8일(그레고리曆 6월 16일)에 해당한다.

702) 이 조치는 몽골제국에서 4월 3일(癸酉) 내려졌고(『원사』 권38, 본기38, 순제1, 至元 3년 4월 癸酉 ; 『續文獻通考』 권133, 兵考, 馬政·권134, 兵考, 軍器), 이날 大都에 滯在하고 있던 충숙왕도 이 조칙을 受領하였다(『동문선』 권37, 謝復弓兵馬匹起居表, 鄭誧 撰).

703) 仗은 丈의 오자인데, 『고려사절요』 권25에는 옳게 되어 있다. 또 이때 일본의 교토에서도 혜성이 관측되었던 것 같다.

・『師守記』, 康永 4년 7월, 文永以來天變年々并御祈以下被行事, "建武四年五月廿二日, 亥剋許天變, 自自南指北飛云々. 同廿八日, 今夜寅剋彗星見東方".

・『續史愚抄』21, 建武 4년 6월, "廿一日庚寅, 彗星犯北極, 或作五日".

704) 原文에서 七月이 있지만, 이는 削除되어야 옳게 될 것이다.

[是月頃, 以[承奉郞]都方老爲福州判官:追加].[705]

[夏某月, 以[前典儀副令]李穀爲中顯大夫·成均祭酒·藝文館提學·知製敎:追加].[706]

秋七月[己亥朔小盡,戊申], 庚子[2日], [立秋]. 彗見天市垣, 四十日乃滅.[707]
壬寅[4日], △[元]樞密院遣人, 索鴉·鶻.
[癸卯[5日], 白虹貫日:天文1轉載].
[乙巳[7日], 月入南斗, 二日:天文3轉載].
[甲子[26日], 月犯角星, 與太白同舍:天文3轉載].
[是月頃, 以[通直郞]崔洪義爲雞林府判官:追加].[708]

八月[戊辰朔大盡,己酉], 丙子[9日], 前王率群小[群少], 獵于東郊.
庚辰[13日], △[遣]典理判書李謙如元, 賀册太皇太后.[709]
[辛亥[某日], 日有重暈:天文1轉載].[710]
甲午[27日], 以鄭頎爲錦城君.

九月[戊戌朔小盡,庚戌], 壬寅[5日], 延昌君朴孝修卒.[711]
甲子[27日], 前王率群小[群少], 數微行街里. 會夜, 司宰副令李平遇諸沙峴, 意謂群小[群少], 擊傷王臂, 仆地.

冬十月[丁卯朔大盡,辛亥], [癸酉[7日], 月與熒惑, 同舍于牛:天文3轉載].

---

705) 이는 『안동선생안』에 의거하였다.

706) 이는 『가정집』年譜에 의거하였다.

707) 지3, 天文3에는 庚子 앞에 八月이 있는데, 七月의 잘못일 것이다.

708) 이는 『동도역세제자기』에 의거하였다.

709) 이때 太皇太后로 책봉될 수 있는 인물은 祖妣인 武宗妃, 考妣인 明宗妃 등일 것인데, 해당 인물이 찾아지지 않는다.

710) 이는 지1, 천문1, 日簿食·暈·珥及日變, 충숙왕 후6년에 의거한 것인데, 이해의 8월에는 辛亥가 없고, 辛未(4일), 辛巳(14일), 辛卯(24일)가 있다. 몽골제국에서는 이달의 16일(癸未)에 해무리[暈]가 있었다고 한 점(『원사』 권39, 본기39, 순제2, 後至元 3년 8월 癸未·권48, 지1, 천문1, 日薄簿食·暈·珥及日變)을 보아 辛亥는 辛巳의 오자일 가능성이 있다.

711) 이날은 율리우스曆으로 1337년 9월 29일(그레고리曆 10월 7일)에 해당한다.

己卯13日, 禮城縣地震.

乙未29日, 前王獵于東郊.

[丙申30日, 北風大作, 揚沙石積雪, 聲如雷, 人馬不能前:五行3轉載].

十一月丁酉朔大盡,壬子, [庚子4日, 大霧:五行3轉載].

[壬寅6日, 大雪. 月犯哭星:天文3轉載].

[甲辰8日, 亦如之大霧:五行3轉載].

[癸丑17日, 狐鳴時坐宮:五行2轉載].

丙寅30日, 遣開城尹高允溫如元, 賀正.

[是月壬子16日, 神印宗僧子山撰'夾注名賢十抄詩'序追加].[712]

十二月丁卯朔大盡,癸丑, [辛未5日, 月與熒惑, 同舍于危. 歲星犯天樽:天文3轉載].

壬申6日, 流趙得球于靈興島, 得球爲前王近幸, 全以財利獻計.

癸酉7日, [小寒]. 帝惠宗命勿收兵器, 許騎馬.[713]

[癸未17日, 月犯軒轅女御:天文3轉載].

[某日, 忠淸道馬山·碧池·靑坡等驛吏, 逃匿北界靜州等處, 令其道存問使李玳, 推刷還本:兵2站驛轉載].

是月, 王至自元.[714]

---

712) 이는 다음의 자료에 의거하였는데(扈承喜 1995년 ; 郭丞勳 2021년 375面), a의 作噩玄月旣望은 b의 至元三年丁丑歲(忠肅王後6, 1337)의 이전인 酉年)을 통해 볼 때, 癸酉年(충숙왕후2, 1333년) 11월[玄月] 16일[旣望]로 추정된다.

· a 『夾注名賢十抄詩』卷首, 序, "貧道暫寓東都靈妙寺, 祝」聖餘閑, 偶見」本朝前輩鉅儒, 據唐室群賢全集, 各選名詩十首,」凡三百篇, 名題爲十抄詩, 傳於東海, 其來尙矣.」體格典雅, 有益於後進貉子, 不揆短聞淺見, 遂句夾注分爲三卷, 其所未考者, 以俟稽君子,」見其違闕補注, 雌黃.時作噩酉玄月11月旣望16日,月巖山」人·神印宗老僧 子山略序」.

· b 『夾注名賢十抄詩』跋, "噫, 是本迺後至元三年丁丑歲, 今安東府所刊, 而福城君·愼村權先生諱思福爲進士時所寫也".

713) 이 조치는 몽골제국에서 8월 16일(癸未) 내려졌고, 이에 대한 謝表가 『동문선』 권37, 謝復弓兵馬匹起居表(鄭誧 撰)이다.

·『원사』 권38, 본기38, 순제1, 至元 3년 8월 癸未, "弛高麗執持軍器之禁, 仍令乘馬".

714) 이때 先代以來 大都에 居住하였던 高麗人 前奉訓大夫(從5品)·太常禮儀院經歷 洪彬이 수종하여 귀국하였다(洪彬墓誌銘).

[是年, 以尹宣佐爲□都僉議評理·藝文館大提學·監春秋館事, 仍令致仕:追加].[715]

[○密直使·上護軍柳墩出鎭合浦:追加].[716]

[○以監察中丞朴元桂爲宗簿令·知製教:追加].[717]

[○以前版圖摠郎閔思平爲典校副令·右文館直提學·知製教:追加].[718]

[○元以前奉訓大夫·太常禮儀院經歷洪彬爲征東行省理問所理問:追加].[719]

[○以徽政院管勾李穀爲征東行省左右司員外郎:追加].[720]

[○帝遣金帖木兒來, 增築海州神光寺僧房·廊廡等:追加].[721]

[增補][722]

戊寅[忠肅王]後七年, 元後至元四年, [西曆1338年]

1338년 1월 21일(Gre1월 29일)에서 1339년 2월 8일(Gre2월 16일)까지, 13개월 384일

[春正月丙申朔大盡,甲寅, 某日, 以宗簿令朴元桂爲奉順大夫·判典校寺事·寶文閣提學·知製教:追加].[723]

[某日, 以判典校寺事朴元桂爲江陵道存撫使:追加].[724]

---

715) 이는 열전22, 尹宣佐, "明年, 拜僉議評理·藝文館大提學·監春秋館事, 仍令致仕"; 「閔頔墓誌銘」에 의거하였다. 또 尹宣佐列傳에는 충숙왕 後5년으로 되어 있으나, 尹宣佐가 1337년(丁丑, 忠肅王後6) 2월 6일 雞林府尹의 임기를 마치고 上京하였다고 하므로 이해[是年]로 옮겼다(『동도역세제자기』).

716) 이때 合浦地域의 歲貢이 乾鹿 1,000頭였고, 萬戶 柳墩의 施政에 대한 평가는 상반되지만, 年代記가 實相에 보다 가까울 것이다.

· 「柳墩墓誌銘」, "丁丑, 出鎭合浦, 見前帥蓄聲妓曰, '婦人在軍中不祥', 併斥之, 撤遊宴, 練騎射, 得爲軍大體. 其府歲貢乾鹿一千頭, 公曰, '凡圍獵, 豈捕鹿而捨餘獸, 此非吾王好生之德, 以其害狀聞'. 上允之, 寢其貢").

· 열전18, 柳墩, 墩, "出鎭合浦, 苛酷少恩, 民甚苦之".

717) 이는 「朴元桂墓誌銘」에 의거하였다.

718) 이는 「閔思平墓誌銘」; 『급암시집』 연보에 의거하였다.

719) 이는 「洪彬墓誌銘」에 의거하였다.

720) 이는 『가정집』 연보에 의거하였다.

721) 이는 『危太樸文續集』 권3, 高麗海州神光寺碑에 의거하였다(張東翼 1991년·1977년 99面).

722) "是年, 閔祥正爲重大臣·僉議贊成事·藝文館大提學·判版圖司事·上護軍, 在職"(閔漬妻申氏墓誌銘).

723) 이는 「朴元桂墓誌銘」에 의거하였다.

[某日, 以全啓爲慶尙道按廉使:慶尙道營主題名記].

[某日, 兩街都僧統·國一大師向如, 大禪師智然, 都僉議評理致仕金延等寫成'大方廣佛華嚴經':追加].[725)]

[二月丙寅朔[大盡,乙卯]:追加].

[是月, 立至治帝[英宗]飯僧萬人結緣碑於表訓寺, 征東行省從事官梁載撰, 右政丞權漢功書:追加].[726)]

[三月[丙申朔大盡,丙辰], 某日, 以[玄福君]權廉爲匡靖大夫·都僉議贊成事, 尋罷. 是時燕南人梁載得幸於上, 公鄙其爲人, 不與交禮. 載深銜之, 力沮其命:追加][727)]

---

724) 이는「朴元桂墓誌銘」에 의거하였다.

725) 이는 다음의 자료에 의거하였다(國立中央博物館 所藏, 李基白 1987년 167面 ; 蔡尙植 1991년 201面 ; 南權熙 2002년 373面 ; 張忠植 2007년 192面 ; 郭丞勳 2021년 376面). 또 功德主인 都僉議評理致仕 金延은 1302년(충렬왕28) 5월 13일 百姓을 侵奪하다가 탄핵된 海南館別監 金延과 같은 인물로 추측된다. 또 前慶山縣令 金新佐는 1364년(공민왕13) 巨濟縣 牛頭山 見菴禪寺를 重建하였던 判事 金臣佐와 동일한 인물일 것이다(공민왕 9년 是年 末尾記事의 脚注).

- 『紺紙銀泥大方廣佛華嚴經』 권21, 跋, "恭惟」本師所演, 一大藏經, 出生死之津梁, 登涅槃之梯磴, 一四」句偈, 功猶回涯, 八萬法門, 德難可說, 况華嚴大經, 諸」教根源, 輪王嫡子」佛, 佛出世, 先說華嚴, 良以此也, 是以, 先寫此經, 次成般若,」以至諸部成, 遂願王, 上資玄福[~~士玄賫福~~], 於」一人,」下同善慶於萬姓, 同願施主, 各隨所願,一一稱, □[先]父」母師長, 法界咸生, 俱霑利樂者.」功德主」兩街都僧統·國一大師 向如,」大禪師 智然,」僉議評理致仕 金延,」前慶山縣令 金臣佐,」妻 李氏,」化主道人 白元,」道人 戒興,」至元四年戊寅 正月 日誌」. 여기에서 ~~添字~~와 같이 고쳐야 理解하기에 좋을 것이다.

726) 이는 다음의 자료에 의거하였는데, 表訓寺(淮陽郡)는 현재 북한의 문화유적 제97호이다.

- 『秋江集』 권5, 遊金剛山記(1485년), "… [表訓]寺有至元四年戊寅二月碑, 乃大元皇帝所立, 奉命臣梁載撰, 高麗右政丞權漢功書, 蓋記其皇帝飯表訓僧, 作萬人結緣也, 碑陰, 載太皇太后出銀布若干, 英宗皇帝若干, 皇后若干, 觀者不花太子及二娘子若干, 完澤禿瀋王等大小臣僚若干, 此卽記舍施也". 여기에서 完澤禿(Öljeitu)은 瀋王 暠의 蒙古名이다.
- 『耻齋遺稿』 권3, 關東錄(1553년), "… [明宗8年4月,] … 余[洪仁祐]追至,衣冠已盡沾, 冒雨投表訓寺, 寺門內有碑, 至元四年戊寅二月建, 奉命臣梁載撰, 高麗政丞權漢功書記, 乃元英宗皇帝作萬人緣舍施碑也. …".

727) 이는 다음의 자료에 의거하였는데, 梁載는 계속 弊端을 일으켰던 것 같다.

- 「權廉墓誌銘」, "歲戊寅春三月, 毅陵曰, '玄福君可與議政事'. 於是, 批公匡靖大夫·僉議贊成事. 時燕南□[人]梁載得幸於上, 公鄙其爲人, 不與交禮, 載深銜之, 力沮其命".
- 열전20, 權㫜, 廉, "後拜僉議贊成□[事], 與梁載有隙, 罷".
- 열전37, 폐행2, 梁載, "以[梁]載舅玉天祐, 與宰相李偰·金元軾, 爭奴婢, 摠郎尹奕瞻依違久未決, 載奪奕瞻, 以[尹]賢代之, 賢卽斷與天祐. 僉議司會署告身, 蔡河中見載所用漢人告身, 遂裂去三

[某日, 以永州副使高驥善爲典法佐郞:追加].[728]
[是月頃, 以黃中龍爲永州判官:追加].[729]

[夏四月丙寅朔小盡,丁巳:追加].

[五月乙未朔大盡,戊午:追加].
[是月, 僧釋行重彫'禪門祖師禮懺儀文':追加].[730]
[○朝列大夫·利用監太卿嚴也先不花·同室王氏, 謹發誠心, 開板'大乘金剛般若波羅蜜多經'板一副:追加].[731]

夏六月乙丑朔小盡,己未, 丙寅2日, 幸白州藤巖寺~~燈巖寺~~.[732]
○地大震, [夜, 又震:五行3轉載].[733]
乙亥11日, [小暑]. 地三震,
壬午18日, 又震.
丙戌22日, 亦如之又震.
丁亥23日, 亦如之又震.

四紙".

728) 이는『영천선생안』에 의거하였다.

729) 이는『영천선생안』에 의거하였다.

730) 이는 다음의 자료에 의거하였다(郭丞勳 2021년 377面).
· 『禪門祖師禮懺儀文』, 권말간기, "伏爲 主上殿下千秋,臣僚肅情~~肅靜~~,」 國土太平,法界含靈,同入祖門見」 成佛者.」至元四年戊寅五月日,山人釋行重彫」.

731) 이는 다음의 자료에 의거하였다.
· 『金剛般若波羅蜜多經』, 권말간기, "大元國大都在城蓬萊坊居住奉」 三寶弟子·朝列大夫·利用監太卿嚴也先不花·同室王氏,」謹發誠心, 命工刊造 '大乘金剛般若波羅蜜多經' 板一副,」印施流通, 承斯善利, 奉祝」皇帝聖壽, 萬歲萬歲萬萬歲,」 太皇太后, 懿筭無疆,」 中宮皇后, 壽登齊年,」 太子千秋, 諸王宗室, 各保安寧, 文武官僚, 常居祿位, 風調雨順,」 國泰民安, 佛法永轉, 魔怨消伏, 兼及已身, 現增福壽,」 當證妙科, 三塗八難, 咸脫苦輪, 九有四生~~四生九有~~,齊登覺岸者.」 至元四年戊寅五月 日」(이 책은 몽골제국에서 간행된 元版으로 추정되었지만, 아닐 것이다. 宋日基 2008년 ; 郭丞勳 2021년 378面).

732) 藤巖寺는 天登山에 있는 燈巖寺의 오자인데(『신증동국여지승람』 권43, 배천군, 佛宇), 『고려사절요』 권25에는 옳게 되어 있다(盧明鎬 等編 2106년 634面).

733) 이 시기 일본에서의 지진에 대한 기록은 여타의 시기보다 찾아지지 않는데, 이는 南北朝의 爭亂 속에서 기록이 漏落되었을 것으로 추측된다(高麗曆과 同一, 日本史料6-4冊, 829面).

壬申~~壬辰~~28日?, 禁酒.[734]

[是月頃, 以奉順大夫尹禮爲福州牧使, 郭受之爲雞林府判官:追加].[735]

秋七月甲午朔小盡,庚申, [乙未2日, 鎭星犯建:天文3轉載].

[壬寅9日, 月犯心星:天文3轉載].

庚戌17日, 大風雨, 拔木偃禾.

甲寅21日, 元遣失里迷, 詔册皇后.[736] 且求宦者童女及馬. 失里迷到金郊驛, 聞王在白州藤巖寺~~燈巖寺~~, 不入城. 宰相遣上護軍全思義, 饋羊·酒, 不受曰, "王若不迎, 吾當不入城". 宰相遣人以聞, 王先知之, 禁人~~禁入~~,[737] 故不得白.

乙卯22日, 地震.[738]

[○龜山寺門石, 鳴如鼓:五行1鼓妖轉載].

○元使失里迷入城, 以王不迎詔責問, 都僉議政丞權漢功·贊成事閔祥正·贊成事趙瑋等, 以王有疾對.

[→趙廉, 後拜左司議大夫. 時詔使入國, 誣王以不迎詔, 鞫兩府甚急, 兩府皆承. 廉與右司議□□~~大夫~~王伯, 上疏言, "君臣一體, 禍福共之, 且臣爲君隱, 猶子爲父. 今兩府私軀命遺君父罪, 請論如法". 辭甚剴切. 王覽其疏義之, 與伯同拜密直副使, 由司議□□大夫入樞府, 前此所無有也:列傳22趙廉轉載].

丙辰23日, 元遣使來, 求佛經紙.

[某日, 以江陵道存撫使朴元桂, 仍番:追加].[739]

[某日, 以慶尙道按廉使全啓, 仍番:慶尙道營主題名記].

---

734) 6월의 기사는 丙寅(2일), 乙亥(11일), 壬午(18일), 丙戌(22일), 丁亥(23일), 壬申(8일)으로 구성되어 있다. 사실의 순서가 바뀌었거나, 壬申이 壬辰(28일)의 誤字일 가능성도 있지만, 이들의 내용이 地震에 관한 것이고, 壬申에 禁酒가 시행되었음을 보아 壬辰이 더 適合 것이다.

735) 이는 『안동선생안』; 『동도역세제자기』에 의거하였다.

736) 이때 몽골제국에서 皇后를 책봉한 기사는 찾아지지 않는다.

737) 여기에서 禁人은 禁入[禁閉]의 誤字일 것이다.

738) 이날 일본의 교토[京都]에서도 地震이 있었다(高麗曆과 同一, 日本史料6-4册 896面).
- 『皇代略記』, 曆應 1년 7월, "十九日, 大地震"(『續群書類從』第4).
- 『皇年代略記』, 曆應 1년 7월, "十九, 大地震, 同廿二, 地震"[筆者 未確認].
이들 두 자료는 名稱이 다르지만 같은 것으로 筆寫本의 判讀에서 차이가 발생한 것 같다. 또 後者는 『改定史籍集覽』18에 수록된 『皇年代私記』에는 수록되어 있지 않다.
- 『續史愚抄』21, 曆應 1년 7월, "十九日壬子, 地大震. 廿二日乙卯, 地震".

739) 이는 「朴元桂墓誌銘」에 의거하였다.

[是月某日, 前正順大夫·千牛衛上護軍崔文度發願'大般若波羅蜜多經', 仍印成一部:追加].[740)]

[是月頃, 以通仕郎·律學助敎崔光裕爲雞林府法曹:追加].[741)]

八月癸亥□朔大盡,辛酉, 宰樞以金二丁, 賄失里迷, 不受.[742)]

乙丑3日, 元使失里迷詣藤巖寺燈巖寺, 見王, 王辭以浴, 良久乃見. 失里迷責王不迎詔, 欲取招狀, 王對以不知, 不肯承, 又待之不禮. 失里迷怒, 退宿白州,

翌日丙寅4日, 王命都僉議贊成事高謙, 宴慰之.

乙亥13日, 王餽失里迷鈔三百錠, 宰樞亦贈銀·綾·苧·虎豹·熊皮.

[戊寅16日, 王孫生, 賜名昖:追加].[743)]

[辛巳19日, 流星出天市垣, 入心星:天文3轉載].

[壬午20日, 地震:五行3轉載].

[是月己巳7日, 元申取高麗女子及閹人之禁:追加].[744)]

閏[八]月癸巳朔小盡,辛酉, 乙未3日, 都僉議贊成事安文凱卒.[745)]

甲辰12日, 以都僉議贊成事曹頔爲□都僉議左政丞, 洪彬爲贊成事.[746)]

[某日, 免都僉議贊成事趙瑋, 爲平壤君:追加].[747)]

[九月壬戌朔小盡,壬戌:追加].

---

740) 이는 對馬島 金剛院에 소장된『大般若波羅蜜多經』, 題記에 의거하였다(충숙왕 후2년 6월 某日의 脚注).

· 題記, "先考光陽君崔文簡公諱誠之, 與先妣馬韓國大夫人金氏, 同發願許造一大藏經事, 巨未就而相次下世, 文度泣血繼述本, 已栖置先考所營天和禪寺, 恭願」 三寶證明均資」 恩有者,至元四年戊寅七月日, 男前正順大夫·千牛衛上護軍崔文度謹識".

741) 이는『동도역세제자기』에 의거하였다.

742) 癸亥에 朔이 탈락되었다.

743)『고려사절요』 권26, 忠定王, 總論, "忠肅王□後七年□□八月戊寅16日生"에 의거하였는데, 添字를 추가하여야 옳게 된다.

744) 이는『원사』 권38, 본기38, 順帝1, 後至元 4년 8월 己巳에 의거하였다.

745) 이날은 율리우스曆으로 1338년 9월 17일(그레고리曆 9월 25일)에 해당한다.

746) 이때 洪彬은 征東行省 理問所 理問으로서 重大匡·都僉議贊成事·上護軍에 임명되었던 것 같다.

·「洪彬墓誌銘」, "遂拜都僉議贊成事, 階重大匡, 帶上護軍, 俄而進判軍簿司事".

747) 이는「趙瑋墓誌銘」에 의거하였다.

[冬十月辛卯朔大盡,癸亥, 庚戌20日, 匡靖大夫·政堂文學·知春秋館事·上護軍李彦冲卒, 年六十六:追加].[748]

[癸丑23日, 都僉議中贊致仕金深卒:追加].[749] [謚忠肅:列傳17金深轉載].

[是月頃, 以通直郞李光甫爲福州判官:追加].[750]

[十一月辛酉朔大盡,甲子:追加].

[十二月辛卯朔小盡,乙丑:追加].

[是年, 以黃州西村鐵島人寓居村, 爲鐵和縣, 置監務:轉載].[751]

[○以典法摠郞金永旽爲判小府事:追加].[752]

[○以尹澤爲右副代言, 掌銓選. 王欲官其子護軍, 辭曰, "名器至重, 賢勞猶滯, 敢私臣子耶". 王愈重之:列傳19尹澤轉載].[753]

[○以典校副令·右文館直提學·知製敎閔思平爲版圖摠郞·藝文館直提學·知製敎:追加].[754]

[○以典儀寺直長李仁復爲藝文館修撰:追加].[755]

[○立金剛山表訓寺重建碑, 佑文君梁載撰, 都僉議政丞權漢功書:追加].[756]

---

748) 이는 「李彦冲墓誌銘」에 의거하였는데, 이날은 율리우스曆으로 12월 1일(그레고리曆 12월 9일)에 해당한다.

749) 이는 「金深墓誌銘」에 의거하였다. 이날은 율리우스曆으로 12월 4일(그레고리曆 12월 12일)에 해당한다. 또 金深의 子孫은 다음과 같다.

· 열전17, 金周鼎, 深에 "子承嗣·承漢·承晉·承魯, 孽子石堅. 承嗣~~子~~孫宗衍. ○宗衍, 父密直副使精, 謀誅辛旽, 事洩爲旽所殺, 宗衍亡匿". 여기에서 金宗衍은 承嗣의 아들이 아니고 孫이므로 ~~添字~~와 같이 고쳐야 옳게 될 것이다.

750) 이는 『안동선생안』에 의거하였다.

751) 이는 다음의 자료를 전재하였다.

· 지12, 지리3, 黃州牧, "鐵島人出陸, 寓居州西村. 忠肅王後七年, 稱鐵和縣, 置監務, 後革之".

· 『세종실록』 권152, 지리지, 黃州牧, "鐵和縣, 本鐵島人出陸, 寓居州西村, 距州三十里. 忠肅王後七年戊寅[注, 卽至元四年], 始置監務, 其後革之. 本朝太祖五年丙子[卽洪武二十九年], 復置監務".

· 『신증동국여지승람』 권41, 황주목, 古跡, "鐵和廢縣, 高麗時, 鐵島人出陸, 寓居州西三十里. 忠肅王□□□~~後七年~~稱鐵和, 陞爲縣, 置監務, 其後省之. 本朝太祖五年, 復置監務".

752) 이는 「金永旽墓誌銘」에 의거하였다.

753) 이와 같은 기사가 「尹澤墓誌銘」에도 수록되어 있다.

754) 이는 「閔思平墓誌銘」; 『급암시집』 연보에 의거하였다.

755) 이는 「李仁復墓誌銘」에 의거하였다.

756) 이는 다음의 자료에 의거하였고, 表訓寺(淮陽君)에 관련된 자료로 다음이 있다.

[增補][757]

己卯[忠肅王]後八年, 元後至元五年, [西曆1339年]

1339년 2월 9일(Gre2월 17일)에서 1340년 1월 28일(Gre2월 5일)까지, 354일

[春正月[庚申朔大盡,丙寅], 某日, 以江陵道存撫使朴元桂, 仍番:追加].[758]

[某日, 以朴良桂爲慶尙道按廉使, 旣而遆, 以尹登代之:慶尙道營主題名記].

[是月, [右代言]尹澤, □□□□[掌擧子試], 取安元龍等九十九人:選擧2國子試額轉載].[759]

[二月[庚寅朔大盡,丁卯], 某日, 重大�·晋城君姜金剛印成'金剛般若波羅密經':追加].[760]

春三月[庚申朔小盡,戊辰], 癸未[24日], 王薨于寢,[761] 在位前後二十五年, 壽四十六. 性嚴

· 『月沙集』 권38, 遊金剛山記(1603년), "… 昏投表訓寺, 寺門內有碑, 至元四年建, 梁載撰, 高麗政丞權漢功書, 其記卽元英宗作萬人緣捨施碑也. 蓋元朝尙佛, 勅使降香, 營建佛殿, 遍滿諸峯云, 是寺最巨. 火於壬辰[宣祖25年], 諸僧重建, 猶未丹雘".

· 『游齋集』 권9, 東游錄下, 蒙山和尙袈裟制度, 極其長大寬闊, 帶亦甚長, 幾數丈可異焉, 和尙卽懶翁云. 여기에서 蒙山和尙을 懶翁惠勤으로 추측한 것은 잘못이다.

· 『游齋集』 권9, 東游錄下, 銅叵羅, 亦懶翁物也, 可容五六升, 似銅而甚輕, 不知何方物也.

757) 이해에 재직한 관료로 다음이 있다(李彦冲墓誌銘 ; 金深墓誌銘). 그중에서 金石堅은 金深의 孽子로 되었으나(열전17, 金周鼎, 石堅), 「金深墓誌銘」에는 長子 承石으로 되어 있다.

· "是年, 閔祥正爲都僉議贊成事, 金承石[金石堅]爲三司右使·上護軍·判司宰寺事, 洪綏爲開京等處巡軍萬戶, 吳瞻爲顯武將軍·全羅道鎭邊萬戶·判通禮門事, 李乙年爲管高麗軍千戶, 在職".

758) 이는 「朴元桂墓誌銘」에 의거하였다.

759) 이와 관련된 기사로 다음이 있다.

· 「尹澤墓誌銘」, "己卯轉右代言, 試士成均, 取安元龍等九十九人, 多知名士".

760) 이는 다음의 자료에 의거하였다(華城市 鳳林寺 所藏, 보물 제1095-1호, 千惠鳳 1980년 ; 南權熙 2002년 78面 ; 崔然柱 2015년 ; 郭丞勳 2021년 379面).

· 『金剛般若波羅密經』, 권말간기, "重大匡·晋城君金剛,」 伏爲」 皇帝万万歲,」 皇后齊年,」 太子千秋,」 諸王宗室, 各保遐」 齡, 文武官僚抵位」 常居, 天下太平,國」 泰民安,」 佛日增輝法輪常,」 轉,兼及已身,無諸」 病厄,不逢災難,生」 生世世,得大自在,」 行菩薩道,助揚」 佛事,無有疲猒,四」 生九類[四生九有],同登覺岸,」 印成金剛般若經,」 一万卷散施流通.」 伏願持經善人一,」 覽便悟本性之」 彌陀,同登惟心之」 淨土者.」 至元五年二月 日誌,」 施主晋城君姜金剛,」 同願比丘一呂」.

761) 이날은 율리우스曆으로 1339년 5월 3일(그레고리曆 5월 11일)에 해당한다. 또 이때 右代言 尹澤이 遺言을 들었다고 한다.

毅沈重聰明，善屬文，工隷書．又性好潔，一月湯浴之費，諸香十餘瓮，苧布不下六十餘匹，名曰手巾．多爲內竪所竊，王不之知．[六月己酉22日，葬于毅陵:追加].762)
忠惠王後五年忠穆王卽位年十二月,763) 元贈謚忠肅，恭愍王六年閏九月，加上尊號曰懿孝．

史臣贊曰，“自烈·宣·肅·惠世歷四代，父子相夷，至輿之訟于天子之朝，貽笑天下後世．且父子天性之親，孝爲百行之先，而政事之本也．本既失焉，其他無足觀者．忠肅晩年，遺弃國事，出舍外郊，信任朴青等三竪，威福下移．若子若孫，皆罹凶夭，可勝嘆哉”.764)

[忠肅王 在位年間]

[○忠肅王在位時，樂工金得雨掌雅樂:追加].765)

[仁同人 張東翼 校注，增補].

· 「尹澤墓誌銘」，“三月癸未，上寢疾，上復以燕邸所語語公．公跪曰，無煩聖慮”.
· 열전19，尹諧，澤，“後王在燕邸，澤單騎上謁，王一見器重，因有托孤之語，意在恭愍也．澤拜謝，臣且老矣，何能爲 … 轉右代言．王寢疾，復以燕邸所語，語澤，澤跪曰，無煩聖慮”.

762) 이 구절은 탈락되었을 것이다(→충혜왕 복위년 6월 22일). 또 필자는 毅陵이 현재 어디에 있는지 모른다.

763) 이는 1344년(충목왕 즉위년) 12월 22일(丁丑) 몽골제국이 사신을 보내와 忠宣王과 忠肅王의 謚册을 내린 것인데, 편년체의『고려사』를 기전체로 바꾸면서 바로 잡지 못하였다.

764) 三竪는 三靑으로도 불리며, 충숙왕의 嬖臣인 申靑·朴靑·李靑 등을 가리킨다(열전37, 申靑→충혜왕 즉위년 4월, 是月).

765) 이는『태종실록』권22, 11년 12월 辛丑15日에 의거하였다(→忠烈王世家, 末尾, 忠烈王年間).

『高麗史』卷三十六 世家卷三十六

[輔國崇祿大夫·議政府左贊成·知集賢殿經筵春秋館成均事·世子賓客·臣金宗瑞奉敎撰]
正憲大夫·工曹判書·集賢殿大提學·知經筵春秋館事兼成均大司成·臣鄭麟趾奉敎修

忠惠王

忠惠·獻孝大王,[1] 諱禎, 蒙古諱普塔失里,[2] 忠肅王長子, 母曰明德太后洪氏. 忠肅王二年乙卯正月丁卯[18日]生, 十五年二月, 以世子如元, 宿衛. 十六年十月, 忠肅王奏請傳位.

[以下의 記事는 忠肅王 世家篇 17年으로 移動해갔음]

忠肅王後五年□□□[十二月], 帝[惠宗]遣王還國.

八年三月癸未[24日], 忠肅王薨. 忠肅常呼王曰撥皮,[3] 待之少恩, 然遺命襲位. 由是, 行省左右司轉達中書省, 王亦遣前[都僉議]評理李揆等, 求襲位. 而伯顔爲太師[太師·右丞相], 寢不奏且言, "王燾本非好人, 且有疾, 宜死矣. 撥皮雖嫡長, 亦不必復爲王, 唯暠可王". 揆等百計請之, 不得.

[是日, 以遺命, 都僉議贊成事洪彬權斷征東省事:追加].[4]

[是月頃, 以[匡靖大夫·檢校僉議評理]薛玄固爲雞林府尹, 朴天劍爲永州副使, 曹氏爲永州判官:追加].[5]

---

1) 이에서 忠惠는 1367년(공민왕16) 1월 10일(癸亥) 元으로부터 下賜받은 것이고, 獻孝는 1357년(공민왕6) 윤9월 22일(癸亥) 바쳐진 것이다.
2) 忠惠王의 蒙古名이 普塔失里[Buda Siri]로 표기되어 있으나, 1344년(충목왕 즉위년) 4월 27일(丙戌)에는 寶塔實里로, 1347년(충목왕3) 2월 28일(乙未)에는 不答失里로, 열전23, 李齊賢에는 普塔實憐으로 각각 달리 표기되어 있다.
3) 『고려사절요』 권25에는 忠惠王이 元으로부터 復位를 허락받은 복위 1년 4월 11일(癸巳) 以前까지 王을 前王으로 표기하였다.
4) 이는 다음의 자료에 의거하였는데 여기에서 禮配는 崩御, 薨去[陟配]의 의미로 사용되었다.
· 「洪彬墓誌銘」, "己卯春三月, 忠肅王禮陟遺命, 權征東行省事".
· 열전21, 洪彬, "忠肅薨, 遺命彬權征東省事".

[春某月, 以通禮門副使柳甫發爲密直司右副代言兼監察執義:追加].[6]

[○以成均祭酒李穀爲正順大夫·判典校寺事·藝文館提學·知製敎:追加].[7]

夏四月己丑朔大盡,己巳, 戊午30日, 王遣三司右尹金永煦如元, 獻畫佛.

[是月, 前王下申青獄. 青, 古名松, 嘗入元, 爲瀋王暠從者, 得幸. 及大行王之求復位也, 館於瀋邸, 青, 由是得進, 以前散員, 拜護軍, 累遷上護軍. 及王倦于勤, 青, 假威用事, 略無忌憚, 與朴青·李青, 齊名, 時號三青. 大行王每言前王過失, 其從臣前大護軍曹益淸·前代言尹桓, 謀去前王所狎惡小輩, 以前上護軍吳子淳·前大護軍洪瑞, 與青善, 遣二人圖之. 時青爲巡軍千戶, 稱奉旨, 執其惡小之尤者, 宋八郞·洪莊等囚之, 栲掠甚嚴. 前王欲其疏放, 屢召青不至, 前王憾之. 至是, 令權省權征東行省事洪彬, 枷青于理問所, 命耆老永嘉府院君權溥等, 具疏青所犯, 告行省. 行省錄其書, 授金永煦, 轉呈中書省:節要轉載].[8]

[→忠肅薨, 忠惠立, 令權省洪彬, 囚青于理問所, 命耆老府院君權溥等, 疏青罪告行省曰, "木有蠹, 不除則萎, 國有盜, 不去則危. 故孔子爲政七日, 誅少正卯所, 以除國害, 而安民心也. 今有內竪申青者, 起自微賤, 冒受官爵, 擅權自恣. 不畏朝廷之制本國之法, 鬻官賣獄, 中外憤怨, 望加責罰. 不幸先王弃世, 嗣王居憂, 若不陳告省府, 衆情鬱抑, 無處可申. 伏望, 亟正其罪, 以一戒百. 青本驛戶, 變名逃役, 冒受大職, 罪一也. 青將遠近親屬, 除免站役, 又影占人戶, 聚作莊舍, 私其貢役, 罪二也. 本國風俗, 無問尊卑, 大忌家長方位, 如有犯動, 必致病疾. 青今年正月, 就先國王宮裏, 暗堀大樹, 正値先王行年方位, 因而不懌以致大故. 先王嬰疾二十餘日, 青居中, 沮遏他人, 莫得近前. 又不報公主及嗣王, 其意難測, 罪三也. 青矯先王旨, 勒取人金, 不與其直. 又盜德泉庫布一千八百匹, 義成倉布二千四百五十匹, 寺社田二百六十餘結, 自餘取人田民, 不可勝紀, 罪四也. 令親屬擅乘驛騎, 械繫多仁縣吏黃仁贊, 奪其奴婢一十七口. 恐嚇檢校裵尙書, 別將宋仝, 令同正朴得侯·李均·吳天世等, 逼淫其女. 其餘難以盡數, 罪五也. 令親屬率二百餘人, 執金化郡吏文世·益守等五十餘人, 壓良爲奴婢, 毆殺文世及丁延妻. 典法判書安軸, 監察

5) 이는 『동도역세제자기』; 『영천선생안』에 의거하였다. 또 薛玄固는 그의 妻父인 蔡洪哲의 묘지명에 의하면 明年(충혜왕 후1년) 1월에 檢校僉議評理·雞林府尹이었다고 한다.

6) 이는 「柳甫發墓誌銘」에 의거하였다.

7) 이는 『가정집』年譜에 의거하였다.

8) 權省은 權征東行省事의 약칭이다. 또 이 기사는 열전37, 폐행2, 申青에도 수록되어 있다.

執義尹奕, 持平李敏等, 守正不聽其言, 青矯旨囚巡軍, 百計侵擾, 罪六也. 家起大樓, 金畫其壁, 朱髹其楹, 奢僭類此, 罪七也. 凡其所犯, 或在赦前, 恣行不悛, 迄至于今, 不敢不告". ○行省錄其書授金永煦, 呈中書省. 永煦妹壻別哥不花,[9] 時爲平章□□政事, 於王兩姨兄弟, 故賜永煦鈔一百錠·綾一十五匹疋·紵布三十匹疋, 遣之. 移囚青巡軍, 遣宋明理·宋八郎, 以糞塗青口. 既而籍沒青家, 撤其樓, 輸材瓦於南部崇教池崇敎寺池:列傳37申青轉載].[10]

[是月己酉21日, 元申漢人·南人·高麗人不得執軍器·弓矢之禁:追加].[11]

[是月頃, 以通直郎·版圖正郎權正平爲雞林府判官:追加].[12]

五月己未朔小盡,庚午, 王私置寶興庫.[13]

辛酉3日, 地震.

乙丑7日, [夏至]. 王與公主, 移御萬戶印承旦第.

丙寅8日, 王滛淫其舅三司左使洪戎繼室黃氏. [黃氏, 萬戶元吉之女也. 有姿色, 戎, 常閉之閨房, 雖親戚, 不許相見. 戎卒, 內豎崔和尙譽其美, 王夜至其家, 私焉, 賜黃氏金銀器·綵帛十匹·苧布百匹·米豆各百碩:節要轉載].[14]

庚午12日, 王烝庶毋壽妃權氏. [前王, 若聞人妻妾有姿色, 則無問親戚貴賤, 使嬖幸群小往奪之, 或至其家, 荒亂無度:節要轉載].

辛未13日, 王聞宦者劉成妻印氏美, 率丘天祐·康允忠, 幸其家, 命成進酒. 既而, 成白王曰, "殿下明日當復位, 宜存撫百姓, 毋惜賞賚". 王意在挑其妻, 成不知, 反以爲王心誠眷我, 進退惟謹, 左右竊笑.[15]

---

9) 이 시기에 別哥不花[別兒怯不花, berke buqa]는 1338년(後至元4) 御史大夫에 임명된 후 1341년(至正1, 충혜왕 후1) 전후에 平章政事에 임명되었던 것 같다(『원사』 권113, 표6하, 宰相年表2).

10) 崇敎池는 崇敎寺의 蓮池를 가리키는 것 같다(→충혜왕 후4년 2월 某日).

· 『태종실록』 권15, 8년 5월 丁卯19日, "慕華樓南池成. 賜赴役隊長隊副四百米各一石, 船載舊京崇敎寺池蓮, 種之".

11) 이는 『원사』 권40, 본기40, 順帝3, 後至元 5년 4월 己酉에 의거하였다.

12) 이는 『동도역세제자기』에 의거하였다.

13) 寶興庫에 관련된 기사로 다음이 있다.

· 지31, 백관2, 寶興庫, "忠肅王後八年, 忠惠王私置之, 忠惠後四年, 罷有備倉, 併於本庫. 有備倉, 有使從五品, 副使從六品, 丞從七品, 注簿從八品".

14) 이와 같은 기사가 다음에도 수록되어 있는데, 洪戎의 逝去日을 알 수 없으나 그의 아들에 대한 기사는 있다.

· 열전19, 洪奎, "… 戎, 先娵密直知密直司事羅裕之女, 生三子澍·彥博·彥猷. 黃氏生二子, 一彥脩, 一史失其名. 澍, 官至僉議商議·三司右使·南陽君, 忠惠後三年卒, 日沈醉, 不以產業名利介意. 彥博, 自有傳. 彥猷, 重大匡·南陽君, 彥脩, 檢校叅知門下府事".

[○譯語郞將全允藏還自元. 初, 前王以世子入朝, 丞相*燕帖木兒*見之, 大悅, 視猶己子, 因大行王辭位, 奏帝錫王命. 時太保伯顔, 惡燕帖木兒專權, 待前王以不禮. 大行王復位, 前王宿衛于元, 時燕帖木兒已死, 伯顔待前王益薄, 前王與燕帖木兒子弟及回骨少年輩, 飮酒爲謔. 因愛一回骨女, 或不上宿衛. 伯顔益惡之, 目曰撥皮, 撥皮, 豪俠者之稱. 從臣皆觖望, 不敢言, 前軍簿判書李兆年進戒曰, "殿下事天子, 宜日愼一日, 何乃棄禮縱情, 以速累乎? 然此非殿下之過, 殿下長於阿保之家, 所共遊者, 多無賴子, ~~其後朴仲仁·李仁吉, 實左右之,~~ 殿下孰從而聞正言見正事乎? 夫儒者雖朴拙, 皆能習經史識廉恥, 殿下目之爲沙箇里, 此何等語耶. 殿下能遠佞倖, 親儒雅, 改行自飭則可, 不然, 天威咫尺, 其嚴乎?". 王不能堪其言, 踰墉而走.[16] ○伯顔奏帝云, "王禎素無行, 恐累宿衛, 宜送乃父所, 使敎義方", 制可. 大行王, 常呼曰撥皮, 待之少恩. 然遺命襲位. 由是, 行省左右司, 轉達中書省, 前王亦遣前□[都]僉議評理李揆等, 求襲位. 而伯顔爲太師, 寢不奏, 且言, "王燾本非好人, 且有疾, 宜死矣. 撥皮雖嫡長, 亦不必復爲王, 唯暠可王". [前評理李]揆等, 百計請之不得, 遣允臧來, 告:節要轉載].

壬申[14日], 夜, 巡軍萬戶全英甫邀王, 宴其家.

[某日, 前王召省郞, 督署及第崔璟依貼. 璟, 借筆登第, 祖母又賤, 郞舍許邕等不署依貼:節要轉載].

丙子[18日], 王遣大護軍孫守卿·全允臧, 賫金銀及大頂兒如元, 賂執事者, 求復位. 大頂兒乃仁宗皇帝賜德陵[忠宣王]者也.

戊寅[20日], 王宴慶華公主于永安宮.

癸未[25日], 夜, 黃氏邀王宴其家. 王命醫僧福山, 治黃氏淋疾. 王常餌熱藥, 所幸婦人多有是疾.[17]

---

15) 宦官 劉成은 明年(忠惠王後1) 6월에 『紺紙銀泥妙法蓮華經』을 寫經한 重大匡 劉成吉의 誤字[脫字]일 가능성이 있다(日本佐賀縣立博物館 所藏 ; 李基白 1987년 169面). 이 시기 前後에 重大匡(종1품)에 임명된 인물로 劉成吉과 비슷한 位相을 지닌 사람은 찾아지지 않는다.

16) 이 구절은 열전22, 李兆年에도 수록되어 있는데, ~~添字~~는 이에 의거하였다.

17) 이와 같은 기사가 열전19, 洪奎, 戎에도 수록되어 있다. 여기에서 福山은 고려를 巡訪이던 몽골제국 江南의 醫僧인 것 같다.

· 『가정집』 권7, 跋福山詩卷, "式無外, 嗜詩者也. 曾走京師, 求詩公卿間, 今中書許公[許有壬], 翰林謝公[謝端?], 搢紳知名者, 皆有贈焉. … 昨晩, 袖福山詩來求余跋. 余雖不識福山, 山不於深山窮谷, 槁木其形, 寒灰其心, 而求其所謂寂滅者. 乃能留意於毉, 奔走萬里, 急於活人而緩於利己, 則其人可知已. 視彼逃賦亂倫, 而無益於世者, 則不侔矣. 今之歸江南也, 詩人叙其事, 余旣愛無外, 重違其請, 而題其後".

丙戌[28日]，王貶[前大護軍]曹益淸爲濟州安撫使，放[前代言]尹桓於漆原郡[~~漆原縣~~]，杖[前上護軍]吳子淳，放于海州，杖[前大護軍]洪瑞，流于島．執前大護軍金鏡，叱曰，此奴何故，昔與洪瑞等同謀．遂以鐵骨朶，擊之．[時洪莊方有寵，欲釋憾於益淸等，故四人皆得罪:節要轉載].[18]

[→[曹益淸]累遷大護軍，與代言尹桓，謀去忠惠所狎惡少輩，執宋八郞·洪莊等囚之，榜掠甚峻．洪莊欲釋憾，譖益淸，貶爲濟州安撫使:列傳21曹益淸轉載].

[→桓嘗與曹益淸，執忠惠所狎宋八郞·洪莊等，囚巡軍，莊挾前憾譖之，放桓于漆原:列傳27尹桓轉載].

○大護軍韓不花還自元，傳[前評理]李揆言曰，“丞相固執如初，他省官雖欲申覆，固無可假以爲辭者．若有本國耆老上疏陳請，則庶可因以圖之”．王命耆老宰樞會議.

[某日，監察司，榜示禁令，□乛．□□□□[~~義城~~·德泉]兩倉祿轉，各司貢物，近因輸納失期，用度不足，致使貨殖之徒，乘時射利．先納其本，卽往其鄕，倍收利息，民何以堪．其各道存撫·按廉·守令等官，輸納後期者，嚴加糾劾:食貨1貢賦轉載].

[□乛．諸倉庫·寺·署官吏，每外方納貢，不卽收納，故延日月，勒要苞苴，今後一禁:刑法1職制轉載].[19]

[□乛．塩鋪之設，本爲和賣，惠及貧民，近者，各鋪之吏，不畏公法，惟務徇私，至使鰥寡孤獨，不得貿易，深爲未便．今後，和賣者，体察究理:食貨2塩法轉載].

[一．今國有大喪，理宜禁酒．若有群飮歌舞者，有職，徵布七十四，白身，決杖七十七．四隣，知而不告，徵布五十匹:刑法2禁令轉載].

[一．各司新舊之禮，侈靡日增，以至司外供設，招引雜客，歌舞喧譁，今後一禁．凡所用金銀酒器·屛簇·褥席等物，亦令禁之，犯者痛治:刑法2禁令轉載].

[一．巫覡之輩，妖言惑衆，士大夫家，歌舞祀神，汙染莫甚．舊制，巫覡不得居城內，仰各部，盡行推刷，黜諸城外:刑法2禁令轉載].

[一．各戶奴婢，役之甚苦，在所矜恤，或有病，不肯醫治，棄諸道路，死又不埋，轉相曳棄，肉餧群狗，誠爲可憐．今後，以重法論:刑法2禁令轉載].

[一．近年禪敎寺院住持，利其土生，專事爭奪，以致隳壞寺宇．甚者，犯奸作穢，曾莫之恥，今後禁理:刑法2禁令轉載].

[一．城中婦女，無尊卑老少，結爲香徒，設齋點燈，群往山寺，私於僧人者，間

---

18) 漆原郡은 漆原縣의 오류일 가능성이 있다(지11, 지리2, 金海牧 漆園縣).

19) 苞苴(포저)는 延世大學本과 東亞大學本에는 苞茸(포용)으로 달리 표기되어 있으나 오자일 것이다(東亞大學 2012년 19책 620面).

或有之. 其齊民, 罪坐其子, 兩班之家, 罪坐其夫:刑法2禁令轉載].

[一. 公私賤口, 並不許城中乘馬:刑法2禁令轉載].

[一. 僧人不許雜居閭里, 及賫願文, 亂行勸化:刑法2禁令轉載].

[一. 古者, 葬先遠日, 所以禮葬, 今士大夫, 例用三日葬, 殊非禮典. 又有不躬廬墓, 以奴代之, 焉得爲孝. 並宜禁之, 犯者科罪:刑法2禁令轉載].

[是月頃, 以[成均博士]陸暢爲雞林府判官:追加].[20]

六月[戊子朔大盡,辛未], [辛卯[4日], 大觀殿銀杏樹, 自顚:五行2轉載].

壬辰[5日], 耆老權溥等上書□□[征東]行省曰, "藩翰之寄, 難以久虛, 芻蕘之言, 或有可採. 事係安危, 理宜詳審. 小邦自開國以來, 四百二十二年, 而王氏子孫相繼, 以牧斯民者, 二十有八代矣. 太祖聖武皇帝應天奮起, 我忠憲王[高宗]首先內附, 修其職貢. ○歲戊寅[高宗5年], 有契丹遺種金山王子者, 妄圖興復, 陸梁肆毒, 驅掠人民, 東入海島. 太祖遣哈眞·札臘[札剌], 討之, 時方雨雪, 粮道不繼. 忠憲王[高宗]命趙冲·金就礪, 轉餉濟師, 左提右挈, 卒擒滅之. 兩元帥與趙冲等, 指天日以同盟, 分俘虜而爲信. 此則小邦盡力於太祖者也. ○憲宗皇帝南征而晏駕, 阿里孛哥搆患於朔方, 世祖皇帝班師襄陽, 我忠敬王[元宗]跋涉山川, 蒙犯霜露, 拜於梁楚之郊. 於是, 天下覩遠人之自服, 知天命之有歸, 此則小邦盡力於世祖者也. 世祖感誠念功, 下詔云, 苟裕民而治國, 當適便以從宜, 尙體朕懷, 綏爰有衆. 其諭安南國詔, 若曰, 本國衣冠風俗, 一依本國舊例. 高麗遣使來請, 已經下詔, 悉依此例. 賜日本國書, 若曰, 初以高麗無辜之民, 久瘁鋒鏑, 卽令罷兵, 還其疆域, 反[返]其旄倪. 高麗君臣, 感戴來朝, 義雖君臣, 歡若父子. 計王之君臣亦已知之. 褒奬小邦, 誇示諸國, 光寵至矣. ○繼以帝女齊國大長公主, 嬪于忠烈王, 誕得一子, 卽太尉王[忠宣王]. 年十六, 入侍天庭, 册爲世子, 詔曰, 嗣惟汝嫡, 親是我甥, 世爲藩輔. 前王禎, 卽太尉王之嫡孫, 小邦之人, 歸心屬望. 先王燾[忠肅王]於本年三月不幸卽世, 遺書云, 宜以長子前王禎聞奏襲位. 已蒙省府, 申告朝廷, 計日數程, 尙稽明降. 山澤無恒之俗, 不可不係其心, 海倭未服之隣, 不可不虞其變. 三月無君, 遑遑如也. 聖賢之訓, 豈徒然哉. 溥等獲蒙皇元之澤, 以至白首之年, 情有所懷, 安敢隱忍. 心欲馳赴闕庭, 仰陳事體, 齒衰力薄, 末由自致. ○伏望, 念小邦事大之功, 愍黎老願忠之志, 給其傳遞, 俾以敷奏, 儻紆如綍之兪音, 早定分茅之世業. 豈惟小邦之慶賴, 實亦世祖綏遠字小之意". 行

20) 이는 『동도역세제자기』에 의거하였다.

省以其書，轉達中書省.

[○熒惑犯南斗，留七日:天文3轉載].

[某日，瀋王暠如元，至平壤而止，陰與政丞曹頔，有所謀也:節要轉載].

乙巳18日，判三司事金元祥卒.21) [元祥，嘗與吳潛·石天補·天卿等，諂諛忠烈，導以荒淫. 吳·石旋及於禍，元祥以佞獨免:列傳38金元祥轉載].

[丁未20日，熒惑入南斗魁:天文3轉載].

己酉22日，葬忠肅王于毅陵~~葬大行王于毅陵~~.22)

[某日，籍中靑家:節要轉載].

[壬子25日，月犯鎭星:天文3轉載].

乙卯28日，禱雨.

秋七月戊午朔小盡,壬申，雨.

[己未2日，熒惑犯南斗:天文3轉載].

庚申3日，王以外姑金氏老病垂死，遣前大護軍金贊·前□中郎將宋明理，索土田·藏獲~~臧獲~~及其券.23)

[壬戌5日，亦如之熒惑犯南斗:天文3轉載].

甲子7日，王宴慶華公主于永安宮.

[○前同知密直司事·商議會議都監事全信卒，年六十四:追加].24)

丁卯10日，又宴王宴慶華公主于永安宮.

[○月犯南斗:天文3轉載].

[某日，以江陵道存撫使朴元桂，仍番:追加].25)

[某日，以林元儒爲慶尙道按廉使:慶尙道營主題名記].

八月丁亥朔小盡,癸酉，王以南氏妻前郎將盧英瑞. 南氏曾適士人，大行王奪而幸之. [嬖臣崔安道·金之鏡，皆通焉:節要轉載]. 至是，王亦私之，旣而，以與英瑞，又數

---

21) 이날은 율리우스曆으로 1339년 7월 24일(그레고리曆 8월 1일)에 해당한다.

22) "葬忠肅王于毅陵"은 적절한 表現이 아니고, "葬大行王于毅陵" 또는 "葬先王于毅陵"이라고 고쳐야 옳게 된다. 충숙왕은 1344년(충목왕 즉위년) 12월 22일 충선왕과 함께 몽골제국으로부터 諡冊을 받았다(세가37, 충목왕 즉위년 12월 丁丑).

23) 郎將은 中郎將의 오류일 것이다(→충숙왕 復位 1년, 3월 3일).

24) 이는 「全信墓誌銘」에 의거하였다.

25) 이는 「朴元桂墓誌銘」에 의거하였다.

幸其家.[26]

辛卯[5日], 元遣使□[來], 索耽羅酥油.

甲午[8日], 慶華公主邀王宴, 及酒罷, 王佯醉不出, 暮入公主臥內, 烝焉.[27]

[→暮入公主臥內, □[会]主驚起, 前王使宋明理輩, 扶其身, 使不敢動, 掩其口, 使不敢言, 烝焉:節要轉載].

[乙未[9日]:追加], □[会]主恥之, 欲還于元, 使買馬. 前王命李儼·尹繼宗等, 禁馬市.

[→公主亦邀忠惠宴. 及酒罷, 忠惠佯醉不出, 暮入公主臥內. 公主驚起, 忠惠使宋明理輩扶之, 使不動, 且掩其口, 遂烝焉. 翌日[乙未9日], 公主恥之, 欲還于元, 使買馬. 忠惠命李儼·尹繼宗等禁馬市, 不得賣馬:列傳2忠肅王曹國長公主轉載].

○時, [政丞]曹頔稱疾不出, □[会]主召之, 具道見暴狀. 頔與[權征東行省事]洪彬及省官, 詣前王宮, 群小當門, 不得入乃還. 前王追召, 不聽, 至永安宮, 招集百官, 頔聲言逐去群小, 而陰爲瀋王地. 前王與萬戶印承旦·全英甫等二十餘騎, 至永安宮, 門閉不得入. 乃使尹繼宗·丘天佑[丘天祐], 召頔, 又不出. 頔使前護軍李安·張彥·吳雲, 爲巡軍首領官, 取國印, 置于永安宮, 使前軍薄摠郎柳衍·左思補李達衷·軍簿佐郎成元度·藝文檢閱金得培守之:節要轉載].[28]

[某日, 瀋王從臣朴全來, 自平壤, 詐言瀋王, 已爲國王:節要轉載].

[某日, 金注莊來自元, 詐言前王承襲, 前王大喜, 賜馬二匹. 頔黨聞之, 稍稍遁去:節要轉載].

[乙巳[19日], 前王牓諭云, "頔等, 不畏朝廷, 佩執弓刀, 脅聚國人, 謀逆作亂, 罪莫大焉. 群官有能歸正者, 宥". 乃使前判書李兆年, 召省官及諸宰相曰, "曹頔久爲瀋王臣僕, 潛畜異志, 諸君胡爲助之". 頔聞之曰, "我爲政丞, 見□[王]荒淫無道之行, 若不聞于朝廷, 罪在我身, 王雖欲殺我, 我不懼". 遂使閔珝, 連車綴宮門外, 以備之:節要轉載].[29]

庚戌[24日], 夜, [政丞]曹頔等襲王宮, 衛士射殺之, 尸于巡軍南橋下.

[→庚戌夜, [曹頔,]與[權征東行省事]洪彬·申伯·黃謙·白文擧·[密直副使]王伯·洪晟·[密直副使]趙廉·全思義·朱柱等及征東省官, 使趙炎輝·李休·李英富·李安·韓昇·張巨才·裴成景·閔珝·吳雲等,[30] 點軍千餘, 翦紅綃, 貼衣爲識, 皆執刀杖, □□[五鼓], 進襲前王宮. 前王

---

26) 이와 관련된 기사로 열전37, 崔安道, "… 有南氏者, 忠肅所幸女也, 安道與[金]之鏡, 通焉"이 있다.
27) 東亞大學本에는 公主가 公王으로 보여 지는데, 이는 인쇄의 잘못으로 보인다.
28) 이와 같은 기사가 열전44, 曹頔에도 수록되어 있으나 자구에 출입이 있다.
29) 金注莊 이하의 기사는 열전44, 曹頔에도 수록되어 있으나 자구에 출입이 있다.

率幸臣□[數]騎，而出射□[之]，頔軍敗走，追至巡軍南橋，李安射王臂．頔使人設布帳，於連車上，以防流矢，先鋒攻破連車，而入，頔勢窮，走入永安宮．有親故[親舊]，誘[諭]以出亡，頔不聽，入公主殿，王軍追入，射殺之，尸于巡軍南橋下．遷公主于萬戶林淑第，執謙·柱·昇·安·文擧·炎輝·巨才等，繫巡軍．獨宥彬及省官等:節要轉載].[31)]

[○時，[三司右使]金倫·[前密直提學]韓宗愈等，治其獄，一府疾其從逆，皆欲嚴加栲掠．倫獨曰，"此輩詿誤於頔指嗾，何足責哉?，若使傷肌膚毁筋骨，必謂我枉法强服，以欺朝廷，乃弛其刑"．囚感悅，首罪無隱:節要轉載].[32)]

[○前普光寺住持冲鑑入寂:追加].[33)]

[→後，[忠惠]王使嬖人金敎化，執[前軍簿佐郞成]元度，謂曰，"昔，曹頔構亂，汝亦與謀，又作贊頔詩，何哉?" 對曰，"百官脅從，臣亦無他，且不作詩"．王命賦詩，使典校副令蘇敬夫解之．元度嘗因婦翁贊成□[事]尹繼宗，爲掌令，繼宗如元，敬夫因評理盧英瑞，代元度職．及繼宗還白王，還授元度．以故元度·敬夫有隙，至是，敬夫詭解詩意，王怒敺元度且曰，"誰與汝掌令官，非予所知．" 枷囚巡軍，遂罷其職，以敬夫代之:列傳44曹頔轉載].

辛亥[25日]，△[以]前大護軍劉方世爲西北面存撫使．

[某日，前王遣鷹坊·忽赤六十餘騎於平壤府，欲止瀋王，不及而還:節要轉載].

[→忠惠遣鷹房·忽只[忽赤]六十餘騎於平壤，欲止暠，不及而還:列傳3宗室瀋王暠轉載].

九月[丙辰朔大盡，甲戌]，[□□□□□[~~是月初以來~~]:追加]，義·靜二州之人聞國亂，渡江而去者

---

30) 裵成景은 裵廷芝의 長子인 裵成慶의 오자일 가능성이 있다(열전21，裵廷芝).

31) 이 기사는 열전44，曹頔에도 수록되어 있으나 자구에 출입이 있다．이날은 율리우스曆으로 1339년 9월 22일(그레고리曆 9월 30일)에 해당한다．

32) 이때 金倫·韓宗愈의 모습은 그의 묘지명에 반영되어 있다．

· 「金倫墓誌銘」，"有曹頔構亂，自速其死，永陵命公訊其黨于巡軍戶府．一府嫉其從逆勇，欲拷掠痛理，公曰，此輩詿誤於曹頔指嗾，何足責哉，若使傷肌膚毁筋骨，必謂我枉法强服，以欺朝廷．乃弛其刑，囚感悅，首罪無隱"．

· 열전23，金倫，"後加僉議評理·商議會議都監事·三司右使．曹頔構亂伏誅，忠惠命倫訊其黨于巡軍府．一府嫉其從逆，欲栲掠痛理，倫曰，此輩詿誤於頔耳，何足責耶．若使傷肌膚毁筋骨，必謂我枉法强服，以欺朝廷．乃弛其刑，囚感悅，首罪無隱，獄成驛聞"．

· 「韓宗愈墓誌銘」，"至元之季，毅陵薨，曹頔構亂，公至自鄕，與我文烈公及諸大臣，同侍永陵，頔敗，故政丞金公倫與理其黨，獄成驛聞，丞相伯顔，不省顧奏，徵永陵赴都"．

· 열전23，韓宗愈，"曹頔之亂，宗愈與政丞金倫理其黨，獄成驛聞，丞相伯顔，不省顧奏，徵忠惠"．

33) 이는 『危太樸文續集』 권3，高麗林州大普光禪寺碑；「林州普光寺重刱碑」에 의거하였다(金石總覽 495面)．冲鑑(1275~1339)은 1293년(충렬왕19) 僧科에 급제한 이후의 行蹟은 알 수 없다．이 碑文에 圓明國師라고 되어 있는데，이 역시 實職이었는지，追贈職이었는지도 알 수 없다．

甚衆.

癸亥[8日], 王遣護軍康因, 安撫之.

丁卯[12日], [霜降]. 地震.[34]

○□[遣]征東省員外□[郞]韓帖木兒不花·前贊成事金仁沇·前郞將盧英瑞如元, 請王襲位.[35]

辛巳[26日], 王移御政丞姜融第.

[是月, 前祭器都監判官曹時雨等開板'三十分功德疏經':追加].[36]

[冬十月[丙戌朔小盡,乙亥], 丁亥[2日], 雷:五行1雷震轉載].

[己酉[24日], 木稼:五行2轉載].

冬十一月[乙卯朔大盡,丙子], 丙辰[2日], 元遣中書省斷事官頭麟·直省舍人九通來. 王迎于宣義門外. 頭麟等先至慶華公主宮, 進御酒, 遂往王邸, 授傳國印, 王拜受.

癸亥[9日], 頭麟以帝命, 使樂安君金之謙[金之兼]·前□[都]僉議評理金資, 權管國事.

丙寅[12日], 頭麟等執王及[前權征東行省事]洪彬·[員外郞]韓帖木兒不花·趙雲卿·黃謙·白文擧·[密直副使]王伯·朱柱·趙炎輝·李安·韓昇·張巨才·裴成景, 以歸, 盖因頔黨之訴也. [前王在途, 召[三司右使]金倫偕行:節要轉載].[37]

---

34) 이때 일본의 교토[京都]에서 4일(庚申, 高麗曆의 5일) 밤 11시 무렵에 심한 지진이 있었다고 한다.
 · 『師守記』, 曆應 2년 9월, "四日庚申, 天晴, … 今夜子剋許, 地震甚".

35) 韓帖木兒不花[Temur Buqa]는 高麗人 出身의 韓孝先(河南府路總管 韓永의 長子)인데, 1363년(至正23, 공민왕12) 1월 14일(乙卯) 廣西 貴州(現 貴州省 貴陽市)의 同知州事로 재직하다가 廳舍에 불이 나서 逝去하였던 것 같다(『원사』 권51, 지3下, 五行2, 火不炎上 ; 張東翼 1994년 170面). 또 이와 관련된 기사로 다음이 있다.
 · 열전21, 金之淑, 仁沇, "王薨, 與征東省員外韓帖木兒不花·前郞將盧英瑞等, 如元, 請忠惠襲位".

36) 이는 다음의 자료에 의거하였다(서울역사박물관 소장 ; 南權熙 2002년 77面 ; 박영은 2015년a,b).
 · 『三十分功德疏經』, 卷末刊記, "此經現應的的如是, 況三世諸」 佛大悲本願, 皆爲利益一切衆」 生, 如有人頌此經, 已專心發願」 云, 上件各位,三界靈祇及諸衆」 生,皆得往生極樂還度,一」 切無量衆生, 則大乘修行不外」 乎, 是奚止除病免厄, □請仁者,」 無忽焉,」 時后至元五年己卯九月日誌,」 板在昌寧.」 幹善前祭器都監判官曹時雨.」 同願成均待聘齊生鄭公衍,」 成均服膺齋生南永臣筆,」 道人慧一刀」".

37) 이때 金海君 李齊賢과 그의 아들 典儀副令 達尊, 前典法判書 李兆年, 都官正郞 金光載(金台鉉의 子), 前政堂文學 韓宗愈 등도 忠惠王을 隨從하였다(李達尊墓誌銘 ; 金光載墓誌銘). 또 이때의 형편을 전하는 기사로 다음이 있다.
 · 열전21, 洪彬, "時曹頔作亂, 率彬及省官等, 襲忠惠宮. 頔敗死, 餘黨皆繫巡軍, 獨宥彬及省官. 元聽頔黨訴, 遣使執忠惠及彬等以歸".
 · 열전22, 李兆年, "曹頔之亂, 忠惠被徵至燕, 兆年從之".

[→丞相伯顔右頔黨, 顧奏徵忠惠. 忠惠道召倫與偕, 倫年過六十, 聞命馳赴數日, 及之鴨綠江:列傳23金倫轉載].

辛巳[27日], 慶華公主囚贊成事鄭天起于征東省.[38]

癸未[29日], [小寒]. 德寧公主釋鄭天起, 匿之宮中.

[○雷電:五行1雷震轉載].

[某日, 宰相·國老, 欲上書請赦王罪, 議不同. [上洛府院君·判小府事金]永旽曰, "主辱臣死, 請之宜急". 語在金倫傳:列傳17金永旽轉載].

[是月戊寅[24日], 元第二皇后奇氏生皇子:追加].[39]

十二月[乙酉朔小盡,丁丑], 戊子[4日], 慶華公主命金之謙[~~金之兼~~]△[爲]權征東省, 金資△[爲]提調都僉議司事[~~都僉議使司~~].[40]

庚寅[6日], 遣辛伯·金逸逢如元, 賀正.

丙申[12日], 判密直司事辛蒧卒.[41]

[○木稼:五行2轉載].[42]

- 열전23, 金台鉉, 光載, "遷都官正郞. 曹頔作亂伏誅, 王被執如元, 光載曰, '吾君危矣, 吾忍獨免乎', 往從之. 王復爵東還, 除軍簿摠郞, 參銓選".
- 열전23, 韓宗愈, "徵忠惠. 宗愈等從之, 至則俱繫獄事叵測, 會伯顔死, 得解".
- 열전23, 李齊賢, "忠肅薨, 曹頔構亂, 忠惠擊殺之, 然其黨在都者甚衆, 必欲抵王罪. 元遣使召王, 人心疑懼, 禍且不測. 齊賢奮不顧曰, '吾知吾君之子而已', 從之, 如京師".
- 열전23, 李齊賢, 達尊, "忠惠如元, 與其父從之".

38) 이 기사는 열전2, 忠肅王妃, 慶華公主에도 수록되어 있다.

39) 이는『太古和尙語錄』권上, 永寧禪寺說法 ; 권下, 太古普愚行狀, 石屋和尙書, 開堂榜 ; 세가39, 공민왕 8년 11월 24일 ;『가정집』권6, 金剛山長安寺中興碑 ;『朴通事諺解』권上 ;『庚申外史』, 至元 5年 등에 의거하였다. 皇太子 愛猷識理達臘(愛育失黎達臘, Ayu Siri Dala)의 生日은『太古和尙語錄』에는 11월 24일로,『朴通事諺解』권上의 끝부분의 普虛(普愚의 初名)에 대한 설명에는 '太子生日이 12월 24일[太子令辰十二月二十四日]'로 되어 있다.
또 後者에 의거하여 皇太子의 生日을 12월 24일로 본 見解도 있으나(喜蕾 2000年), 이의 12월은 11월의 오자일 것이다. 곧 1359년(공민왕8) 11월 24일(癸丑)에 '皇太子의 生日(千秋節)을 祝賀하여 群臣을 饗宴하였는데, 이때 元과 往來를 하지 않았지만 千秋節을 폐지하고 싶지 않았기 때문'이라고 한 사실(세가39, 공민왕 8년 11월 24일)에서 알 수 있다. 그리고 長安寺址는 현재 북한이 국보유적 제96호이다.

40) 提調都僉議司事(『고려사절요』권25도 동일함)는 열전1, 忠肅王妃, 慶華公主에는 提調都僉議使司로 되어 있는데, 後者가 옳을 것이다.

41) 辛蒧은 그의 壻인 崔宰의 묘지명에 의하면 奉翊大夫·判密直司事·藝文館提學에 이르렀다고 한다. 이날은 율리우스曆으로 1340년 1월 11일(그레고리曆 1월 19일)에 해당한다.

42) 이날 일본의 교토에서 날씨는 맑았으나 때때로 눈이 조금 내렸다고 한다(『師守記』, 曆應 2년 12월, "十二日丙申, 天晴, 時々小雪降").

[是月，元亞中大夫·金玉府達魯花赤郭木的立與其妻李氏寫成'金字妙法蓮華經七卷'·'圓覺了義經普賢行品三卷':追加].[43)]

[是年，元遣太府監少監崔安道來，頒詔書:追加].[44)]

[○以權廉，再爲玄福君:追加].[45)]

[○以[判小府事]金永旽爲宗簿副令:追加].[46)]

[○以[版圖摠郞·藝文館直提學·知製敎]閔思平爲中顯大夫·成均祭酒·知製敎:追加].[47)]

[○以[藝文館修撰]李仁復爲春秋館供奉:追加].[48)]

[○世子昕入元宿衛，時前福州牧司錄李芳實隨從:追加].[49)]

[○元遣中瑞司丞李也先不花來，降香．也先不花，永州梨旨銀所人也:追加].[50)]

---

43) 이는 a京都市 上京區 寺の內通新町 妙顯寺에 소장된『紺紙金泥妙法蓮華經』, 卷首題記 12行이 있으나 제시된 寫眞으로 판독이 불가능하다(京都府文化財保護基金 1986年 304面). 이는 b僧侶 河合日辰의 所藏本과 같은 것으로 추정된다(大藏會 1981年 56面 ; 張東翼 2004년 731面).

- b題記, "亞中大夫·金玉府達魯花赤郭木的立,竊聞」 此經,三世諸佛秘藏說與聽難如優曇華,」 今我宿植善,因得聞敬信,豈不慶哉,是以金寫」 妙法蓮華經七卷,圓覺了義經普賢行品三卷,」 合而爲部,上祝」 皇帝聖壽,等乾坤而長久,」 大皇太后懿算,共山河而益固,」 皇太子令壽,齊環景以無窮,次祈在堂爺孃共享」 一百歲之康樂,次願微窮與同室李氏,此報」 盡後更不受有漏形骸,常遊淨土普令六道,」 群萌同入佛之知見者,」 大元至元五年己卯十二月 日 謹識」.

44) 이는「崔安道墓誌銘」에 의거하였다.
45) 이는「權廉墓誌銘」에 의거하였다.
46) 이는「金永旽墓誌銘」에 의거하였다.
47) 이는「閔思平墓誌銘」;『급암시집』연보에 의거하였다.
48) 이는「李仁復墓誌銘」에 의거하였다.
49) 世子 昕(後日의 忠穆王)이 다이두[大都]에 들어가 宿衛한 시기는 기록이 없어 알 수 없으나 열전26, 安祐에 의하면 李芳實이 隨從하여 뒷바라지를 하였다고 한다. 이방실은 1339년(忠肅王 後8) 2월 福州司錄으로 在職하다가 遞職되었고, 후대에 만들어진 이방실의 행적인『元帥李公實記』(1854년)에 의하면 1339년(忠肅王 後8)에 入元하였다고 되어 있다. 이를 통해 볼 때 충혜왕이 國王印을 전해 받은 11월 이후에 昕이 入元宿衛하였을 것이다.

- 『安東先生案』, "司錄李邦實, 通仕郞, 至元三年丁丑赴任, 己卯二月遞任". 이에서 李邦實은 李芳實의 오자일 것이다.
- 『元帥李公實記』, "忠肅王後八年己卯, 公侍從入元".

50) 이는『졸고천백』권2, 永州利旨銀所陞爲縣碑에 의거하였다. 이 시기에 李也先不花[esen buqa]는 三重大匡·寧仁君을 띠고서『大方廣佛華嚴經行願品』,『金剛經』을 위시한 여러 經典을 寫成하였던 것 같다. 또 이『대방광불화엄경행원품』의 冒頭에 실린 金泥變相圖의 裏面에는 "行願品變相, 文卿畵"라는 題記도 있었다고 한다(『考古美術』2-3, 1961, 資料紹介 ; 南權熙 2002년 364面 ; 張忠植 2007년 121面, 國寶 第235號, 湖巖美術館 所藏).

- 題記,"至□[~~元~~]□[~~年~~]□□□[~~月日~~],」 三重大匡·寧仁君[~~永仁君~~]李也先不花,」 懇發丹心,寫成行願品·金剛經·長壽經·彌」 陁經·父母恩重經·普門品,各一部所集,功德」 皇圖永固,」 □□□[~~帝道遐~~]昌,□衆及□[已]身,無病長生,一門眷屬,各消災殃,」 □□□□□□旨及法□□□[~~輪相轉~~],同成佛道者」. 여기에서 ~~添字~~

[增補].[51]

[是年頃, 忠惠被執如元, 宰樞議不給惡少輩祿, 張松等詣河中第, 鼠伏哀乞, [政丞蔡] 河中諾. 知密直□□[司事]韓松大言曰, "陷君者皆此輩, 政丞何諾也?":列傳38蔡河中轉載].

庚辰[忠惠王]後元年, 元後至元六年, [西曆1340年]

1340년 1월 29일(Gre2월 6일)에서 1341년 1월 17일(Gre1월 25일)까지, 355일

春正月[甲寅朔大盡,戊寅], 癸亥[10日], 順天君蔡洪哲卒, [年七十九:列傳21蔡洪哲轉載].[52) [洪哲, 嘗守長興府, 棄官閑居, 凡十四年, 以琴書劑和, 爲日用. 忠宣王素知其名, 召用之, 遂至爲相. 爲人精巧, 於文章技藝, 皆盡其能, 尤好釋敎. 嘗於第北, 構旃檀園[~~梅檀園~~]施藥, 國中人多賴之, 又於第南, 作中和堂, ~~時,~~邀[~~永嘉君權溥以下~~]國老八人, 爲耆英會. 作紫霞洞新曲, 今樂府有譜:節要轉載].[53] [初, 金方慶鎭北界, 悅龍岡官婢, 生

는 筆者가 추측하여 추가하였는데, 이를 筆寫할 때 李也先不花의 封君號가 寧仁君으로 되어 있으나 梨旨銀所가 所屬된 永州, 곧 永仁君의 誤字일 가능성이 높다.

51) 이해에 다음의 관료가 재직하였다(洪奎妻金氏墓誌銘).

· "是年 ; 李齊賢爲三重大匡·金海君·領藝文館事, 洪戎爲武德將軍·全羅道鎭邊萬戶·大匡·三司使, 在職".

52) 이때 蔡洪哲의 勳職은 몽골제국으로 받은 驍騎尉·大興縣子, 고려에서 封君된 順天君이었다(蔡洪哲墓誌銘 ; 열전21, 蔡洪哲). 이날은 율리우스曆으로 1340년 2월 7일(그레고리曆 2월 15일)에 해당한다.

53) 여기에서 ~~添字는~~ 列傳21, 蔡洪哲에 의거하였는데, 旃檀(전단)과 梅檀은 같은 音, 같은 뜻의 다른 表記[同音·同義의 異體字]이다. 이는 檀香·白檀香·直檀香 등과 같은 常綠樹의 樹種(Sirium Myrtifolium)으로, 이를 調劑하여 腹痛, 嘔吐 등을 다스리는 藥材, 檀香으로 사용한다. 또 蔡洪哲의 邸宅인 紫霞洞 中和堂에 관련된 자료로 다음이 있는데, 侍中은 僉議贊成事의 잘못이다. 또 조선시대의 耆英會는 매년 3월 3일, 9월 9일 訓鍊院에서 거행되었다고 한다.

· 지25, 樂2, 俗樂, 紫霞洞, "侍中[僉議贊成事]蔡洪哲所作也. 洪哲居紫霞洞, 扁其堂曰中和, 日邀耆老, 極懽乃罷, 作此歌, 令家婢歌之. 詞皆仙語, 盖托紫霞之仙, 聞耆老會中和堂, 來歌此詞也".

· 『懶齋集』 권1, 遊松都錄(1477년 3월), "癸未[16日], … 過紫霞洞, 溪水潺湲, 奇花滿洞, 而多石砌古基, 不知中和堂在何許也".

· 『虛白堂集』詩集권6, 赴耆英會, "國法, 每年三月三日, 九月九日, 設宴於訓鍊院, 曾經三公者·二品以上年七十者參焉. 大賜酒樂, 或射帿, 或投壺, 終日極歡而罷".

· 『夢溪筆談』 권9, 人事1, "唐白樂天居洛, 餘高年者八人遊, 謂之九老, 洛中士大夫至今居者爲多, 繼以爲九老之會者再矣. 元豊五年, 文潞公守洛, 又爲耆年會. 人爲一詩, 命畵工鄭奐圖于妙

一女，洪哲娶之，生河中·河老．河中別□~~有~~傳:列傳21蔡洪哲轉載]．

辛未18日，[贊成事鄭天起·萬戶印承旦，詣德寧府，賀前王誕日，百官無一人至者:節要轉載]．[54]

○元囚王于刑部，又繫金仁沇·金倫·韓宗愈·洪彬·李蒙哥·李儼·盧英瑞·安千吉·孫守卿·尹元佑·南宮信于獄，命中書省·樞密院·御史臺·翰林院·宗正府[等五府官:節要轉載]，[55] 雜問之．[頔黨多利口，倫，折以片言，辭語簡直，五府官改容，目之:節要轉載]．[56]

[→至則右丞相伯顏奏下倫獄，令五府官雜問．頔黨多利口，倫折以片言，辭理簡直，五府官改容，目之爲白鬚宰相:列傳23金倫轉載]．

[某日，有氣如虹，見于西南:五行1虹霓轉載]．

[某日，以~~司議大夫~~朴忠佐爲慶尙道按廉使:慶尙道營主題名記]．[57]

二月甲申朔大盡,己卯，丙戌3日，元流孛蘭奚大王于耽羅．

[甲午11日，日赤:天文1轉載]．

庚戌27日，彗見東方，入大微~~太微~~．[58]

覺佛寺，凡十三人．守司徒致仕·韓國公富弼年七十九，太尉·判河南府·潞國公文彥博年七十七，… 端明殿學士兼翰林侍讀學士·太中大夫·司馬光年六十四”．

54) 忠惠王의 誕日은 1월 18일인데，그는 이날 大都에서 刑部에 收監되었던 것 같다．또 이 기사는 열전36，嬖幸1，印侯，承旦에도 수록되어 있다．

55) 五部官은 省院臺 곧 中書省，樞密院，御史臺의 官員과 大宗正府，翰林兼國史院의 관원을 가리킨다．또 諸王의 犯法行爲를 審問했던 관서로 中書省，樞密院，宗正府，刑部의 네 부서가 있는데，이들 부서가 모두 동원된 것은 충혜왕의 행위가 매우 중대하였던 결과였을 것이다．

56) 이때 金倫 등의 모습에 대한 기사로 다음이 있다．

- 「金倫墓誌銘」，“永陵被徵，道召公與偕，公年過六旬，聞命馳赴數日，及之鴨綠江．至則丞相伯顏奏，令五府官雜問，而力右頔黨．頔黨多利口，公折以片言，辭理簡直，五府官改容目之，爲白鬚宰相”．
- 열전21，金之淑，仁沇，“及元囚忠惠于刑部，乃與金倫等繫于獄”．
- 열전21，洪彬，“… 囚王于刑部，又械彬等于獄，使中書省·樞密院·御史臺·宗正府·翰林院雜訊之．忠惠不能自明，事殆矣．彬曰，‘頔王之奴，奴而欲戕其主，王法所不赦，王罪當從末減．彬以先王遺命，權行省事，事干邦憲者，彬實當之，王不當坐’．辭氣慷慨，人皆爲彬危之，彬曰，吾王之子，吾不直之，何以見先王地下乎?”．

57) ~~添字~~는 朴忠佐의 묘지명에 의거하였고，이때의 逸話도 찾아진다．

- 『艮翁集』 권2，晚發金陵[注，高麗朴忠佐曾遊此郡，與妓碧玉有情，及爲按廉到此，聞碧玉已死，悵然賦詩曰，‘九十浦頭潮欲生，碧松紅樹去年程，如今謾擁旌旂過，樓上無人望此行，今余之來此，既無有情人，則他日雖重過，將使何人望行樓上耶’，好笑好笑]．

58) 이 시기에 일본의 교토[京都]에서도 彗星이 관측되었다(高麗曆과 同一，日本史料6-5册 66面)．

- 『玉英記抄』，神事，“曆應三三四，今日沐浴潔齋，入夜著束帶，降庭，拜彗星，祈申心中之所存，

[甲寅, 又見東方→3월로 옮겨감].

[是月, 某寺監院僧達珠鑄成小鍾懸于廚內:追加].[59)]

[是月頃, 元以朝請大夫·太府監少監崔安道爲中議大夫·太府監太監:追加].[60)]

三月[甲寅□朔小盡,庚辰, 淸明. □彗又見東方←2월에서 옮겨옴].[61)]

甲子11日, 蔡河中自元來言, 脫脫大夫御史大夫脫脫奏于帝, 釋王復位.[62)] [是時, 右丞相伯顏蓄宿憾, 使王與頔黨辨. 前典法判書李兆年慷慨發憤, 謂政堂文學李齊賢曰, "吾欲面訴丞相前, 其意可回, 列戟守門, 莫叫其閽, 幸其出田畋城南, 吾當上書道左, 碎首馬蹄之下, 死明吾君. 吾子, 其把筆書吾書". 夜起沐浴, 雞鳴將行, 伯顏, 適以是日敗, 書不果上. 然聞者, 莫不悚然曰, "膽大於身":節要轉載].[63)]

丙寅13日, 元遣宦者普賢來, 求佛經, 以聖旨召□□院使楊安吉.[64)]

○□遣少府尹趙興門趙日新押倭如元.[65)]

戊寅25日, 遣典理判書奇轍[·司僕寺丞辛某辛裔?:追加]·書狀官?權適如元, 賀聖節.[66)]

今夜已犯太微宮東蕃次相星". 여기에서 '曆應三三四'는 曆應 3년 3월 4일의 약칭이다.

59) 이는 至元六年監院鍾의 銘文에 의거하였다(許興植 1984년 1152面).

60) 이는『졸고천백』권2, 崔安道墓誌에 의거하였다.

61) 이 기사의 내용은 지3, 天文3에도 동일하지만, 2월의 甲寅은 3월의 朔日이므로 甲子(10일) 앞에 있는 三月을 甲寅 앞으로 移動시켜야 한다[校正事由].

62) 御史大夫 脫脫[Togto]은 2월 16일(己亥) 右丞相 伯顏[Bayan]이 河南行省左丞相으로 逐出될 때 知樞密院事에 임명되었다(『원사』권40, 본기40, 순제3, 지원 6년 2월 己亥).

63) 이와 관련된 기사로 다음이 있고, 李兆年(鄭允宜의 壻)은 李仁復의 祖父이다.

- 열전22, 李兆年, "曹頔之亂, 忠惠被徵至燕, 兆年從之. 伯顏蓄宿憾, 使王與頔黨辨, 兆年慷慨發憤, 謂李齊賢曰, '吾欲面訴丞相前, 其意可回, 列戟守門, 莫叫其閽. 幸其出田畋城南, 吾當上書道左, 碎首馬蹄下死, 明吾君, 吾子其把筆書吾書.' 夜起沐浴, 鷄鳴將行, 伯顏適以是日敗, 書不果上. 然聞者莫不悚然曰, 膽大於身, 李公是已".
- 「李兆年墓誌銘」, "曹頔之變, 詔徵永陵入覲. 至則丞相伯顏畜宿憾, 至使與不臣臣兩造, 而置辭, 公慷慨發憤, 謂余曰, '吾面訴丞相前, 其意可回, 列戟守門, 莫叫其閽. 幸其出田畋城南, 吾當上書道左, 碎首馬蹄之下死, 明吾君, 吾子其把筆書吾書.' 夜起沐浴, 鷄鳴將行, 伯顏適以是日敗".
- 「李仁復墓誌銘」, "… 己卯忠惠復位年之變, 文烈李兆年從至京師, 請李益齋代作書, 將白于丞相府, 會丞相敗, 書不果上, 然聞者莫不悚然, 且曰, '膽大於身', 李公是已"(『목은문고』권15).

64) 楊安吉은 이보다 13년 전인 1327년(충숙왕14) 5월 몽골제국의 嘉義大夫(정3품)·章佩監(정3품, 원문의 璋珮監은 誤字임), 고려의 大原君을 각각 띠고 있었다(文殊寺藏經碑). 양원길은 그의 封君號를 통해 볼 그의 本貫이 忠州(中原, 大原)인 것 같다.

65) 趙興門(趙仁規의 孫, 趙瑋의 子, 洪鐸의 壻)은 이 시기 이후에 趙日新으로 改名하였는데(趙瑋墓誌銘), 그의 열전에는 家系가 기록되어 있지 않다(열전44, 叛逆5, 趙日新).

66) 이는『가정집』권9, 宋辛寺丞入朝序에 의거하였다. 또 惠宗[順帝]의 誕日은 4월 17일이다(『원사』권38, 본기38, 順帝1).

[庚辰[27日], 元使·太府監太監崔安道卒, 年四十七:追加].[67] [子濡·源·淑臣·文丘. 源卽璟也:列傳37崔安道轉載].[68]

夏四月[癸未朔大盡,辛巳], 乙酉[3日], 壽妃[忠肅王妃]卒.[69]

○王在元, 以韓渥爲右政丞, [前僉議中贊]尹碩爲左政丞.[70]

[己丑[7日], 前□[~~都~~]僉議贊成事·玄福君權廉卒, 年三十九:追加].[71] [子鏞·鉉·鎬·鈞·鑄:列傳20權廉轉載].

癸巳[11日], 元遣都府經歷忽都來, 告安置伯顔于陽春縣, 以馬札兒台爲丞相[~~右丞相~~], 赦天下.[72]

[王至自元.元封奇氏,爲第二皇后.以李兆年爲政堂文學→이들 記事는 7월로 옮겨감].

[是月庚辰[27日], 帝北巡, 次大口:追加].[73]

[五月癸丑朔[大盡,壬午]:追加].

[六月[癸未朔小盡,癸未]],[74] [壬辰[10日]:追加],[75] [~~前~~]檢校成均大司成[·藝文館提學]崔瀣卒:節要],

---

67) 이는 「崔安道墓誌銘」에 의거하였는데, 이날은 율리우스曆으로 1340년 4월 24일(그레고리曆 5월 2일)에 해당한다.

68) 崔安道의 아들 淑臣과 文丘 중의 1人은 有龍으로 개명하였던 것 같다.
- 열전44, 崔濡, "忠定2年6月, 僉議參理崔濡遂與[版圖判書]源, 率其弟有龍, 奔于元".
- 『고려사절요』 권26, 충정왕 2년 6월, "某日, [僉議參理]崔濡與其弟[版圖判書]崔源·崔有龍, 奔于元".
- 「崔安道墓誌銘」(충혜왕 후1, 1340년), "… 生四男四女, 男長曰濡, 今上護軍, 次曰源, 今護軍, 次曰淑臣, 次曰文丘, 未仕".

69) 이날은 율리우스曆으로 1340년 4월 29일(그레고리曆 5월 7일)에 해당한다.

70) 韓渥의 生沒年은 알 수 없으나 死後에 思肅이라는 諡號가 내려졌고 1346년(충목왕2) 5월 7일 忠惠王廟庭에 배향되었다(韓公義墓誌銘 ; 『목은문고』 권15, 韓脩墓誌銘).
- 열전20, 韓康, 渥, "忠惠初, 進中贊. 及卒, 諡思肅, 後配享忠惠廟庭. 性勤愼, 有器局, 每事三思而行, 稍解蒙漢語. 子大淳·公義·仲禮·方信. 大淳, 官至知都僉議司事, 忠定末, 貶爲機張監務. 公義, 封淸城君, 諡平簡, 子脩. 仲禮, 官至政堂文學, 封繼城君".

71) 이는 「權廉墓誌銘」에 의거하였는데, 이날은 율리우스曆으로 5월 3일(그레고리曆 5월 11일)에 해당한다. 權廉(權溥의 孫, 權準의 長子)은 3일(乙酉) 逝去한 壽妃(忠肅王妃)의 父이다.

72) 伯顔[Bayan]은 3월 18일(辛未) 江西行省 南恩州 陽春縣(現 廣東省 陽江市 陽春縣)에 安置되었고, 馬札兒台[majartai]는 3월에 太師·右丞相이 되었다가 10월에 右丞相은 免職되었다(『원사』 권40, 본기40, 순제3, 지원 6년 3월 辛未·권111, 표5하, 三公年表2·권113, 표6하, 宰相年表2).

73) 이때 皇帝[惠宗]의 車駕가 上都로 幸次 중에 있었다(『近光集』 권1, 歲庚辰四月廿七日, 車駕北巡, 次大口, …).

74) 4월 辛亥(29일)에 수록되어 있는 元의 詔書는 같은 해 6월 丙申(14일)에 반포된 것이다(『원사』 권40, 본기40, 順帝3, 至元 5년 6월 丙申). 그러므로 辛亥는 4월이 아니라 6월의 辛亥(29일)이므

[年五十四. 瀣, 才奇志高, 讀書爲文辭, 不資師友, 超然自得. 不惑異端, 不溺習俗, 而務合於古人. 至論異同, 苟知其正, 雖老師宿儒爲時所宗者, 且詰且折, 確持不變. 延祐科興, 聞詔乃曰, "可試所學". 旣而果中制科, 同年狀元宋本稱其才, 屢形於詩, 自是名益著. 異己者益不喜而排之, 瀣又不善伺候, 放蕩敢言, 卒不大用, 然取友必端, 詩酒自誤. 嘗過東萊縣, 登海雲臺, 見合浦萬戶張瑄題詩松樹曰, "噫, 此樹有何厄, 遭此惡詩", 遂削去之, 塗以土. 行至安東, 瑄聞之, 怒命猛將三四追之, 得傔從一人歸, 械立門外. 瀣潛踰竹嶺還京, 大爲儒林所笑, 其恃才傲物類此. 生平不理家人生産業, 自號拙翁. 後居城南獅子山下, 自著猊山隱者傳曰, 隱者名夏屈, 或稱下逮, 蒼槐其氏也, 世爲龍伯國人. 本非覆姓, 至隱者, 因夷音之緩, 併其名而易之. 隱者方孩提, 已似識天理, 及就學不滯於一隅, 纔得旨歸, 便無卒業, 其汎而不究也. 稍壯, 慨然有志於功名, 而世莫之許也. 是其性不善於伺候而又好酒, 數爵而後, 喜說人善惡, 凡從耳而入者, 口不解藏, 故不爲人所愛重, 輒擧輒斥而去. 雖親友惜, 其欲改, 或勸或責, 不能納. 中年頗自悔, 然人已待以非, 可牢籠未可用, 而隱者亦不復有意於斯世矣. 嘗自言, 吾所嘗往來者, 皆善人, 而其所不與者多, 欲得衆允難矣. 此其所短, 乃其所以爲長也. 晩從獅子岬寺僧, 借田而耕, 開園曰取足, 自號猊山農隱, 其銘座右曰, "爾田爾園, 三寶重恩. 取足奚自, 愼勿可諼. 隱者素不樂浮屠, 而卒爲其佃戶". 盖訟夙志之爽, 以自戲耳. 嘗選本國名賢詩文, 題其目曰'東人之文', 凡二十五卷, 所著'拙藁[拙藁千百]'二卷, 行於世. 無子, 家又甚貧, 無以襄事, 朋友致賻, 乃克葬:列傳22崔瀣轉載].[76]

辛亥[29日 晦], □□□□~~元遣使來~~ 詔曰,[77] "洪惟, 太祖皇帝, 應天啓運, 世祖皇帝, 混一垂憲, 列聖繼承, 統緖有定. 迨我皇祖武宗皇帝嗣登大寶, 昇遐之後, 祖母太皇太后惑于憸慝, 俾皇考明宗皇帝, 出封雲南, 英皇遇害, 正統寖偏, 我皇考以武皇之嫡, 逖居朔漠~~逃居朔漠~~, 宗王大臣同心翊戴, 肇起大事~~肇啓大事~~. 于時以地近, 先迎文宗, 暫攝機務, 繼知天理人倫之攸當, 假讓位之名, 懷欺天之實, 以寶璽來上. 皇考推誠不

로, 이의 앞에 六月이 탈락되었다.

75) 이는 「崔瀣墓誌銘」에 의해 추가하였는데, 이날은 율리우스曆으로 7월 5일(그레고리曆 7월 13일)에 해당한다.

76) 崔瀣의 『東人之文』은 현재 『東人之文四六』 15권과 『東人之文五七』 9권의 24권이 있었음을 알 수 있고, 나머지 1권은 『東人之文』總目, 혹은 卷首일 가능성이 있다고 추측된다고 한다(辛承云 1995년).

77) 이 詔書는 『원사』에서는 축약하여 기재하였는데, 『고려사』의 내용과 자구에 약간의 출입이 있으므로 兩者를 함께 읽어야 할 필요성이 있다. 또 詔曰의 앞에 ~~添字~~와 같이 4字를 넣어야 옳게 될 것이다.

疑, 卽授皇太子寶. 文宗稔惡不悛, 當躬迓之際, 乃與其臣月魯不花·也里阿[也里牙]·明里董阿等謀爲不軌, 使我皇考[明宗]飮恨上賓. 歸而再御宸極, 思欲自解於天下, 乃謂, 夫何數日之閒, 宮車不駕. 海內聞之, 靡不切齒. 旣又私圖傳子, 乃搆邪言, 嫁禍於八不沙皇后[明宗妃], 謂朕非明宗之子. 遂俾出居遐陬. 祖宗大業, 幾於不繼. 內懷愧慊, 卽殺也里阿[也里牙]以杜口. 上天不右[祐], 隨降殞罰. 叔嬸布答失里[不答失里·卜答失里·文宗妃]怙其勢燄, 不立明考之寵嗣[冢嗣], 而立孺稚之弟亦輦眞班[懿輦眞班·寧宗·順帝異腹弟], 奄復不年. 諸王·大臣, 以賢以長, 推朕踐位, 國之大政, 動不自遂者, 詎能枚擧. 每念, 治必本於盡孝, 事莫先於正名. 賴天之靈, 權姦屛黜, 盡孝正名, 豈容復緩. 永惟鞠育罔極之恩, 忍忘不共戴天之義, 旣往之罪, 有不勝誅, 其命太常撤毁脫脫帖木兒在廟之主. 布答失里本朕之嬸, 乃陰搆奸臣, 不体朕意, 僭膺太皇太后之號, 迹其閨門階禍, 離閒骨肉, 罪惡尤重. 揆之大義, 削去鴻名, 徙東安州安置. 燕帖古思昔雖幼冲, 理難同處. 朕終不蹈覆轍, 專務殘酷, 惟放諸高麗. 當時賊臣除月魯不花[~~月魯不花~~]·也里阿[也里牙]已死, 其明里董阿等, 明正典刑. 仍令有司, 卽定議皇考忽都篤皇帝尊號, 擇日具儀, 朕將躬祀太廟, 少盡報本之禮. 於戲, 永言孝思, 慨父天之莫報, 建用皇拯[~~建用皇極~~], 冀民德之還淳. 誕告多方, 孚予痛盡".

○[前皇太子]燕帖古思昔行至瀋陽, 暴薨.[78]

[○典理摠郞·寶文閣直提學李達尊病死於長林驛, 年二十八. 子德林·壽林:追加].[79]

[是月, 僧息影淵鑑, 重大匡劉成吉, 司憲掌令朱暉,[80] 監門衛錄事朴中漸等寫成'銀字妙法蓮華經':追加].[81]

---

78) 이때 監察御史 崔敬이 燕帖古思(El Tegus, 文宗의 子)를 逐出하는 것은 적절하지 않다고 건의하였으나 받아들여지지 않았고, 燕帖古思은 7월 16일(丁卯)에 피살되었던 것 같다(『원사』 권40, 본기40, 順帝3, 至元 5년 6월 丙申·7월 丁卯·권184, 열전71, 崔敬). 또 이 기사의 燕帖古思昔에서 昔은 追加로 들어간 글자[衍字]로 추측된다. 이날은 율리우스曆으로 7월 24일(그레고리曆 8월 1일)에 해당한다.

79) 이는 「李達尊墓誌銘」에 의거하였다. 李達尊은 前年 겨울[冬] 충혜왕의 承襲을 요청하기 위해 中原에 파견된 父親 李齊賢을 隨從하였고, 이때 歸還하다가 病死하였다.
 · 열전23, 李齊賢, 達尊, "王復位, 授典理摠郞. 東還道卒, 年二十八. 子德林·壽林".

80) 朱暉는 淸白吏 朱悅의 孫子이며, 收奪과 受賂에 능숙했던 幸臣 朱印遠의 아들인 것 같은데(열전36, 嬖幸, 朱印遠), 그의 職責이 司憲掌令임을 보면 祖父와 같은 品性을 지닌 것 같다.

81) 이는 佐賀縣 佐賀縣立博物館에 소장된 『紺紙銀泥妙法蓮華經』 권7의 末尾 題記[發願揭]에 의거하였다(菊竹淳一 1981年 單色圖版70 ; 權熹耕 1986년 425面 ; 秦弘燮 1992년 531面 ; 張東翼 2004년 731面 ; 張忠植 202面).
 · 題記, "發願偈,」妙法蓮華勝經典,」金泥寫成願不淺,」願此一部七大卷,」諸佛會中隨佛現,」證明諸佛無礙辯,」開示衆生佛知見.」發願息影沙門淵鑑」施財,」重大匡劉 成吉,」掌令朱 暉,」監門衛錄事朴 中漸,」幹事,」道者 戒禪, 師惲, 克倫,」□[後]至元六年庚辰六月 日 柏巖 聰古書".

[秋七月[壬子朔大盡,甲申], 某日, 王至自元←4월에서 옮겨옴].

[某日, 元封奇氏, 爲第二皇后←4월에서 옮겨옴].[82] [后, 本國幸州人, 摠部散郎子敖之女, 生皇太子愛猷識理達臘, 軾·轍·輪·轅, 皆后兄也:節要轉載].[83]

[某日, 以[前典法判書]李兆年爲政堂文學←4월에서 옮겨옴].[84]

[某日, 置五道塩場別監, 尋罷之:食貨2塩法轉載].[85]

[某日, 以沈文湜爲慶尙道按廉使:慶尙道營主題名記].

[八月[壬午朔小盡,乙酉], 乙未[14日], 密直司右副代言柳甫發卒, 年三十七:追加].[86]

· 追記a(권1,2,5,6,7의 末尾), "奉寄進 天滿宮,」'金字妙法蓮華經' 一部七卷,」右爲現當二世, 所願成就, 乃」至法界有情, 同圓種智者,」正平十二年[歲次丁酉]臘月二十五日,」從五位上·行前大宰少貳兼築後守藤原朝臣賴尙敬白」.

· 追記a(권3의 末尾), "奉寄進 天滿宮,正平十二年臘月廿五日,賴尙敬白」. 여기에서 南朝의 正平十二年은 1357년(공민왕6)에 해당되는데, 이 시기에 築後國(ちくごのくに, 現 福岡縣의 南部地域)의 領主[守護]를 自稱한 少貳賴尙(しょうによりひさ, 1294～1371, 藤原朝臣賴尙, 朝臣은 당시 支配層들이 人名에 添加하던 常套語임)이 고려의 金泥寫經을 어떻게 획득했는가는 알 수 없다. 당시 고려에 침입했던 倭賊의 掠奪에 의해 搬出되었을 가능성이 있다(→공민왕 6년 9월 26일의 脚注).

· 追記b(권7의 末尾), "此經者, 靜室妙安大姉,曾所納」 于~~龍泰禪寺~~也.頃年零落邊境,」實爲可惜矣, 今緣活板和尙之」請, 而尋思, 國家禱尒之要, 乃」興法施, 再奉納于~~平安山~~者也」寬文三年十二月良辰,」枝吉利, 左衛門順之敬白,」法名泰譽宗徹居士」." 이것은 1663년(寬文3) 12월 左衛門順之라는 인물이 『紺紙銀泥妙法蓮華經』을 妙安寺에 再次 奉獻한 것과 같은 것이지만, ~~글자~~가 달리 表記되어 있다(→충숙왕 후1년 2월 是月丙午[6日]의 脚注).

82) 이들 기사는 4월에 수록되어 있다. 그렇지만 1339년(충혜왕 복위년) 11월 9일(癸亥) 元의 사신에 의해 체포된 충혜왕이 원에 들어갈 때, 수종했던 金光載의 墓誌銘에 의하면 이해의 7월에 왕이 歸國하였다고 한다[校正事由].
이 기사에 이어진 奇皇后의 册封과 李兆年의 政堂文學 任命은 정확한 시기를 판정하기 어렵다. 당시 奇皇后는 伯顔[Bayan]이 파면된 후 沙剌班(Sara Bal, 高麗人 善敬翁主의 夫, 奇轍의 親族)의 건의에 의해 第2皇后에 책봉되었다(『원사』 권114, 열전1, 후비1, 順帝, 完者忽都皇后奇氏).
· 「金光載墓誌銘」, "賴天子聖明, 復爵東還, 實庚辰[忠惠後1年]秋七月也".

83) 열전44, 奇轍에는 兄弟의 표기가 달리 되어 있는데, 이것이 옳을 것이다("[奇子敖,] 娶典書李行儉女, 生軾·轍·轅·輈·輪. 軾早死, 季女選入元順帝後宮, 封第二皇后").

84) 이때 李兆年은 政堂文學·藝文館大提學·上護軍에 임명되었다.
· 「李兆年墓誌銘」, "… 自是, 階至重大匡, 官至政堂文學·上護軍, 館職至進賢館大提學".
· 열전22, 李兆年, "忠惠襲位還國, 錄功當得樞密, 王曰, '兆年老矣, 其志可嘉', 乃授政堂文學·藝文□[館]大提學, 封星山君".
· 「李仁復墓誌銘」, "旣還國, 錄功當得樞密, [忠惠]王曰, '李某老矣, 其志可嘉', 迺授政堂文學".

85) 이 기사의 原文에서는 "忠惠王元年七月, 置五道塩場別監, 尋罷之"로 되어 있지만, 이에서 元年 앞에 後字가 탈락되었을 것이다.

86) 이는 「柳甫發墓誌銘」에 의거하였는데, 이날은 율리우스曆으로 9월 6일(그레고리曆 9월 14일)에 해당한다.

[是月頃, 金䫨, □□□□[掌擧子試], 取梁允軾等:選擧2國子試額轉載].[87]

[九月[辛亥朔大盡,丙戌], 是月頃, 以崔孫祐爲福州牧使:追加].[88]

[秋某月, [都僉議評理事]金永旽知貢擧, [典法判書]安軸同知貢擧, 取[監察糾正]李公遂等:選擧1選場轉載].[89]

[冬十月辛巳朔[小盡,丁亥], [王府斷事官·僉議評理]李齊賢, 乞其子達尊之墓表于征東行省員外郎李穀:追加].[90]

[是月頃, 以[承奉郎]梁丞伯爲福州判官:追加].[91]

[○以[藝文供奉]潘秀爲雞林府判官:追加].[92]

[十一月[庚戌朔大盡,戊子], 是月, 僧行悉·行林等開板'地藏菩薩本願經'於雞龍山東鶴社:追加].[93]

[是月頃, 以金用寶爲永州副使, 徐時用爲永州判官:追加].[94]

---

87) 이때의 擧子試는 月次가 표기되어 있지 않으나 明年(忠惠王後2)의 예에 의거하여 8월로 비정하였다. 이때 金南得이 합격하였다(『목은문고』 권1, [尙州]風詠亭記).

88) 이는 『안동선생안』에 의거하였다.

89) 이는 지27, 선거1, 科目1, 選場에서 전재하였고, 이와 관련된 자료로 다음이 있다.

- 「金永旽墓誌銘」, "庚辰襲位, 擢都僉議評理, 是秋□□, 遂遷□□□[贊成事], 使掌春試[闈]官, 得李公遂等十二人~~二十二人~~, 其禁□嚴肅, 史林稱謂□□". 이는 『안동김씨족보』에 수록되어 있는데, 轉寫過程에서 ~~添字~~와 달리 誤字가 발생한 것 같다.
- 「安軸墓誌銘」, "永陵復位, 起判書典法, 同知貢擧取今判密直司事李公遂等三十三人, 時稱得士".
- 「李公遂墓誌銘」, "至元庚辰, 公年三十又三矣, 上洛君金公諱永暾·順興君安公諱軸, 掌禮圍試, 公以郎將兼監察糾正, 擢狀元".
- 열전25, 李公遂, "以監察糾正, 擢魁科, 授典儀注簿".
- 「柳淑墓誌銘」, "[年]二十五中庚辰及第科, 政丞金筠軒永暾·贊成事安謹齋軸, 其座主也".
- 열전25, 柳淑, "忠惠後元年登第, 調安東司錄".

이때 [郎將兼監察糾正]李公遂·柳淑·卓光茂·崔禮卿 등이 급제하였다(『등과록』, 朴龍雲 1990년 ; 許興植 2005년 ; 金龍善 2006년 1000面).

90) 이는 「李達尊墓誌銘」에 의거하였다.

91) 이는 『안동선생안』에 의거하였다.

92) 이는 『동도역세제자기』에 의거하였다.

93) 이는 『地藏菩薩本願經』卷下, 刊記에 의거하였다(南權熙 2002년 94面 ; 郭丞勳 2021년 386面).

- 題記, "至元六年庚辰十一月日,雞龍山東鶴社開板,」 特爲」 先亡父母爲首,法界含靈,離苦得樂,見」佛聞法悟,兼生忍之願,彫板印施,無窮者,」 棟梁道人 行悉, 守全 刀,」 同願道人 行林,」 玄海 書」". 여기에서 '書者 玄海'의 位置는 筆者가 文書의 書式을 고려하여 任意로 移動시켰다.

[十二月庚辰朔小盡,己丑:追加].

[是年, 置便民條例推辨都監, 以朴元桂爲都監使:追加].95)

[○以前右代言李君侅爲知申事:追加].96)

[○以中顯大夫·成均祭酒·知製敎閔思平爲中正大夫·左司議大夫·進賢館直提學·知製敎, 又爲全羅道按廉使:追加].97)

[○以春秋館供奉李仁復爲僉議注書:追加].98)

[○以尹侅爲奉善大夫·興威衛精勇護軍:追加].99)

[○以匡靖大夫尹吉富爲雞林府尹:追加].100)

[○以韓大淳爲延安府使:追加].101)

[○以前左代言尹桓爲同知密直司事, 元授行省員外郞:列傳27尹桓轉載].

[○是年頃, 以前判典客寺事權適爲密直代言, 賜推誠勁節功臣號:列傳20權適轉載].

[○□王旣還, 群小益煽, 金海君李齊賢屛迹不出, 著'櫟翁稗說':列傳23李齊賢轉載].102)

---

94) 이는『영천선생안』에 의거하였다.

95) 이는「朴元桂墓誌銘」에 의거하였다.

96) 이는「李嵒墓誌銘」에 의거하였다.

97) 이는「閔思平墓誌銘」;『급암시집』연보에 의거하였다.

98) 이는「李仁復墓誌銘」에 의거하였다.

99) 이는「尹侅墓誌銘」에 의거하였다.

100) 이는『동도역세제자기』에 의거하였다.

101) 이는『연안부지』에 의거하였는데, 韓大淳은 前同知密直司事·商議會議都監事 全信의 壻이다(全信墓誌銘).

102) 李齊賢은 本貫이 慶州[雞林]이어서 封君號가 雞林君, 鷄林君(雞林府院君, 鷄林府院君)인데, 이때 金海君(金海府院君]으로 책봉된 사유를 분명히 알 수 없으나 金海出身으로 추측할 事情[餘地]도 있다. 또 고려시대의 封君號는 대개 官僚의 本貫[貫鄕]의 邑號, 別號, 山川을 적절히 사용하였으나 해당 지역의 대상자가 많을 경우 出生地, 居住地, 母鄕, 祖母鄕 등도 이용되었다. 그래서 金海(혹은 金州)는 이제현과 어떤 연관이 있었던 지역인 것 같다. 그리고 權漢功과 李齊賢이 다이두[大都]에서 朱德潤에게 贈與한 詩文을 製本한 人物은 前者를 辰韓權漢功, 後者를 鷄林李齊賢으로 표기하였다(張東翼 2016年 131面).

- 『목은시고』 권14, 題眞觀寺道樹院記後, "鷄林參天·金海闊, 英氣所儲出豪傑, 益齋先生集大成, 川蜀吳越皆題名, …".
- 『巖棲集』 권6, 駕洛懷古, [注, 益齋年譜, 不言所生之地, 但稱其再封金海君, 而集中有送金海府使詩'魚書'虎竹吾州去'一句. 據此則公之爲金海人, 無疑].
- 『익재난고』 권4, 送金海府使鄭尙書國俓, 得時字, "… 魚書虎竹吾州去, 吾爲吾民多賀之(虎符를 차고 나의 고을로 가게 되니, 나는 우리 백성을 위해 하례를 드린다). …".

辛巳[忠惠王]後二年, 元至正元年, [西曆1341年]

1341년 1월 18일(Gre1월 26일)에서 1342년 2월 5일(Gre2월 13일)까지, 13개월 384일

[春正月[己酉朔小盡,庚寅], 乙丑[17日], 月暈:天文3轉載].

[丁卯[19日], 太白入建:天文3轉載].

[辛未[23日], 月犯心大星:天文3轉載].

[癸酉[25日], □[月]犯南斗:天文3轉載].

[某日, 以慶尙道按廉使沈文湜, 仍番:慶尙道營主題名記].

[是月, 小白山正覺社開板'佛祖三經':追加].[103]

[是月頃, 以[通直郎]韓奉生爲雞林府判官, [通仕郎·律學助敎]權用詮爲雞林法曹:追加].[104]

[是月朔, 元改元至正:追加].

春二月[戊寅朔大盡,辛卯], [癸未[6日], 木稼:五行2轉載].

庚寅[13日], 元以改元至正, 遣使來, 頒詔.[105]

甲午[17日], 以宦者高龍普爲三重大匡·完山君.

戊戌[21日], 王宴元使.

[是月頃, 遣判典校寺事李穀, 奉行省賀改元表如元. 穀, 因留凡六年:追加].[106]

三月戊申朔[小盡,壬辰], 王聞醴泉君權漢功二室康氏美, 使護軍朴伊剌赤[~~朴伊剌剌赤~~], 納之宮中. 伊剌赤[~~剌剌赤~~]先奸, 事覺, 王怒, 皆撲殺之.[107]

[是月頃, 以趙千祺爲雞林府尹:追加].[108]

---

103) 이는 다음의 자료에 의거하였다(三星리움관 所藏, 보물 제694-1호, 郭丞勳 2021년 387面).

· 『佛祖三經』刊記, "辛巳正月日,小白山正覺社開板, 勸善 達□, 幸元刻".

104) 이는 『동도역세제자기』에 의거하였다.

105) 元이 이해의 1월 1일(己酉) 年號를 至正으로 바꾸었다(『원사』 권40, 본기40, 順帝3, 至正 1년 1월 己酉朔).

106) 이는 다음의 자료에 의거하였다.

· 열전22, 李穀, "忠惠後二年, 奉表如元, 因留居凡六年, 元授中瑞司典簿. 時本國官爵猥濫, 奴隷亦得軒冕. 殿中崔江求爲正尹, 穀聞之寄詩云, 不妨正尹生前得, 猶勝中書死後加. 安就·趙溪, 死後皆拜中書, 故云".

· 『가정집』연표, "至正元年, 賫征東省賀改元表, 赴京師, 因留居".

107) 이 기사는 열전38, 권한공에도 수록되어 있는데, 첨자와 같이 되어 있다.

108) 이는 『동도역세제자기』에 의거하였다.

[春某月, 貶三宰·都僉議贊成事趙偉[趙瑋], 爲福州牧使:追加].[109]

[→忠惠□[後]二年, 或誣瑋與客議國事. 王怒貶牧福州, 督遣不許一刻留, 瑋倉皇馳赴, 因得疾:列傳18趙瑋轉載].

[○以鄭思度[鄭思道]爲權知典校寺校勘, 尋爲主簿:追加].[110]

[夏四月[丁丑朔大盡,癸巳], 庚辰[4日], 鎭星犯建:天文3轉載].

[是月, [奇皇后母]三韓國大夫人李氏造成玉燈, 奉安于禪源寺佛前:追加].[111]

夏五月[丁未朔大盡,甲午], [己卯[乙卯9日], 鹿入城:五行2轉載].[112]

己未[13日], 禱雨.

[壬戌[16日], 月食:天文3轉載].[113]

癸酉[27日], 元遣使□[来], 召王弟江陵大君祺入朝. 政丞蔡河中·前□[都]僉議評理孫琦·朴仁幹等三十餘人, 從之.[114]

---

109) 이는 「趙瑋墓誌銘」에 의거하였는데, 趙瑋는 三宰로서 4월에 福州牧使로 赴任하여 같은 해 5월에 遞任되었다고 한다(『안동선생안』; 열전18, 趙瑋).

110) 이는 「鄭思道墓誌銘」에 의거하였다. 또 鄭思度는 1351년(공민왕 즉위년) 이후에는 鄭思道로 개명하였다.

· 「鄭思道墓誌銘」, "事玄陵始改今名, 其意盖曰, 或處或出, 無非道也".

111) 이는 다음의 자료에 의거하였다(許興植 1984년 1153面).

· 「禪源寺佛前玉燈」, "至正元 年辛巳四月日, 禪源寺佛前于,」 施主三韓國大夫人李氏」.

112) 이달에는 己卯가 없으므로 己卯는 乙卯의 오자일 것이다.

113) 지3, 天文3에는 4월 壬戌로 되어 있으나 4월 16일은 壬辰이므로 壬戌 앞에 五月을 추가하여야 옳을 것이다. 이날(壬戌) 일본의 교토에서도 월식이 있었다(日本曆 閏4월 16일, 日本史料6-6册 774面). 이날은 율리우스력의 1341년 5월 31일이고, 월식 현상이 심했던 때의 世界時는 10시 7분, 食分은 1.09이었다(渡邊敏夫 1979年 484面).

· 『鶴岡社務記錄』坤, 曆應 4년 윤4월, "… 十六日, 月蝕, 御念誦當番衆太政僧都".

114) 이때 僉議評理 孫琦, 前小府監 趙興門(改日新), 典客副令 金得培, 前安東司錄 柳淑, 中郎將 睦仁吉, 將校 鄭世雲·金鏞, 某官 全以道宦官 申小鳳 등이 江陵大君(後日의 恭愍王)을 隨從하였다고 하며, 이때의 형편을 기록한 것도 있다.

· 열전37, 孫琦, "恭愍以王弟入朝, [僉議評理孫]琦從之, 及卽位, 封平海府院君".

· 열전26, 鄭世雲, "從恭愍, 入元宿衛, 累官大護軍. 王卽位, 錄其功爲一等".

· 「柳淑墓誌銘」, "至正辛巳[忠惠後2年]調安東司錄, 會玄陵以王太弟江陵府院君入侍天庭, 公棄官從之, 居四年".

· 열전26, 金得培, "累遷典客副令, 從恭愍入元宿衛".

· 열전25, 柳淑, "恭愍以王弟, 入侍元朝, 淑從之, 居四年".

· 열전27, 全以道, "從恭愍入元宿衛. 及王卽位東還, 授郎將, 錄侍從功爲一等".

· 열전27, 睦仁吉, "恭愍入元宿衛, 仁吉, 以中郎將侍從, 及王卽位, 錄功爲一等".

[某日, 以承奉郞·監察糾正李仁復爲左正言·知製敎:追加].115)

[是月, 僧聽古寫成'阿彌陀經'一部:追加].116)

[是月甲寅8日, 高麗僧慧月立'重修華嚴經本石板碑'於中書省管內涿州房山縣雷音洞華嚴經堂. 先是, 慧月因禮文殊菩薩於五臺, 路經房山縣西鄕里小西天華嚴堂, 其堂有華嚴經本等十二部石板. 慧月, 憫其石戶催圮, 經本殘缺, 乃訪資政院使高龍普·將作院使申當住·太卿嚴也先不花等, 詳陳其事, 得淨財千餘緡, 補修石經本, 不月餘工筆. 至是立碑":追加].117)

· 열전44, 洪倫, "禑王2年,贊成事睦仁吉曰, 臣從先王, 在元朝十有一年, 未聞以夫罪而戮妻, 子罪而戮母也".

· 열전35, 宦者, 申小鳳, "… 從恭愍入元宿衛, 凡十一年".

· 열전44, 趙日新, "從恭愍, 入元宿衛".

· 열전44, 金鏞, "金鏞, 安城人, 性陰譎, 有機檻機鑑, 多詐忌克. 恭愍以元子, 入元宿衛, 鏞侍從有勞, 累遷大護軍". 여기에서 機檻은 機鑑(鑑識, 明察)의 誤字일 것이다.

·『목은문고』 권14, 廣通普濟禪寺碑銘幷序, "至正辛巳歲. 先王恭愍王年十二, 朝京師, 寵遇無對".

·『書經』, 費誓, "… 杜乃擭[注, 孔穎達疏, 擭, 所以捕禽獸機檻之屬]".

·『후한서』 권80下, 文苑下, 趙壹, "… 竊爲'窮鳥賦'一篇, 其辭曰, 有一窮鳥, 戢翼原野, 罼網加上, 機穽在下[注, 禮記曰, 羅網畢翳. 鄭玄注云, 小而柄長謂之罼. 機, 捕獸機檻也. 穽, 穿地陷獸], …".

·『삼국지』 권10, 魏書10, 荀彧列傳第10, 末尾, "評曰, 荀彧, 淸秀通雅, 有王佐之風, 然機鑒先識, 未能充其志也".

115) 이는 「李仁復墓誌銘」에 의거하였다.

116) 이는 다음의 자료에 의거하였다(빅토리아·알버트美術館 所藏, 張忠植 2007년 207面).

·『紺紙銀泥佛說阿彌陀經』, 末尾題記, "比丘聽古,」特爲」慈親,寫此」'阿彌陀經'一部,以延福壽,於」三寶光中,吉祥如意者,」至正元年 五月 日 謹誌」.

117) 이는 다음의 자료에 의거하였는데, 이 碑의 건립과 涿州 房山縣 雷音洞 華嚴經堂에 보관된 石經本殘缺 補修는 몽골제국에 진출했던 高麗人들의 出捐에 의해 이루어질 수 있었던 것 같다(張東翼 1997년 230~232面).

·『金石萃編未刻稿』人(『石刻史料新編』1-5), 重修華嚴堂經本記, "范陽逸人賈志道撰幷書」至正改元夏四月, 有高麗國僧名慧月者, 因禮文殊大士於五臺, 衲衣錫杖, 幽然脫俗. 路經」房山縣西鄕里東峯, 古梵刹名曰'小西天華嚴堂', 其境淸朦奇麗, 遠超市井, 踈絶塵囂, 唯有」志者居焉. 其堂幷華嚴經本等十二部, 皆石爲之, 蓋有年矣. 眞古今祝延」聖壽之域, 窮歲月綿延住僧雲至堂, 摧經剝者有之, 唯存基址焉. 寺僧傳曰」, '三藏經, 宿之處也'. 慧月, 留止於此 不旬日閱堂戶首刻曰'釋迦如來正法像法, 凡千五百餘」歲, 迄貞觀二年, 已浸末法七十五載, 時群住者, 從玆失導者衆, 有僧靜琬, 隨爲護正法, 率諸」弟謹化檀越, 共結良緣, 若行卽玆山頂, 刊經板, 不勝其數, 冀於曠劫, 濟度衆生, 蓋靜琬肇起」于此矣'. 其境滿條蕭條, 時有樵牧者憩焉, 經文殘缺者, 斯其由矣. 慧月, 憫其石戶催圮 經本殘缺」□然, 惜其將來浸泯靜琬之功, 而安能復其初, 以斯感發化緣之念, 志堅而心篤. 幸□□會資政」院使·資德大夫龍卜龍普高公·將作院使□□大夫黨住申公, 慧月拜禮, 詳陳其事, 公等允其言」興大功德, 布施淨財千餘緡, 命慧月施勞董工修, 石戶經本, 不月餘而俱□□得布施, 一毫」不私於已. 聞者, 咸曰'施財者, 猶爲易, 得人者, 實爲難, 惟慧月則其人也. 不□酒不茹葷儉衣」, 食而絶物慾, 同歸善者幾人焉'. 慧月,閏[五]月丁丑朔小盡,甲午, 甲午18日, 玄孝道欲鴆王,118) 事覺伏誅.

己亥23日, 囚前贊成事吳季儒于行省. □時金彦丘坐殺人繫獄, 季儒受其玉帶, 矯旨釋之.119)

[是月頃, 以匡靖大夫·僉議評理尹莘係爲雞林府尹:追加].120)

[六月丙午朔大盡,乙未, 辛酉16日, 月在危南, 暈如虹:天文3轉載].

[某日, 以通禮門祗候鄭云敬爲承奉郎·典儀主簿:追加].121)

[某日, 以趙齡晦爲慶尙道按廉使:慶尙道營主題名記].

[某日, 永州副使金用寶卒:追加].122)

[是月戊午13日, 元禁高麗及諸處民以親子爲宦者, 因避賦役:追加].123)

[夏某月, 以典校寺主簿鄭思度鄭思道爲典校寺郞:追加].124)

寧忘已勞而不沒人之能, 今立石以紀功德, 揚人之善,」 豈慕勤劬著已之功, 願言所過者, 化所存者功, 嘗謂人曰'事落成而吾適他矣, 豈久淹於此」 哉? 若值經廢之緣興功者如是處, 佛門無愧矣'. 同金玉局提領李持狀, 詳其事, 刻諸石, 來謁,」 其辭予不獲已, 姑依命, 摭其實錄一二云爾.」 歲至正改元夏五月初八日高麗國比丘慧月立石,」 大功德主 高龍卜高龍普院使, 申黨住院使, 山主斯滿,」 同緣功德主 嚴也先不花太卿, 不花帖木兒摠管, 李摠管, 五闌古提點禿滿達,」 同緣功德主 中政院使伯怙木兒, 王丹夫人,」 同願僧 西域智諦 達而寶,」 補寫經板高麗國天台宗沙門達牧,」 金玉局提領李得全, 李得, 程仲玉刊".

118) 이 구절은 '玄孝道欲進酖于王'으로 읽는 것[讀]이 좋을 것이다. 酖은 鴆鳥의 毒으로 釀造한 毒酒인 것 같다.

- 『자치통감』 권6, 秦紀1, 始皇帝 12년(BC235), "文信侯呂不韋飮酖死[胡三省注, 鴆鳥出南方, 噉蝮蛇, 以其羽畫酒中, 飮之立死], 竊葬, 其舍人臨者, 皆逐遷之".
- 『자치통감』 권12, 漢紀4, 惠帝 1년(BC194), "冬, 十二月, 帝晨出射, 趙王如意年少, 不能蚤起, 太后使人持酖飮之[胡三省注, 廣志, 鴆鳥大如鴞, 毛紫綠色, 有毒, 頸長七八寸, 食蝮蛇. 雄名運日, 雌名陰諧. 以其毛歷飮食則殺人. 范成大曰, 鴆, 聞雍州朝天鋪及山深處有之, 形如鴉差大, 黑身, 赤目, 音如羯鼓, 唯食毒蛇, 遇蛇則鳴聲邦邦然. 蛇入石穴, 則於穴外禹步作法, 有頃, 石碎, 啄蛇呑之. 山有鴆, 草木不生, 秋冬之間脫羽. 往時人以銀爪拾取, 著銀瓶中, 否則手爛墮. 鴆矢着人立死, 集於石, 石亦裂, 此禽至兇極毒. 所謂酖, 鴆酒也. 陸佃'埤雅'曰, 鴆, 似鷹而紫, 黑, 喙長七八寸, 作銅色. 食蛇, 蛇入口輒爛, 屎溺着石, 石亦爲之爛. 羽翮有毒, 以櫟酒, 飮殺人, 惟犀角可以解, 故有鴆處必有犀], 帝還, 趙王已死".

119) 添字는 『고려사절요』 권25에 의거하였다.

120) 이는 『동도역세제자기』에 의거하였다.

121) 이는 『삼봉집』 권4, 鄭云敬行狀에 의거하였다.

122) 이는 『영천선생안』에 의거하였다.

123) 이는 『원사』 권40, 본기40, 順帝3, 至正 1년 6월 戊午에 의거하였다.

124) 이는 「鄭思道墓誌銘」에 의거하였다.

秋七月丙子□[朔大盡,丙申], 大都商人來言, 海賊[倭賊]三十餘艘, 着靑黃衣, 鳴鑼擊鼓, 截海, 殺掠人物.[125]

[乙酉[10日], 月犯斗:天文3轉載].

[某日, 密直副使[僉議平理]李君侅知貢擧, 判典儀寺事金光載同知貢擧, 取進士, 賜安元龍等三十三人及第:選擧1選場轉載].[126]

八月[丙午朔小盡,丁酉], [辛亥[6日], 月犯天綱:天文3轉載].

[甲寅[9日], □[月]又犯牽牛:天文3轉載].

癸亥[18日], 元遣使來, 問海賊[倭賊]事, 仍令本國, 備軍須.

丁卯[22日], 王獵于東郊. 王日以遊獵爲事, 從者苦之.

[是月, □□□□[~~判典校寺事~~]金光載, □□□□[掌擧子試], 取成元達[~~成士達~~]等□□□□[~~九十四人~~]:選擧2國子試額轉載].[127]

---

125) 丙子에 朔이 탈락되었다.

126) 이는 지27, 선거1, 科目1, 選場에서 전재하였다. 이때 安宗源이 급제하였다는 기록도 있으나 잘못일 것이다(『등과록』, 許興植 2005년). 또 『목은문고』 권17에 수록된 李君侅(後日 嵒, 嵓으로 개명)의 묘지명에 의하면, 그의 관직이 僉議評理로 되어 있다.

127) ~~添字~~는 다음의 자료에 의거하였는데, 松堂은 試官인 松亭 金光載를 指稱하는 것 같다. 또 이때 成元達(改士達)·李穡(14歲)·韓弘道(21歲)·申翌之·宋叔通·郭忠秀·金直之(鐵原·尙州居住)·金元粹·徐穎(大丘居住)·朴彥珍·梁世臣·吳奕臨·李茂芳[李釋之]·韓弘道·安宗源 등이 합격하였던 것 같다. 이들 중에 人名이 字號인 경우도 있다.

- 「金光載墓誌銘」, "至正辛巳, 予[李穡]年十四, 赴成均試, 在庭中望見先生, …".
- 「金光載墓誌銘」, "累轉成均祭酒·三司左尹·判典校寺事, 皆兼館職·知制敎. 明年[辛巳]秋, 掌試成均, 取今知密直司事成士達等九十九人, 時稱得士".
- 열전28, 李穡, "年十四, 中成均試, 已有聲".
- 『牧隱集』年譜, 至正元年辛巳, "秋, 松堂先生三司右使金光載, 以判典校寺事, 掌成均試, 公年十四, 中其試科".
- 『목은시고』 권15, 同年李夢游來訪, 有懷諸公, "辛巳[忠惠後2年]同年自遠來, 素衣飄白染黃矣, 病中相見尤驚喜, 回首松堂[松亭]但綠苔. 壯元郞是易菴翁[成士達], … 當年一燈五先生, 文翰揚鑣摠有名, … [注, 一等五人, 皆及第拜翰林, 世稱松堂[松亭]知人, 五人者, 韓弘度·申翌之·宋叔通·郭忠秀也]".
- 『목은시고』 권19, 徐開城穎, 辛巳同年進士也, 今日來訪喜之甚, 吟成一首.
- 『목은시고』 권24, 密城朴彥珍, 辛巳同年, 不見十餘年, 今日投刺, 觀其銜, 書雲正也. 視其貌, 雖黑而壯甚. 又言梁同年世臣, 老不能出門, 然尙平安. 喜之甚, 幷志之.
- 『목은시고』 권24, 奉呈六益亭[金直之] ; 권28, 得同年金君弼[六益亭]詩, 次韻奉答走筆.
- 『목은시고』 권29, 同年吳奕臨尙書子來見, 因題一首, "共綴成均榜上名, 先君[李穀]門下號經明, 年將七十官四品, …".
- 『목은문고』 권1, 南谷記, "先生名釋之, 先稼亭公門生及第也, 與予同中辛巳進士科云, …". 여기에서 李釋之는 李茂芳의 字인 것 같다.
- 『목은문고』 권7, 送楊廣道按廉韓侍史序, □[名]弘道, "… 初與侍史[韓弘道]同中辛巳進士科, 癸巳[恭愍

[是月頃, 以李守爲永州判官, 呂涓賢爲福州司錄:追加].[128)]

[○元以復科取士, 卽上京國子監爲試院, 考試鄕貢進士:追加].[129)]

九月[乙亥朔大盡,戊戌], 丙戌[12日], 以李凌幹爲政丞.

辛丑[27日], 賜安元龍等及第.

[是月頃, 以[通直郞]梁權有爲福州判官:追加].[130)]

[秋某月, 設行行征東省鄕試, 取[典儀寺丞]李仁復等三人:追加].[131)]

冬十月乙巳朔[小盡,己亥], 王畋于東郊, 遂幸[贊成事]鄭天起第.

丁巳[13日], 王宴元使.

[己未[15日], 歲星入氐:天文3轉載].

十一月[甲戌朔大盡,庚子], 戊寅[5日], 至日, 諸道賀箋不至.[132)]

[2年]又同爲及第, 年長予七歲, 學問文章, 非余所及".

· 『목은문고』 권8, 賀竹溪安氏三子登科詩序, "竹溪謹齋先生[安軸]之嗣, 今密直簽書公[安宗源], 穡同年進士也".

· 『목은문고』 권8, 送楊廣道按廉使安侍御詩序, "… 先生[安軸]季子嗣淸[安宗源], 亦以文學進, 予□□[業][業]同年也, … 予又與嗣淸, 俱爲辛巳進士, 則安李爲世交, 其於贈處, 不可不以情矣". 여기에서 李穡과 安宗源은 成均館試와 東堂試(禮部試, 製述業)에 함께 급제하였기에 原文에 ~~添字~~를 추가하여야 옳게 理解될 수 있다.

128) 이는 『영천선생안』; 『안동선생안』에 의거하였다.

129) 이는 다음의 자료에 의거하였다.

· 『近光集』 권1, 是年復科取進士, 制承中書檄, 以八月十九日, 至上京, 卽國子監爲試院, 考試鄕貢進士, 紀事.

130) 이는 『안동선생안』에 의거하였다.

131) 이는 「李仁復墓誌銘」에 의거하였는데, 이때 李仁復은 第2名으로 선발되었다.

132) 至日은 冬至와 夏至를 가리키는데, 여기서는 冬至를 가리킨다. 고려시대의 d冬至(11月 中氣)에는 東西 兩京(東京·西京)·兩界兵馬使·4都護府·8牧 등의 界首官이 a元正(正旦), b聖節, c八關會 등의 節日과 마찬가지로 帝王에 대해 神聖帝王이라는 稱號를 사용하여 賀表를 올리고(唐制의 四節進奉과 유사함), 해당 지역의 佛寺에서 祝壽道場을 開設하였다고 한다(『보한집』권下).

· 『易經』, 復, "先王以至日閉關, 商旅不行", "孔穎達疏, 以二至之日, 閉塞其關也. 商旅不行於道路也".

· 『자치통감』 권226, 唐紀42, 德宗建中 1년(780) 4월, "… 代宗之世, 每元日, 冬至, 端午, 生一, 州府於常賦之外, 競爲貢獻, 貢獻多者則悅之. 武將·姦吏, 緣此侵漁下民[胡三省注, 自代宗迄于五代, 正·至·端午·降誕, 州府皆有貢獻, 謂之四節進奉. 癸丑[19日], 上生日[注, 上生於天寶元年四月十九日, 不置節名], 四方貢獻皆不受".

己丑[16日], 幸內侍田子由家, 襲其妻李氏, 强汚之. [未幾, 子由與妻遁. 李乃奇輪族, 輪與田麻頗, 歐內僚[燈燭]輩. 王心銜之, 親至麻頗家, 索之不得, 翼日, 幸輪家, 搜捕麻頗不得, 又幸輪家, 率輪還置酒, 遣惡小[惡少]輩, 又索麻頗於輪家, [~~竟不得~~]:節要轉載].[133)]

[□□[是時], 廉敦紹, 轍妹壻也, 其家奴恃勢, 頗張威福, 與其黨五六人, 謀奪人妻, 矯王命, 强迎以歸. 經三宿, 夫家始知訟之, 王怒下巡軍, 鞫訊皆服, 杖流遠島:列傳44奇轍轉載].

癸巳[20日], 王杖嬖人胡帖木兒, 燒其舌, 又燒其陰, 配島. 行至靑郊驛, 行路皆喜, 卽命召還, 遣醫治之, 人猶恐其不死.

乙未[22日], 夜, 幸朴守明家.

戊戌[25日], 夜, 幸故護軍朴伊剌赤[~~朴伊剌赤~~]妾家.

十二月[甲辰朔小盡,辛丑], [乙巳[2日], 有事社稷, 享需皆闕:禮1吉禮大祀轉載].

癸丑[10日], 星山君李兆年乞退. [時王步自北宮, 彈雀于松岡, 兆年, 徑進跪曰, "殿下, 寧忘明夷之時乎? 今惡小[惡少]假威, 略婦女攘財貨, 民不樂其生, 臣恐禍在朝夕. 此而不恤, 顧玩細娛乎? 殿下, 聽老臣之言, 去便佞用賢良, 勵精圖治, 不復慢遊, 則老臣雖死, 瞑目於地下矣". ○初, 商人林信女, 丹陽大君之婢也, 賣砂器爲業. 王見而幸之, 有寵, 授信大護軍. 一日, 信, 歐奇輪, 王右信, 親往輪家毁之. 至是, 兆年幷諫之, 且曰, "臣過蒙國恩, 位至政堂□□[文學], 於臣足矣, 惟上所裁". ○王盛怒不納, 旣而, 以溫言謝遣之. 兆年旣歸第, 嘆曰, "王年方强, 而肆於欲, 吾旣老矣. 而又無助, 不去, 必及於禍. 且數諫而不納, 責有所歸, 旣不能順其美, 適足以增其惡, 非臣之所以愛主也, 不如去之". 遂還鄕, 終身不出. ○後兆年弟延慶, 見王, 王曰, "爾兄辱我". 延慶, 以耄狂對, 王喜, 賜米豆五十石·布五百匹:節要轉載].[134)]

○前□[都]僉議評理李那海卒. [那海, 美容儀, 心如其貌:節要轉載].[135)]

또 이때에 여러 지역으로부터 冬至를 賀禮하는 賀箋이 도착하지 않았다는 사유를 알 수 없으나 中原에서는 2월 이래 大都, 大都路(現 北京市), 河間(現 河北省 滄州市), 晋州(現 河北省 石家庄市), 般陽路(現 山東省 淄博市), 彰德路(現 河南省 安陽市), 山東(現 山東省地域) 등에서 饑饉이, 燕南(現 北京市의 南部地域?)에서 장기간에 걸친 旱魃[亢旱]이, 京畿南北에서 蝗蟲이 있었다고 한다(『원사』 권40, 본기40, 順帝3, 至正 1년 2월, 3월 ; 『원사』 권194, 열전71, 崔敬 ; 『歷代名臣奏議』 권189, 賞罰, 元世祖至元 …). 이를 통해 볼 때 고려에서도 旱魃로 인한 饑饉이 있었던 것 같다.

133) ~~添字~~는 열전44, 奇轍에 의거하였다.

134) 이와 유사한 기사가 열전22, 李兆年 ; 「李仁復墓誌銘」에도 수록되어 있다.

乙卯[12日], 輸西海□[道]粟于北殿, 結轍于道, 人不能行.

[壬戌[19日], 木稼:五行2轉載].

丙寅[23日], 王獵于江陰.

[丁卯[24日], 大風, 拔松樹數千章:五行3轉載].

壬午[~~壬申~~29日晦], 政堂文學朴遠卒, [年五十九, 諡文康:追加]. [遠, 有寵忠肅王, 久典政柄, 性仁柔, 頗有簠簋之誚:節要轉載].[136]

[某日, 以[典儀寺丞]李仁復爲起居舍人:追加].[137]

[冬某月, 以[典校寺郎]鄭思度[鄭思道]爲堂後官, 尋爲承奉郎·監察糾正:追加].[138]

[是年, 龍山元子卒于元, 返葬, 年十七:列傳4忠肅王王子龍山元子轉載].

[○以元闊闊赤平章□□[政事]妻敬和翁主外鄕·侍衛火者余叱夫介內鄕, 陞知淸州事官爲淸州牧官:地理1轉載·追加].[139]

---

135) 前僉議平理는 『고려사절요』 권25에는 僉議平理로 되어 있으나 脫이 脫落되었을 것이다(盧明鎬等編 2016년 640面). 또 李那海(Noqa)는 李春富의 父로서 英宗 碩德八剌[Side Bala, Sidibala]의 총애를 받아 直省舍人에 이르렀다고 한다. 이날은 율리우스曆으로 1342년 1월 17일(그레고리曆 1월 25일)에 해당한다.

- 열전38, 李春富, "父那海, 僉議評理 美容儀, 心如其貌, 有寵於英宗皇帝, 除直省舍人".

136) 12월의 壬午는 이달에 없고, 앞의 기사가 丙寅(23일)이므로 庚午(27일) 또는 壬申(29일)의 오자일 것이다. 그런데 「朴遠墓誌銘」은 탈락이 심하여 분명하지 않으나 다음의 a와 같이 기록되어 있다. 이해[是年]는 辛巳年(충혜왕 後2)이고 다음 해가 壬午年이므로 b와 같이 고치는 것이 좋을 것이다. 그렇다면 朴遠의 逝去日은 12월 壬申(29일, 晦日)으로 推定하는데 문제가 없을 것이다[校正事由]. 이날은 율리우스曆으로 2월 5일(그레고리曆 2월 13일)에 해당한다.

- a "□□[脫落], 壬申年五十九□□[脫落]"(『竹山朴氏大司憲公派譜』, 金龍善 2006년 519面).
- b "辛巳年十二月壬申卒于第, 享年五十九, 葬以某月某日于□□縣"[校正].

137) 이는 「李仁復墓誌銘」에 의거하였다.

138) 이는 「鄭思道墓誌銘」에 의거하였는데, 이해의 봄에 初入仕한 후 10개월 만에 參上官인 監察糾正(監察御史, 종6품)에 임명되었다고 한다.

139) 몽골제국의 平章政事 闊闊赤[Kököcu]의 妻 敬和翁主는 福州管內의 德山部曲 出身인데, 翁主의 稱號는 고려정부로부터 附與받은 것으로 추측되며, 德山部曲은 忠宣王에 의해 才山縣으로 昇格되었다. 또 이때 公州의 陞格은 이곳 출신인 宦官[侍衛火者] 余叱夫介의 영향력도 있었다고 한다.

- 지11, 지리2, 安東府, "忠宣王, 以敬和翁主鄕德山部曲, 爲才山縣".
- 『경상도지리지』, 安東大都護府, "才山縣, 古之德山部曲, 高麗太祖時, 改才山縣, 定宗崇慶壬申[~~康宗崇慶壬申~~], 還爲德山部曲. 太尉王代, 以敬和翁主鄕, 還爲才山縣, 本朝因之". ~~添字~~와 같이 고쳐야 옳게 되지만, 康宗 때에 邑格이 강등된 사유는 알 수 없다.
- 『세종실록』 권150, 地理志, 안동대도호부, "才山縣, 本德山部曲, 高麗忠宣王以敬和翁主之鄕,

[○以大護軍尹之彪爲判司僕寺事:追加].140)

[○以中正大夫·左司議大夫·進賢館直提學·知製敎閔思平爲正順大夫·成均大司成·藝文館提學·知製敎充春秋館修撰官，尋爲奉翊大夫:追加].141)

[○以郎將兼監察糾正李公遂爲典儀主簿，尋改成均直講:追加].142)

[○以興威衛精勇護軍尹侅爲奉常大夫·通禮門副使，又兼寶興庫使:追加].143)

[○以金漢龍爲永州副使:追加].144)

[○以金甫一爲延安府使，尋以李光翼代之:追加].145)

[○以柳淑爲安東大都護府司錄:追加].146)

[○前密直副使王伯，請致仕，歸老全州:列傳22王伯轉載].147)

[○僧混脩赴禪試，登上上科:追加].148)

[○奉訓大夫·璋珮監太監·重大匡·晋山君姜蒙古久姜蒙古久，巡軍萬戶府達魯花赤金贊等開板'法寶壇經':追加].149)

[○帝遣中尙寺太監丞牀兀兒宋骨兒來，再增築海州神光寺廊廡等:追加].150)

陞爲才山縣．部曲三，皆丹·召羅·小川．淸凉山[注，在才山縣西]".

- 『신증동국여지승람』 권24, 안동대도호부, 屬縣, "才山縣，在府東七十五里，本德山部曲，高麗忠宣王以敬和翁主之鄕，改今名，陞爲縣".
- 『세종실록』 권149, 地理志, 公州牧, "忠惠王後二年辛巳[卽元順帝至正元年]，以元朝闊闊赤平章妻敬和翁主外鄕，陞爲牧[注，且以侍衛火者余叱夫介大鄕內鄕之故]". 添字와 같이 고쳐야 옳게 될 것이다.
- 『신증동국여지승람』 권17, 公州牧, 建置沿革, "… 忠惠王後二年，以元朝平章闊闊赤妻敬和翁主外鄕，陞爲牧".

140) 이는「尹之彪墓誌銘」에 의거하였다.
141) 이는「閔思平墓誌銘」;『급암시집』연보에 의거하였다.
142) 이는「李公遂墓誌銘」에 의거하였다.
143) 이는「尹侅墓誌銘」에 의거하였다.
144) 이는『영천선생안』에 의거하였다.
145) 이는『연안부지』에 의거하였다.
146) 이는「柳淑墓誌銘」에 의거하였다.
147) 原文에는 "忠惠後二年，乞骸骨，歸老全州"로 되어 있다.
148) 이는「忠州靑龍寺普覺國師塔碑銘」에 의거하였다(『양촌집』 권37 ;『朝鮮佛敎通史』권上).
149) 이는 다음의 자료에 의거하였다(孟東燮 2002年, 筆者未見).
- 『法寶壇經』跋, "… 將此最勝功德,」 上報四重恩,下濟三途苦,若有見聞者,悉發菩提心.」六祖禪師惠能,自唐開元元年癸丑歲示寂,至對元至正元年辛巳歲,已得六百二十九年矣.」開板施主奉訓大夫·璋珮監太監·重大匡·晋山君姜蒙古久,」宣授宣武將軍·巡軍達魯花赤萬戶巡軍萬戶府達魯花赤·正順大夫·左右衛上護軍金贊,」板在高麗天寶山檜巖禪寺」.

150) 이는『危太樸文續集』 권3, 高麗海州神光寺碑에 의거하였다(張東翼 1991년·1977년 99面).
- 『신증동국여지승람』 권43, 海州牧, 佛宇, "神光寺，在北嵩山，至正二年，元帝稱爲願刹，遣太監宋骨兒率工匠三十七人，與高麗侍中政丞金石堅·密直副使李守山李壽山等監督建．至今殿堂·□佛

[增補].[151]

[是年頃, 王素憚判典校寺事金光載嚴直, 左右群小, 又多忌之, 無所籍口. 乃曰, "金公愛靜, 仕進非其志". 王信之, 褫其職:列傳23金光載轉載].

壬午[忠惠王]後三年, 元至正二年, [西曆1342年]

1342년 2월 6일(Gre2월 14일)에서 1343년 1월 26일(Gre2월 3일)까지, 355일

春正月癸酉朔小盡,壬寅, 丁亥15日, 王與總管李壽山,[152] 較馬步於青郊驛, 王親洗馬.

丙申24日, 王出畋.

[丁酉25日, 鍾樓鍾, 撞不鳴:五行1鼓妖轉載].

己亥27日, 亦如王出畋之. 自是, 日以遊獵爲事, 出入無度.

[某日, 以金子敦爲慶尙道按廉使:慶尙道營主題名記].

[是月, 順政郡興州夫人安氏及優婆塞材全等開板'佛說長壽滅罪護諸童子陀羅尼經':追加].[153]

二月壬寅朔大盡,癸卯, [某日], 册評理洪鐸之女, 爲和妃, 將納之, 林氏妬之, 乃封爲銀川翁主, 以慰其意.[154] [時稱砂器翁主:節要轉載].[155]

像, 設金銀丹雘, 宛然如昨". 여기에서 添字와 같이 고쳐야 옳게 될 것이다.

· 『耳溪集』 권4, 海西錄(1770年作), 神光寺[注, 元順帝爲太子時, 放于大青島, 夢至海州, 有金佛見林薄間, 道前程, 及嗣位, 遣使建此寺云].

151) 이해에 재직한 인물로 다음이 있다(朴遠墓誌銘).

· "是年, 鄭誧爲左司議大夫·藝文閣直提學·知製敎, 在職".

152) 總管은 『고려사절요』 권25에는 摠管으로 되어 있는데, 前者가 軍事 또는 行政管理職의 長官으로서 원래의 名稱일 것이지만, 後者도 간혹 사용된 사례가 있는 것 같다(盧明鎬 等編 2016년 640面).

153) 이는 다음의 자료에 의거하였는데(祇林寺 所藏, 보물 제952-2-19호, 朴相國 1990년 ; 南權熙 2002년 79面 ; 郭丞勳 2021년 391面), 順政郡은 興州(혹은 順興府, 現 慶尙北道 榮州市 順興面)의 別號이다.

· 『佛說長壽滅罪護諸童子陀羅尼經』, 末尾刊記, "伏爲」 皇帝萬年,」 國王千秋, 佛日常輝, 法燈恒耀, 萬民」 樂,百穀盛, 法界含靈, 俱霑利樂,兼」 及先亡父母,離苦得樂,一門眷屬,災」 消福集, 延壽保安之願,鋟梓廣傳者.」 至正二年壬午正月日,」 順政郡夫人安氏,」 [墨書] 施主 材全,」 比丘 志海,」 施主 一清妻七德」.

丁未6日, 王出畋, 仍宴于都僉議贊成事鄭天起第.

庚戌9日, [春分]. 遣雞林郡公王煦如元, 請大行王謚諡.

戊午17日, 王發義成·德泉·寶興□庫布四萬八千匹, 開鋪於市.[156)]

癸亥22日, 王畋于江陰縣, 扈從惡小~~惡少~~托鋪鷹, 爭掠里閭雞犬, 人莫敢言.

[是月, 壯乙兒·金石堅 某等造成神光寺石塔:追加].[157)]

三月壬申朔小盡,甲辰, 庚辰9日, [穀雨]. 以密直商議李玳爲三道巡撫使.

辛巳10日, 元遣大卿終骨, 賫浮車十五·鈔三千錠·叚子段子百匹來, 王出迎于迎賓館.

壬午11日, 幸延慶宮, 宴元使.

辛卯20日, 以武人·前郎將韓用規爲典校副令. [都僉議評理李君侅, 執不可, 王不聽: 節要轉載].[158)]

○遣都僉議政丞李凌幹如元, 賀聖節.

丙申25日, 遣護軍南宮信, 賫布二萬匹及金銀鈔[等物:節要轉載], 市于幽·燕.

[○吉昌君權準, 進鈔一千錠. 準, 和妃外祖也. 時王以殖貨爲事:節要轉載].

[丁酉26日, 虎入城, 咬人:五行2轉載].

[是月甲戌3日, 李柱造成畵青磁瓶一口:追加].[159)]

---

154) 이와 관련된 기사로 다음이 있고, 洪鐸은 洪詵(洪百壽의 子)의 2子이고 洪福源의 從孫이다(열전43, 洪福源).
- 지31, 百官2, 內職, "忠惠以後, 後宮女職, 尊卑無等, 私婢官妓, 亦封翁主·宅主".
- 열전2, 忠惠王妃, 和妃洪氏, "後三年, 未納而册爲和妃, 置于宰臣尹忱第, 以便往來. 然臨幸數日, 而寵絶".

155) 이와 관련된 기사로 다음이 있는데, 砂器公主가 沙器公主로 되어 있지만, 兩者는 韓國에서만 사용되었던 같은 뜻을 지닌 다른 글자일 것이다[同義異體字].
- 열전2, 忠惠王妃, 銀川翁主林氏, "商人信之女, 丹陽大君之婢也. 賣沙器爲業, 王見而幸之, 有寵. 三年, 王將納和妃, 林氏妬之, 乃封爲銀川翁主, 以慰其意, 時稱沙器翁主".

156) ~~添字~~가 추가되어야 할 것이다.

157) 이는 다음의 자료에 의거하였다(金石總覽 490面).

158) 이 기사는 열전24, 李嵒에도 수록되어 있다.

159) 이는 畵青磁至正二年詩銘瓶에 의거하였는데(鄭良謨 1963년), 여기에서 刻字된 句節은 李白의 關山月의 冒頭이다. 또 고려시대에 제작된 磁器에 다음과 같은 詩文이 있다고 한다.
- 銘文, "明月出天山, □蒼茫雲海間」, "至正二年三月三日」 李柱」.
- 『李太白文集』 권2, 關山月, "明月出天山, 蒼茫雲海間, 長風幾萬里, 吹度玉門關, 漢下白登道, 胡窺青海灣, …".
- 『葵亭集』 권6, 次古酒器韻并序, "尙州永順里之舊居, 掘得古酒盞及酒臺, 有七言律, 以八分書臺面者, 卽唐末翁綬詩也. 詩曰'陶逃暑迎春復送秋, 無非綠蟻滿杯浮, 百年莫惜千回醉, 一盞醆能銷消萬古愁, 幾爲芳非眠細草, 曾因雨雪上高樓, 平生名利關心身者, 不識狂歌到白頭'. 其後

[○丁亥[16日], [長淵縣]天和寺僧信聰撰'水陸無遮平等齋儀撮要'跋:追加].[160)]

有松峴閔三字, 意者姓閔而居松峴者, 嗜酒能詩, 自放於山水之間, 寓意於斯作也. 但酒器製造既古怪, 決非近代之物, 若論其世, 在勝國無疑也. 余亦酒人乎游, 摩挲遺迹, 尙友於千載之上, 遂次其韻. 酒人仙去幾春秋, 鯨飮當時大白[太白]浮, 八句題誰留古跡, 一樽斟自遣窮愁, 提携每憶眠芳草, 酩酊還思上雪樓, 長物家貧猶有此, 肯將名利到心頭". 이는 唐代詩人인 翁綬의 咏酒인데, 添字는 이에서 달리 表記된 것이다(『全唐詩』 권600, 翁綬 所收, 金庠基 1963년).

- 「青瓷菊花文瓶」(黑象嵌), "何處難忘酒, 青門送別多. 斂襟收涕淚. 促馬[簇馬]聽笙歌. 煙樹灞坡[灞陵]岸, 風塵長樂坡. 此時無一盞, 爭奈去留何"(國立中央博物館 所藏, 野守 健 1944年 114面 ; 鄭良謨 等編 1992년 151面). 이 詩文은 白居易의 「何處難忘酒七首」 중의 第6首를 刻字한 것인데, 添字는 이에 의거하였다(『白氏長慶集』 권27 所收).
- 「青瓷陽刻唐草文瓢形瓶」(黑象嵌), "細鏤金花碧玉壺, 豪家應是喜提壺. 須知賀老乘清客, 抱向春深醉鏡湖"(國立中央博物館 所藏, 野守 健 1944年 115面 ; 長谷部樂爾 1977年 圖62, 114面 ; 鄭良謨 等編 1992년 152面).
- 「青瓷蘆下水禽文瓶」(黑象嵌), 送元二使安西, "渭城朝雨浥[裛]輕塵, 客使青青柳色新. 勸君更盡一杯酒, 西出陽關無故人"(국립중앙박물관 소장, 野守 健 1944年 115面 ; 鄭良謨 等編 1992년 152面). 이는 唐 王維의 「送元二使安西」를 刻字한 것인데, 添字는 四庫全書本에 의거하였다(『王右丞集箋注』 권14 소수).
- 「青瓷雲鶴文注子」(黑象嵌), "聞導成都酒, 無錢亦可求. 不知將幾斛, 消得自來愁. 無塵終不掃, 有鳥莫令彈. 若要添風月, 應除數百竿"(국립중앙박물관 소장, 野守 健 1944年 116面 ; 鄭良謨 等編 1992년 152面). 이는 唐 李崇嗣의 「獨愁」를 刻字한 것이다.
- 『唐詩紀事』 권6, 李崇嗣, "獨愁云, 聞導成都酒, 無錢亦可求. 不知將幾許, 銷得此來愁"(四庫全書本).
- 「青瓷寶相唐草文注子」(黑象嵌), "把琴沽一醉, 盡日臥垂楊. 暫入新豊市, 猶聞舊酒香"(국립중앙박물관 소장, 野守 健 1944年 116面 ; 鄭良謨 等編 1992년 152面). 이 시문은 宋 陳存의 「丹陽作」, "暫入新豊市, 猶聞舊酒香. 抱琴沽一醉, 盡日臥垂楊"을 刻字한 것이다.
- 「青瓷瓢形注子」(黑象嵌), "沙瓶酒長滿, 萬年無終盡. 金瓶重沙瓶, 置酒無重輕"(국립중앙박물관 소장, 野守 健 1944年 117面 ; 鄭良謨 等編 1992년 152面).
- 「青瓷唐草文盃」(黑象嵌), [內面] "方四笑盃", [外面], "三盃詩, 天許方四盃, 三盃皆已得. 何逢方二盃, 亦足含笑盃"(국립중앙박물관 소장, 鄭良謨 等編 1992년 156面 ; 野守 健 1944年 117面).
- 「青瓷鐵畵柳文瓶」(鐵畵), "貪花自謂三春笑, 愛月都忘五夜長. 携酒夜遊明月院, 把琴朝上好花山"(東京國立博物館 所藏, 野守 健 1944年 118面 ; 鄭良謨 等編 1992년 157面).
- 「青瓷鐵彩象嵌瓶」(白象嵌), "酒爲溫無毒, 茶因冷不香. 此酒不可不飮, 佳入才子利逢"(野守 健 1944年 118面 ; 鄭良謨 等編 1992년 157面).
- 「金彩武夷山風景文天目盞」, "一曲谿邊上釣船, 慢亭峰影蘸晴川. 虹橋一斷無消息, 萬壑千巖鎖翠煙"(국립중앙박물관 소장, 12세기전반, 높이 39.7cm, 福建省 建寧府 崇安縣 武夷山을 그린 것으로, 朱熹의 淳熙甲辰中春精舍閒居戲作武夷櫂歌十首,呈諸同遊相與一笑[九曲棹歌] 第2首[一曲]를 口緣에 刻字한 것이다. 久志卓眞 1978年 211面).
- 『朱文公文集』(晦菴集)권9, 九曲棹歌, 首曲, "武夷山上有仙靈, 山下寒流曲曲清. 欲識個中奇絶處, 棹歌閑聽兩三聲[注, 言道之全體]. 一曲溪邊上釣船, 慢亭峰影蘸晴川. 虹橋一斷無消息, 萬壑千巖鎖翠煙[注, 言孔孟去後道統久絶]. …".

160) 이는 다음의 자료에 의거하였다(寶林寺 所藏, 전라남도 유형문화재 제203호 98번, 郭丞勳 2021년 389面).

[○戊子[17日], 松林寺香垸施主結願香徒梁某等鑄成本寺香垸一坐:追加].[161)]

[是月, 金海君李齊賢撰'天地冥陽水陸齋義纂要'跋:追加].[162)]

[是月戊寅[7日], 帝親試進士七十八人, 賜拜住·陳祖仁及第, 其餘出身有差. 時李仁復及第:追加].[163)]

[是月頃, 以[通直郞]曹田雨爲福州判官:追加].[164)]

夏四月[辛丑朔大盡,乙巳], 戊辰[28日], 王擊毬于崇仁門外, 去儀衛, 止令螺匠啓道.

[是月頃, □□□□□□□□[判典校寺事閔思平], □□□□[掌擧子試], 取金鷹等九十九人:選擧2國子試額轉載].[165)]

[○是時, 監試主司閔思平家奴取柴城外, 而析生松. 班主印安適出郊, 法當禁, 故禁之. 家奴不知其爲班主也, 聚擊之傷其脚. 王大怒, 令重房壞主司宅, 親禦軍護

· 『水陸無遮平等齋儀撮要』跋, "… 時有元至正二載季春旣望,住天和禪寺比丘信聰敬跋".

161) 이는 松林寺香垸의 銘文에 의거하였다(許興植 1984년 1157面).

162) 이는 다음의 자료에 의거하였다(寶林寺 所藏, 전라남도 유형문화재 제203호 115번, 郭丞勳 2021년 390面).

· 『天地冥陽水陸齋義纂要』跋, "… 時有元至正二年三月日, 推忠亮節功臣·三重大匡·判藝文館事[領藝文館事]·金海君李齊賢跋".

163) 이는 『원사』 권40, 본기40, 順帝3, 至正 2년 3월 戊寅에 의거하여 추가한 것이다. 拜住[Baiju]는 1370년(공민왕19) 1월 李成桂가 兀剌山城을 공격할 때 발견되어 고려에 왔다(→공민왕 19년 2월 19일). 또 이때 李仁復은 大寧路 錦州判官에 임명되었다(열전25, 李仁復·권74, 지28, 選擧2, 科目2, 制科 ; 李仁復墓誌銘).

· 열전25, 韓復, "韓復, 元朝人, 本名拜住. 順帝至正元年[二年], 擢進士第一名, 官至樞密院副使". 添字와 같이 고쳐야 옳게 된다.

· 『近光集』 권1, [壬午]三月七日, 廷試進士讀券官作 ; 越三日, 奏進士榜名作.

· 『濟南金石志』 권2, 元至正十年山東鄕試題名記碑, "… 監試官,奉訓大夫·僉山東東西道肅政廉訪司事拜住, 明善, 壬午[至正2年]壯元. …".

· 『金華黃先生文集』 권19, 紀夢詩序, "… 重紀至元之元年春, 予忝以非材, 備員國子學官. 其年秋校文上京, 夜夢觀進士上謝恩表箋, 然出班前立者, 諸生遜都思其氏, 拜朮其名, 明善其字也. … 復以科擧, 取天下士, 予亦復夢如初, 至正改紀之年也. 是歲, 明善果再薦於京師, 二年春, 以正奏名入對大廷, 遂爲進士第一, 予夢, 於是始驗, …".

164) 이는 『안동선생안』에 의거하였다.

165) 이해의 擧子試는 月次가 기록되어 있지 않지만, 製述業이 7월에 실시되었음을 고려하여 4월에 比定하였다. 또 이때 閔思平이 成均試를 담당하여 金仁琯 등 93人을 선발하였다고 하는데, "金鷹等九十九人"과 차이를 보이고 있다. 金仁琯은 金鷹의 改名으로 추측되고 合格 人員의 차이는 轉寫 또는 組版할 때의 오류로 추측된다. 또 이때 1369년(공민왕18) 秋冬番 慶尙道按廉使 李頤가 합격하였던 것 같다(『목은문고』 권31, 跋及菴詩集→공민왕 18년 7월 某日의 脚注).

· 「閔思平墓誌銘」, "至正壬午[忠惠後3年], 以判典校□□[寺事]掌成均試, 取金仁琯等九十三人".

· 『급암시집』연보, "至正二年壬午, 拜判典校寺事, 爲監試試員".

軍尹侅以謂奴信有罪矣，其主何與焉，且今多士刮目放牓，而壞主司宅，主司何心而考閱哉．未幾，上怒解，事得寢:追加］.[166)]

五月辛未朔小盡,丙午，乙亥5日，幸市廛，觀擊毬.

壬午12日，幸延慶宮，觀火山.

癸巳23日，幸賞春亭，觀手博戲.

丙申26日，［小暑］．頒□□百官祿，內竪以不支祿，訴之．王使護軍承信，縛提調郭之保·黃和尙，杖於宮門□外，以承信代之.[167)]

六月庚子朔大盡,丁未，下敎曰，"賊臣曹頔，搆難之後，寡人□□承命赴都□□之時，[168)] 國家虞疑，奸臣餘黨，揑合虛辭，扇亂不已．而侍從之臣，終始一節，來輔寡躬，其功莫大，帶礪難忘．○以海平府院君尹碩·政丞蔡河中·化平府院君金石堅·政丞李凌幹·理問理問兼贊成事洪彬·上洛府院君金永吨[169)]·西河君任子松·贊成事金仁沇·［評理?尹桓:追加］[170)]·彥陽君金倫·金海君李齊賢·星山君李兆年·□都僉議評理韓宗愈·三司右使金永煦·左使李蒙哥·判密直司事李雲·開城尹尹莘係·前知密直司事李儼·前同知密直司事朴靑·前密直副使康允忠[171)]·安千吉·盧英瑞·行省員外郞韓義臣·軍簿判書裴佺·崔濡·知申事黃石奇·判宗簿寺事孫守卿·判司僕寺事尹元佑·大護軍金添壽·金善莊·護軍南宮信·林成等爲一等功臣，圖形壁上．父母妻超三等封爵，一子除七品，無子，代姪甥女壻，除八品，給田百結，奴婢十口.[172)] ○永昌君金承澤·鶴城君朴仁壽·前軍簿判書安子由·上護軍金鏡·全允臧·前判書雲觀事孫遠·大護軍李光遠·金莊·護軍陳敎化·護軍承信·李軒·孫襲·中郞將王碩·李冲·李元龍·李光柱·郞將全

---

166) 이는 다음의 자료에 의거하였다.

· 「尹侅墓誌銘」, "歲壬午忠惠後3年，進親禦軍護軍，監試主司閔思平家奴取柴城外，而析生松．班主印安適出郊，法當禁，故禁之．家奴不知其爲班主也，聚擊之傷其脚．王大怒，令重房壞主司宅，公以謂奴信有罪矣，其主何與焉，且今多士刮目放牓，而壞主司宅，主司何心而考閱哉．未幾上怒解，事得寢".

167) 添字는 『고려사절요』 권25에 의거하였다.

168) 添字는 『고려사절요』 권25에 의거하였다.

169) 金永吨은 『고려사절요』 권25에는 金永暾으로 되어 있다(盧明鎬 等編 2016년 641面).

170) 다음의 자료를 통해 볼 때 僉議評理로 추측되는 尹桓(尹秀의 孫)이 탈락된 것 같다.

· 열전27, 尹桓, "曹頔之亂，侍從有勞，賜輸誠亮節輔理功臣號，除贊成事".

171) 여기에서 前知密直司事, 前同知密直司事, 前密直副使는 『고려사절요』 권25에는 모두 前字가 탈락되어 있다(盧明鎬 等編 2016년 641面).

172) 朴靑은 후일 密直司使에 이르렀다고 한다(열전37, 申靑, 朴靑).

卿·洪買奴等，爲二等功臣，父母妻超三等封爵，一子除八品，無子，代女壻，除九品，給田七十結，奴婢五口".[173]

甲寅15日，幸神孝寺，燈燭輩結香徒，設祝壽齋於是寺，王押座齋筵.

丙辰17日，王宴于龜山寺.

己未20日，元遣宦者·資政院使高龍普·太監朴帖木兒不花等來，迎奇皇后母李氏．王迎龍普等于郊.[174]

辛酉22日，幸洪法寺，見僧翯仙，因問長生訣，翯仙對曰，"人有定分，無過限之理，但不可爲惡以促之"．時王信術士言，欲撤崇教寺．翯仙問其故，王曰，"書雲觀云，此地有寺，逆臣必生，予恐曹頔復生，是以毁之"．對曰，"自穆宗時，已有此寺，其間，逆臣有幾".

---

173) 이때의 공신 책봉과 관련된 자료로 다음이 있다.
- 열전17，金方慶，永旽，"曹頔之亂，侍從有勞，策勳爲一等，賜推誠秉義翊贊號，封上洛府院君".
- 열전17，金周鼎，石堅，"忠惠時，封化平府院君．曹頔之亂，侍從有勞，策功爲一等，爵其父母妻子，賜田·臧獲".
- 열전20，權呾，準，"曹頔之變，準閉門不出．頔敗，忠惠封吉昌府院君，開府置僚屬，納準外孫女，是爲和妃".
- 열전21，金之淑，仁沇，"忠惠還國，錄功爲一等，封光山君".
- 열전21，洪彬，"忠惠王復位，策勳爲一等，封唐城君開府".
- 열전21，孫守卿，"忠惠被徵如元，守卿侍從有勞，錄功爲一等，爵其父母妻子，賜田及臧獲".
- 열전22，李兆年，"忠惠後三年，策侍從功爲一等，賜誠勤翊贊勁節功臣號，圖形壁上，爵其父母妻子，賜田及臧獲".
- 열전23，金倫，"忠惠東還，論功爲一等，圖形壁上，封彦陽君，賜推誠贊理功臣號，爵其父母妻子，賜田及臧獲".
- 열전23，韓宗愈，"王還國，論功爲一等，拜評理，封漢陽君，賜鐵卷，圖形壁上，爵其父母妻子，賜田及臧獲".
- 열전23，李齊賢，"… 從之，如京師，事得辨析，功在一等，賜鐵卷".
- 열전23，李湊幹，"曹頔之亂，侍從忠惠，功在第一，賜鐵卷".
- 열전37，康允忠，"曹頔之亂，侍從忠惠有勞，錄勞爲一等，授密直副使".
- 열전37，裴佺，"… 歷官軍簿判書，曹頔之亂，侍從有勞，錄功爲一等，封興海君".
- 열전44，崔濡，"崔濡，蒙古名帖木兒不花，同知密直□□司事安道之子．忠惠朝，累遷軍簿判書，曹頔之亂，侍從有勞，錄功爲一等，仕元爲□□監察御史".
- 열전37，尹碩，"忠惠復位，又拜左政丞，曹頔之亂，侍從有功，賜鐵券".
- 열전37，盧英瑞，"曹頔之亂，元徵王囚刑部，又繫英瑞等獄．及王復位還國，錄侍從功爲一等，封直城君，爵其父母妻子，賜田及臧獲".
- 열전38，蔡河中，"曹頔之亂，侍從忠惠，策功一等賜鐵券".

174) 帖木兒不花[Temur Buqa]는 太監 朴帖木兒不花인데(→충혜왕 후4년 10월 30일)，그는 몽골제국에서 奇皇后와 연결되어 國政을 문란하게 하였다는 朴不花와 同一人으로 추측된다(『원사』 권204，열전91，宦官，朴不花)．또 그는 王不花로도 불렸는데，高麗王으로부터 王氏를 下賜받았을 가능성이 있다.

戊辰29日, 王宴宦者·資政院使高龍普于延慶宮.

[某日, 以李餘慶爲慶尙道按廉使:慶尙道營主題名記].

[是月頃, 以承奉郎·都官佐郎曹憲爲雞林府判官:追加].[175]

秋七月庚午朔大盡,戊申, 庚辰11日, 幸花園, 賞蓮, 遂幸密直使元顯第. 從金善莊·金銳等數人, 王自持繖以行.

癸未14日, 賜李資乙等及第.[176]

甲午25日, 王宴帖木兒不花于花園.

[戊戌29日, 夜, 松岳鳴. 王怪而問之, □□~~變大~~陳無作金對曰, “無傷也, 古詩有‘嵩岳三呼繞殿靑’之句”. 王悅, 賜布, 授郎將←8월에서 옮겨옴].[177]

[是月頃, 以正順大夫柳之淀爲福州牧使:追加].[178]

八月庚子朔小盡,己酉, 辛丑2日, 幸皇后母李氏第, 設餞宴~~以皇后母李氏如元,, 王幸李氏第, 設餞宴~~[179].

[戊戌夜,松岳鳴.王怪而問之.陳無作金對曰,無傷也,古詩有,嵩岳三呼繞殿靑之句.王悅,賜布,授郎將→7월로 옮겨감].

[某日, 以鄭云敬爲通直郎·弘福都監判官:追加].[180]

---

175) 이는 『동도역세제자기』에 의거하였다.

176) 이와 관련된 기사로 다음이 있다. 이때 李資乙·河允源·李由信(李挺神道碑銘) 등이 급제하였다(『등과록』, 朴龍雲 1990년 ; 許興植 2005년).

· 지27, 선거1, 科目1, 選場, “忠惠後三年七月, 政堂文學金稹知貢擧, 知申事辛裔同知貢擧, 取進士, ~~癸未~~, 賜李資乙等三十三人及第”.

· 열전25, 河允源, “允源, 忠惠末朝登第, 補典校校勘”. ~~添字~~와 같이 고쳐야 옳게 될 것이다.

177) 8월의 戊戌은 이달에 없고 지7, 오행1, 水行 鼓妖에는 七月戊戌로, 『고려사절요』 권25에는 7월로 되어 있다. 그러므로 이 기사는 7월 戊戌(29일)이므로 7월 甲午(25일)의 다음으로 移動시켜야 한다[校正事由]. 또 陳無作金은 人名인 것 같지만, 다음의 자료와 같이 金이 잘못 들어간 글자[衍字]인 것 같다. 그리고 ~~添字~~는 『고려사절요』 권25에 의거하였다.

· 『신증동국여지승람』 권4, 開城府上, 山川, “松嶽, … 高麗忠惠王時, 松嶽夜鳴. 王怪而問之, 陳無作對曰, ‘無傷也. 古詩有嵩嶽三呼繞殿靑之句’. 王悅”.

178) 이는 『안동선생안』에 의거하였는데, 이해(충혜왕 후3년) 10월에 牧使 柳之淀과 判官[半剌] 梁權有의 在任이 확인된다.

· 『동문선』 권11, 贈佐郎舅詩幷序, “至正二年秋, 予與家兄思謙鄭顚同遷于南, 十月, 以事會于福州, 留半旬, … 柳牧使·梁半剌, 亦與之俱焉”. 여기에서 思謙은 鄭誧의 兄인 鄭顚(鄭瑎의 孫)의 字이다(열전19, 鄭瑎, 誧).

179) 이 기사는 ~~添字~~와 같이 고쳐야 옳게 된다.

180) 이는 『삼봉집』 권4, 鄭云敬行狀에 의거하였다.

[九月己巳朔[大盡,庚戌]:追加].

[秋某月, 或譖曰, "恐鄭頔·誧兄弟走上國, 夾輔大弟[太弟]". 於是, 貶頔於寧海, 誧於蔚州:轉載].[181]

[冬十月己亥朔[大盡,辛亥]:追加].
[十一月己巳朔[小盡,壬子]:追加].
[十二月戊戌朔[大盡,癸丑]:追加].

[是年, 三司右使·南陽君洪澍卒, □[澍], 日沈醉, 不以產業名利介意:列傳19洪戎轉載].
[○成均祭酒致仕禹倬卒, 年八十一. 倬, 丹山人, 登科. 初調寧海司錄, 郡有妖神祠, 名八鈴, 民惑靈怪, 奉祀甚瀆. 倬至, 卽碎而沈于海, 滛祀[淫祀]遂絶. 後退老于福州之禮安. 忠肅王嘉其忠義, 再召, 不起. 倬, 通經史, 尤深於易學, 卜筮無不中, 程傳初來東方, 無能知者, 倬乃閉門, 月餘參究, 乃解, 敎授生徒, 義理之學, 始行矣:節要23忠宣王復位年十月轉載].[182]
[○以[大護軍]尹之彪爲判司僕寺事:追加].[183]
[○以[成均直講]李公遂爲奉善大夫·成均司藝·藝文應敎·知製敎:追加].[184]
[○以[興威衛精勇護軍]尹侅爲親禦軍護軍, 仍兼寶興庫使:追加].[185]
[○以[起居舍人]李仁復爲右獻納:追加].[186]
[○以宋連爲延安府使, 尋以金迎代之, 又以金承甫代之:追加].[187]
[○元以洪彬爲朝散大夫·征東行省左右司郎中:追加].[188]
[○帝召前光祿大夫·儲慶司使忙古台[方臣祐]:列傳35方臣祐轉載].[189]

---

181) 이는 다음의 자료를 전재하여 적절히 변개하였는데, 太弟는 江陵大君(후일의 恭愍王)이다.
- 열전19, 鄭瑎, 誧, "或譖曰, 恐誧兄弟走上國, 夾輔大弟. 於是, 貶頔寧海, 誧蔚州".
- 『동문선』 권11, 贈佐郞舅詩幷序, "至正二年秋, 予與家兄思謙[鄭頔]同遷于南".

182) 이 기사는 열전22, 禹倬에도 수록되어 있다. 또 禹倬(1262~1342)의 墓所는 경상북도 安東市 禮安面 鼎山里에 있고, 臥龍面 烏川里 1227에 있었던 易東書院(現 安東市 松川洞 388 安東大學 構內)에 祭享되었다(徐周錫 1995년 37面, 경상북도 기념물 146호).
183) 이는 「尹之彪墓誌銘」에 의거하였다.
184) 이는 「李公遂墓誌銘」에 의거하였다.
185) 이는 「尹侅墓誌銘」에 의거하였다.
186) 이는 「李仁復墓誌銘」에 의거하였다.
187) 이는 『연안부지』에 의거하였다.
188) 이는 「洪彬墓誌銘」에 의거하였다.

[是年頃, 以僉議評理尹桓爲贊成事, 元授行省郎中:列傳27尹桓轉載].

[○日本海商百餘人, 遇風漂入高麗, 高麗掠其貨, 表請沒入其人以爲奴 鐵木兒達識持不可曰, "天子一視同仁, 豈宜乘人之險, 以爲利, 宜資其還". 而已日本果上表稱謝:追加].[190)]

癸未[忠惠王]後四年, 元至正三年, [西曆1343年]

1343년 1월 27일(Gre2월 4일)에서 1344년 1월 15일(Gre1월 23일)까지, 354일

[春正月戊辰朔小盡,甲寅:追加].

春二月丁酉朔大盡,乙卯, 甲辰8日, [幸本闕:節要轉載], 王率勇士, 觀角觝戲,[191)] 夜, 與左右司郎中·三司右使金永煦, 飮于北宮, 永煦醉臥. 王使左右, 扶上馬, 遂召從者曰, "汝郎中已贈我, 以所乘之馬". 永煦, 翼日乙巳9日乃獻之.

[某日, 命大護軍朴良衍, 種花木於崇教園. 先是, 就崇教寺蓮池旁, 起樓以爲遊宴之所, 嬖臣宋明理, 勸之也:節要轉載].[192)]

己酉13日, 王放鷹于東郊, 還幸和妃宮, 觀手搏戲.

---

189) 이와 같은 기사가 『익재난고』 권7, 方臣祐祠堂碑에도 수록되어 있다.

190) 이는 『원사』 권140, 열전27, 鐵木兒達識에 의거하였다. 이 사건이 일어난 시기는 鐵木兒達識(Temur Tas, 1302～1347)이 平章政事로 재직한 1342년(至正2, 충혜왕 복위3)부터 1345년(지정5, 충목왕1)사이이다. 또 이 기사의 1차 자료는 다음일 것이다. 그리고 이 자료의 내용은 鐵木兒達識의 行蹟을 높이기 위해 潤色되었을 가능성이 있는데, 이 시기의 日本은 몽골제국에 表를 올려 謝禮할 위치에 있지 못했다.

· 『金華黃先生文集』 권28, "日本海商百餘人, 遇風漂入高麗, 表請沒入其人於有司, 以爲奴, 王以爲天子一視同仁, 四方皆吾赤子, 豈可乘人之險, 以爲利, 宜資其還. 上從之. 日本果上表稱謝".

191) 角觝戲(角抵戲, 相撲, 씨름)는 『고려사절요』 권25에는 角抵戲로 되어 있는데, 같은 뜻의 다른 글자이다(同義 異體字, 盧明鎬 等編 2016년 641面).

· 『한서』 권23, 刑法志第3, 冒頭, "… 春秋之後, 滅弱呑小, 並爲戰國, 稍增講武之禮, 以爲戲樂, 用相夸視[師古曰, 視讀示]. 而秦更名角抵[師古曰, 抵音丁禮反, 解在武紀], 先王之禮沒于淫樂中矣".

· 『九家舊晋書輯本』, 王隱'晋書'권11, 補遺, 劉子篤, "潁川·襄城二郡班宣相會, 累欲作樂[注, 謂角抵戲]. 襄城太守責功曹劉子篤曰, '卿郡人不如潁川人相撲', 篤曰, 相撲下技, 不足以別兩國優劣, 請使二郡更論經國大理, 人物得失".

192) 이와 같은 기사로 다음이 있다.

· 열전37, 盧英瑞, 宋明理, "宋明理, 又勸王起樓崇敎寺蓮池旁, 爲遊宴之所. 王命朴良衍植花木".

丙寅[30日], 幸嬖臣林洪甫家, 洪甫獻侍婢.

三月[丁卯朔小盡,丙辰], 辛未[5日], 幸東郊, 以彈丸射人爲戲, 行路皆遁.

○王召富人·大護軍林檜, 前護軍尹莊等十餘人, 授內庫貨, 如元, 販賣.

癸酉[7日], 地震二日.[193)]

[某日, 王欲遞人職, 以授宮人親戚, 盧英瑞白王曰, "臣亦欲授他人". 王曰, "爲誰", 曰, "有人, 遺我屋材者". 王笑許之:節要轉載].

[→王嘗欲褫[遞]人官, 授宮人親戚, 英瑞白王曰, "臣亦欲以是官授人". 王問, "爲誰", 曰, "有嘗遺我屋材者". 王笑許之:列傳37盧英瑞轉載].[194)]

甲戌[8日], 夜, 王率嬖人, 登旻天寺閣, 捕鳩, 遺火焚閣.

乙亥[9日], 作內廐, 破人家百餘區, 廣築墻宇, [奪人良馬, 以充之:節要轉載]. 又奪人田, 屬之, 命護軍韓範收其租, 輸車日用百兩.

丙子[10日], 罷習射場, 屬東西大悲院. [時僧翯仙勸王, 創院城外:節要轉載], 聚城中病人, 救藥贍衣食.

[某日, [都僉議]政丞蔡河中等, 請蠲職稅. 先是, 嬖人甯夫金承命, 往江陵道, 索人參[大蔘]. 時參[蔘]貴不多得, 懼罪, 擅徵職稅, 還說王曰, "臣於江陵道, 見有職者, 退居郞里, 病民頗衆, 故臣爲殿下, 徵其職稅, 藏諸州郡, 以待上命. 有職居外者, 非獨江陵, 五道皆然, 若從臣計, 有利於國". 王納之, 代言閔渙勸之. ○於是, 分遣嬖人諸道, 徵職稅, 六品以上, 布百五十匹, 七品以下百匹, 散職十五匹. 人聞令下, 或挈家登山, 或乘舟而遁, 焚山澤而索之, 禍及於族, 民甚怨之. 故河中等, 請除其弊, 王欲從之, 渙又勸之. 徵稅益急, 慶尙道, 有一散員同正者, 貧甚, 賣盡家產, 不充其額, 其女痛父被辱, 斷髮貿布以納, 父及女, 皆縊死. ○又徵船稅, 雖無舟者, 亦被其害, 王雖淫縱[淫縱]無道, 至於商財計利, 分析絲毫, 常事經營, 奪人田民, 盡屬寶興庫, 群小托附, 爭相進計, 以售其姦. 由是, 擧國騷擾:節要轉載].[195)]

[→[都僉議]政丞蔡河中等, 請蠲職稅. 先是, 嬖人寗夫金承命, 往江陵道, 索人參[大蔘], 時參貴, 不多得, 懼王罪己, 擅徵職稅, 還說王曰, "臣於江陵道, 見有職者, 退居鄕里, 病民頗衆. 故臣爲殿下, 徵其職稅, 藏諸州郡, 以待上命, 有職居外者, 非獨江陵, 五道皆然, 若從臣計, 有利於國". 王納之, 代言閔渙勸之, 於是, 分遣嬖人諸

193) 지9, 五行3, 土行에는 三日로 되어 있다.
194) 이 기사에서 褫(사)는 遞(체)의 오자일 것이다.
195) 이 기사는 열전37, 嬖幸2, 閔渙에도 수록되어 있다.

道，徵職稅，六品以上布百五十匹，七品以下百匹，散職十五匹．人聞令下，或挈家登山，或乘舟而遁，焚山澤而索之，禍及於族，民甚怨之．故河中等，請除其弊，王欲從之，渙又勸之，徵稅益急．慶尙道，有一散員同正者貧甚，賣盡家產，不充其額．其女痛父被辱，斷髮貿布以納，父及女，皆縊死．又徵船稅，雖無舟者，亦被其害．其船稅，財帛巨萬，途道轉輸，牛馬踣斃．沿海州郡之民，逃匿山島，至有漕運不通．王雖淫縱無道，至於商財計利，分析絲毫，常事經營，奪人田民，盡屬寶興庫．群小托付，爭相進計，以售其奸，由是，擧國騷擾:食貨2科斂轉載].

己卯13日，夜，幸宰臣裴佺第，滛淫其妻及其弟金珸妻．時佺在元．

○遣益城君洪鐸如元，賀聖節．

○王起新闕于三峴．[王使惡小惡少，奪人材木，躬督其役．大護軍朴良衍求媚於王，鋪張土木之計，人皆側目．書雲副正閔瑊季，以陰陽拘忌，言營宮不利．王怒歐之，又謂近臣曰，“今宮闕將成，欲以奴婢實之，卿等各獻有姿色一兩婢如何?”．尹桓·康允忠·孫守卿等，不得已皆曰惟命，蔡河中適至，王顧謂桓曰，“卿等所議，可語政丞”．桓，愧不能言，王促之再，桓具以告．河中，面從曰，“王雖不敎臣等，議已有日，況今有命，敢不奉承?”．退謂人曰，“君上請奴婢於臣庶，未之前聞”:節要轉載].[196]

[→王又起新宮于三峴，命大護軍朴良衍及金善莊·閔渙等督役．書雲副正閔瑊季，以陰陽拘忌，言其不利．王怒歐之．良衍求媚於王，大加營度，點西江人戶，輸甓瓦．又令惡少輩，奪人牛馬以輸．又發近京諸郡丁夫，伐材浮江而下，人馬絡繹，州郡騷然，農者輟耕:列傳37朴良衍轉載].

[辛卯25日，二獐入城:五行2轉載].

[某日，罷五道職稅，盡還其主．時東界存撫使崔昌義還，以甯夫金，侵漁及職稅之弊，白王罷之:節要轉載].[197]

[是月頃，以檢校評理安軸爲尙州牧使:追加].[198]

---

196) 이와 같은 기사가 열전27, 尹桓에도 수록되어 있으나 자구에 출입이 있다.

· 열전27, 尹桓, “… 王起新宮于三峴，欲以奴婢實之，命近臣各獻有姿色一兩婢．桓與康允忠·孫守卿等，不得已皆曰唯命，蔡河中適至，王顧桓曰，‘卿等所議，可語政丞’．桓，愧不能言，王促之再，桓具以告．河中曰，‘王雖不命臣等，議已有日，況有命，敢不奉承?’．退謂人曰，君上請奴婢於臣庶，古所未聞”.

197) 이 기사는 열전37, 嬖幸2, 閔渙에도 수록되어 있다.

198) 이는 다음의 자료에 의거하였는데, 安軸은 이해의 4월 尙州에 부임하였다고 한다.

· 『근재집』 권2, 尙州客館重營記, “至正三年癸未，余安軸受尙州之命，是年夏四月，到州視事．州近年來，困於苛政，民物流散，里巷蕭然，凡古之廨宇州學神祠佛寺，皆已頹圮．惟客館完具，輪焉奐焉，甲於南方，其廳堂基位，規模布置，宏壯有裕，各得其宜．余心自以爲此必大人君子所

[○以[通直郞·版圖正郞]白思源爲雞林府判官, 金用變爲永州判官:追加].[199)]

夏四月丙申朔[小盡,丁巳], 日食.[200)]

庚子[5日], 王下僧翯仙獄, 翯仙, 善琴書醫術, 亦解漢·蒙語. 王敬重, 稱爲師傅, 上殿不拜, 時人疾之. 至是, 矯旨放囚, 王怒, 命監察司鞫之, 流濟州.

[壬寅[7日], 獐入城:五行2轉載].

[某日, 元遣怯薛旦驢女等□[來], 鞫問判密直□□[司事]崔濡. 初, 宰臣趙芬妻馬氏, 新寡, 服未闋, 濡强亂之. 芬弟, 火者·□□院使伯顔不花, 在元聞之, 訴中政院. 帝遣使鞫之, 以濡豪富□□[獲免], 只杖五十七:節要轉載].[201)]

甲辰[9日], [奇皇后母李氏, 還自元. 王:節要轉載]幸奇皇后母李氏第, 置酒□□[迎慰].[202)]

丙午[11日], 大雨雹, □[大]如李·梅.[203)]

庚戌[15日], 京城民訛言, 王欲取民家小兒數十[五六十輩], 埋于新闕礎下, 家家驚駭, 有抱兒逃竄者□[多]. 惡小[惡少]乘閒, 恣行剽竊.[204)]

[→時京城民訛言, 王將取民家小兒數十, 埋新宮礎下, 家家驚駭, 多抱兒逃竄者, 惡少乘閒, 恣行剽竊:列傳37朴良衍轉載].

[某日, 王使嬖人金敎化等, 執監察掌令成士弘, 至殿內. 謂曰, "昔曹頔構亂, 汝亦與謀, 又作贊頔詩何哉?". 對曰, "百官脅從, 臣亦無他". 王命賦詩. 士弘, 卽賦

指畫, 非俗人循常之制也, 因問邑人曰, '今征東省郞金相國永煦之所營也', … ". 여기에서 金永煦의 職責이 征東省郞으로 되어 있는데(→충숙왕 14년 3月頃 金永煦의 脚注), 이는 征東行省 員外郞과 郞中의 두 行省官을 가리키지만, 이때의 郞中은 洪彬이었다.

· 「安軸墓誌銘」, "癸未, 以檢校評理, 出牧尙州, 尙與福接境, 以太夫人在桑梓, 往來起居, 以盡孝道".

· 열전22, 安軸, "以檢校評理, 出牧尙州, 時母在興寧, 軸往來以盡孝".

199) 이는 『동도역세제자기』; 『영천선생안』에 의거하였다.

200) 이날 元에서도 일식이 있었고(『원사』 권41, 본기41, 順帝4, 至正 3년 4월 丙申), 일본의 京都에서도 일식이 있었다(高麗曆과 同一, 日本史料6-7冊 598面). 이날은 율리우스력의 1343년 4월 25일이고, 개경에서 일식 현상이 심했던 시간은 9시 1분, 食分은 0.55이었다(渡邊敏夫 1979年 312面).

· 『玉英記抄』雜類, "康永二四一, 今日日蝕, 五ケ大變之中也, 四月日蝕也, 而正現了, 遺恨, 依蝕平野祭以下, 被用次支干".

· 『續史愚抄』21, 康永 2년 4월, "一日丙申, 日蝕云".

201) 이 기사는 열전44, 崔濡에도 수록되어 있는데, 添字가 더 있으며 '止杖五十'으로 七이 脫落되었던 것 같다.

202) 添字는 『고려사절요』 권25에 의거하였다.

203) 添字는 지7, 五行1, 水, 雨雹에 의거하였다.

204) 添字는 『고려사절요』 권25에 달리 표기된 글자 및 이에 의거하여 추가한 것이다.

獻一絶，王使典校副令蘇敬夫解之，敬夫與士弘有舊隙，詭解詩意，王怒歐之，肉袒面縛，枷囚巡軍，五日釋之，遂罷其職，以敬夫代之:節要轉載].

[→後王使嬖人金敎化，執□[成]元度，謂曰，“昔曹頔構亂，汝亦與謀，又作贊頔詩，何哉?” 對曰，“百官脅從，臣亦無他，且不作詩.” 王命賦詩，使典校副令蘇敬夫解之. 元度嘗因婦翁贊成尹繼宗爲掌令，繼宗如元，敬夫因評理盧英瑞，代元度職. 及繼宗還白王，還授元度. 以故，元度·敬夫有隙，至是，敬夫詭解詩意，王怒歐元度且曰，“誰與汝掌令官? 非予所知.” 枷囚巡軍，遂罷其職，以敬夫代之:列傳44曹頔轉載].

甲寅[19日]，王宴于崇敎寺.

己未[24日]，夜，又宴于上護軍宋明理第. 初，嬖臣崔遠告王曰，“進士井洞有處女，美而艷”. 是夜，王與俱至其家索之，主家嫗，謝以本無女. 王疑嫗匿之，又疑遠欺罔，皆殺之.

庚申[25日]，以康允成[~~康允忠~~]爲[都僉議]贊成事.[205)]

壬戌[27日]，密直商議李玳卒.[206)]

[□□[是月.] 自春徂夏，不雨，至是，雷雨大至:五行2轉載].[207)]

[是月頃，以[藝文供奉]段紀明爲雞林府司錄:追加].[208)]

---

205) 康允成은 康允忠의 일시적인 改名으로 추측되는데, 어떠한 人物이 갑자기 僉議府의 宰臣 그것도 貳宰[亞宰, 都僉議贊成事]로 등장할 수는 없다. 神德王后 康氏(李成桂의 京妻, 後妻)의 父親이 康允成으로 나타나는데, 실제로 그녀의 父親은 康允忠(康舜龍의 父)일 것으로 추측된다.

- 『태조실록』 권4, 2년 9월 庚申[18日], “遣門下侍郎贊成事成石璘于東北面咸州，書桓王 定陵碑立之，其文曰，… 繼室康氏，判三司事諱允成之女，封顯妃. 生男曰芳蕃撫安君，曰芳碩幼，女適京山李氏濟，封興安君. …”.
- 『여유당전서』 권10, 神德王后康氏谷山本宮形止啓，“… 谷山府東距五里許，地名塘底，亦名宮墟，有石柱一對[注，其一已頹，今只存其一]. 故老傳爲神德王后本宮. … 臣[丁若鏞]謹案神德王后本籍谷山，國舅卽象山府院君康允成，象山卽谷山別名也”.
- 『숙종실록』 권11, 7년 5월, “己卯[27日]，改封故象山府院君康允成墓，允成卽神德王后考也. 初失墓所，聞富平府水呑里有一古塚，表石仆地，令本府尋覓，則表石中折失其半，有象山府院四字，遂改封塋域”.

206) 이날은 율리우스曆으로 1343년 5월 21일(그레고리曆 5월 29일)에 해당한다.

207) 이날은 丙午(11日)일 가능성이 있다. 또 일본의 교토에서 이해의 6월 13일(丁未) 大雨가 내린 이후 36日間에 걸쳐 炎旱이 이어졌다고 한다(高麗曆과 同一, 日本史料6-7册 953面).

- 『祇園執行日記』, 康永 2년 7월, “十九日，朝大雨，去月十三日大雨後，卅六ケ日炎旱，天下珍事之處，今日始雨降，殊勝々々，但今日雨朝計也，仍不足”.

208) 이는 『동도역세제자기』에 의거하였다.

五月乙丑朔大盡,戊午, 王通尹桓妻柳氏.

戊辰4日, 幸山臺岩, 擊毬.

己巳5日, [端午:追加]. 星山君李兆年卒, [年七十五:列傳22轉載].[209] [兆年, 性剛直, 以嚴見憚, 兆年每入王, 聞履聲曰, 兆年來矣, 屛左右, 整容以竢. 及退居鄕里, 不交人間事, 爲人, 短小精悍, 確於志, 而敢於言, 所歷多聲績. 謚諡文烈:節要轉載]. [恭愍朝20年議功, 贈星山侯, 配享忠惠王廟庭. 子褒, 官至檢校侍中, 性淳厚, 循循蹈禮. 褒子仁復·仁任·仁美·仁立·仁達·仁敏. 仁復·仁任自有傳. 仁美判書, 仁立同知密直司事, 仁達注薄注簿, 仁敏門下評理. 兆年姪承慶:列傳22李兆年轉載].

癸酉9日, 地震.

丁丑13日, 亦如之地震.

[→丁丑, 地震:五行3轉載].

[→丁丑, 月犯房星:天文3轉載].[210]

戊寅14日, 亦如之地震.

[→翊日翌日14日, 又震:五行3轉載].

壬午18日, 元遣直省舍人實德來, 索宋·遼·金三國事蹟.[211]

癸未19日, 幸延慶宮, 宴元使.

乙酉21日, 王餉新宮役徒, 文武臣僚及倉庫, 皆獻酒饌·綾帛, 以助其費. 王置酒, 觀儺獻, 歡甚起舞, 又命宰相舞. 宰相遞拍檀板以舞. 王出銀百兩, 德寧公主及銀川翁主, 亦各出五十兩, 以爲宴幣□□纏頭.[212] 有人作乞胡戲, 賜銀五十兩, 餘皆收之. 自是, 命群臣, 盛辦酒饌, 逐日餉之, 爭極華美, 一食之費累布二三百匹. 人甚苦之, 尋罷.

[某日, 王怒新宮營構稽緩, 責監督官金善莊等曰, "若不斷手, 十月, 必受重刑, 且徵賜物及工費". 善莊等, 晝夜督役. 又張榜曰, "自宰相至權務, 輸材不及期者, 徵布五百匹, 分配海島". 於是, 輦材絡繹, 新宮殿宇門戶, 皆飾鍮銅, 乃命百官下

---

209) 이날은 율리우스曆으로 1343년 5월 28일(그레고리曆 6월 5일)에 해당한다. 또 李兆年의 翰墨으로 '曲終人不見, 江上數峰靑'이 남아 있다(慶南大學博物館 2016년 20面).

210) 이들 기사는 四月丁丑으로 되어 있으나 4월에는 丁丑이 없으므로 四月은 五月의 誤字일 것이다. 이는 지금의 『고려사』(紀傳體)의 편찬에서 이루어진 오자가 아니라 『충숙왕실록』또는 編年體의 『고려사』에서 발생한 오자일 것이다.

211) 惠宗[順帝]이 이해의 3월에 遼·金·宋의 3史를 편찬하게 하여 右丞相 脫脫[Togto]을 都總裁官으로 삼았다(『원사』 권41, 본기41, 순제4, 지정 3년 3월).

212) 添字는 『고려사절요』 권25에 의거하였다.

至胥吏，每二人，給五綜布一匹，徵鍮銅二斤，人皆苦之．又歛斂諸道銅鐵，鑄鼎鑊錡釜，納之新宮．於是，民間農器，盡括無餘:節要轉載].[213]

[→王怒營宮稽緩，責善莊·良衍等曰，“若不斷手，十月，必受重刑．且徵賜物及工費”．善莊等，晝夜督役，不少懈．又張榜曰，“自宰相至權務輸材，不及期者，徵布五百匹，分配海島”．於是，輦材絡繹．新宮殿宇門戶，皆飾鍮銅，乃命百官下至胥吏，每二人，給五綜布一匹，徵鍮銅二斤，人皆苦之．又斂諸道銅鐵，鑄鼎鑊錡釜，納之新宮，民間農器，盡括無餘:列傳37朴良衍轉載].

[→□□王命新宮別造成都監，令出諸君·宰樞，品從五名，三品四名，四品三名，五六品二名，七八品一名，九品·權務幷一名，各限五日，輸材木，違者重罰．又令各司，納鍮銅，諸君役夫，日役三十人，大君四十人，其下有差．若闕一日，卽徵布，如其人例:兵3工役軍轉載].[214]

戊子24日，大雨雹.[215]

辛卯27日，德寧公主移御延慶宮，王置酒慰之．夜，觀角觝戲.

[是月，以李穀子穡爲別將．穡年十六:追加].[216]

[是月頃，以金英爲永州副使，律學博士許冲瑞爲雞林府法曹:追加].[217]

六月乙未朔小盡,己未，丙申2日，幸馬巖，觀手搏戲.

○復其人法.

癸卯9日，王遊東郊.

甲辰10日，亦始之~~亦如之~~.[218]

丁未13日，王放鷹于青郊.

己酉15日，王出遊炭峴門外.

壬子18日，幸花園，置酒.

甲寅20日，王微行，捕雀于東郊.

丁巳23日，[大暑]．幸觀音房，以嬖臣金善莊設忌日齋也.[219]

---

213) 이 기사 이하의 내용은 7월 8일(辛未)에 이어진다.

214) 原文에서 ~~添字~~가 추가되어야 할 것이다.

215) 지7, 五行1, 水, 雨雹에는 戊子 앞에 五月이 탈락되었다.

216) 이는 다음의 자료에 의거하였다.

· 『목은집』연보, 至正三年癸未, “夏五月，補別將”.

217) 이는 『영천선생안』;『동도역세제자기』에 의거하였다.

218) ~~添字~~와 같이 고쳐야 옳게 될 것이다.

戊午[24日], 幸南宮信第.

○王求取四件奴婢, 甚急. 曰寄上, 曰投屬, 曰先王所嘗賜與及人相貿易者.

[→王用[代言]閔渙言, 求取四件奴婢, 甚急. 曰寄上, 曰投屬, 曰先王所嘗賜, 與及人相貿易者, 使康允忠·閔渙等主之. 於是, 諸豪富家婢, 有姿色者, 皆奪而納之北殿, 使之紡績如平人家. 權準·奉天佑·權適家, 尤被其害, 唯賂渙者得免. ○一日, 主吏, 至□[前]政丞金石堅家索婢, 石堅歐逐, 卽詣北殿. 王迎謂曰, "政丞, 得無以臧獲事來耶". 時石堅子元之帖木兒[完者帖木兒],[220] 仕元有寵, 石堅曰, "吾家, 唯有祖業奴婢, 臣已與之子. 上若索之, 臣欲於明朝, 如元取來". 蓋因以脅王也. 王賜馬慰諭曰, "予將勿取, 政丞毋怒". 渙, 禧妃[忠惠王次妃]之伯父也, 怙寵恣橫, 人皆疾之:節要轉載].[221]

[某日, 以辛引裾爲慶尙道按廉使:慶尙道營主題名記].

[夏某月, 下旨, 量移鄭頫於淸州, 鄭誧於福州:轉載].[222]

秋七月[甲子朔大盡,庚申], 庚午[7日], 幸鄭元龍第.

---

219) 觀音房은 어디에 위치한 寺刹인지 알 수 없으나 朴淵의 隣近에 위치한 觀音窟일 가능성이 있다.
- 『懶齋集』 권1, 遊松都錄(1477년 3월), "甲申[17日], … 至觀音窟寺, 卽我太祖[李成桂]潛邸時願刹, 而牧隱作記, 寺後有窟深廣, 中有石大士[菩薩], 故名之, 谷中泉石奇絶, 而因日晩, 不得遍遊, 寺前有盤石可坐, 流水沿回而觸石有聲, 遂携酒酬酢其上, …". 여기에서 大士는 菩薩을 指稱하는 것 같다.

220) 元之帖木兒는 完者帖木兒(完者鐵木兒, Öljie Temur)의 다른 表記일 것이다(열전17, 金周鼎, 石堅→下記의 脚注).

221) 이와 관련된 기사로 다음이 있다. 또 閔渙이 禧妃 尹氏(忠惠王妃 尹氏 忠定王의 母, 尹繼宗의 女)의 伯父로 되어 있는데, 外叔(尹繼宗의 妻男)을 가리키는 것 같다.
- 열전37, 康允忠, "時王求四件奴婢甚急, [康]允忠與閔渙主之".
- 열전37, 閔渙, "… 渙又建白, 求取人四件婢奴甚急, 曰寄上, 曰投屬, 曰先王所嘗賜與, 曰人相貿易者. 王使渙及康允忠等主之. 於是, 諸豪富家婢有姿色者, 皆奪而置之北殿, 使紡績如平人家. 權準·奉天祐·權適家, 尤被其害, 唯賂渙者得免".
- 열전17, 金周鼎, 石堅, "王用閔渙言, 求取諸豪富家婢有姿色者. 主吏至石堅家索婢, 石堅歐逐之, 卽詣王宮. 王迎謂曰, '政丞得無以臧獲事來耶'. 石堅曰, '臣家臧獲, 皆已與子. 上若索之, 臣欲明朝, 如元取來'. 石堅庶子完者帖木兒, 仕元有寵, 故因以脅王. 王賜馬慰諭曰, 政丞毋怒. 予將勿取".
- 『梅軒集』 권3, 五言律詩, 吾外祖復齋文節公, 有三子, 伯父·仲父皆無後, 獨季父竹亭公有一子, 而不幸早世. 이는 麗末鮮初의 權遇(1363~1419, 近의 弟)가 그의 外三寸을 伯父·仲父·季父 등으로 呼稱한 사례이다.

222) 이는 다음의 자료에 의거하였다.
- 『동문선』 권11, 贈佐郞舅詩幷序, "至正二年秋, … 明年夏, 有旨安置予福州, 思謙淸邑".

辛未[8日], 元使實德道見造成都監牓文, 有曰, "納木石, 不及期者, 徵布配島". 乃取歸館, 謂[都僉議]政丞蔡河中曰, "爲人君者, 當使民以時, 今役民妨農, 此邦之民, 其何以生. 吾將奏于帝". 河中以告, 王大怒曰, "此必伴接人所誘也". 河中對曰, "臣願殿下無輕怒. 人君不可輕, 殿下平日小事, 即振聖威, 固非人主所宜爲也". 王使河中等請之. 實德不聽, 令其所親, 固請乃止. 有白王者曰, "訴實德者前判閣崔天雨也".[223] 王召入內, 批頰流血.[224]

○幸和妃殿, 晩幸判司僕寺事安義第.

壬申[9日], [立秋]. 以李蒨爲□[都]僉議評理商議.

戊寅[15日], 幸花園.

癸未[20日], 夜, 幸承信家, 置酒歡甚, 雞鳴, 王曰, "雞知主人意矣". 提刃斷雞頭. 謂承信曰, "汝必傷心". 對曰, "雞鳴有時, 無辜見殺, 誰敢不傷". 即賜布百匹.

戊子[25日], 以萬戶全贊强奸李包恭妻, 杖流之.

[某日, 令, 五教兩宗亡寺土田及先代功臣田, 盡屬內庫:食貨1公廨田柴·節要轉載].

[某日, 追徵各道往年貢賦, 餘美縣吏, 不堪其苦, 遂自刎:食貨1貢賦轉載].

[某日, 令各寺院, 買古銅瓶, 隨等差以進, 少[艹]不下三十口, 瓶價更高:食貨2市估轉載].[225]

八月[甲午朔小盡, 辛酉], [某日, 復徵職稅:節要·食貨2科斂轉載].

丙申[3日], 幸妙蓮寺凡六日, 自是數幸.

庚子[7日], 元使·□□監丞吾羅古請享王, 王曰, "今日須往妙蓮寺爲樂". 吾羅古先至候之, 王率二宮人, 及晡乃至. 登寺北峯, 從樂, 天台宗僧中照起舞. 王悅命宮人對舞, 王亦起舞. 又命左右皆舞, 或作處容戲.

○李芸·曹益淸·奇轍等在元, 上書中書省, 極言王貪淫[食淫]不道, 請立省, 以安百姓.[226] 初, 芸兄儼與僧波哥景有隙, 波哥景譖王曰, "儼常叱臣以爲, 汝王何等人,

---

223) 前判閣은 前判閣門事의 약칭이다.

224) 이 기사는『고려사절요』권25에는 5월 某日에 수록되어 있다.

· "元使實德, 見榜文, 乃謂政丞蔡河中曰, '爲人君者, 當使民以時, 今役民妨農, 民何以生, 吾將此文奏于帝'. 王怒曰, '此必伴接人所誘也', 使河中請之, 實德不聽, 固請乃止. 有人白王曰, '訴實德者, 前判閣崔天雨也', 召天雨, 批頰流血".

225) ~~添字~~와 같이 고쳐야 할 것이다.

226) 이와 관련된 기사로 다음이 있다.

· 열전21, 曹益淸, "[曹益淸]後與李芸·奇轍等在元, 上書中書省, 極言忠惠貪淫不道, 請立省以安百姓".

吾不畏也”. 王怒, 命囚儀奴, 儀見於王, 欲自明, 王歐之. 儀厲聲曰, “王何辱我, 王之初立, 伊誰之功”. 王雖激怒於波哥景, 實惡芸也.

[○月犯房次相:天文3轉載].

乙巳[12日], 元遣太監朴帖木兒不花來, 索童女.

丁未[14日], 幸妙蓮寺, 以寺僧辦宴請幸也.

戊申[15日], 王出內帑五綜布百匹, 加歛[斂]近侍左·右番, 宴中秋於新宮樓.

○有一嬖人, 白王曰, “知人室家, 莫若盲人巫女”. 上若求美女, 當問此輩. 王卽命惡小[惡少], 侵虐盲巫.

辛亥[18日], 王微行遊于青郊.

[是月, 東界山谷, 有蝗:五行2轉載].

九月[癸亥朔大盡,壬戌], 丁卯[5日], 以□[都]僉議評理康允忠爲楊廣·全羅·慶尙道問民疾苦使, 贊成事尹桓爲江陵·交州道都巡問使,[227] 右常侍全允臧爲西海·平壤道巡慰使. [時閔渙分遣惡小[惡少]諸道, 馳驛誅求, 或收山海稅, 或徵巫匠業中貢布, 民不堪苦. 允忠, 執送惡小[惡少], 囚巡軍, 王怒黜渙. 未幾召之, 復得幸焉:節要轉載].[228]

[某日, 王又怒營宮稽緩, 親杖監督朴良衍·金善莊·閔渙等. 於是, 人家·寺院, 材瓦礎砌, 靡不撤取, 其宮室制度, 不類王居, 庫屋百間, 實穀帛. 廊廡置綵女, 有二女被選, 當入泣下, 王怒, 以鐵鎚擊殺之. 又多置碓磑, 皆銀川翁主之所指也:節要轉載].[229]

[→王猶怒其稽緩, 親杖善莊·良衍·渙. 於是, 人家·寺院, 材瓦礎砌, 靡不撤取, 其宮室制度, 不類王居:列傳37朴良衍轉載].

[→王起三峴新宮, 其制度不類王居. 庫屋百間實穀帛, 廊廡置綵女. 有二女被選, 當入泣下, 王怒, 以鐵椎擊殺之. 又多置碓磑, 皆翁主意也. 王好熱藥, 諸妃嬪皆不能當御, 唯翁主得幸. 生釋器, 開福宴, 奪市人帛爲幣列傳2忠惠王后妃銀川翁主].

乙亥[13日], 夜, 王以單騎遊巖花路, 夜半還宮.

---

227) 尹桓과 관련된 기사로 다음이 있다.

· 열전27, 尹桓, “王嘗[是年5月朔]通[贊成事尹]桓妻柳氏, 出桓爲江陵·交州道都巡問使”.

228) 이 기사는 열전37, 康允忠, 閔渙에도 수록되어 있다.

229) 이 기사는 열전2, 忠惠王妃, 銀川翁主林氏에도 수록되어 있다. 또 이 기사의 前半部는 열전37, 閔渙에도 수록되어 있다.

丙子[14日], 王獵于東郊.

丁丑[15日], 夜, 王微行, 遊城中, 崔安義家奴叱之. 王怒, 杖之幾死.

壬午[20日], 夜, 幸妙通寺.

甲申[22日], 王令崔安義, 買駱駝三頭來, 飾以錦幪珠玉, 載以寶鈔.

丙戌[24日], 夜, 以商賈賫內帑, 入元行販, 並授將軍[護軍].[230)]

己丑[27日], 幸[贊成事]尹桓家.

庚寅[28日], 夜, 惡小[惡少]鳳骨等三人詐稱大家, 入注簿孔甫家, 奸其妻. [征東]行省執殺之.

[是日, 光祿大夫·平章政事忙古台[方臣祐]卒于元, 年七十七. 臣祐, 事元七朝二太后, 叅掌機密, 累賜貂裘珠衣冒, 金玉七寶腰帶, 江南腴田四千畝, 黃白寶鈔, 不可勝計:列傳35方臣祐轉載].[231)]

冬十月癸巳朔[大盡,癸亥], 評理致仕尹宣佐卒.[232)] [宣佐, 生而穎異, 七歲能屬文, 平生不治家產, 未嘗戲謔歌舞, 愼交游, 重然諾. 閑居, 常若對賓, 唯以經史自娛:節要轉載].

[→忠惠後四年, 得微疾, 呼子女而前曰, "今之兄弟, 多不相能者, 由有爭也". 命子粲書文契, 均分家業, 且戒之曰, "和而無爭, 以訓汝子孫". 言畢, 整衣冠而卒, 年七十九. 生平不治產, 性不飮酒, 未嘗戲謔歌舞. 愼交遊, 重然諾, 閑居, 常若待賓. 唯以經史自娛, 有質疑者, 輒據經以對. 老莊·刑名之書, 靡不硏窮, 故學者多歸之. 詞翰淸便, 一時表箋, 多出其手. 子棣·粲·瓌:列傳22尹宣佐轉載].

己亥[7日], 王畋于伯顔平, 三日乃還.

○王以石壓殺强奸囚三人.

[某日, 令諸君·宰樞, 下至權務, 出材木有差, 以創新樓:食貨2科斂轉載].

癸丑[21日], 新宮成.

甲寅[22日], 移御.

丁巳[25日], 百官皆賀, 監察大夫申仲佺先獻綵叚[綵段]二匹, 人譏其諂. 有人入內廚, 取饅頭. 王怒, 以爲盜, 卽命殺之.

[戊午[26日], 小雪. 月犯角星:天文3轉載].

---

230) 將軍은 護軍의 오자로 추측된다.

231) 이와 같은 기사가 『익재난고』 권7, 方臣祐祠堂碑에도 수록되어 있다. 또 이날은 율리우스曆으로 1343년 10월 16일(그레고리曆 10월 24일)에 해당한다.

232) 이날은 율리우스曆으로 1343년 10월 19일(그레고리曆 10월 27일)에 해당한다.

[某日, □□[楊廣?]左右道收司[攸司]·判事崔孫雨[崔孫祐]等, 盡奪京畿諸賜給田, 屬有備倉:食貨1公廨田柴轉載].[233)]

壬戌[30日], 元遣資政院使高龍普·大監[太監]朴帖木兒不花, 賜王衣酒.[234)] [又贈皇后父子敖, 爲榮安莊獻王, 母李氏, 爲榮安王大夫人. □[都]僉議評理辛裔偕來:節要轉載]. 王出迎.

[→忠惠時, 帝遣資政院使高龍普, 太監朴帖木兒不花, 追贈子敖秉德承和毓慶功臣, 封榮安王, 謚莊獻. 勑翰林學士歐陽玄, 撰墓碑賜之. 妻李氏爲榮安王大夫人, 表其門曰貞節, 數遣使來, 錫衣酒. 又以轍爲□□行省叅知政事, 轅爲翰林學士:列傳44奇轍轉載].[235)]

[是月頃, 以[奉翊大夫]石天起爲福州牧使:追加].[236)]

十一月[癸亥朔大盡,甲子], [某日, 江陵道獻山稅松子三千石:節要·食貨1貢賦轉載].

丙寅[4日], 王與[宦者·資政院使]高龍普, 御市街樓, 觀擊毬及角觝戲, [龍普之請也:節要轉載]. 賜勇士布無算.

[辛未[9日], 雷電:五行1雷震轉載].

壬午[20日], 元遣乃住等八人來, 稱索鞍轎, [而來:節要轉載].

甲申[22日], 托以告郊頒赦, 遣大卿朶赤·郎中別失哥等六人來. ○王欲托疾不迎, 龍普曰, "帝常謂王不敬, 若不出迎, 帝疑滋甚". 王率百官朝服郊迎. 聽詔于征東省, 朶赤·乃住等蹴王, 縛之. 王急呼高院使, 龍普叱之. 使者皆拔刃, 執侍從群小[群少], 百官皆走匿, 左右司郎中[·三司右使]金永煦, 萬戶姜好禮, 密直副使崔安祐, 鷹揚軍□□□[上護軍]金善莊等中槊,[237)] 持平盧俊卿及勇士二人被殺, 中刀槊者甚多. [都僉議評理]辛裔

---

233) 收司는 攸司[有司]로 고쳐야 옳게 될 것이고, 崔孫雨는 崔孫祐로 달리 표기되었다(→충숙왕 14년 11월 24일).

234) 資政院은 奇皇后의 財政을 담당하던 기관으로 『원사』百官志에는 資正院으로 달리 표기되어 있지만(권92, 지41하, 백관8, 資正院), 여타의 編目에서는 資政院·資政院使도 함께 사용되었다.

235) 이때 奇轍이 임명된 行省參知政事의 소속이 征東行省인지, 遼陽行省인지를 알 수 없다. 그가 後日 요양행성의 左丞, 平章政事 등에 임명되었음을 보아 後者일 가능성이 높다. 또 이 시기 이후에 고려에서 奇氏一族의 威勢가 대단했던 것 같다.

· 열전44, 奇轍, "[奇]轍·轅·輈·輪, 倚后勢縱恣, 其親黨, 亦夤緣驕橫. 轅嘗會宗族, 宴其母, 器皿珍羞, 窮極侈麗, 見者以爲, 東韓以來罕有".

236) 이는 『안동선생안』에 의거하였다.

237) 金善莊은 1342년(忠惠王後3) 6월 1일(庚子) 大護軍으로서 曹頔의 난을 토벌한 공으로 1등 공신에 책봉되었으므로 이때 鷹揚軍上護軍이었을 것이다. 또 이 기사의 일부는 열전17, 金方慶, 永煦에도 수록되어 있다.

伏兵，禦外以助之.[238)]

[史臣元松壽曰，“王雖凶虐，乃其主也，龍普小人，旣不足論，辛裔儒者，何至此耶?”:節要轉載].[239)]

○朶赤等卽掖王，載一馬馳去．王請小留，朶赤等拔刃脅之．王悶甚索酒，有一嫗獻之．巡軍萬戶權謙·羅英傑爲押領官，龍普與朴帖木兒不花及諸軍萬戶李中敍·金珠慶·金上琦等，執弓劍，搜索勢家.

○朶赤等命龍普，整治國事，△以德成府院君奇轍·理問洪彬，△爲權△攝征東省△事．龍普遣人，捕王之侍從群小朴良衍·林信·崔安義·金善莊·承信等十餘人，囚之．宋明理·趙成柱·尹元佑·韓暉·康贊等，素與龍普善，故免．龍普與轍·彬·蔡河中等，封內帑.[240)]

[○銀川翁主泣曰，“王只著禮服，今天寒甚，願獻王裘”．龍普許之:節要轉載].[241)]

[□□是時，權攝征東行省事洪彬會計寶興庫錢物，庫使尹侅獨無小汚，彬嘆賞之:追加].[242)]

[初，代言印璫，自元將封內帑，急馳馹來，馹騎至斃，彬謂璫曰，“君之來，國人皆謂復正三韓，今但封府庫耶”．奮袂而出，自後托疾，不肯視事:列傳21洪彬轉載].

丁亥25日，放銀川翁主等宮人百二十六人.[243)]

[某日，置田民推刷都監，以政堂文學鄭乙輔·密直提學張沆，爲提調:節要轉載].[244)]

---

238) 이날은 율리우스曆으로 1343년 12월 9일(그레고리曆 12월 17일)에 해당한다.

239) 이와 같은 기사가 열전38, 辛裔에도 수록되어 있다.

· “辛裔, 轉僉議評理．元使朶赤·乃住之執王也，裔與其妹壻·宦者高龍普謀，伏兵禦外以助之．時人以爲，龍普小人不足論，裔儒者，何至此耶”.

240) 이와 관련된 기사로 다음이 있다.

· 열전21, 洪彬, “王被執如元，彬與德城君奇轍，權征東省，與轍·蔡河中等，封內帑”.

· 열전35, 宦者, 高龍普, “朶赤等執王馳去，令龍普整理國事．龍普遣人捕王之侍從群小朴良衍·林信·崔安義·金善莊·承信等十餘人，囚之．宋明理·趙成柱·尹元祐尹元佑·姜贊康贊等，素與龍普善，故免．龍普與省官奇轍等，封內帑，旣而如元”. 여기에서 ~~添字~~와 같이 고쳐야 옳게 될 것이다.

· 열전37, 盧英瑞, 宋明理, “及王被執如元，高龍普捕朴良衍·善莊等十餘人囚之，宋明理以與高龍普善故免”.

241) 이 기사는 열전2, 忠惠王妃, 銀川翁主林氏에도 수록되어 있다.

242) 이는 다음의 자료에 의거하였다.

·「尹侅墓誌銘」, “歲癸未，進中正大夫·三司左尹，公以廉勤，爲寶興庫官凡三年，及王被召赴都，政丞洪彬會計錢物，獨公無少汚，洪公嘆賞之”.

243) 이 기사는 열전2, 忠惠王妃, 銀川翁主林氏에도 수록되어 있다. 또 이 시기에 銀川翁主 林氏는 慶妃로 册封되어 있었던 것 같다(→昌王 즉위년 12월).

244) 이때의 형편을 설명해주는 자료로 다음이 있다.

·「崔宰墓誌銘」, “玄陵永陵卽位，迺遞其職，及高氏之亂作，凡王所設置，悉皆更革，立都監，以公己丑[27日], [冬至]. [資政院使]高龍普還.

庚寅[28日], 王至肅州, 索於州守安鈞. 鈞不獻, 告朶赤等曰, "王以貪淫[貪淫]得罪, 又欲奪我衾, 如何?". 朶赤曰, "汝爲此州, 誰使之耶? 汝王怕寒索衾, 汝不與, 其於人臣之義何?". 遂以鐵尺擊之, 垂死.

[某日, 宰相等, 將享德妃[忠惠王母]以慰之. 妃引見[都僉議]政丞蔡河中, 謂曰, "卿爲政丞, 見君之惡, 何不匡救, 以至於此, 其阿諛順旨, 不一諫者, 徒欲固其祿位也. 今王被執而去, 卿曾不遣一介, 奔問起居, 靦然無恥, 今雖具酒食, 予何忍下咽". 泣而却之:節要·列傳2忠肅王明德太后洪氏轉載].

壬辰[30日], 判密直司事朴仁幹卒于元. 仁幹, 時爲元子師傅.[245)]

[○忠穆爲元子在元, 以師傅朴仁幹卒, 手書招[光山君金]仁沇及□□[士洛]府院君金永旽·咸陽君朴忠佐等入侍, 宰樞不許, 故未赴:列傳21金仁沇轉載].

[是時, 郎將李芳實隨從元子昕:列傳26李芳實轉載].[246)]

十二月[癸巳朔小盡,乙丑], 乙未[3日], 遣漢陽君[·都僉議贊成事]韓宗愈, 判密直司事孫守卿如元, 進方物.[247)] [時, 忠於王者, 宗愈及李兆年耳. 兆年已卒, 帝召宗愈, 將以托元子也:節要轉載].[248)]

辛丑[9日], 前代言印璫以檻車, 載林信·朴良衍·林以道·南宮信·崔安義·金添壽·閔渙·王碩·承信等九人, 如元.

[某日, 彥陽君金倫家居, 聞王被執而歸, 倉皇不及奔問, 乃以陳乞朝廷之意, 言

爲判官, 公甚不樂, 稱疾不出, 相府頗督之, 且脅之. 公徐出謂其判事宰相曰, '王固失德矣. 然爲臣而揚君之不美 於公安乎? 王之惡非出於王, 左右逢之耳, 逢之於前, 揚之於後, 吾實耻之'. 其宰相默不敢言". 여기에서 玄陵은 永陵의 오자이고, 高氏之亂은 高龍普가 충혜왕을 체포하여 元으로 압송한 사건을 가리킨다.

· 열전24, 崔宰, "忠惠卽位, 乃褫其職. 王被執如元, 凡王所設置, 悉皆更革, 立都監, 以宰爲判官, 宰嘆曰, '王之失德, 非王自爲, 乃左右逢之耳. 逢之於前, 揚之於後, 吾實恥之'. 稱疾不出".

245) 이날은 율리우스曆으로 1343년 12월 17일(그레고리曆 12월 25일)에 해당한다. 또 元子 昕(後日의 忠穆王, 1337~1348)이 언제부터 元에 入侍[宿衛]하였는지는 알 수 없으나 그를 隨從하였던 李芳實이 福州司錄으로 在職하다가 遞職된 1339년(충숙왕후8) 2월 이후로 추정된다(『안동선생안』).

246) 이는 다음의 기사를 변조하였다.

· 열전26, 李芳實, "芳實, 從忠穆入元, 侍從有勞, 及卽位, 補中郎將".

247) 이때 몽골제국의 使臣(高龍普?)이 惠宗[順帝]의 命令이라고 하며 韓宗愈를 進奉使로 삼았다고 한다.

· 「韓宗愈墓誌銘」, "至至正三年冬, 永陵西行, 使者稱制, 起公爲進奉使".

248) 이 기사는 열전23, 韓宗愈에도 수록되어 있다.

於[政丞]蔡河中:節要轉載].

丁未[15日], 宰相及國老會[□[於]旻天寺:節要轉載], 議□[欲]上書中書省,[249] 請赦王罪. [醴泉君權漢功曰, "昔殷太甲, 不明于德, 伊尹放諸桐三年然後, 悛心改行, 復于君位. 又有一國, 介於要衝之地, 殺其朝覲諸侯及天子之使. 於是, 天子遣人誅之. 又有一國之臣, 使於他國, 及其還, 天子之使, 斬其君首而去. 其臣詣尸所, 陳祭而哭, 亦令斬之. 今王無道, 天子誅之, 何得而救乎?". 前政丞康莊[姜融]曰, "帝意未測, 如之何, 如之何?". 前政丞李凌幹曰, "今天子, 聞王無道罪之, 若上書論奏, 是以天子之命爲非, 可乎?". 上洛君金永暾曰, "君辱臣死, 救之宜矣". [彦陽君]金倫厲聲曰, "臣之於君, 子之於父, 妻之於夫, 當盡其恩義耳. 其父被罪, 爲其子者, 忍不救乎? 其言帝意未測者, 何謂也". 諸相默然. 倫又言, "今之呈省, 雖不得蒙兪, 然救其主而得罪, 吾知其必無也". 一座皆然之, 遂決議上書, 令金海君李齊賢, 草其書:節要轉載].[250]

[→後帝遣高龍普, 賜王衣酒, 繼遣朶赤, 執王以歸. 倫時家居, 聞變遽起, 痛不及奔問, 詣龍普. 又知其不可感以義, 退與宰相言所以乞哀朝廷者. 咸曰, "陪臣犯天威, 恐有大譴". 故政丞姜莊[姜融]曰, "帝意未測, 如之何, 如之何?". 李凌幹曰, "今天子, 聞王無道罪之, 若上書論奏, 是以天子之命爲非, 可乎?". 倫厲聲曰, "臣之於君, 子之於父, 妻之於夫, 當盡其恩義耳. 其父被罪, 爲其子者, 忍不救乎? 其言帝意未測者, 何謂也". 諸相皆默然, 倫又言, "今之呈省, 雖不蒙兪, 然救其主而得罪, 吾知其必無也". 一坐皆然之, 遂決議上書. 令金海君李齊賢, 草之. 國老多不署名, 竟未就, 倫終身憤憤, 形於言色:列傳23金倫轉載].[251]

[→忠惠被執于元, 宰相國老會旻天寺, 議上書請赦王罪. [金海君李]齊賢草其書曰, "高

---

249) 添字는『고려사절요』권25에 의거하였다.

250) 康莊과 姜莊은 姜融의 初名이고(→충선왕 1년 7월 某日), 이 기사의 일부가 열전38, 權漢功에도 수록되어 있다.

251) 이때 金倫의 모습은 그의 묘지명에도 반영되어 있는데, 여기에서 憤憤은 憤忿(忿憤, 憤怒不平)과 같은 의미일 것이다.

- 「金倫墓誌銘」, "永陵得釋東歸, 襲爵四年, 讒構蛸毛. 天子賜以襲衣·尊酒, 而籠普[高龍普]寔來, 繼遣朶赤頒德音. 王出迎, 朶赤露刀, 扶王載一騎馳去. 公時家居, 聞變遽起, 痛不及奔問, 詣籠普, 又知其不可以義感, 退與宰相言, 所以乞哀朝廷者, 咸曰, '陪臣犯天威, 恐有大譴'. 公慷慨責之曰, '君臣父子也, 子而救父, 孰以爲罪, 畏罪不救, 可謂子乎?' 於是, 始議上書, 卒不果. 公終身憤憤[憤忿], 形於言色".
- 『자치통감』 권242, 唐紀58, 穆宗長慶 1년(821) 10월 辛巳[18日], "翰林學士元稹與[宦官]·知樞密魏弘簡深相結, 求爲宰相, 由是有寵於上, 每事咨訪焉. … 今文武百寮, 中外萬品, 有心者無不憤忿[胡三省注, 憤, 懣也. 忿, 怒也], 有口者無不咨嗟, …".

麗國耆老衆官，謹齋沐上書于征東省諸相公執事．朝廷使臣朶赤等，欽奉郊天大赦德音，前來王京．我寶塔實憐王，引僚吏備儀仗，出迎城外，入于本省，聽詔訖，使臣等就執王上馬回去．事出倉卒，凡在陪臣，措躬無所，尙復奚言．然念王年少不更事，直情徑行，所以致此，原其本意，盖亦無他，天日照臨，胡可誣也．又念小邦始祖王氏，開國海隅四百二十六年，子孫相繼二十八世，歷宋·遼·金，通使往來，羈縻而已．及我太祖聖武皇帝龍興之際，有金山王子者，驅掠中原之民，圖復亡遼之業，勢窮東走，陸梁島嶼．太祖命哈眞·札剌[札剌]兩將帥討罪，天寒雪深，餉道不繼．我忠憲王[高宗]遣趙冲·金就礪等，助兵與粮，一擧破賊．於是，兩國同盟，萬世子孫，無忘今日，因分所虜生口爲信，今小邦有契丹場，是也．世祖文武皇帝觀兵襄陽，阿里孛哥扇變漠北，諸侯虞疑，各懷去取．我忠敬王[元宗]，時爲世子，蒙犯霜露，直至汴梁，以迎于道．世祖望見驚喜曰，高麗荒遠之邦，今我北歸，將繼大統，彼其世子，自來歸我，天贊我也．忠敬王[元宗]旣當國，陪臣林惟茂父子，不喜內屬，擅廢立，阻兵江華．世子忠烈王，奔告朝廷，世祖赫怒，詔王復位，乘馹入覲．王及世子，引兵東還，擒戮逆黨，去水而陸，一心供職．忠烈王之世，世祖兩征日本，王遣金方慶等，修其戰艦，每爲先鋒．又乃顔之黨哈丹，攻陷水達達·女眞 之地，侵及我疆，欲抗天威，王出兵逆擊之，隻輪無返者．大德末，益知禮不花王[忠宣王]，左右仁宗皇帝，定亂淸宮，奉迎武宗皇帝，爲一等功臣，是則王氏忠於朝廷也久矣．又念世祖皇帝，釐降忽篤怯迷思公主，是生益知禮不花王，益知禮不花生阿納忒室利王[忠肅王]，阿納忒室利生寶塔實里王[忠惠王]．寶塔實里王，雖疎且遠，其於世祖實有肺腑之親焉．又念皇后奇氏，生自小邦，上配至尊，誕毓元良，爲天下所慶賴，朝廷之視小邦，不應與諸蕃同焉．又念小邦與日本，隔海爲隣，我之蒙福，彼則愧其歸化之遲，我之獲戾，彼則甘其執迷之陋，勢之必然者也．昔周執衛侯衎而卒令復位，漢徵梁王武而亦使歸梁，有以見王者之大度也．况我朝廷，自列聖以來，好生之德，萬萬過於周漢．而今則親享南郊，尊祖配天，大禮旣成，德音廣布，外薄四海，蹈舞歡呼．苟有一物，不被其仁澤者，所宜痛心．欽惟，聖天子以宥過無大之仁，儻回一念，使我寶塔實里王，免離罪罟，游泳恩波，且使王氏君臣·社稷，不替其名，衣冠風俗，並仍其制，山海愚民，獲安舊業，則太祖·世祖勤恤小邦之意，豈不益明．世祖釐降公主，生子若孫，以繫遠方之心，其規模豈不益遠．皇后誕毓元良，天下之慶賴，豈不益偉．小邦勤王敵愾之志，豈不益堅．日本未服之民，革其執迷，樂於歸化，其意豈不益篤．四百二十六年·二十八世血食之鬼，豈不益感．朝廷宥過無大好生之德，豈不益播於天下後世哉. 伏惟執事, 俯察蒭言, 達于天聰". 後欲署名呈省, 國老多不至, 事竟未就:列傳23李齊賢轉載].

癸丑[21日], 帝[惠宗]以檻車[~~檻車~~],[252] 流王于[江西行省]揭陽縣.[253] 諭王, "若曰, 爾王禎爲人上, 而剝民已甚, 雖以爾血啖天下之狗, 猶爲不足. 然, 朕不嗜殺, 是用流爾揭陽, 爾無我怨, 往哉". 揭陽去燕京二萬餘里.

○□□[~~是時~~], 元子□□□[~~昕在元~~], 使□□□[~~隨從臣~~]裴佺, 獻衣一襲. 佺獻已卽行, 王使呼之, 則不及矣. 無一人從行者, 王手持衣袱, 而去.[254]

[是年, 升淸道監務官爲知淸道郡事官:追加].[255]

[○罷有備倉, 倂於寶興庫. 先是, 置有備倉, 有使從五品, 副使從六品, 丞從七品, 注簿從八品, 尋[恭愍王3年以前]復置:百官2寶興庫轉載].

[○以[親禦軍護軍兼寶興庫使]尹侅爲中正大夫·三司左尹·寶興庫使:追加].[256]

[○以[奉善大夫·成均司藝]李公遂爲奉常大夫·典校副令:追加].[257]

[○以[右獻納]李仁復爲起居郞, 尋爲起居注:追加].[258]

[○以[弘福都監判官]鄭云敬爲知密城郡事:追加].[259]

---

252) 轞車[檻車]는 箱子形의 수레[車]로서 板子로서 바깥에서 들어다 볼 수 없게 만든 것이다.
- 『사기』 권89, 張耳·陳餘列傳第29, "漢九年, 貫高怨家知其謀, 乃上變告之. 於是上[劉邦]皆幷逮捕趙王[敖]·貫高等. 十餘人皆爭自剄, 貫高獨怒罵曰, … 乃轞車膠致, 與[趙]王詣長安[張守節正義, 謂其車上著板, 四周如檻形, 膠密不得開, 送致京師也]".
- 『자치통감』 권12, 漢紀2, 高帝 9년(bc198) 12월, "貫高怨家知其謀, 上變告之. 於是上[劉邦]逮趙王[敖]及諸反者, 趙午等十餘人皆爭自剄, 貫高獨怒罵曰, … 乃轞車膠致[胡三省注, 師古曰, 轞車者, 車而爲檻形, 以版四周之, 無所通見. 史記正義曰, 膠致者, 膠密不得開, 送致京師也], 與[趙]王詣長安, …".

253) 揭陽縣은 江西行省 潮州路에 所屬되어 있었다(現 廣東省 東部地域의 揭陽市).

254) ~~添字~~가 추가되어야 할 것이다.

255) 이는 다음의 자료에 의거하였다.
- 『경상도지리지』, 慶州道, 淸道郡, "寶塔實里王代, 至正癸未, 據郡人上護軍金善藏所申, 以郡有向國輔佐之功, 升爲知淸道郡".
- 지12, 지리3, 淸道郡, "忠惠王後四年, 以郡人上護軍金善莊有功, 陞知郡事".

256) 이는「尹侅墓誌銘」에 의거하였다.

257) 이는「李公遂墓誌銘」에 의거하였다.

258) 이는「李仁復墓誌銘」에 의거하였다.

259) 이는『삼봉집』권4, 鄭云敬行狀에 의거하였다.
- 열전34, 鄭云敬, "累遷弘福都監判官. 忠惠時, 出知密城□□[~~郡事~~], 時密人有貸宰相趙永暉布者, 永暉, 託御香使安祐, 移牒徵之, 云敬寢不行. 祐馳入金海府, 以不及郊迎, 笞府使. 密之候吏奔告, 邑人皆危之. 祐至問前有移牒何如, 云敬曰, 密人貸布者, 趙自徵之, 非公所宜問. 祐怒, 令左右辱之, 云敬正色曰, 今已郊迎天子之命, 將何以罪我, 公不布德音惠遠民, 敢爲是耶? 祐屈

[○以[通直郎]宣安景爲福州司錄:追加].[260)]

[○[前密直副使]趙廉卒, 年五十四. 嘗與中朝士大夫, 講明經史, 無不通:列傳22趙廉轉載].

[○僉議贊成事尹桓與禪源寺法蘊和尙, 起報法寺之重建. 報法, 太祖妃柳氏所捨家爲寺, 中途已廢者, 久矣:追加].[261)]

[是年, 元追封忠宣王妃寶塔實憐公主爲薊國大長公主, 忠肅王妃亦憐眞八剌公主爲濮國長公主, 金童爲曹國長公主:列傳2忠宣王妃薊國大長公主·忠肅王濮國長公主·曹國長公主:列傳2后妃轉載].

[○以[前征東行省員外郞]李穀爲奉訓大夫·中瑞司典簿:追加].[262)]

[○征東行省員外郞金永煦在職].[263)]

甲申[忠惠王]後五年→2月)忠穆王 卽位年, 元至正四年, [西曆1344年]

1344년 1월 16일(Gre1월 24일)에서 1345년 2월 2일(Gre2월 10일)까지, 13개월 384일

春正月[壬戌朔大盡,丙寅], 王在元.

[某日] 元以柳濯爲合浦萬戶, 舊萬戶·□[都]僉議商議楊之秀不肯受代, 久而乃出, 遊于道內, 莫有問者.

[○以白文寶爲慶尙道按廉使:慶尙道營主題名記].

戊辰[7日], 宰相會百官及國老[于旻天寺:節要轉載], 欲署名, 呈省書. 國老多不至, 事竟未就.

○王傳車疾驅, 艱楚萬狀. 未至[江西行省]揭陽,

而止".

260) 이는 『안동선생안』에 의거하였다.

261) 이는 다음의 자료에 의거하였다.

- 『목은문고』 권6, 報法寺記, "王城之南, 白馬山之北, 有大伽藍焉.」 太祖妃柳氏所捨家也, 所施田民, 至今存焉, 中廢者久. 侍中·漆原府院君尹公[桓], 與禪源□[寺]法蘊和尙同盟重營, 始於至正癸未, …".

262) 이는 다음의 자료에 의거하였다.

- 『가정집』年譜, "至正三年, 授奉訓大夫·中瑞司典簿".
- 열전22, 李穀, "… 元授中瑞司典簿. 時本國官爵猥濫, 奴肆[奴隸]亦得軒冕. 殿中崔江求爲正尹, 穀聞之寄詩云, 不妨正尹生前得, 猶勝中書死後加. 安就·趙溟, 死後皆拜中書, 故云".

263) 이는 『근재집』 권2, 尙州客館重營記에 의거하였다(是年 3 頃 安軸의 脚注).

丙子15日, □士薨于中書省晉寧路岳陽縣. 或云遇鴆, 或云食橘而殂.[264)]

○國人聞之, 莫有悲之者. 小民至有欣躍, 以爲復見更生之日. [其民不見德如此:節要轉載]. 初, 宮中及道路, 歌曰, "阿也麻古之那, 從今去, 何時來". 至是, 人解之曰, "岳陽亡故之難, 今日去, 何時還?".

○王在位前後六年, 壽三十. 六月癸酉16日, 喪至, 八月庚申4日, 葬永陵.[265)] 恭愍王六年閏九月癸亥22日, 上尊謚諡曰獻孝大王. 十六年正月丁亥10日, 元賜謚諡曰忠惠. 王性游俠, 好酒色, 耽于遊畋, 荒滛荒淫無度, 聞人妻妾之美, 無親踈貴賤, 皆納之後宮, 幾百餘. 於財利, 分析絲毫, 常事經營, 群小爭進計畫, 奪人土田·奴婢, 盡屬寶興庫, 良馬以充內廐. 給布回回家, 取其利, 令椎牛進肉, 日十五斤. 新宮之役, 張旗設鼓, 親登墻督之. 宮成, 徵漆諸道, 丹雘之輸, 後期者, 徵布倍蓰. 吏緣爲姦, 百姓愁怨. 群小得志, 忠直見斥, 一有直言者, 必加誅戮, 人人畏罪, 莫敢言者.

史臣贊曰, "忠惠王, 以英銳之才, 用之於不善, 昵比惡小, 荒滛荒淫縱恣. 內則見責於父王, 上則得罪於天子, 身爲羈囚, 死於道路, 宜矣. 雖有一老臣李兆年, 言之剴切, 其如不我聽, 何哉?".

[忠惠王 在位年間]

[○朴良衍, 亦忠惠嬖臣也. 良衍, 嘗以親從護軍, 管內乘, 潛易良馬八匹, 事覺, 徵布八百匹, 流之. 遷大護軍:列傳37朴良衍轉載].

[○僉議評理辛裔嘗受元命, 主楡岾都監. 時監察糾正姜居正·尹衡爲有備倉官, 以王命收寺院田, 楡岾田亦見收, 楡岾都監牒有備倉令還田, 居正等曰, "寺田曾以王命屬本倉, 不可擅還." 都監訴于裔, 執居正等, 以不從聖旨取辭, 衡乃承, 居正竟不屈. 裔益怒, 囚居正于行省獄:列傳38辛裔轉載].[266)]

---

264) 이 기사는 지18, 禮6, 國恤에도 수록되어 있다. 또 岳陽縣은 現在 湖南省의 東部에 있다. 그리고 충혜왕은 율리우스曆으로 1344년 1월 30일(그레고리曆 2월 7일)에 逝去한 셈이다.

265) 永陵은 失傳되어 현재 어디에 있는지를 알 수 없다.

266) 楡岾都監은 金剛山에 위치한 楡岾寺(현 北韓 江原道 高城郡 百川里 위치)의 諸般 寺務를 처리하기 위해 설치된 非常設機關으로 추측된다. 이 사찰의 부근 溪谷에서 米穀을 擣精하던 곳을 京庫라고 불렀던 것 같다. 또 고려후기의 여러 倉庫의 管轄은 監察糾正이 장악하였다(→공민왕 3년 7월 14일 蔡河中의 脚注). 그리고 1904年에 제작된 楡岾寺의 浮屠 寫眞도 찾아진다(關野貞 1904年 第316, 317圖).

· 『秋江集』 권5, 遊金剛山記(1485년), "… 飯後越一小峴行十里, 赴楡岾寺, 九淵洞水源出彌勒峯, 至寺前與水岾川合流, 寺有水閣, 跨川南北, 遊鱗飛躍於前, 有大水則連魚·松魚·魴魚皆至水閣下. 寺之外門曰解脫門, 有天王二軀, 次曰般若門, 有天王四軀, 次曰泛鍾樓, 樓傍一室, 有盧偆

[仁同人 張東翼 校注, 增補].

像, 最內有能仁寶殿, 殿內刻木作山形, 有五十三佛列立其間, 殿後有一井, 名曰烏啄, 水始以烏啄得之也. 寺有明社主者, 出示默軒閔漬'楡岾記', 其意略曰, '五十三佛, 本西域舍衛國不見世尊三萬家, 承文殊師尼說, 鑄成釋迦像, 盛以金鍾浮海, 任其所之. 佛至月氏, 其王作室置佛, 其室災, 佛夢於王, 欲去他邦. 王盛佛鍾中, 又浮諸海, 佛至新羅國高城江, 太守盧偆請佛所次居, 佛入金剛山, 偆隨後尋之, 有尼坐石上導其路者, 地名曰尼臺, 有狗於岾上導其路者, 地名曰狗岾, 有獐於峽口導其路者, 地名曰獐項, 至於佛之所住處, 聞鍾聲歡喜者, 地名曰歡喜岾, 偆聞於南解王, 作大伽藍以安佛像者, 名曰楡岾寺. 謹按閔漬之記, 有七大妄說, 而無一可取者. …".

· 『澤堂集』 권5, 楡岾寺[注, 十四韻, 寺再經火, 重建纔完. 寺中, 有大王大妃與公主·昭容手書'內典', 數百卷新藏, 可寶玩, 故有芝繩玉檢之句, 餘皆寺中古迹也].

· 『白軒集』 권10, 楓嶽錄, "… 楡岾寺已向殿曰能仁寶殿, 給事中周祚所書, 廢中宮時, 以百金求於中朝而施捨云, 古所謂梁武齊襄足爲明鏡者, 豈虛語也哉? 東有御室及羅漢殿·侍史房·十王殿·大權堂·禪堂·興福寮·駝臥寮·海會堂·涅般堂·養老房·興盛庵·內香積殿. 殿後有烏啄井, 所謂大權者, 爲盧偆也, 有塑像. 西有大藏殿·慈蔭堂·寂默堂·尋劍堂·掛猿寮·金堂·塵靜寮·擇木寮·圓寂寮·雲翠堂·外香積室. 室中有大甑·大釜. 南有山映樓·解脫門·回轉門·泛鍾樓·眞如門. 庭中有十二層青石塔, 鍾則世祖大王臨幸時所命鑄者也". 이때 유점사의 樣相은 고려후기의 모습이 남겨져 있었을 1453년(단종1) 6월 무렵에 불탄 143間 규모의 殿宇[重建]가 아니고, 1467년(세조13) 2월 이래 중창된 建物[再重建]이고, 이것이 1592년 임진왜란 때에 불탄 후 또다시 重建[三重建]되었을 때의 現狀일 것이다(『단종실록』 권6, 1년 6월 辛卯[6日] ; 『세조실록』 권41, 13년 2월 癸丑[17日]). 또 楡岾寺의 大殿은 能仁殿이고, 山映樓가 주목되는 건물이었던 것 같다.

· 『農巖集』 권23, 東游記, 自摩訶□[衍], 至楡岾□[寺]記, "… 五里抵楡岾, 坐山映樓, 樓舊跨溪, 水甚勝, 僧輩惑地家言, 故迁水道, 無復舊觀, 可恨. 佛殿宏麗, 遠過長安□[寺], 庭列十二級石塔, 石色正靑, 制度頗精巧, 法喜居士記五十三佛, 自月支國, 跨鐵鍾浮海而來. 法喜居士者, 高麗文士閔漬也, 其所記寺本末, 類皆誕謾, 不足信. 是寺在內外山, 最雄鉅, 佛殿以外, 僧寮禪室樓廊庖湢, 潦繞曲折, 不可窮其間架, 居勝千指, 皆饒於貲, 顧無一人可與語, 有智什者, 頗能言山之古事. 夜宿圓寂寮".

· 『圃陰集』 권6, 東游記, "… 至百川橋 … 又北行十里, 至京庫午飯, 楡岾僧擣米處也".

· 『游齋集』 권8, 東游錄上, 楡店寺大鍾, 乃光廟[世祖]時所鑄, 寺屢經燬, 舊物殆盡, 而此獨存云.

· 『신증동국여지승람』 권45, 高城郡, 佛宇, "楡岾寺, 在金剛山東, 距郡六十餘里, 寺大殿曰能仁. … 成化丙戌[世祖12年], 我世祖幸此寺, 命僧學悅改營之, 遂爲山中巨刹. 寺前跨澗起樓, 曰山映樓. 磁石多產于此".

『高麗史』卷三十七 世家卷三十七

[輔國崇祿大夫·議政府左贊成·知集賢殿經筵春秋館成均事·世子賓客·臣金宗瑞奉敎撰]

正憲大夫·工曹判書·集賢殿大提學·知經筵春秋館事兼成均大司成·臣鄭麟趾奉敎修

忠穆王

忠穆·顯孝大王,[1] 諱昕, 蒙古諱八思麻朶兒只,[2] 忠惠王長子. 母曰德寧公主, 忠肅王□後六年丁丑四月乙酉15日生,[3] 性聰慧. [忠惠王後元年頃:追加], 入元宿衛.[4]

忠惠王□後五年[5] [春正月庚辰19日, 月貫左角星:天文3轉載].

[壬午21日, 木稼:五行2轉載].

[辛卯30日, 典法司門頹:五行2轉載].

二月壬辰朔小盡,丁卯, [元子昕在元:節要轉載].

[癸巳2日, 木稼:五行2轉載].[6]

[甲午3日, 虎入城:五行2轉載].

[丙申5日, 亦如之木稼:五行2轉載].

[丁酉6日, 虎入城, 又狐鳴于市廛廊上:五行2轉載].

丁未16日, 資政院使高龍普抱王, 以見帝惠宗. 帝問曰, "汝學父乎? 抑學母乎? 對曰, 願學母". 帝嘆其天性好善惡惡, 遂令襲位. 時王年八歲.[7]

---

1) 이에서 忠穆은 1367년(공민왕16) 1월 10일 몽골제국으로부터 下賜받은 것이고, 顯孝는 1357년(공민왕6) 윤9월 22일 바쳐진 것이다.

2) 충목왕의 蒙古名인 八思麻朶兒只[Basima Dorji]가 1348년(충목왕4) 2월 28일(乙未)에는 八麻朶兒赤, 5월 6일(甲午)에는 八禿麻朶兒只로 달리 표기되어 있다. 또 1344년(충목왕 즉위년) 4월 27일과 『원사』에는 八禿思麻朶兒只로 되어 있다.

3) 忠肅王六年丁丑은 忠肅王後六年丁丑으로 고쳐야 옳게 된다.

4) 충목왕이 다이두[大都]에 들어가 숙위한 시기는 충혜왕 후4년 11월 30일의 脚注에 있다.

5) 原文에서 後가 탈락되었다.

6) 일본에서는 2월 2일 교토[京都]에서 怪雨가 있었다고 한다(中央氣象臺 1941年 2册 759面).

· 『續史愚抄』 권21, 光明院下, 康永 4년(貞和 1년) 2월, "三日戊午, 近日, 諸國怪異多者, 伊豆三嶋社燒亡, 下野雨石, 鎌倉流星, 及鶴岡社光且鳴動云".

○下敎, 戒國內臣僚, 一革弊政, 慰恤百姓.

乙卯24日, 元遣不哥奴等來, 閱內廐馬.

[是月頃, 元禮部尙書金完者帖木兒來, 宰樞及宗族, 爭置酒邀宴. 時忠惠被執如元, 政丞蔡河中謂曰, "尙書旣知上國與本國事矣, 何故有是變乎?" 完者帖木兒曰, "王之被讒, 由左右無其人. 誰不知惡之不可爲, 但阿意順旨, 以固權位耳. 不然何至此". 尋被徵, 還于元:列傳17金石堅轉載].[8)]

閏[二]月辛酉朔大盡,丁卯, 丙寅6日, 王命都僉議政丞蔡河中·司空重大臣姜好禮·政堂文學鄭乙輔·同知密直司事金上琦·薛玄固·密直提學張沆, 參議國政.[9)] 以前開城府尹·咸陽君朴忠佐·陽川君許伯△爲判田民都監事. 竄韓范·張松·沈奴介·田頭乞不花等十五人于島,[10)] 贊成事鄭天起·蘇敬夫·趙成柱, 放歸田里, 皆先王之嬖幸也.

丁卯7日, 監察司悉收先王時惡小惡少告身.

[己巳9日, □□□大行王訃至, 停朝市三日:禮6國恤轉載].

壬申12日, 遣□都僉議□□評理商議李蒨如元, 賀郊赦.[11)]

三月辛卯朔小盡,戊辰, 癸卯13日, □遣雞林郡公王煦·前典法判書崔文度如元, 賀聖節.[12)]

乙巳15日, 元遣使來, 求苧布.

[是月, 皇后奇完者忽都祈願皇帝, 印成'大般若波羅蜜多經'二部, 奉納大都慶壽寺及海州神光寺:追加].[13)]

---

7) 册命은 3월 12일(壬寅)에 내려졌다.
· 『원사』 권41, 본기41, 順帝4, 至正 4년 3월, "壬寅, 特授八禿思麻朶兒只征東行省左丞相·嗣高麗國王".

8) 金完者帖木兒는 金石堅의 庶子라고 하는데, 原文을 적절히 변조하였다.

9) 이와 같은 기사가 열전38, 蔡河中에도 수록되어 있다. 또 司空姜好禮에서 守司空[司空]은 이때에 없는 官職이므로 重大臣姜好禮로 고쳐야 옳게 될 것이다.

10) 田頭乞不花는 『고려사절요』 권25에는 田豆乞不花로 되어 있다(盧明鎬 等編 2016년 645面).

11) 몽골제국이 2월 7일(戊戌) 社稷에 祭祀를 지냈다(『원사』 권41, 본기41, 순제4, 至正 4년 2월 戊戌).

12) 이때 前知蔚州事 鄭誧(崔文度의 壻)가 함께 따라갔다가 明年(乙酉, 충목왕1) 7월 14일 大都에서 逝去하였다고 한다(鄭誧墓誌銘, 金龍善 2010년).

13) 이는 다음의 자료에 의거하였다(『成簣堂善本書目』, 1932年 319面 ; 朴鎔辰 2012년 ; 郭丞勳 2021년 394面).
· 『大般若波羅蜜多經』 권21[元版], 卷首題記, "皇后奇完者護都奇完者忽都伏爲」 皇帝」·太子祈天永命, 印成兩」藏敬施于」 今上所建大都慶壽寺·高」麗神光寺, 用資洪服者.」 竊以經律論難, 思實

[春某月, 以成元度爲慶尙道察訪使:追加].[14]

夏四月庚申朔小盡,己巳, [某日], 都僉議政丞奇轍·巡軍萬戶權謙·前惣擦郞盧永奉國璽, 詣行宮.[15]

癸酉14日, 王封叔祺爲江陵府院大君, 玹爲益興府院君, 愼爲大匡·元尹, 怡爲正匡·元尹, 以蔡河中爲右政丞, 韓宗愈爲左政丞,[16] 李齊賢△爲判三司事,[17] 金倫·權謙·朴忠佐△並爲贊成事, 羅益禧·孫守卿△並爲參理, 金承嗣·金上琦爲三司右·左使, [檢校評理·尙州牧使安軸爲密直副使, 閔思平爲典理典書·藝文館提學·同知春秋館事, 前判典校寺事金光載爲右副代言:追加].[18]

乙酉26日, 王至自元.[19]

丙戌27日, 元遣桑哥來, 頒詔曰, "昔我祖宗, 奄有萬方, 外薄四海. 于時高麗, 慕義效順, 用建東國, 傳之子孫, 世守藩輔. 不謂近者, 高麗國王寶塔實里忠惠王, 肆爲

藏」溢出, 龍宮, 佛法僧常住,」道場, 悅移鷲嶺於焉. 庋」置于以宣揚, 念乘歷劫」之, 因緣親沐」聖人之恩澤, 除非祝」壽, 無所用心, 玆捐內帑」之珍庸, 貫西方之敎,恭」願」皇帝陛下乾坤並久, 日月齊明,」紫闥青宮, 共嚮九疇之福,」金枝玉葉, 茂延萬歲之」伾德洽生靈功周幽顯.」至正四年甲申三月日題」.

[卷末刊記] "通玄妙濟大師·大法藏寺住持 用柔,」特賜定慧圓通知見無礙三藏法師 義旋,」徵事郞·資政院都事 韓帖木兒不花,」承務郞·資政院都事 阿魯渾沙,」中議大夫·資正經歷 金勵,」奉直大夫·資正經歷 速哥,」中順大夫·資正院判 鄧巨川,」奉直大夫·資正院判 阿魯灰,」奉訓大夫·資正同僉 禿滿達兒,」朝請大夫·資正同僉 哈剌八都兒,」亞中大夫·資正僉院 阿失帖木兒,」太中大夫·資正僉院 朶兒只班兒,」通議大夫·資正同知 兀忽失,」中憲大夫·資正同知 蠻子,」資德大夫·資正院使 安定,」資德大夫·資正院使 龍卜,」資德大夫·資正院使 天驚,」資德大夫·資正院使 荅兒麻失監,」. 여기에서 義旋(趙仁規 子), 韓帖木兒不花(韓孝先, 韓永의 子), 龍卜(高龍普)은 고려인 출신이고, 金勵도 고려인 출신으로 추측된다.

14) 이는 다음의 자료에 의거하였다.
- 『신증동국여지승람』 권26, 密陽都護府, 樓亭, "嶺南樓, 在客館東, 卽古嶺南寺之小樓. … 成元度詩序, '吾遊於四方, 觀覽樓觀之勝者多矣. … 予於至正甲申春, 承察訪之命出巡此道, 道過是郡, 郡之倅兪公屬予寓目, 因作長句四韻書于板上', …".

15) 이 기사는 열전44, 權謙에도 수록되어 있다("忠穆襲位, 東還, 巡軍萬戶權謙奉璽, 詣行宮, 拜贊成□事").

16) 이때 韓宗愈는 □都僉議左政丞·判軍簿司事·上護軍에 임명되었다고 한다.
- 「韓宗愈墓誌銘」, "明年, 詔奉忠穆, 歸國輔政, 拜左政丞".
- 열전23, 韓宗愈, "明年正月, 有詔奉明陵, 歸國且輔政. 由是, 拜僉議左政丞·判軍簿司事·上護軍".

17) 이때 李齊賢은 三重大匡·判三司事·領藝文館事·上護軍에 임명되었던 것 같다(權溥妻柳氏墓誌銘).

18) 이는 安軸墓誌銘 ; 閔思平墓誌銘 ; 金光載墓誌銘 ; 『급암시집』年譜에 의거하였다.

19) 이때 前年 12월에 進奉使로 다이두[大都]에 들어갔던 韓宗愈가 충목왕을 받들고 귀국하였다(韓宗愈墓誌銘).

無道，荼毒境內，民不堪命，來訴京師，今正厥罰，遷之嶺表．然念自其先世，事我列聖，罔有二心，一朝後嗣，不克繼承，遂失世爵，在朕奚忍．又念海隅蒼生，皆朕赤子，久罹塗炭，良切予懷．乃命其子八禿麻朶兒只，仍襲征東行省左丞相·高麗國王，布朕德澤，輯寧吾民．其寶塔實里[忠惠王]，所行虐政，並從釐革，人民逃避山林，亟令有司，剋日招撫，勸農興學．凡合整治事宜，悉遵成制，俾爾有衆，各保生業，共玆昇平之樂，豈不偉哉? 其或荒弃朕命，邦有常憲，寧不知懼”．

○是日，王宴桑哥，用女樂，百官侍坐，皆簪花．名曰君臣慶會宴．

[史臣元松壽曰，“三年之喪，自天子達於庶人，先王岳陽之喪，未返於國，而至用女樂，使百官插花，如禮何?”:節要轉載].

[某日，上洛君金永暾詣闕庭，[僉議評理]辛裔·[密直]盧英瑞，穿紫靴戴椶帽，踞胡床于門內，下視不爲禮．永暾，招之前曰，“僕聞，主上襲位東還，復正三韓，蹈舞不已，來謁殿下．公等何不革前代惡小[惡少]奢靡冠服，此豈移風易俗之道乎?” 英瑞等慚而退:節要轉載].[20]

[戊子[29日晦]，以申祐爲神虎衛保勝攝護軍:追加].[21]

[是時，以[郎將]李芳實爲中郎將:列傳26李芳實轉載].

[是月，旱:五行2轉載].[22]

[○[成均]祭酒田淑蒙，□□□□[掌擧子試]，取安保麟等九十九人:選擧2國子試額轉載].[23]

五月[己丑朔小盡,庚午]，[某日，賜宦者高龍普功臣號:節要轉載].

---

20) 이와 같은 기사가 열전38, 辛裔에도 수록되어 있다.

21) 이는 「申祐官敎」, “王旨」 申祐爲神虎衛」 保勝攝護軍者」 至正四年四月廿九日」에 의거하였다(南權熙 2002년 497面 ; 川西裕也 2014年 17面). 이 官敎에 찍힌 파스파(八思巴, phagspa) 文字로 된 官印의 글자가 駙馬高麗國王印이라는 점을 보아 僞造文書는 아닐 것이다(→충렬왕 4년 7월 21일의 脚注).

22) 이때 몽골제국의 남쪽지역인 福州(現 福建省 福州市)·邵武(現 邵武市)·延平(現 南平市)·汀州(現 長汀縣)의 네 지역에서 3월부터 8월까지 비가 내리지 않았고, 여름에서 가을까지 疫疾이 크게 일어났다고 한다(龔勝生 等 2015年).

- 『원사』 권51, 지3하, 오행2, 稼穡不成, “至正四年，福州·邵武·延平·汀州四郡，夏秋大疫”.

23) 이는 지28, 선거2, 國子試額, “忠穆王初年，祭酒田淑蒙取安保麟等九十九人”을 전재한 것인데, 初年은 『고려사』에서 1년이 아닌 即位年을 指稱하는 것으로 추측된다. 이때 安保麟·丘思平 등이 합격하였던 것 같다.

- 『목은시고』 권24, 甲申進士丘思平，予少也從之游，乖離已久，不知存亡久矣，尙州同年金直之言，丘公在善州支縣華谷，治居第甚整，置書齋授徒三十餘人，饗賓客甚豊，….

[→忠穆卽位, 賜十二字功臣號:列傳35高龍普轉載].

甲午[6日], 元遣李庥·秦瑾來 冊王曰, "東方有國, 蓋數百年, 北面歸朝, 已三四世, 不謂人倫之多變, 致煩天討之屢加. 顧惟甥舅之親, 重以君臣之義, 用明保夫小子, 俾獲承于先王. 咨爾八禿麻朶兒只, 齠齔之年, 英敏之器, 非有父師之訓, 已知稼穡之難. 式紹王封, 匪加于舊, 載登宰路, 其命維新. 毋侮老成, 毋虐鰥寡, 毋謂己知, 毋恃己能. 思乃祖事大之誠, 以保其社稷, 謹爾父亡身之戒, 而利其民人. 所以輯寧爾邦, 亦惟敬典在德. 於戲, 內外交正, 尙蓋前人之愆, 左右皆賢, 永篤後來之慶, 其聽朕命, 毋易攸言. 可特授開府儀同三司·征東行中書省左丞相·上柱國, 嗣封高麗國王".

○宴元使于延慶宮, 毋后[德寧]公主, 在北向南, 王在西向東. 各贈廐馬一匹·白金五十兩.

[某日, 金海君[·判三司事]李齊賢上書都堂曰, "今我國王□□[殿下], 以古者元子入學之年, 承天子明命, 紹祖宗重業. 而當前王顚覆之後, 可不小心翼翼, 以敬以愼. 敬愼之實, 莫如修德, 修德之要, 莫如嚮學. 今祭酒田淑蒙, 已名爲師, 更擇賢儒二人, 與淑蒙, 講孝經·語·孟·大學·中庸, 以習格物致知, 誠意正心之道, 而選衣冠子弟正直謹厚, 好學愛禮者十輩, 爲侍學左右輔導. 四書旣熟, 六經以次講明, 驕奢淫泆[淫泆], 聲色狗馬, 不使接于耳目, 習與性成, 德造罔覺, 此當務之莫急者也.

□一. 君臣義同一體, 元首股肱, 不親附可乎? 今宰相, 非宴會不相接, 非特召不得進, 此何理乎? 當請日坐便殿, 每與宰相, 論議政事, 或可分日進對, 雖無事, 不廢此禮. 不然則大臣日踈, 宦寺日親, 生民休戚, 宗社安危, 恐莫得而上聞也.

□一. 政房之名, 起于權臣之世, 非古制也. 當革政房, 歸之典理·軍簿, 置考功司, 標其功過, 論其才否, 每年六月·十二月, 受都目,[24] 考政案, 用以黜陟, 永爲恒規, 則可以絶請謁之徒, 杜僥倖之門. 今若因循, 不復古制, 深恐將來, 梁將·祖倫·朴仁壽·高謙之輩, 蜂起, 而黑册之謗, 不可遏也.

□一. 鷹坊·內乘, 毒民尤甚者, 前已下令革罷, 後復遷延, 中外失望. 至使[高]龍普, 馳出見責, 可不愧于心乎? 德寧·寶興等庫, 凡非古制者, 一切釐革, 庶永不負聖旨勤恤之意.

□一. 刺史·守令, 得其人, 則民受其福, 不得其人, 則民遭其害. 官高而降爲者,

---

24) 여기에서 都目은 大政[都目政]을 결정하기 위해 준비한 都目狀을 指稱하는 것 같다(→충숙왕 16년 9월 18일의 脚注).

偃肆不遵法，年邁而求得者，昏懦不任事．或以請謁，起壟畝垂金魚者，又不足言也．請如古制，朝士之未入參者，必經監務·縣令，至于四品，例爲牧守，而監察司·按廉使，必行褒貶，爲之賞罰．所謂官高者·年邁者，用請謁起壟畝者，如不得已，寧授京官，勿與親民之任．行之二十年，流亡不復，貢賦不足，未之有也．

□乛．金銀·錦繡，不產我國，前輩公卿，被服，只用素段□[子]若紬布，器皿，只用鍮銅瓷瓦．德陵[忠宣王]作一衣，問直則重，輟而不爲，毅陵[忠肅王]嘗責前王，蹙金之衣，插羽之笠，非吾祖舊法，有以見國家四百餘年，能保社稷，徒以儉德也．近來風俗，窮極奢侈，民生困而國用匱，職此而已．請宰相，今後不以錦繡爲服，金玉爲器，又不使袨服乘馬者，擁其後，各務儉約，諷上而化下，風俗可以歸厚也．

□乛．前者，迫徵暴斂之布，便合歸於納者，然，恐官吏夤緣爲姦，細民未蒙實惠，故宜分付諸司，以充來歲雜貢，令其得免先納借貸之弊．行省既有文移，當早施行．

□乛．三食邑，既立之後，百僚俸祿不備，夫以一國之主，取群臣養廉之資，以實私藏，豈不貽譏後世．請聞諸兩宮，罷食邑，還屬廣興倉，充其俸祿．

□乛．京畿土田，除祖業口分，餘皆折給，爲祿科田，行之近五十年．邇者，權豪之門，奪占略盡．中間，屢議釐革，輒以危言，脅欺上聽，卒莫能行，此大臣不固執之所致也．果能釐革，悅者甚衆，不悅者，權豪數十輩而已．何憚而不果爲哉．

□乛．州郡遠年貢賦之逋欠者，有司百計迫徵，十分莫得其一．祇是歛[斂]怨而已，望下令，自至正三年[忠惠4年]已前，逋欠貢賦，一切蠲免．前此數年，窮民有因暴斂，典賣男女．請令諸道存撫·按廉使，出牓，許其來京自告，因以官財，量給贖還，其買者，亦令自首，若不自首，□□□□[~~後有告者~~]，不與其直，勒還父母，甚者治罪"：節要轉載]．[25]

[某日，判典校寺事李穀在元，致書宰相曰，"惟吾三韓，國之不國，亦已久矣．風俗敗毁[壞]，刑政紊亂，民不聊生，如在塗炭．幸今國王，受命之國，民之望之，若大

---

25) 이 기사는 열전23, 李齊賢에도 수록되어 있는데, ~~添字~~는 이에 의거하였다. 또 이 시기 이후에 僉議參理 羅益禧가 國政이 잘못 운영됨을 보고서 判三司事 李齊賢에게 함께 退職하자고 권유하였다고 한다.

- 열전17, 羅裕, 益禧, "忠穆初, 復爲僉議叅理, 貌甚癯重聽, 然臨事慷慨, 不小懈. 一日, 語判三司事李齊賢曰, 吾君幼, 委政宰相, 彼負且乘者, 不誡覆轍. 吾其引避, 毋俱爲十手所指, 公當如何. 齊賢謝曰, 僕嘗以二三策, 曉執政, 未見施行. 常愧不能勇退, 敢不從公言. 居十餘日, 病卒".
- 「羅益禧墓誌銘」, "今王嗣政, 起復爲僉議叅理, 世所謂五宰者. 貌甚癯, 耳頗重聽, 然臨事慷慨, 不少懈. 一日, 語判三司事李齊賢曰, 吾君幼, 委任宰相, 彼負且乘者, 不誡覆轍, 吾其引避, 毋俱爲十手所指, 公當云何. 齊賢謝曰, 僕前以二三策, 曉執政者, 未見施行. 常愧不能勇去, 敢不惟公言. 是從後十許日, 聞公告以病, 意謂欲遂前計. 嗚呼, 烏知其竟不起也, 亟往吊哭而退, …".

旱之望甘澍，然國王，以春秋之富，謙恭沖默，一國之政，聽於諸公，則其社稷安危，人民利病，士君子之進退，皆出於諸公．夫進君子，則社稷安，退君子，則人民病，此古今之常理也．然則用人，又爲政之本也，蓋用人則易，知人則難．不問邪正，不論高下，惟[唯]貨是視，惟[唯]勢是依，附我者，雖姦諂而進之，異已者，雖廉謹而退之，則其用人不旣易乎？用人易故政日亂，政日亂故，國家隨以危亡．此不待遠求諸古，實目前之明鑑也．古之人知其然．於一進退人之際，而必察其所行所從來，惟恐黷于貨而奪于勢也．然猶朱紫相奪，玉石相混，其知人不旣難乎？卽今本國之俗，以有財爲有能，有勢爲有知[智]，至以朝衣儒冠，爲倡優雜劇之戲，直言正論，爲閭里狂妄之談，宜乎國之不國也．穀之所以離親戚，去鄕國，久客於輦穀之下者，正爲此耳．比聞，諸公所以輔政更化者，與前日甚不相遠，名雖尙老，而少者實主其柄，名雖尙廉而貪者實主其權，旣斥惡小，而大者不悛其惡，旣改舊臣，而新者反附其舊．知人不難，用人甚易，似非國王委任之意，朝廷聞之，得無不可乎？或曰，‘不必寓書諸公，徒見其怒而無所益也’．穀應之曰，‘社稷苟安，人民苟利，將具本末，言之朝廷，達之天子，豈以諸公之怒而便含默耶?’，是用敢貢狂瞽之言，惟諸公□□[之垂]察焉”:節要轉載］.[26]

［某日，罷寶興·德寧庫，內乘·鷹坊，以其所取土田·奴婢，各還本處:節要轉載］.[27]

［某日，會入仕者，七品以下九品以上，分屬忽只[忽赤]四番，隊正·散職，分屬詔羅赤·八加赤·巡軍四番:兵1五軍轉載］.

己酉[21日]，元遣使來，求皮幣.

丙辰[28日]，遣密直[判密直司事?]全思義如元，謝册命.[28]

丁巳[29日晦]，元流忠惠王嬖人崔和尙于[湖廣行省]靖州路，林信于彬州路[~~郴州路~~]，朴良衍于沅州路，閔渙于辰州路，金添壽于永州路，林以道于桂陽路，承信于歸州路，南宮信于道州路，王碩于金州路[~~全州路~~].[29]

---

26) 이 기사는 열전22, 李穀에도 수록되어 있으나 冒頭에 “忠穆襲位還國，穀寓宰相書曰”로 되어 있어 차이가 있다. ~~添字~~는 이에 의거하였는데, 그 중에 朝廷이 朝延으로 잘못 植字，刻板되었던 것 같다.

27) 이에 관련된 기사로 다음이 있다.
- 지39, 百官2, 寶興庫, “忠穆王, 罷之, 以其所聚土田·奴婢, 還本處”.
- 지30, 백관2, 內乘, “忠穆王, 罷之, 以土田·奴婢, 還本處”.
- 지30, 백관2, 鷹坊, “忠穆王初卽位, 罷之, 以土田·奴婢還本處”.
- 지35, 兵1, 五軍, “罷內乘·鷹坊”.

28) 全思義는 이해의 10월 8일 都僉議參理에 임명된 점을 보아 判密直司事일 가능성이 있다.

[某日, 以[大護軍]尹之彪爲上護軍:追加].[30)]

[是月, 都僉議右政丞蔡河中與午山郡夫人梁氏徹明等鑄成三角山重興寺香爐一座:追加].[31)]

六月[戊午朔大盡,辛未], 壬戌[5日], 發新宮所貯三食邑布四千餘匹, 歸廣興倉, 金玉重器, 還王府.[32)]

甲子[7日], 前□[都]僉議贊成事劉方世卒.[33)]

壬申[15日], 詔書使·直省舍人奇完者不花來, 王出迎于迎賓館.

○慶華公主[忠肅王妃]薨.[34)]

癸酉[16日], 大行王之喪, 至自岳陽.

[→癸酉, 梓宮至:禮6國恤轉載].

乙卯[己卯22日],[35)] 置書筵, 以右政丞蔡河中·左政丞韓宗愈·判三司事李齊賢·贊成事朴忠佐·金倫·權謙·興海君裴佺·直城君盧永瑞·判密直司事李蒨·知密直司事黃石

---

29) 이때 流配된 인물이 모두 湖廣行省(現 河南省·湖南省 地域)의 諸路에 安置된 점이 주목되는데, 이는 元代에 犯罪人을 멀리 流配할 때 女直과 高麗人은 湖廣行省에, 그 외는 奴兒干·海青에 安置하였기 때문이다(『원사』 권103, 지51, 형법2, 職制下, 諸流囚). 또 元代의 法典인 『國朝典章』; 『通制條格』등에 의하면 일반적으로 漢兒·蠻子는 遼陽行省에, 色目人·高麗人은 湖廣行省에 流配시켰던 것과 같은 범주에 해당한다. 이들 중 고려인에 대한 조치는 발췌·정리된 바가 있다(張東翼 1997년 60~68面). 한편 이 기사에 의거하여 辰州路(現 湖南省 沅陵)와 桂陽路(現 湖南省 桂陽縣)에 高麗王家의 所領이 있었을 가능성이 높다고 본 견해도 있는데(宮 紀子 2006年), 筆者는 이와 관련된 자료를 확인하지 못했다.
그리고 이와 관련된 기사로 다음이 있다.
· 열전37, 閔渙, "… 及[忠惠]王被執于元, 印璫以檻車載渙等九人如元, 流渙于辰州路".
· 열전37, 盧英瑞, "… [代言]印璫檻載[朴]良衍等如元, 元流良衍于杭州路[沅州路]". 杭州路는 湖廣行省의 沅州路(現 河南省 芷江)로 고쳐야 옳게 될 것이다.

30) 이는 「尹之彪墓誌銘」에 의거하였다.

31) 이는 三角山 重興寺大殿 青銅香爐의 銘文에 의거하였는데(옛 奉恩寺 所藏, 현 佛敎中央博物館 所藏, 보물 제321호, 黃壽永 1978년 354面), 黃壽永敎授가 末松保和敎授에게 전한 判讀資料를 통해 볼 때 銘文排列이 다시 整理되어야 할 것이다(學習院大學 所藏 末松保和資料 2box). 또 여기에서 梁氏 徹明(法名)의 封君號인 午山郡은 어디인지를 알 수 없다.

32) 이에서 三食邑은 어떠한 의미인지는 알 수 없으나 충선왕 3년 8월 雞林·福州·京山府를 國王의 식읍으로 삼고 賦稅를 督促하였던 것과 어떤 관련이 있을 것이다(→충선왕 3년 8월 2일).

33) 이날은 율리우스曆으로 1344년 7월 16일(그레고리曆 7월 25일)에 해당한다.

34) 忠肅王妃 慶華公主는 율리우스曆으로 7월 24일(그레고리曆으로 8월 1일)에 逝去한 셈이다.

35) 乙卯는 己卯(22일)의 오자일 것이다.

奇·同知密直司事許伯·前□[都]僉議參理辛裔·□[都]僉議參理孫守卿·密直副使奉天祐·安震·[密直副使]安軸·典理判書閔思平·知申事金光轍·右代言韓仲禮·左代言河有源·右副代言李公遂·左副代言尹忱·鷹揚軍上將軍[上護軍]羅英傑·上護軍尹之彪·判通禮門事趙文瑾·大司成梁溫·判典校寺事鄭怡·右司議□□[大夫]李衍宗·左司議□□[大夫]吳珣·執義趙淵·祭酒田叔蒙[田淑蒙][36]·大護軍鄭珚[鄭絪][37]·掌令李餘慶·司藝許齡·典儀副令鄭天濡·宗薄副令成元度·起居注朴允文·起居郎宋天鳳·典理正郎金君發·李達衷·都官正郎金希祖·左獻納鄭思度[鄭思道]·持平金科·金譖·左正言尹安之·典校丞全忠·典儀注簿孫涌[孫湧][38]·德寧府注簿洪俊. [分爲四番:節要轉載], 更日侍讀.[39]

[→忠烈王以後, 寶文閣徒有其名, 忠穆王初立, 大臣請置書筵官, 分四番, 更日侍讀:百官1寶文閣轉載].

[○[密直副使]安震言於王曰, "臣等, 備員兩府, 不可竟日侍講, 宜擇端士, 以備顧問, 春秋修撰元松壽·藝文檢閱許湜, 其人也":節要轉載].[40]

[○忠惠王[忠穆王]御書筵, [密直副使]安震言, "臣等備員兩府, 未可竟日侍講, 宜擇端士, 以備顧問". 遂薦松壽及閔湜[許湜]. 判三司□[事]李齊賢等. 又進言, "玉之有瑕者,

---

36) 田叔蒙은 餘他의 記事와 『고려사절요』에 田淑蒙로 表記되어 있음을 보아 誤字일 것이다.

37) 鄭珚(정연)은 1356년(공민왕5) 5월 20일 江陵交州道都指揮使에 임명된 鄭絪(정인, 武將)의 오자일 가능성이 있다.

38) 孫涌은 餘他의 記事와 『고려사절요』에 孫湧으로 表記되어 있음을 보아 前者가 誤字일 가능성이 있다(『安東先生案』에도 前者이다→공민왕 10년 是年의 記事).

39) 이상의 인물 중에서 一部의 형편[身上]은 다음과 같다.

· 이때 李公遂는 中顯大夫·典校令·右副代言·藝文館直提學·知製敎로 재직하였다(李公遂墓誌銘).
· 上將軍은 上護軍의 오자이다. 또 羅英傑은 이해의 8월에 奉翊大夫·密直副使·上護軍이었다(羅益禧墓誌銘).
· 吳珣(吳思忠의 父)은 壯元으로 급제하여 諫議大夫에 이르렀다고 하는 吳洵으로 추정된다(『태종실록』 권11, 6년 2월 辛未[10日], 吳思忠의 卒記, "其先, 延日縣人, 後徙寧遠鎭. 父洵, 壯元及第, 終於諫議大夫". 고려후기의 製述業 급제자 중에서 壯元 吳珣(吳洵)은 찾아지지 않고, 이에 比定될 수 있는 인물은 1301년(충렬왕27) 5월 盧承綃·李齊賢 등과 함께 급제한 吳璲가 찾아진다).
· 이때 충목왕이 唐代의 詩文을 보고자 하였으나 韓宗愈가 거부하였다고 한다(열전23, 韓宗愈, "王, 嘗欲觀李白·杜甫詩, 宗愈曰, '抽黃對白, 無補於政'. 王命進之, 宗愈, 托以無典守者, 竟不進").
· 鄭怡(鄭瑎의 次子)는 版圖判書에 이르렀고, 趙文瑾(趙抃의 次子)은 공민왕대에 參知門下政事·集賢殿大學士에 이르렀던 것 같다.

40) 許湜은 尹澤의 壻로서 起居郎·知制誥에 이르렀으나 젊은 나이에 逝去하였던 것 같다(尹澤墓誌銘).

· 『목은문고』 권8, 栗亭先生逸藁序, "… 先生[尹澤]之壻曰, 起居郎許湜, 善屬文. 其子曰操, 軍部摠郎·知製敎, 今爲全羅道按廉使, 將刊是集, 俾予序".

必待良工，雕琢然後，成其寶器，人君豈皆無失？ 必待良臣，啓沃然後，能成其聖德．因曰，元松壽，中贊傅之曾孫，宰相善之之子．臣等不叅侍講之時，宜令此人，常在左右，講劘道義”，王從之:列傳20元松壽轉載].[41]

[某日，以李子脩爲有備倉主簿:追加].[42]

秋七月戊子朔大盡,壬申，己酉22日，以母后德寧公主不豫，放囚.

[是月，監察司令五敎兩宗僧，皆著緇衣:輿服1冠服通制轉載].

[某日，以金玙爲慶尙道按廉使:慶尙道營主題名記].

[是月頃，以朴顯爲永州副使，通直郞·版圖正郞金英利爲雞林府判官:追加].[43]

八月丁巳朔大盡,癸酉，[某日，改定科擧法，初場試六經義·四書疑，中場古賦，終場策問:節要·選擧1轉載].[44]

庚申4日，葬忠惠王~~大行王~~于永陵.[45]

[壬戌6日，永嘉府院君權溥妻柳氏卒，謚卞韓國賢信和淑大夫人:追加].[46]

丁卯11日，書筵罷講，起居郞~~起居注~~朴允文後出，宦者李伯告王曰，“請令允文，速署奴家兄告身”．王曰，“若是則，何異前代崔和尙之所爲乎？ 汝宜以私請之”.[47]

丙子20日，王命毁新宮，作崇文館.

[某日，贊成事朴忠佐講‘貞觀政要’，又言，‘燕昭王築黃金臺，迎郭隗之事’.[48] 賜

---

41) 忠惠王은 忠穆王，閔湜은 許湜으로 고쳐야 옳게 될 것이다.

42) 이는「李子脩政案」에 의거하였다.

43) 이는『영천선생안』；『동도역세제자기』에 의거하였다.

44) 이와 관련된 자료로 다음이 있다.

· 『목은시고』 권19，靜坐偶記九齋都會，刻燭賦詩，第其高下，… 歲甲申~~忠穆卽位年~~朴耻菴朴忠佐·李月城~~李薔~~同掌東堂試，乞罷詩賦，用古賦·策，….

45) 이 기사는 지18，禮6，國恤에도 수록되어 있다. 또 忠惠이라는 시호는 1367년(공민왕16) 1월 10일(丁亥) 몽골제국으로부터 下賜받았기에 大行王으로 표기해야 옳게 된다.

46) 이는「權溥妻柳氏墓誌銘」에 의거하였는데，이날은 율리우스曆으로 1344년 9월 12일(그레고리曆 9월 20일)에 해당한다.

47) 起居郞 朴允文은 起居注 朴允文의 잘못일 것이다. 그는 6월 己卯(22일)에 起居郞의 上位職인 起居注였다.

48) 이는 전국시대에 燕의 昭王(bc311~bc279 在位)이 齊에 敗北하자 郭隗(bc351?~bc297)를 초빙하여 師傅로 삼아 强兵을 갖추어 제를 격파했던 사실을 가리킨다(『사기』 권34，燕昭公世家第4，昭王；『전국책』 권29，燕1→四庫全書本11左3行).

鈔五十錠:節要轉載].[49)]

癸未[27日], 元遣使來, 索鞍.

丙戌[30日], 元遣兵部尙書溥花·同知資政院□[事]朶兒赤來, 傳皇后[奇皇后]懿旨曰, "凡吾親戚, 勿倚勢, 奪人田民. 如有違異, 必罪之, 法司知而故縱, 亦當罪之".

九月丁亥朔[大盡,甲戌], 日食.[50)]

己丑[3日], □[都]僉議參理羅益禧卒.[51)] [益禧, 性耿介, 慕節義, 恥與人爭. 其母分財, 別遺臧獲四十口, 辭曰, "以一男, 居五女間, 烏[烏]忍苟得其贏, 以累鳴鳩之仁". 母義而許之. 忠宣王好立新法, 益禧, 多所封駁, 以錦城君閑居, 每念生民休戚, 人材用捨, 負手蹙鼻, 獨行圍庭, 若有隱憂. 至是, 復入政府, 謂[判三司事]李齊賢曰, "吾君幼, 委任宰相, 彼負且乘者, 不誡覆轍, 吾其引避, 毋俱爲十手所指". 未幾, 卒, 謚[諡]良節:節要轉載].[52)]

[壬辰[6日], 雨雹, 震電:五行1雨雹轉載].[53)]

癸卯[17日], 以母后[德寧公主]不豫, 赦二罪以下.

甲辰[18日], 葬慶華公主[忠肅王妃].

甲寅[28日], 王宴元使.

[是月, 以[通直郎·知密城郡事]鄭云敬爲福州牧判官:追加].[54)]

---

49) 이와 같은 기사가 열전22, 朴忠佐에도 수록되어 있다.

50) 이날 中原에서도 일식이 있었고(『원사』 권41, 본기41, 順帝4, 至正 4년 9월 丁亥), 일본의 교토[京都]에서도 일식이 있었다(高麗曆과 同一, 日本史料6-8冊 388面). 이날은 율리우스력의 1344년 10월 7일이고, 開京에서 일식 현상이 심했던 시간은 15시 48분, 食分은 0.27이었다(渡邊敏夫 1979年 312面).

· 『師守記』 권9, 康永 3년 9월, "一日丁亥, 天晴, … 日蝕正現. [頭書]日蝕御祈, 安□[祥]寺僧正隆雅奉之云々".

· 『園太曆』 권3, 康永 3년 9월, "一日, 天晴, 今日院評定, 依日蝕幷御八講中, 不被行. 及酉刻正現了, 時刻雖相違, 日蝕無其誤, 尤無止事也", "以日蝕, 院評定無之事", "依日蝕, 御八講入夜事".

· 『續史愚抄』22, 康永 3년 9월, "一日丁亥, 日蝕, 酉剋見, 司天所奏時刻, 違云".

51) 이날은 율리우스曆으로 1344년 10월 9일(그레고리曆 10월 17일)에 해당한다.

52) 『익재난고』 권7, 羅益禧墓誌銘에는 "至正四年甲申八月[九月]己丑, … 羅公卒"로 되어 있는데, 八月己丑은 九月己丑의 오자일 것이다. 또 이와 같은 기사가 열전17, 羅裕에도 수록되어 있다.

53) 이날 일본의 교토에서 晴陰이 交差하다가 밤이 되어 맑았다고 한다.

· 『師守記』, 康永 3년 9월, "六日壬辰, 天晴陰, 及晩晴".

54) 이는 『삼봉집』 권4, 鄭云敬行狀에 의거하였는데, 鄭云敬은 明年(至正5, 충목왕1) 10월 遞任되어서 三司判官에 임명되었다(『안동선생안』).

[○令將軍郭允正, 領忽只忽赤, 呵禁試闈:選擧1科目轉載].[55]

[是月頃, 以重大匡·都僉議贊成事李台甫李台寶爲雞林府尹:追加].[56]

冬十月丁巳朔大盡,乙亥, 庚申4日, 禁王嫌名, 姓氏從外家.

甲子8日, 以王煦爲都僉議右政丞,[57] 贊成事金倫爲左政丞, 征東行省員外郞金永煦·康允成康允忠△並爲贊成事,[58] 全思義·姜祐△並爲參理, 判密直司事李蒨爲政堂文學, 權適△爲判密直司事, 許伯爲密直司使, 奉天祐·安軸△爲知密直司事, 典理判書閔思平爲監察大夫, [上護軍尹之彪爲軍簿判書:追加].[59]

丙子20日, 幸內院內帝釋院, 設靈寶道場.[60]

· 열전34, 鄭云敬, "遷福州判官, 州吏權援, 嘗與云敬同遊鄕學. 至是, 持酒肴求謁. 云敬召與飮, 謂曰, '今與若飮, 不忘舊也. 明日犯法, 恐判官不汝貸也'. 州有僧, 於瓮川驛路, 爲賊所捶垂死. 驛吏問其故曰, '予持布若干匹, 行見餉糞田者, 又見耘田者. 俄有人自後厲聲曰, 我耘田者, 呼與語, 汝何不應. 未及對, 卽擊之, 奪布去'. 未幾僧死, 吏執耘田者, 告于州. 鞫之, 獄已成, 云敬自外還曰, '殺僧者, 恐非此人'. 牧使曰, '已服矣'. 曰, '愚民不忍鞫訊之苦, 恐怖失辭耳'. 牧使令云敬更鞫之, 卽召糞田主, 問曰, '汝餉糞田人時, 有言及僧者, 毋隱'. 田主曰, '有一人言, 僧所持布, 可充酒價'. 於是, 拘其人置外, 先鞫其妻曰, '吾聞某月某日, 而夫遺汝布若干, 何處得之'. 妻曰, '夫以布歸曰, 貸布者還之'. 卽詰夫, 誰貸汝布者. 夫辭屈自服. 牧使驚問之, 云敬曰, '凡盜賊秘其迹, 惟畏人知'. 其曰, 我耘田者詐也. 邑人皆服".

55) 呵禁은 큰 소리[大聲]를 지르면서 制止하는 것이므로 이 기사에서는 엄격하게 출입을 통제한다는 의미일 것이다.

56) 이는 『동도역세제자기』에 의거하였는데, 李台甫는 李台寶의 다른 표기로 추정된다(→충정왕 2년 9월 1일). 또 1349년(충정왕1) 10월 무렵 功臣都監이 忠惠王의 梓宮을 奉還한 功勞로 左右衛保勝中郞將 宋允庶에게 발급하였다는 功臣錄劵(抄錄)에 의하면 鷄林尹李台寶로 되어 있다(南權熙 2002년 411面).

57) 이때 王煦의 임명은 그의 묘지명과 열전에 기록되어 있다.

· 「王煦墓誌銘」, "甲申忠穆卽位秋 韓國棄世. 其冬, 先國王起公, 爲僉議右政丞. 而永嘉君尙無恙, 强之再三, 不得已起視事".

· 열전23, 王煦, "忠穆元年忠惠五年, 丁母憂, 起爲僉議右政丞. 漙尙無恙, 强之再三, 不獲已視事". 여기에서 忠穆元年은 卽位年稱元法을 사용한 『고려실록』의 기재방식이므로 『고려사』의 방식인 忠惠五年으로 고쳐야 옳게 될 것이다.

58) 이때 金永煦의 임명에 관한 기사로 다음이 있다.

· 『근재집』 권2, 尙州客館重營記, "… 至正四年甲申, 余安軸自尙入參密直密直副使, 公金永煦進拜都僉議贊成事".

59) 이는 「尹之彪墓誌銘」에 의거하였다.

60) 內院은 外院, 곧 外帝釋院에 對稱되는 宮闕 내에 위치한 內帝釋院을 지칭하는 것으로 추측된다. 이것은 현재의 滿月臺 高麗宮闕趾의 上段部에 위치한 景靈殿趾의 옆 大形의 建物遺趾일 가능성이 있다. 또 朝鮮後期에 만월대의 宮闕趾, 公卿의 遺墟地 등에서 각종 고려자기가 출토되었던

癸未[27日], 王宴皇后母李氏.

十一月[丁亥朔小盡,丙子], 癸巳[7日], 賜河乙沚等及第.[61)]

[某日, 遣尹安之·[春秋編修官]安輔·郭珚, 應擧于元. 輔中制科:節要轉載].[62)]

[是月, 命典理·軍簿□[司], 五品以下, 點望申聞:選擧3選法轉載].

十二月[丙辰朔大盡,丁丑], 戊午[3日], 遣德城府院君奇轍如元,[63)] 賀正, 王餞于迎賓館.

己巳[14日], 瀋王暠至自元.[64)]

丁丑[22日], 元遣使來, 錫忠宣·忠肅王謚[諡]册.

[→自忠宣薨, 垂二十年未有謚, 煦如元請謚, 幷請忠肅謚. 柄國者莫助, 煦自以爲己責, 所費無算, 卒得請:列傳23王煦轉載].

己卯[24日], [德寧]公主貶直城君盧永瑞于光陽, 右代言田叔蒙[田淑蒙]于東萊.[65)]

[某日, 罷政房, 歸之典理·軍簿□[司]:節要轉載].

[→罷政房, 歸文武銓注于典理·軍簿□[司]:選擧3選法轉載].

것 같다.

· 『警修堂全藁』 권3, 徐攸好[彝淳]和寄月詩, "攸好鑒藏小香鼎, 高麗宮墟犁得也"(1816年 作).

· 『경수당전고』 권4, 寄呈覃溪老人, "高麗瓷一口, 宮墟滿月臺所得野, 粉清花, 乃出格古□□[要論]", "余舊蓄高麗秘色瓷尊, 爲安文成[珦]公宅遺墟所得, 久借斗室, 八年乃還"(以上 1817年 作).

· 『경수당전고』 권7, 高麗秘色尊, "安文成公故宅出者".

61) 이와 관련된 기사로 다음이 있는데, 이때 東堂試가 언제 設行되었는지는 알 수 없으나 試官은 8월 이전에 임명되어 出題方式의 改定을 청하여 허락받았다(→8월 某日의 脚注). 이때 河乙沚·安吉常 등이 급제하였다(『등과록』, 朴龍雲 1990년 ; 許興植 2005년).

· 지27, 선거1, 科目1, 選場, "[忠惠]後五年十一月, 朴忠佐知貢擧, [政堂文學]李蒨同知貢擧, 取進士, [癸巳], 賜河乙沚等三十三人及第".

· 「朴忠佐墓誌銘」, "是冬, 掌試春闈, 得河乙沚等三十三人".

· 열전27, 河乙沚, "… 忠惠朝, 擢第一人及第".

62) 이는 征東行省의 鄕試가 실시되어 明年의 會試, 廷試에 대비하여 다이두[大都]에 파견된 것을 설명한 것이다.

63) 德城府院君은 『고려사절요』 권25에는 德成府院君으로 되어 있으나 오자이다(盧明鎬 等編 2016년 651面).

64) 이 기사는 열전4, 忠烈王王子, 江陽公滋에도 수록되어 있다.

65) 田叔蒙은 『고려사절요』 권25에는 田淑蒙으로 되어 있는데, 後者가 옳을 것이다(盧明鎬 等編 2016년 650面→是年 6월 22일의 脚注).

· 『삼봉집』 권12, 經濟文鑑別集下, 君道, 高麗國, 忠穆王 "幼沖卽位, 性聰明, 善聽斷, 然母妃以盛年居中, 而辛裔·康允忠·裴佺·田淑蒙等相繼用事, 威福自恣".

[某日, 京畿祿科田, 爲權貴所奪者, 悉還其主:節要·食貨1經理轉載].

[冬某月, 以(典法正郎)崔宰爲知興州事:追加].[66]

[○以(前安東司錄)柳淑爲吉昌府典籤. 時淑在大都, 隨從江陵大君:追加].[67]

[是年, 還知淸道郡事官爲淸道監務官:追加].[68]

[○以元惠宗(順帝)奇皇后外鄕, 陞金馬郡爲益州:追加].[69]

[○以(起居注)李仁復爲典理摠郞, 尋爲左司議大夫:追加].[70]

[○以(前監察持平)崔宰爲典法正郎:追加].[71]

[○以(監察糾正)鄭思度(~~鄭思道~~)爲軍簿佐郞:追加].[72]

[○以(正順大夫)李君濱爲福州牧使:追加].[73]

[○以洪延爲延安府使, 尋以楊白源代之:追加].[74]

[○以安輔爲楊廣道按廉使:追加].[75]

[○以河允潾爲式目都監錄事:追加].[76]

[○以沈德符爲左右衛司錄參軍事, 年十七:追加].[77]

---

66) 이는 「崔宰墓誌銘」에 의거하였다.
- 열전24, 崔宰, "忠穆時, 轉典法正郞, 出知興州事, 爲(萬戶)印承旦所忌罷. 遷典客副令".

67) 이는 「柳淑墓誌銘」에 의거하였는데, 吉昌府는 吉昌府院君 權準의 開府이다.
- 「權準墓誌銘」, "永陵(忠惠王)復政, 進府院君, 開府置官".

68) 이는 다음의 자료에 의거하였다.
- 『경상도지리지』, 慶州道, 淸道郡, "忠穆王時, 至正甲申, 還爲監務".
- 지12, 지리3, 淸道郡, "忠惠王後四年, 以郡人上護軍金善莊有功, 陞知郡事, 明年, 復爲監務".

69) 이는 다음의 자료에 의거하였다.
- 지11, 지리2, 金馬郡, "忠惠王後五年, 以元順帝奇皇后外鄕, 陞爲益州".
- 『신증동국여지승람』 권33, 益山郡, "… 新羅神文王改金馬郡, 至高麗屬全州. 忠惠王後五年, 以元順帝皇后奇氏外鄕, 陞爲益州".

70) 이는 「李仁復墓誌銘」에 의거하였다.

71) 이는 「崔宰墓誌銘」에 의거하였다.

72) 이는 「鄭思道墓誌銘」에 의거하였다.

73) 이는 『안동선생안』에 의거하였다.

74) 이는 『연안부지』에 의거하였다.

75) 이는 「安輔墓誌銘」에 의거하였다.

76) 이는 『동문선』 권121, 河允潾神道碑銘에 의거하였다.

77) 이는 다음의 자료에 의거하였다.

[○征東行省左右司郎中洪彬還元:追加].78)

[○元揚州納貢銀匠候亭用所造花銀五十兩于朝廷:追加].79)

[是年頃, 置永福都監:百官2轉載].80)

[○王嘗押祝板, 問成均祭酒田淑蒙曰, "何不用紙?", 淑蒙曰 "用板, 崇儉德也." 王然之. 押數板, 畜止之曰 "恐勞聖體." 王從之. 自是, 除太祖眞殿外, 餘皆代押. 時王習千字文, 密直副使安震曰, "要詳音義." 淑蒙曰, "殿下但習音, 不尋其義, 殿下雖不識字, 於臣何傷, 然恐不可." 王曰, "師傅比來不講其義, 故不習耳." 淑蒙曰 "殿下不習而反咎臣, 非臣不講也":列傳38田淑蒙轉載].

· 『동문선』 권117, 沈德符行狀, "公諱德符, 字得之, … 行年十七, 忠穆王元年即位年甲申, 以門蔭授左右衛錄事參軍事司錄參軍事"(姜碩德 作). 여기에서 『고려사』의 紀年方式에 의하면 添字와 같이 고쳐야 좋을 것이다.

78) 이는 「洪彬墓誌銘」에 의거하였다. 이때 洪彬은 고려에 머물고 있던 中原人 許政의 誣告를 받았다고 한다.

· 열전21, 洪彬, "忠穆嗣位, 有許政者, 中原人也, 誣彬以爲, 印瑺奉王命來, 彬擧手怫然曰, 皇帝使八歲童莅國, 國之安危可知. 因辭去, 二日不朝. 引右政丞蔡河中爲證. 事聞, 中書省遣人來鞫之, 二人言卒牴牾, 反抵罪. 彬曰, 吾不可久於此. 遂如元".

· 「洪彬墓誌銘」, "明陵嗣位, 有許政者, 中原人也, 誣公言斥乘輿. 蔡政丞爲之證. 事聞, 中書省差官來鞫之, 二人言卒牴牾, 反抵罪. 公曰, 吾不可久於此. 遂如京".

79) 이는 다음의 자료a에 의거하였다. 몽골제국에서는 1276년(至元13) 이래 揚州에서 주조된 銀貨를 揚州元寶라고 불렀고, 이 시기 이후에 주조된 銀貨[銀塊]는 約4g, 約40g, 約2kg의 3종류가 있었는데, 그 중 約2kg의 銀貨는 50兩으로 1錠이라고 불렀다고 한다(杉山正明 1998年 334面).

· a 『태종실록』 권25, 13년 6월 "乙卯8日, 隊副洪連得白銀一錠以獻. 連負石于昭格殿洞溪邊, 得白銀一錠, 有文曰, '元寶,至正四年,揚州揚州所貢,銀匠候亭用所造,花銀五十兩', 納于政府. 政府以聞, 命準價充賞".

· b 『南村輟耕錄』 권30, 銀錠字號, "銀錠上字號, 揚州元寶, 乃至元十三年, 大兵平宋, 回至揚州, 丞相伯顏號令搜檢將士行李, 所得撒花銀子, 銷鑄作錠, 每重五十兩, 歸朝獻納. 世祖大會皇子·王孫·駙馬·國戚, 從而頒賜, 或用貨賣, 所以民間有此錠也. 後朝廷亦自鑄, 至元十四年者, 重四十九兩, 十五年, 重四十八兩. 遼陽元寶, 乃至元二十三年,二十四年, 征遼東所得銀子而鑄者".

· c 『박통사언해』권下, "… 元寶我有半錠了[注, '南村輟耕錄'云, 至元十三年, 元兵平宋, 回至揚州揚州, 丞相伯顏號令搜檢將士行李, 所得撒花銀子, 銷鑄作錠, 每五十兩五十兩爲一錠, 歸朝獻納. 世祖大會王子·王孫·駙馬·國戚, 從而頒賜, 或用貨賣, 所以民間有此錠也. 錠上有字曰揚州元寶. 後朝廷亦鑄, 又有遼陽元寶, 至元二十三年, 征遼東所得銀子, 而鑄者也. 撒花元語, 猶本國語曰土產也]".

80) 이는 다음의 기사를 전재하여 적절히 變改하였다. 忠惠王代에 金剛山 楡岾寺에 營造, 管理를 위해 楡岾都監이 설치되었던 것 같고(→忠惠王 在位時의 脚注), 이때 지속적인 각종의 물품조달을 위해 永福都監이 開京에 설치된 것 같다.

· 지31, 百官2, 永福都監, "忠穆王初卽位, 爲支應金剛山楡岾寺, 置之".

乙酉[忠穆王]元年，元至正五年，[西曆1345年]

1345년 2월 3일(Gre2월 11일)에서 1346년 1월 22일(Gre1월 30일)까지，354일

春正月丙戌□朔大盡,建戊寅，王率百官，賀正于征東行省.[81)]

甲午9日，地震，凡二日.

[己亥14日，有大石，自涉長湍渡:五行2轉載].[82)]

[○壽春翁主卒:追加].[83)]

壬寅17日，親設百高座道場于康安殿.

[乙巳20日，木稼:五行2轉載].

丁未22日，復置政房，以贊成事朴忠佐·金永煦·參理辛裔·知申事李公遂，爲提調官.

[→辛裔，尋封鷲城府院君，時雖去北殿忠惠王群少，裔及代言田淑蒙等相繼用事．不數月間，親姻·故舊布列卿相，代言鄭思度依阿進用，久在政房，中外輻湊，時人目之曰“辛王”:列傳38辛裔轉載].[84)]

[癸丑28日，木介:五行2轉載].

[某日，以左司議大夫李仁復爲右副代言:追加].[85)]

[某日，以起居注朴允文爲慶尙道按廉使:慶尙道營主題名記].

乙卯30日，地震.[86)]

---

81) 丙戌에 朔이 탈락되었다.

82) 長湍渡에 대한 다음의 기록이 있다.
- 지10，지리1，개성부，長湍縣，“有長湍渡兩岸，靑石壁，立數十里，望之如畵，世傳太祖遊幸之地，民間尙傳其歌曲”.
- 『세종실록』 권13，3년 10월，“辛丑12日，駕次于長湍渡之北，遣人致祭于紺嶽之神，所過名山大川皆祭焉”.

83) 이는 壽春翁主(忠宣王의 女，宗室列傳에는 入傳되지 않았음)의 夫인 「許琮墓誌銘」에 의거하였는데，날짜[日辰]는 許琮(許珙의 孫)이 翁主가 逝去하고 27일이 경과한 2월 11일(丙寅)에 서거하였다는 것을 바탕으로 逆算하였다(열전18，許珙，悰). 이날은 율리우스曆으로 1345년 2월 16일(그레고리曆 2월 24일)에 해당한다.

84) 이후 田淑蒙은 太妃[大妃] 德寧公主의 뜻에 거슬려 東萊로 貶黜되었다고 한다.
- 열전38，辛裔，淑蒙，“田淑蒙，爲代言，忤德寧公主，貶流東萊．中郎將金煥·慶允和，巡軍提控張安世等，以謂淑蒙雖有罪，然侍講日久，不宜流，與判事李元龍等百餘人上䟽，請召還，不允”.

85) 이는 다음의 자료에 의거하였다.
- 「李仁復墓誌銘」，“明年正月，王曰，‘予之待李某猶未至也’，以本官授密直司右副代言”.
- 열전25，李仁復，“忠穆卽位，以仁復中制科，有名望，四轉爲右副代言”.

86) 이달에 元의 中書省 大都路 薊州에서도 지진이 있었다(『원사』 권41，본기41，순제4，至正 5년 1월).

三月[~~二月~~丙辰朔小盡,建己卯],[87] [乙丑[10日], 春分. 歲星·鎭星, 同舍于虛:天文3轉載].

丙寅[11日], 定安府院□[大]君許琮卒,[88] [年六十, 謚尙惠:追加].[89] [忠烈王養琮宮中, 及長, 尙忠宣王女壽春翁主. 屛人事, 日以醫藥, 活人爲事, 生長富貴, 而無驕色, 守禮好施:節要轉載].[90]

[庚午[15日], 月食:天文3轉載].[91]

辛未[16日], 燃燈, 王如奉恩寺.

[戊寅[23日], 歲星·鎭星相犯:天文3轉載].

[某日, 德寧公主召諸宰相謂曰, "自今, 興海君裴佺, 勿復近侍". 先是, 佺得幸公主, 有人, 錄佺罪惡, 貼匿名狀于版圖門[~~版圖司門~~], 故公主斥之:節要轉載].

[→忠穆幼冲卽位, [德寧]公主, 方盛年居中, 裴佺與康允忠, 出入得幸.[92] 有人錄佺罪惡, 貼匿名狀于版圖門[~~版圖司門~~]. 公主召諸宰相曰, "自今, 裴佺勿復近侍". 後佺猶在公主宮中, 用事:列傳2忠惠王妃德寧公主轉載].

[是時, 復稱民部爲版圖司:追加].[93]

[增補].[94]

---

87) 여러 판본의『고려사』에서 三月로 되어 있으나 二月의 오자인데(東亞大學 2008년 9책 513面),『고려사절요』권25에는 옳게 되어 있다.

88) 이날은 율리우스曆으로 3월 15일(그레고리曆 3월 23일)에 해당한다.

89) 이는「許琮墓誌銘」에 의거하였다.

90) 이와 같은 기사로 열전18, 許珙, 悰, "忠穆元年, [壽春]翁主卒, 哀過遘疾, 卒"이 있다.

91) 이날 일본의 교토에서도 월식이 있었던 것 같다(日本史料6-8冊 836面). 이날은 율리우스曆의 1345년 3월 19일이고, 月食 現象이 심했던 때인 14일(己巳)의 世界時는 21시 35분, 食分은 1.42이었다(渡邊敏夫 1979年 484面).
- 『師守記』 권10, 康永 4년 2월, "十五日庚午, 朝間小雨, 天晴, … 今夜有僧名定, 次被行僧事. …月蝕御讀經御南殿被行之云々".
- 『中院一品記』, 貞和 2년 2월, "十四日, 明曉寅刻月蝕也".
- 『續史愚抄』22, 康永 4년 2월, "十四日己巳, 月蝕, 行御祈法, 亦有同御讀經".

92) 이 구절은 다음의 기사에도 수록되어 있다.
- 열전37, 嬖幸2, 康允忠, "時德寧公主, 盛年居中, 允忠與裴佺, 出入得幸, 秉政權, 作威福".
- 열전37, 裴佺, "… 佺與康允忠得幸德寧公主, 居中用事, 有人作匿名狀, 錄佺罪惡, 貼版圖門. 公主召諸宰相謂曰, 自今, 裴佺勿復近侍".

93) 이 시기에 民部를 다시 版圖司로 改稱하였던 것 같다.

94) 이달에 몽골제국 禮部가 鑄造했던 遼陽行省 海西遼東道의 銅印[百戶印]이 1822년(純祖22, 道光2) 6월 17일 寧邊都護府 관내의 妙香山 山田에서 발견되었던 것 같다.
- 「田民得印輒作古蹟」, "道光二年壬午季夏旣望之翌日, 農人除草之際, 錚然作聲, 獲得一顆斗印, 印跡昭詳如昨, 而其背銘之曰, '海西遼東百戶印,」 至正五年二月日,」 中書禮部造」'. 今以甲子掘

三月乙酉朔大盡,建庚辰，丁亥3日，元直省舍人也速迭兒等來，頒詔，王率百官出迎.[95)]

戊子4日，宴元使于內殿.

丙申12日，[縠雨]. 幸乾聖·王輪二寺.

丁酉13日，遣判三司事權謙·密直副使柳濯如元，賀聖節.

[○松岳西峯上石墜:五行3轉載].[96)]

乙巳21日，親醮于康安殿.

己酉25日，幸福靈寺.

庚戌26日，幸外帝釋院.

[是月辛卯7日，帝親試進士七十有八人，賜普顔不花·張士堅進士及第，其餘賜出身有差. 時高麗人安輔，畏吾兒偰遜及第:追加].[97)]

[春某月，○以軍簿佐郎鄭思度鄭思道爲軍簿正郞:追加].[98)]

[○左政丞金倫乞退，封府院君，號加輔理:列傳23金倫轉載].[99)]

指四百餘年，莫重寶印，始現於此年，偉哉. 畊田稼穡，畎畝除草，有寺以後，無年不有，尙不得矣"(寺刹史料下 216面).

95) 몽골제국이 2월 3일(戊午) 社稷에 祭祀를 지냈는데(『원사』 권41, 본기41, 순제4, 至正 5년 2월 戊午), 이때의 詔書를 고려에 頒布하였던 것으로 추측된다.

96) 이날 일본의 교토에서는 맑았다고 한다(『師守記』, 康永 4년 3월, "十三日丁酉, 天晴").

97) 이는 『원사』 권41, 본기41, 順帝4, 至正 5년 3월 辛卯에 의거하여 추가한 것이다. 이때 左榜[漢人·南人]에 安輔가, 右榜[蒙古人, 色目人]에 偰遜이 각각 급제하였는데(→공민왕 7년 是年], 이후 安輔는 將仕郎·遼陽等處行中書省照磨兼承發架閣庫에 任命되었다(『고려사절요』 권25, 忠肅王 復位5년 11월 ; 열전22, 安軸·지28, 選擧2, 科目2, 制科 ; 『가정집』 권18, 次韻送安照磨赴遼陽 ; 『동현사략』, 安軸 ; 安軸墓誌銘 ; 安輔墓誌銘).

· 열전22, 安軸, 輔, "忠穆元年, 中元朝制科, 授遼陽行中書省照磨兼承發架閣庫, 輔曰, '旣受命不供職, 是不恭也. 況照磨惟收掌文書, 無他務, 吾當赴省'. 旣上官, 省官重其才, 皆禮貌之. 輔曰, '吾今足以塞吾責, 母老不歸養, 非孝也'. 於是, 棄官東歸".

· 『谿谷集』 권3, 書偰氏家傳後, "偰氏本出高昌國, 世居偰輦河, 故以偰爲氏. 元時有曰普莘, 官河南江北等處行中書省右丞, 討賊不屈而死, 贈守忠全節功臣·戶部尙書, 諡忠愍公, 爲立淸灣書院以祀之. 夫人某氏, 亦寡居全節, 其子文質事親孝, … 官至中書參知政事, 晩節休官, 家于豫章東湖之上. … 文質有五子, 曰玉立·直堅·哲篤·朝吾·烈篪, 皆登第爲顯官. 哲篤有七子, 亦皆顯, 而長曰遜, 字公遠, 登至正乙酉第, 爲端本堂正字, 應奉翰林文字, 爲權臣哈麻所惡, 出知單州, 値元季兵起, 天下將亂, 以至正戊戌歲, 擧家奔高麗. 恭愍禮遇甚備, 賜田富原, 封富原侯, 數歲卒. 五子, 長曰長壽, 中至正壬寅第, 爲判三司□事, 諡文貞. 次曰福壽·延壽, 皆至樞宰. 慶壽中洪武丙辰第, 官按廉使, 眉壽, 字天用, 與慶壽同年登第, 官至參贊議政府·判禮曹事, 諡恭厚".

98) 이는 「鄭思道墓誌銘」에 의거하였다.

99) 原文에는 "忠穆初卽位4月, 爲贊成事, 尋同10月陞左政丞, 未幾乞退, 封府院君, 號加輔理"로 되어 있다.

夏四月乙卯朔小盡,建辛巳, 丙辰2日, 雨雹.100)

[庚申6日, 太白犯東井鉞星:天文3轉載].

丁卯13日, 以金永煦爲都僉議左政丞, 贊成事·弘文館大提學朴忠佐△爲判三司事, 全思義·孫守卿·安軸△並爲贊成事,101) 李蒨·李蒙哥·政堂文學張沆△並爲參理, 鄭乙輔爲政堂文學, 印璫爲密直使, [軍簿判書尹之彪爲典理判書:追加].102)

五月甲申□朔小盡,建壬午, 元遣使來, 索紋苧布.103)

[乙未12日, 遣左副代言李仁復于藝文春秋館, 命判三司事·領館事李齊賢, 撰故平章政事·上洛府院君方臣祐祠堂碑:追加].104)

戊申25日, 以旱禁酒.105)

[是月, 典儀令申誼, □□□□掌升補試, 取李天驥等十九人:選擧2升補試轉載].

[是月, 元車駕巡上都, 中瑞司典簿李穀扈從:追加].106)

---

100) 일본에서는 4월 6일 遠江(토오토우미, 現 靜岡縣의 西部地域)에서 雨雹이 내렸다고 한다(中央氣象臺 1941年 2冊 618面).

101) 이때 金永煦와 安軸의 임명에 관한 기사로 다음이 있다.
- 『근재집』 권2, 尙州客館重營記, "… 至正四年甲申, 余安軸自尙入參密直, 公金永煦進拜都僉議贊成事. 明年至正5年, 加左政丞, 余亦再遷贊成事".

102) 尹之彪는 그의 墓誌銘에 의거하였다.

103) 甲申에 朔이 탈락되었다.

104) 이는 다음의 자료에 의거하였다.
- 『익재난고』 권7, 方臣祐祠堂碑, "至正五年五月乙未, 左副代言·中正大夫臣仁復, 傳王命于藝文春秋館, 若曰, 故平章政事·上洛府院君臣祐, 宦于上國, 尋見寵任, 以能盡忠我有家, 今雖云亡, 予惟念之在懷, 其令領館事臣某李齊賢, 記其行實于碑, 用勸後來者. …".

105) 이해에 다이두[大都]에서도 늦은 봄에서 夏至까지 비가 오지 않았고, 여름에 山東 濟南(現歷城縣)에 饑饉이 들고 大疫이 있었다고 한다. 또 河南地域은 前年(至正4) 이래 크게 가물어 赤地가 千里에 달했고 大疫이 있어 농민들의 과반수가 죽었다고 한다(龔勝生 等 2015年).
- 『가정집』 권4, 小圃記(『동문선』 권71, 小圃記), "京師福田坊所賃屋, 有隙地, 理爲小圃, … 今又自春末至夏至不雨, 視所種菜如去年, 未知從今得雨否, 側聞宰相親詣寺觀禱雨, … 時至正乙酉五月十七日也".
- 『원사』 권51, 지3하, 오행2, 稼穡不成, "至正五年, 春夏, 濟南大疫".
- 『金臺集』 권1, 潁州老翁歌, "潁州老翁病且羸, 蕭蕭短髮秋霜垂, 手扶枯笻行復卻, … [注, 至正四年, 河南北大饑, 明年, 又疫民之死者半, 朝廷嘗議鬻爵, 以賑之, 江淮富民, 應命者甚衆, 凡得鈔十餘萬錠, 粟稱是. 會夏小稔, 遂已, 然民罹此大困, 田菜盡荒蒿蓬, 沒人孤兎之跡滿道. 時余爲侍御史行河南, 請以富人所入錢粟 貸民具牛·種以耕, 豊年則收其本, 不報, 覽易之之詩, 追憶往事, 爲之惻然, 八年三月, 翰林待制武威余闕志]".
- 『青陽集』 권6, 書果囉羅易之作潁川潁州老翁歌後, 이는 上記의 注와 같지만 誤字가 있다.

[是月頃, 以金成進爲永州判官:追加].[107)]

六月癸丑朔[小盡,建癸未], □[都]僉議評理崔文度卒,[108)] [年五十四, 諡良敬:追加].[109)] [文度, 樂觀濂洛性理之書, 事親盡孝:節要轉載], [人未嘗見其卒怒而遽喜. 子思儉:列傳21崔文度].

甲寅[2日], 王如奉恩寺.

丁卯[15日], [大暑]. 王受菩薩戒于內殿.

[某日, 以宋構爲慶尙道按廉使:慶尙道營主題名記].

[夏某月, ○以[軍簿正郎] 鄭思度[鄭思道]爲典理正郎, 尋爲奉善大夫·成均司藝:追加].[110)]

秋七月[壬午朔大盡,建甲申], 甲申[3日], 彗見紫薇垣[~~紫微垣~~].[111)]

[乙酉[4日], 以旱雩:五行2轉載].

丁亥[6日], 太白晝見, 彗見北河北.

壬辰[11日], 元遣使來, 賜王衣酒, 索熊羔皮[熊獱皮].[112)]

---

106) 이는 다음의 자료에 의거하였다.
- 『가정집』연표, "至正五年, 扈駕上都".
- 『원사』 권41, 본기41, 순제4, 지정 5년 4월, "是月, … 車駕時巡上都".
- 열전22, 李穀, "順帝幸上都, 穀扈從".

107) 이는 『영천선생안』에 의거하였다.

108) 이날은 율리우스曆으로 1345년 6월 30일(그레고리曆 7월 8일)에 해당한다.

109) 이는 「崔文度墓誌銘」에 의거하였다.

110) 이는 「鄭思道墓誌銘」에 의거하였다.

111) 이때 일본의 교토에서도 7월 4일(丙戌, 高麗曆의 5일) 이후 數次에 걸쳐 彗星이 관측되었던 것 같다(日本史料6-9册 160面).
- 『園太曆』 권5, 貞和 1년 7월, "四日, 天晴, 早旦, 前陰陽頭有俊朝臣送狀, 今曉寅刻, 妖星出現云々, 驚存之也, 今日文殿庭中云々, 事了間參院, 入見參, 妖星事已下申之, 小時退出. 五日, 天晴, 今日前陰陽頭有俊朝臣并國弘朝臣等入來, 妖星事已彗星之條勿論也, 以外天變也. 殊可御祈謝之由也. 東北方光芒已四尺許也, 其色白, 殊重云々".
- 『師守記』, 康永 4년 7월, "九日辛卯, 天陰, 巳剋以後雨降, 入夜止雨, 此間雷鳴, 傳聞, 此間彗星出現云々, 丑寅方, … 十日壬辰, 天晴, … 傳聞, 今夜彗星出現, 丑寅方, 十一日癸巳, 天晴, …今夜彗星出現同方, … 十二日甲午, 天晴, … 今夜彗星出現, 後夜以後出現云々".
- 『續史愚抄』22, 康永 4년 7월, "三日乙酉, … 今夜寅剋, 有彗星見東北, 長四尺餘, 色白, 司天言, 可有御愼者".

112) 熊羔皮는 『고려사절요』 권25에는 熊獱皮로 되어 있다.

乙未[14日], 瀋王暠薨. [葬以公主禮:節要轉載].[113)]

[○[前]左司議大夫鄭誧卒于元. 誧, 好學善屬文. 忠惠王朝, 爲左司議□[大夫], 多所封駁, 執政惡之, 出守蔚州, 雖在謫中, 吟嘯自若, 慨然有遊宦上國之志, 嘗曰, 大丈夫安能鬱鬱於一方耶. 遂如元, 謁別哥不花丞相, 一見奇之, 將薦之天子, 會病卒:節要轉載],[114)] [年三十七. 有'雪谷集', 行于世. 詩詞簡古, 筆蹟亦妙. 子公權:列傳19鄭諧轉載].

[己亥[18日], 大風以雨, 拔松嶽樹:五行3轉載].[115)]

[八月[壬子朔小盡,建乙酉], 丁卯[16日], 月食, 既:天文3轉載].[116)]

[某日, 都評議使司言, "先王設官制祿, 一二品, 三百六十餘石, 隨品差等, 以至伍尉·隊正, 莫不准科數以給. 故衣食足給, 一切奉公. 其後, 再因兵亂, 田野荒廢, 貢賦欠乏, 倉庫虛竭, 宰相之祿, 不過三十石. 於是, 罷畿縣兩班祖業田外半丁, 置祿科田, 隨科折給. 近來, 諸功臣權勢之家, 冒受賜牌, 自稱本田, 山川爲標, 爭先據執, 有違古制. 乞依先王制定, 京畿八縣土田, 更行經理, 御分·宮司田, 鄕吏·津尺·驛子·雜口分位田, 考覈元籍, 量給. 兩班·軍·閑人口分田, 元宗十二年以上, 公文考覈折給, 其餘諸賜給田, 並皆收奪, 均給職田, 餘田, 公收租稅, 以充國用", 制可[從之]:食貨1祿科田轉載].[117)]

---

113) 이 기사는 열전4, 忠烈王王子, 江陽公滋에도 수록되어 있다.

114) 前知蔚州事 鄭誧(崔文度의 壻)는 7월 14일 大都에서 逝去하였다고 하는데(鄭誧墓誌銘), 이날은 율리우스曆으로 1345년 8월 11일(그레고리曆 8월 19일)에 해당한다. 또 別哥不花는 1343년(至正3, 충혜왕4) 12월 이래 中書左丞相 別兒怯不花(Berke Buqa, ?~1350)를 가리키는 것 같다(『원사』 권113, 표6하, 宰相年表2).

115) 이때 일본의 교토에서 18일(庚子, 高麗曆의 19일) 이후 28일(庚戌)까지 계속 비가 내려 洪水가 발생하였던 것 같다(『師守記』, 康永 4년 7월).

116) 이날 교토에서도 皆既月食이 있었다(日本史料6-9册 218面). 이날은 율리우스력의 1345년 9월 12일이고, 월식 현상이 심했던 때의 世界時는 12시 53분, 食分은 1.49이었다(渡邊敏夫 1979年 484面).

· 『貞和元年具注曆』, 八月, "十六日丁卯, 火, 破, 月蝕, 大分皆既, 虧初酉四刻, 六十一分半, 加時戌六刻, 卅九分, 復末亥八刻, 十六分半. 正現, 亥時, 復末丑刻, 曆道所載時刻遲々, 蝕樣月形曾不見"[筆者 未確認].

· 『師守記』 권5, 貞和 1년 8월, "十六日丁卯, 天晴, 月蝕, 皆既, 虧初酉四剋, 六十六分半, 加時戌六剋, 卅九分, 復末亥八剋, 十六分半, 正現亥時, 復末丑剋, 曆道所載時剋聊遲々, 蝕樣月形增不見, … 月蝕以後, 丑斜被行駒牽".

· 『續史愚抄』22, 康永 4년 8월, "十六日丁卯, 駒牽, 雖蝕不被憚例云, 被行小除目. 今夜月蝕".

[是月，元車駕還自上都，中瑞司典簿李穀扈從:追加].[118]

九月辛巳朔大盡,建丙戌，乙巳25日，幸妙通寺.
丙午26日，慮囚.
[是月，無住庵僧天雲寫成'墨書妙法蓮華經':追加].[119]

冬十月辛亥朔大盡,建丁亥，癸丑3日，分遣廉察·蘇復使于楊廣·全羅·慶尙三道.
[丙辰6日，大雷雨:五行2轉載].
辛酉11日，王謁景靈殿.
[某日，以李穀爲奉翊大夫·判典校寺事·藝文館提學·同知春秋館事，福州牧判官鄭云敬爲三司判官:追加].[120]

十一月辛巳朔小盡,建戊子，乙未15日，設八關會，幸法王寺.
己亥19日，[冬至]. 以大寒放囚.[121]
[夏某月，以成均司藝鄭思度思道爲左副代言·軍簿摠郞·藝文館直提學·知製敎:追加].[122]

十二月庚戌朔大盡,建己丑，癸丑4日，遣都僉議左政丞金永煦如元，獻方物.
乙丑16日，右政丞王煦罷，以金永煦爲右政丞，印承旦爲左政丞，李穀爲密直使~~密直副使~~,[123] [知申事李公遂爲典理判書，右副代言李仁復爲奉翊大夫·軍簿判書:追加].[124]

---

117) 이 기사에서 制可는 從之로 고쳐야 옳게 될 것이고, 伍尉는 校尉의 別稱이다(東亞大學 2011년 18책 349面).

118) 이는『원사』권41, 본기41, 순제4, 지정 5년 8월, "是月，車駕還自上都"에 의거하였다.

119) 이는 佐賀縣 唐津市 鏡町 大字鏡 鏡神社에 소장된『白紙墨字妙法蓮華經』의 紙片 題記에 의거하였다(權熹耕 1986년 430面 ; 張東翼 2004년 731面).

- 題記,"…~~[灰滅]~~)」無盡□□有緣於塵墨劫,作」法供養」大元至正五年乙酉九月日,」無住庵沙門天雲誌」. 현재의 상태에서 題記의 내용이 무엇인지를 알 수 없다.

120) 이는『가정집』연보 ;『삼봉집』권4, 鄭云敬行狀에 의거하였다.

121) 여기에서 大寒은 節氣가 아니라 '크게 추워서'라는 말이고, 是年의 大寒은 12월 21일(庚午)이다.

122) 이는「鄭思道墓誌銘」에 의거하였다.

123) 密直使는 密直副使의 오류이다.

- 『가정집』연보, "至正五年, 冬 …又拜奉翊大夫·密直副使, 館職如前".
- 열전22, 李穀, "至正5年順帝幸上都, 穀扈從, 本國拜密直副使".

124) 이공수와 이인복은「李公遂墓誌銘」;「李仁復墓誌銘」에 의거하였다.

[○煦, 罷政房, 復科田, 故爲貪姦所惡而罷. 時人觖望:節要轉載].

[→右政丞王煦, 首以選法, 歸之典理·軍簿. 舊制官吏祿薄, 賜京畿田, 人若干畝, 謂之祿科□田, 權貴奪之幾盡, 諸領府尤受其害. 煦下令復之, 由是, 爲姦貪所惡而罷, 以金永煦代之, 時人觖望:列傳23王煦轉載].

[是年, 以宜州任內文州, 復析置:轉載].[125)]

[○忠宣王次妃王氏西原侯瑛之女薨, 謚靜妃:列傳2忠宣王妃靜妃轉載].

[○以監察大夫閔思平爲密直提學·上護軍, 尋爲副使·同知密直司事:追加].[126)]

[○以前起居郎許邕爲監察執義:追加].[127)]

[○以吉昌府典籤柳淑爲開城府參軍事. 時淑在大都, 隨從江陵大君:追加].[128)]

[○以李衍宗爲福州牧使, 通仕郎柳中井爲福州司錄:追加].[129)]

[○以尹澤爲羅州牧使:追加].[130)]

[○以安輔爲交州道按廉使:追加].[131)]

[○某等建立全州咸悅縣崇林寺普光殿:追加].[132)]

[○某等創建藥山棲雲寺殿宇:追加].[133)]

---

125) 이는 다음의 자료를 전재하였는데, 東北面의 雙城摠管府가 1356년(공민왕5) 7월 9일에 함락되었던 점을 감안하여 이 기사는 오류라는 견해가 있다(尹京鎭 2015년b).
- 지12, 지리3, 文州, "… 後合于宜州. 忠穆王元年, 復析置".
- 『세종실록』 권155, 지리지, 文川郡, "… 後合于宜州. 忠穆王元年乙酉[元至正五年], 復析爲州, 本朝太宗癸巳, 例改今名".

126) 이는 「閔思平墓誌銘」; 『급암시집』연보에 의거하였다.

127) 이는 「許邕妻李氏墓誌銘」에 의거하였다. 이후 許邕은 山淸縣 丹溪里에 우거하였던 것 같다(『신증동국여지승람』 권31, 丹城縣, 寓居, 朴用國 2015년).

128) 이는 「柳淑墓誌銘」에 의거하였다.

129) 이는 『안동선생안』에 의거하였다.

130) 이는 「尹澤墓誌銘」에 의거하였는데, 그는 1348년(충정왕 즉위년)까지 재직하였다.

131) 이는 「安輔墓誌銘」에 의거하였다.

132) 이는 다음의 자료에 의거하였는데, 崇林寺 寶光殿[寶物 第825號]는 현재 全羅北道 益山市 熊浦面 松川里에 있다.
- 『咸悅縣邑誌』, "崇林寺, 在縣北七里咸羅山下, 寶光殿普光殿, 高麗忠穆王元年乙酉建築". 여기에서 添字는 현재의 懸板이다.

133) 이는 다음의 자료에 의거하였는데(寺刹史料下 203面), 棲雲寺는 栖雲寺로 표기된 기록도 있다(『동국여지승람』 권54, 寧邊大都護府, 佛宇).
- 「藥山棲雲寺古碑」, "藥山之棲雲寺古也, 壯俊法師嘗言, '佛像於傳言曰, 改金時以腹藏書放之, 元順帝至正乙酉歲創營云爾', 其始也".

[是年頃, 豊儲倉副使李仁壽·丞李汝就, 竊倉貨, 監察司囚鞫之, 仁壽, [盧]英瑞姻婭也, 以王命沮之. 尋以仁壽爲軍簿正郞, 謫執義趙淵爲水原府使. 後德寧公主流英瑞于光陽:列傳37盧英瑞轉載].[134)]

[○都僉議贊成事安軸撰'尙州客舍重營記':追加].[135)]

丙戌[忠穆王]二年, 元至正六年, [西曆1346年]

1346년 1월 23일(Gre1월 31일)에서 1347년 2월 10일(Gre2월 18일)까지, 13개월 384일

[春正月[庚辰朔大盡,庚寅], [丁未[28日], 奉安□□□[~~大行王~~]木主于魂殿:禮6國恤轉載].

[某日, 以李萬榮爲慶尙道按廉使:慶尙道營主題名記].

[是月頃, 元遣中瑞司典簿李穀來, 頒朔:追加].[136)]

春二月庚戌朔[大盡,辛卯], 日食.[137)]

[丙辰[7日], 月犯畢星:天文3轉載].

乙丑[16日], 燃燈, 王如奉恩寺.

[是月, 僧宗坦·達精等鑄成兜率山飯子一座, 入重十斤:追加].[138)]

---

134) 이는 다음의 기사를 전재하였다.

· 열전37, 盧英瑞, "忠穆初, 豊儲倉副使李仁壽·丞李汝就, 竊倉貨, 監察司囚鞫之, 仁壽, [盧]英瑞姻婭也, 以王命沮之. 尋以仁壽爲軍簿正郞, 謫執義趙淵爲水原府使. 後德寧公主流英瑞于光陽".

135) 이『근재집』권2, 尙州客館重營記에 의거하였다.

136) 이는『가정집』연보 ;「柳淑墓誌銘」에 의거하였는데, 이때 江陵大君의 侍學으로 大都에서 隨從하고 있던 柳淑이 따라 와서 春秋館修撰官이 되었다고 한다. 또 이해[是年] 6월 李穀의 官職은 奉訓大夫[從5品]·中瑞司典簿·政堂文學·進賢館大提學·知春秋館事·上護軍이었다(演福寺鐘銘).

137) 이날 中原에서도 일식이 있었고(『원사』 권41, 본기41, 順帝4, 至正 6년 2월 庚戌), 일본의 京都에서도 일식이 있었다(日本史料6-9册 782面). 이날은 율리우스력의 1346년 2월 22일이고, 開京에서 일식 현상이 심했던 時間은 13시 25분, 食分은 0.47이었다(渡邊敏夫 1979年 312面).

·『貞和二年具注曆』, 2월, "一日庚戌, 金成陰錯復厭, 日食, 大分十五分之十分, 半弱, 虧初午二刻二分半, 加時未初刻七分, 復末未六刻卅五分半"(筆者 未確認).

·『師守記』권14, 貞和 2년 2월, "一日庚戌, 天陰, 寅剋以後雨降, 入夜終夜吹風, 仲春之朔, 每事勿吉, 幸甚々々. 日蝕, 未剋許聊正現, 蝕無相違, 其後則陰, 終日小雨降".

138) 이는 對馬島 觀音堂에 懸架된 兜率山飯子[小飯子銘]의 銘文에 의거하였다(黃壽永 1978년 393面, 末松保和資料 9box에 判讀文이 있는데, 銘文의 排列에 차이가 있다).

[是月頃, 以藝文供奉朴東秀爲雞林府司錄兼參軍事, 通仕郞河碩儒爲雞林法曹兼參軍事:追加].[139]

三月庚辰朔小盡,壬辰, 丙申17日, 幸王輪·乾聖二寺.

乙巳26日, 親醮于康安殿.

戊申29日晦, 東界芋陵島人來朝.

[春某月, 以密直副使李穀爲同知密直司事, 尋爲知密直司事:追加].[140]

[○僧普虛將詣臨濟石玉淸珙之處, 往大都:追加].[141]

[○元遣資政院使姜金剛·左藏庫副使辛裔來, 鑄成金剛山某寺鐘:追加].[142]

夏四月己酉朔大盡,癸巳, 奉安大行王眞于景靈殿.

[庚戌2日, 熒惑犯輿鬼·積尸:天文3轉載].

乙亥27日, 元遣使來, 賜王衣酒.

丁丑29日, 元遣使來, 索紋苧布.

[是月, 奉善大夫金永華等鑄成上元寺香垸一座:追加].[143]

---

139) 이는『동도역세제자기』에 의거하였다.

140) 이는『가정집』연보, "至正五年, 春拜同知密直司事, 又拜知密直司事"에 의거하였다.

141) 이는 다음의 자료에 의거하였다.

- 『박통사언해』권上, 末尾部分, "… 步虛, 俗姓洪氏, 高麗洪州人, 法名普愚, 初名普虛, 號太古和尙. 有求法於天下之志, 至正丙戌春, 入燕都, 聞南朝有臨濟正脈不斷, 可往印可, 盖指臨濟直下雪巖祖欽嫡孫石屋和尙淸珙也. …".

142) 이는「演福寺鐘銘」에 의거하였다. 또 姜金剛의 鄕里인 退串部曲이 충혜왕 때에 奈城縣으로 승격되었고, 그 이후에 吉安部曲이 縣으로 승격되었다고 한다. 그리고 左藏庫는 唐制에 의하면 각지의 특산품인 貢物을 보관하는 右藏庫(곧 廢止되고 帝王의 私庫인 內藏庫가 설치됨)와 함께 國庫로서 庸·調의 稅를 收藏하는 官署였다(吳志宏 2012年·2013年). 고려에서의 左藏庫의 조직과 기능이 어떠하였는가를 알 수 없으나 좌장고의 副使와 提點이 존재하고 있었던 점만 찾아진다(→공민왕 2년 3월 25일).

- 지리11, 지2, 安東府, "忠惠王, 以宦者姜金剛, 入元有負紲之勞, 陞其鄕退串部曲爲奈城縣. 後又陞吉安部曲爲縣".
- 『세종실록』 권150, 지리지, 安東大都護府, 屬縣, "吉安縣, 本吉安部曲, 後陞爲縣. 奈城縣, 本退串部曲, 高麗忠惠王, 以鄕人宦者姜金剛入元朝, 有侍衛之勞, 陞爲奈城縣".
- 『신증동국여지승람』 권24, 안동대도호부, 屬縣, "吉安縣, 在府東五十里, 本吉安部曲, 高麗忠惠王時, 陞爲縣. 奈城縣, 在府北九十里, 本退串部曲, 高麗忠惠王, 以鄕人宦者姜金剛入元朝, 有侍衛之勞, 改今名, 陞爲奈城縣".

143) 이는 上院寺 香垸의 銘文에 의거하였는데, 이는 江原道 通川郡 碧養面 白雲巖里 42(現 通川

[是月頃, 以正順大夫林允儒爲福州牧使, 尹繼爲永州副使:追加].[144]

五月己卯朔小盡,甲午, 乙酉7日, 祔大行王于太廟, 以政丞韓渥·參理李揆配享.[145]
丙戌8日, 延安君李儼卒.[146]
[戊子10日, 以李子脩爲司僕直長:追加].[147]
庚寅12日, 右政丞金永煦還自元, 帝賜王衣酒.
○以旱禁酒.
[辛卯13日, 命僧白雲祈雨, 不得:五行2轉載].
壬辰14日, 親設祈雨道場于內殿.
癸巳15日, 徙市.
[→聚巫□于三司, 禱雨. 又禱于佛寺, 徙市:五行2轉載].
[是月初吉, 金海君李齊賢撰'孝行錄'序:追加].[148]

六月戊申朔小盡,乙未, 己酉2日, 王如奉恩寺.
[壬子5日, 月犯大微太微左執法:天文3轉載].
癸丑6日, 王宴元使于內殿.
壬戌15日, 慮囚.
甲寅丙寅19日? 雨.[149]
[乙亥28日, 熒惑犯大微太微右掖門:天文3轉載].

郡 碧岩里) 龍貢寺에 소장되어 있었다고 한다(李秉直 所藏, 黃壽永 1978년 355面). 이의 銘文은 향후 보다 정밀하게 판독되어야 하겠다(學習院大學 所藏 末松保和資料 2box, 黃壽永敎授 提供資料).

144) 이는 『안동선생안』에 의거하였다.

145) 이 구절은 지18, 禮6, 國恤에도 수록되어 있다. 또 이 기사의 太廟는 『고려사』에서도 원래의 板木에서 大廟가 아니라 太廟로 刻字되었음을 보여 주는 사례이다.

146) 이날은 율리우스曆으로 1346년 5월 29일(그레고리曆 6월 6일)에 해당한다.

147) 이는 「李子脩政案」에 의거하였다.

148) 이는 다음의 자료에 의거하였다(郭丞勳 2021년 397面).
· 『孝行錄』序, "… 至正六年五月初吉, 益齋居士李齊賢序".

149) 6월(戊申朔)의 기사는 己酉(2일), 癸丑(6일), 壬戌(15일), 甲寅(7일)으로 구성되어 있다. 이에서 甲寅이 옳다면 順序가 바뀐 셈이고, 아니면 甲寅이 丙寅(19일), 甲戌(27일)의 오자일 것이다. 또 五行志2, 金行에는 庚寅으로 되어 있는데, 이달에는 庚寅이 없다. 筆者가 추측하건대 丙寅(19일)일 가능성이 높다.

[某日, 貶密直使李承老, 爲寧海府使, 坐掌銓注, 納賄賂也:節要轉載].

[某日, 以[右代言]鄭思度[鄭思道]兼右司議大夫:追加].[150)]

[是月, 王與德寧公主率君臣·行省官及元使姜金剛·辛裔等, 鑄成演福寺鐘:追加].[151)]

---

150) 이는 「鄭思道墓誌銘」에 의거하였다.

151) 이는 다음의 자료에 의거하였는데, 演福寺의 梵鐘(國寶級文化財 제136호)은 현재 開城市 北安洞 南門(국보유적 제124호)에 걸려 있다. 이 鐘銘의 上部 4面 長方形의 郭內에 "皇帝萬歲", "法輪相轉", "國王千秋", "佛日增輝" 등이 刻成되어 있다고 한다(關野 貞 1904年 101面).

또 演福寺鐘에 刻字된 梵語銘文은 「佛頂尊勝陀羅尼」 인데, 이는 1345년(至正5, 충목왕1) 이후 居庸關(北京市에서 60km 떨어진 昌平縣 軍都山脈의 峽谷 峠道, 約18km) 雲台의 壁에 새겨진 梵文·藏文·八思巴文·畏兀兒文·西夏文·漢文의 6種 중에 梵文刻字과 同一한 것이라고 한다(村田治郎 1957年 ; 末松保和 1985年 ; 橿原考古學硏究所 編 2009年).

- 『가정집』 권5, 東遊記, "… 故曰拜岾, 岾舊無屋, 累石爲臺, 以備憩息. 至正丁亥, 今資正院使姜公金剛奉天子之命 ; 來鑄大鍾, 閣而懸之于岾之上旁盧桑門. 以主撞擊, 屹然金碧, 光射雪山, 亦山門一壯觀也".
- 『가정집』 권7, 演福寺新鑄鐘銘并序 ; "大元至正六年春, 資正院使姜公金剛·左藏庫副使辛侯裔, 奉天子之命, 以金幣來, 鑄鍾于金剛山, 時旁山諸郡飢, 其民爭趨工, 得食以活. 鍾成公將歸朝, 國王·公主謂臣僚曰, '金剛山在吾邦域之中, 今聖天子遣近臣, 所以張皇佛事, 垂之無窮者如此, 而吾靡有絲毫補, 盍圖所以報上者'. 僉曰, '演福寺大鍾, 久廢不用, 今因功冶之來, 而更鑄之, 亦足以體上之意, 而爲不朽之功矣'. 遂言之公, 公欣然曰, '諾'. 輟行以成之. 王命臣穀爲之銘. 銘曰, … 命臣作銘令鐫劖」.
- 「演福寺鍾銘」, "…[上記와 同一]. 歲丙戌六月旣望, 奉訓大夫」·中瑞司典簿·匡靖大夫·政堂」 文學·進賢館大提學·知春秋」 館事·上護軍臣李穀撰」. 高麗國王王昕」, 德寧公主亦憐眞班」, 資善大夫·資正院使姜金剛, 將」 仕郎·左藏庫副使辛裔」,征東行中書省左右司」 郎中洪鐸, 郎中李壽山, 員外郎」 石抹完澤, 員外郎康允忠, 都事」 申仁適, 都事岳友章」. 理問所官~~脫落~~」, 相副官河有源~~脫落~~」. 都鎭撫司~~脫落~~」, 副都鎭撫司~~脫落~~」. 都僉議使司~~脫落~~」, 政丞盧頙, 贊成事金永旽, 贊成」 事康允成[康允忠], 贊成事安軸, 贊成」 事李君侅, □[參]理鄭乙輔, □[參]理□□」, 政□□□[堂文學]□□□,□[判]」 三司□[事]□□□[孫守卿], □□」 □□□□□□□□□□□□□□」 □□□□□□□□□□□□□□」 □□」 □□□□□□□□□□[密直]司事崔天」 □,□□□□□□□全允莊, 副使」 辛佐□,□□□□,知申事郭延」 □, 右□□[代言] 左□諝, 左代言鄭思」 □[道], 右副代言金用謙, 左副代言」 李逢吉. 藝文檢閱成師達[成士達]書」.

同願」 吉昌府院君權準」, 福昌府院君金永煦」, 延安府院君印承旦」, 咸安府院君朴冲佐[朴忠佐]」, 太府監丞李福壽」, 金海府院君李齊賢」, 萬戶·保安君林淑」, 前理問尹繼宗」, 前贊成事尹桓」, 直城君盧英瑞」, 興海君裴佺」, □[前]大護軍洪繼·文大龍」, 保安宅主朴氏」, 榮州郡夫人禹氏」, □□」, 檢校版圖判書達摩室利」, 都憐不花, [奇]賽因不花, 護軍」 黃順·朴允柱·姜碩·散員盧承」 幹」, 護軍周永保」, 征東省委官」, 左右司員外郎康允忠, 椽史張」 君信, [巡軍]提調官萬戶權謙」, 判密直[司]事李能, 同知密直[司]事印」 承叙, 密直副使金光載,鷹揚軍」 上護軍□□. 監造官·上」 護軍林萬年·裴天慶, 護軍裴守」 全·成安·李賢,內府副令河楫, 司」 僕副正李承牧, 中郎將金用珎」·朴世珎, 平壤判官崔祿壽,有備」 倉使鄭仁老, 郎將鄭珣·辛承茂」, [通禮門]祗侯朴仁漸,都評議[使司]錄事朴允」 瑜·鞠儒,中軍錄事金季彥·許元」 義.造成都監錄事高冲翊,令史」 兪得良·李暉景·朴洪·徐義·盧千」 善·金仁□·崔良儉·朴千節·崔天」 啓·李元桂」. 江浙行中書省富陽縣赤松匠手」 提領何德貴,提領何邦達,提領」 趙明遠等一千人,上高把頭牛德」·張玉」. 使令都□尉金平·印」 之·

[是月頃, 以上洛府院君金永旽爲僉議贊成事·右文館大提學·監春秋館事:追加].152)

[夏某月, 以知密直司事閔思平爲驪興君:追加].153)

[○以知密直司事李穀爲匡靖大夫·政堂文學·進賢館提學·知春秋館事·上護軍:追加].154)

[秋七月丁丑朔小盡,丙申:追加],155) [辛巳5日, 熒惑又犯大微太微右執法, 入大微太微端門:天文3轉載].

壬午6日, 化平府院君金石堅卒.156)

[乙未19日, 月與歲星同舍:天文3轉載].

[○以安軸爲慶尙道按廉使:慶尙道營主題名記].

[是月甲申8日, 優婆夷樂浪郡夫人崔氏·僧忍謙·印音·等造成'長谷寺藥師如來像': 追加].157)

[是月頃, 以姜昌貴爲雞林府判官:追加].158)

秋八月丙午朔大盡,丁酉, 戊申3日, 延德大君塡卒.159)

兪景□□正□□」 白·□咸松·尹元世·朴」 加□·□孟龍·金和尙」. 譯語陶得明」(濱田耕策 2019年). 여기에서 富陽縣은 현재의 浙江省 杭州市 富陽區이고, 提領은 몽골제국 때의 각종 下級 管理官署의 官職이고, 把頭는 職人[工匠]들의 우두머리[頭目]를 가리킨다.

152) 이때 金永旽은 都僉議贊成事·右文館大提學·監春秋館事에 임명되었던 것 같다(金永暾墓誌銘 ; 演福寺鐘銘).

153) 이는 「閔思平墓誌銘」에 의거하였다.

154) 이는 『가정집』연보에 의거하였다.

155) 壬午는 7월(丁丑朔) 6일이므로 壬午 앞에 秋七月이 탈락되었지만, 『고려사절요』 권25에는 옳게 되어 있다.

156) 이날은 율리우스曆으로 1346년 7월 24일(그레고리曆 8월 1일)에 해당한다.

157) 이는 忠淸南道 靑陽郡 大峙面에 있는 長谷寺의 金銅藥師如來坐像(보물 제337호)의 願文에 의거하였는데(崔鉛植 2015년 ; 鄭恩雨 等編 2017년 38, 182面), 이의 作成者인 白雲은 白雲景閑으로 추정되고 있다.

a "南贍部洲大功德主·樂浪郡夫人崔 氏 謹封」.

b "至正六年丙戌七月初八日誌,緣化道人忍謙」 同願沙門印音」 幹善道人□□」(以上 韓紙朱書封書).

158) 이는 『동도역세제자기』에 의거하였다.

159) 이 기사는 열전4, 忠烈王王子, 江陽公滋에도 수록되어 있다. 이날은 율리우스曆으로 8월 19일(그레고리曆 8월 27일)에 해당한다.

[己未[14日], 以雞林府判官姜昌貴爲知永州事:追加].[160)]

[辛酉[16日], 月食:天文3轉載].[161)]

[壬戌[17日], 月與歲星·同舍. 歲星犯壁:天文3轉載].

[是月頃, 以[通直郎·版圖正郎]趙安祐爲雞林府判官, [通直郎]李思祥爲福州判官:追加].[162)]

九月[丙子朔小盡,戊戌], 甲申[9日], 遣贊成事金永旽如元, 請親朝賀正, 兼謝衣酒.

[丁亥[12日], 月與危星同舍:天文3轉載].

[己丑[14日], □[月]犯歲星:天文3轉載].

甲午[19日], 幸演福寺.

[○月又犯畢:天文3轉載].

壬寅[27日], 慮囚.

[某日, 元[監察]御史崔濡, 强奸海平府院君尹碩之婦, 碩訴于元:節要轉載].[163)]

[→"[崔濡,] 後又强淫海平府院君尹碩婦, 其横恣如此. 轉知都僉議□□[司事], 以事罷: 列傳44崔濡].

[是月癸未[8日], 優婆塞田仁奕·判事陳光明與其夫人宋氏等造成'文殊寺阿彌陀佛坐像'壹軀:追加].[164)]

---

160) 姜昌貴는 『동도역세제자기』에 의거하였는데, 그는 같은 해 10월 永州에 부임하였다(『영천선생안』).

161) 이날(辛酉, 日本曆으로 15일) 일본의 교토에서도 월식이 있었다(日本史料6-10册 14面). 이날은 율리우스력의 1346년 9월 1일이고, 월식 현상이 심했던 때의 世界時는 16시 45분, 食分은 0.81이었다(渡邊敏夫 1979年 484面).
- 『貞和二年具注曆』, 8월, "十五日辛酉, 月蝕, 大分十五分之十一半弱, 虧初子一刻一分, 加時丑一刻一分, 復末寅初刻卅一分"[筆者 未確認].
- 『雪村和尙語錄』坤, 貞和 2년 8월, "十五日, 遭蝕, 城郭山林如渤墨, … 作時待月 明年秋, 中秋月蝕"[筆者 未確認]. 이 기사는 『五山文學新集』2의 『南村友梅集』에는 수록되어 있지 않다.

162) 이는 『동도역세제자기』; 『안동선생안』에 의거하였다.

163) 이와 같은 기사로 다음이 있다.
- 열전37, 尹碩, "忠穆時, [元監察]御史崔濡强淫碩婦, 碩訴于元. 托元嬖宦高龍普, 受鎭國上將軍·高麗都元帥, 御史臺彈之, 發還元籍, 流于海平". 여기에서 尹碩이 元에 의해 高麗軍都元帥에 임명되었다가 海平에 유배된 시기는 알 수 없다.

164) 이는 忠淸南道 瑞山市 雲山面 胎封里 文殊寺의 金銅阿彌陀如來坐像의 發願文에 의거하였다(鄭恩雨 等編 2017년 214, 318面).
- 發願文, "大元至正六年丙戌九月初八日 田仁奕,」 判事陳光明,」 宋氏,」 黃元桂,金彥,朴宏,開花,月花女,安莊,於衣莊,」 知識 眞冏 發願,今同願信男女等,及法界一切,同修無盡觀音行,願同登無」 上佛果菩提爾」.

[是月頃, 以李褒爲雞林府尹, 姜昌貴爲永州副使:追加].[165]

[秋某月, 以政堂文學李穀爲重大匡·韓山君·藝文館大提學·知春秋館事:追加].[166]

冬十月乙巳朔大盡,己亥, [庚戌6日, 月犯建星:天文3轉載].

[某日, 以典理判書李仁復爲密直提學, 右代言鄭思度鄭思道兼同知春秋館事, 鄭云敬爲奉善大夫·書雲副正:追加].[167]

[乙卯11日, 虹見:五行1虹霓轉載].

[丁巳13日, 亦如之虹見:五行1虹霓轉載].

庚申16日, 敎曰, "太祖, 開國四百二十有九年于玆, 其間, 典章文物, 嘉言善行, 秘而不傳, 何以示後. 故我忠宣王, 命臣閔漬, 修編年綱目, 尙多闕漏, 宜加纂述, 頒布中外". 乃命□□金海府院君李齊賢·□□僉議贊成事安軸·韓山君李穀·安山君安震·□□密直提學李仁復撰進. 又命修忠烈·忠宣·忠肅三朝實錄.[168]

[某日, 初, 陜州吏李績避□本役, 托鷩城□□府院君辛裔求官. 裔, 奪人官授之, 失官者訴□于監察司, 囚績. 裔深啣之, 罵辱監察大夫李公遂, 令一中郎將, 執掌令宋球以來, 郎將不得執, 裔怒, 使其弟貴歐之. 蓋倚其妹壻高龍普之勢也:節要轉載].[169]

---

165) 이는 『동도역세제자기』; 『영천선생안』에 의거하였다.

166) 이는 『가정집』연보에 의거하였다.

167) 이는 「李仁復墓誌銘」; 「鄭思道墓誌銘」; 『삼봉집』 권4, 鄭云敬行狀 등에 의거하였는데, 임명된 날짜는 前者(李仁復)에 의하면 16일(庚申) 이전이다. 또 이후 李仁復은 書筵에서 師表가 되었다고 한다.

- 열전25, 李仁復, "進密直提學, 命進講書筵. 仁復貌嚴, 辭氣簡重, 王每謂左右曰, 吾見李公, 不覺竦然".

168) 이들 三朝實錄은 明年(丁亥, 충목왕3) 가을[秋] 이전에 완성되었고, 이를 修撰官 柳淑이 海印寺의 史庫에 옮겼다고 한다(柳淑墓誌銘→충목왕 3년 夏某月頃). 또 이와 관련된 기사로 다음이 있다.

- 「李齊賢墓誌銘」, "甲申冬春, 忠穆王卽位, 進府院君·領孝思觀事. 書筵以公爲師, 丙戌忠穆2年, 修忠烈王實錄". 이에서 冬은 春의 오자일 것이다.
- 「李仁復墓誌銘」, "是歲, 先君稼亭公建言修忠烈·忠宣·忠肅三王實錄, 益齋李侍中·謹齋安贊成, 分年秉筆, 公亦與焉".
- 열전22, 李穀, "以頒朔還國, 與李齊賢等, 增修閔漬所撰編年綱目, 又修忠烈·忠宣·忠肅三朝實錄".
- 열전22, 安軸, "累陞僉議贊成事·監春秋館事, 與李齊賢等, 增修閔漬所撰編年綱目, 又修忠烈·忠宣·忠肅三朝實錄".
- 열전23, 李齊賢, "後與安軸·李穀·安震·李仁復, 增修閔漬所撰編年綱目, 又修忠烈·忠宣·忠肅三朝實錄".

甲子[20日]，王謁景靈殿.

○贊成事尹繼宗卒.[170)] [繼宗，大行王禧妃之父也:追加].[171)]

己巳[25日]，永嘉府院君權溥卒,[172)] [年八十五，遘疾，命左右扶起，端坐而逝，諡文正:列傳20權溥]. [溥，初名永，性忠孝惠族，姻睦僚友，嗜讀書，老不輟. 嘗與子準，裒集歷代孝子，凡六十四人，使壻李齊賢著贊，名曰'孝行錄'，行于世. 五子三壻皆封君，世號九封君. 然，無圭角，久典銓衡，鬻爵營產. 人譏之:節要轉載]. [子準·皐·煦·謙，壻齊賢·宗室瑋·珣，皆封君，子宗頂祝髮，亦封廣福君，世號一家九封君. 溥以冢宰退老，準領門生稱壽，時人榮之. 煦·謙，自有傳:列傳20權溥].[173)]

[○雷電:五行1雷震轉載].

[○鵂鶹鳴時坐宮東隅，又鳴於北隅:五行1轉載].

[庚午[26日]，鵂鶹鳴于時坐宮北:五行1轉載].

閏[十]月[乙亥朔小盡,己亥]，[庚辰[6日]，大霧:五行3轉載].

[甲申[10日]，月與歲星同舍:天文3轉載].

戊戌[24日]，元遣直省舍人金蔵來，頒詔. 王出迎于行省.[174)]

辛丑[27日]，宴元使于內殿.

十一月[甲辰朔大盡,庚子]，[庚戌[7日]，太白犯哭:天文3轉載].

[辛亥[8日]，木稼，二日:五行2轉載].

丁巳[14日]，設八關會,

翼日[戊午15日]，王御儀鳳樓觀樂，墜榻傷臂.

[○時右副代言金用謙，因其姪宦者龍藏，驟至近侍，又有龍藏姪郭允正，亦藉其勢，拜大卿. 用謙性暴戾，允正膽大敢言，少屈於人. 用謙妬寵，喩龍藏罷允正，又

---

169) 이와 같은 기사가 열전38, 辛裔에도 수록되어 있다.

170) 이날은 율리우스曆으로 1346년 11월 3일(그레고리曆 11월 11일)에 해당한다.

171) 이는 다음의 기사에 의거하였다.
· 열전2, 후비2, 忠惠王, "禧妃尹氏，坡平縣人，贊成事繼宗之女，生忠定王".

172) 이날은 율리우스曆으로 11월 8일(그레고리曆 11월 16일)에 해당한다.

173) 煦는 王煦(忠宣王의 養子)로서 本名이 權載이다(열전23, 王煦, "初姓名權載，蒙古名脫歡，政丞溥子也").

174) 몽골제국은 이달 1일(乙亥) 天下에 赦免을 내려 減稅하였다(『원사』 권41, 본기41, 순제4, 지정6년 윤10월 乙亥朔). 또 이때의 사신은 후일 密直副使에 이른 金蔵(金永煦의 子, 士衡의 父)으로 추측된다(열전17, 金方慶, 永煦).

奪龍藏所給財物，允正訴□[于]監察司劾之．是日，王命用謙入侍，[知申事·]監察大夫李公遂言，“用謙被彈，公然齒於朝列，非古制也，請出之．諸代言請姑留之”．王不聽曰，“寧少一代言，不欲拒諫”:節要轉載]．

[→忠穆朝，[李公遂,] 歷知申事·監察大夫．有金用謙者，性暴戾，因姪宦者龍藏，驟拜[右副]代言．龍藏姪郭允正亦籍其勢，拜大卿，用謙忌之，說龍藏罷之．又奪龍藏所給資產，允正訴，監察司劾之．八關會，王觀樂，命用謙入侍，公遂奏，“用謙被彈，不可齒朝列”．代言等請姑留，王曰，“寧少一代言，不欲拒諫”．○錄事金龍起爲陰竹別監，厚斂民財盜用．事覺，憲司[監察司]鞫之．龍起謂持平崔安沼曰，“爾昔在陰竹，斂民尤甚，安有以盜治盜者”．王命釋龍起，公遂曰，“龍起國蠹也，今釋之，是勸人以盜也”:列傳25李公遂轉載]．

[某日，元命前政丞王煦入朝:節要轉載]．[175)]

[是月，通直郞·書雲丞孫光嗣‘授時曆捷法’序:追加]．[176)]

十二月[甲戌朔大盡,辛丑]，[戊寅[5日]，月與太白同舍:天文3轉載]．

[己卯[6日]，月與歲□[星]同舍:天文3轉載]．[177)]

戊子[15日]，火者伯顔帖木兒奉御香來，王賜金帶及鞍．

庚寅[17日]，[立春]．天狗墮康安殿西．[178)]

[某日，遣□□[某某]如元，賀正:追加]．[179)]

[是月頃，以金藏爲永州判官:追加]．[180)]

---

175) 이와 관련된 기사로 열전23, 王煦, “明年溥卒, 踰月, 帝命煦脫衰入朝”가 있다.

176) 이는 다음의 자료에 의거하였다(郭丞勳 2021년 399面).
- 『授時曆捷法』卷首, 序, “… [姜保,] 累遷而卽今, 爲正[書雲正], 於是欲廣其傳, 令進士李仁實傳寫其本, 規欲藏誌于本館, 以勸後來傳示無極, 是亦士君子誨人不倦之意也. 噫, 樂道人之善, 是吾心也. 姜公以余爲館中人囑之爲序, 故不敢以蕪拙爲讓, 謹再拜序本末耳. 至正六年十一月日, 通直郞·書雲丞孫光嗣序”.

177) 이 기사는 歲星에서 星이 탈락되었을 것이다.

178) 延世大學本과 延世大學本의 지3, 天文3에는 天狗가 大狗로 잘못 印刷되어 있다(東亞大學 2011년 13책 282面).

179) 이는『삼봉집』권4, 鄭云敬行狀에 의거하였는데, 이때의 書狀官은 書雲副正 鄭云敬이었다.
- 열전34, 鄭云敬, “忠穆時, 以書雲副正, 充書狀官, 賀正如元. 時奇后專寵, 中貴多東人. 來饋頗倨傲, 云敬正色曰, ‘今日之饋, 爲舊主也’. 中貴愕然曰, 秀才敎我矣”.

180) 이는『영천선생안』에 의거하였다.

[是年, 典理判書尹之彪爲平壤尹:追加].[181]

[○以金彦洚爲延安府使:追加].[182]

[是年六七月頃, 長谷寺居僧忍謙·印音·優婆夷樂浪郡夫人崔氏等造成造成鐵佛腹藏諸般佛具·段疋:追加].[183]

[是年頃, 司譯院撰'老乞大'及'朴通事':追加].[184]

[○帝與第二皇后奇皇后遣使來, 造成金剛山長安寺及楡岾寺殿宇·寮舍及諸般佛具:追加].[185]

---

181) 全思義는 李公遂의 姊兄으로 公遂를 어릴 때부터 양육하였다고 한다(李公遂墓誌銘). 또 尹之彪는 그의 墓誌銘에 의거하였다.

182) 이는 『연안부지』에 의거하였다.

183) 이는 忠淸南道 靑陽郡 大峙面에 있는 長谷寺 大雄殿 鐵佛腹藏의 紙物, 織物에 쓰인 墨書에 의거하였다(閔泳珪 1966년).

· 毛施布片의 墨書, "同生 安養願,」 金良,」 安天吉,」 安朗忠,」 至正六年丙戌六月十六日 列名,".

· 封書의 墨書, "至正六年, 丙戌七月, 初八日誌, 緣化道人忍謙, 同願沙門印音, 幹善道人(表面)","南瞻部洲大功德主樂浪郡夫人 崔氏 謹封(裏面)".

184) 이는 『老乞大』末尾에 쓰여진 "今年交大運丙戌"의 丙戌에 의거하여 추측한 것이다(鄭光 1995년 ; 魏恩淑 1997년).

185) 이는 是年 6월 演福寺 鍾銘의 脚注 및 다음의 자료에 의거하여 유추하였다. 또 이 시기에 元皇室이 金剛山의 어느 山寺(金剛院?)에 奉納했던 것으로 추측되는 宋·元 樣式의 金銅觀音菩薩座像이 1927년 7월 江原道 淮陽郡 長陽面 金剛院里 字楡洞 火田[畑]에서 발견되었다고 한다(朝鮮總督府博物館 1937年 第9輯).

· 『樂全堂集』 권7, 遊金剛內外山諸記(1631年), "… 度水不十步, 而爲長安寺, 舊有大雄殿, 經火方重搠, 只立二柱. 四聖殿及諸寮存焉, 殿卽二層閣, 中有金佛一軀·十六羅漢及無盡燈, 爐鉢諸器甚多, 皆古雅, 燈卽元順帝皇后所薦福, 而製作精巧. … 自三藏菴二里許, 表訓寺大刹也, 法堂曰般若殿, 有金佛立彩雲中者, 曇無竭像云. … 南有小樓懸大鐘, 寺中藏懶翁舍利珠青色者, 盛於水精小皿, 納之金盒, 副以銀龕, 匣之以銅鉢, 綵袱百襲裹之. 有袈裟三領, 其一綺, 其二似紗綃, 而其端有蒙山和尙袈裟字, 而制度寬闊, 非如恒人所著也. 銅叵羅可容五六升者, 擧之甚輕, 不知何方物也, 拂子以赤瑪瑙爲柄, 亦可珍也".

· 『樂全堂集』 권7, 遊金剛小記(1631年), "… 長安寺燬於火, 唯有外門門, 設天王塑像甚壯, 寺中所藏佛舍利珠無盡燈, 皆元順帝時物, 至今無毁失者, 爲可異耳".

· 「金剛山長安寺來歷」, "… 一. 高麗第二十八王忠惠王四年·癸未元順帝至正三年, 皇后奇氏爲太子, 而宮官高資政遣之, 與宏卞大師, 再建長安寺大雄寶殿·四聖之殿·冥府殿·神仙樓·水亭閣·諸寮舍. 去今五百六十八年(寺刹史料下 91面)". 이 자료는 後世에 정리된 것이므로 再建時期에 대해서는 보다 면밀한 검정이 있어야 하겠다.

丁亥[忠穆王]三年, 元至正七年, [西曆1347年]

1347년 2월 11일(Gre2월 19일)에서 1348년 1월 30일(Gre2월 7일)까지, 354일

春正月甲辰朔[大盡,壬寅], 日食, 日官不告.[186)]

丁巳[14日], 元使白狗兒奉聖旨來, 王出迎于郊.

庚申[17日], 太白晝見.

[辛酉[18日], 驚蟄. 木稼:五行2轉載].

丁卯[24日], 元遣人□[來], 取□[右]政丞盧頙二女, 以歸.

壬申[29日], 以同知密直司事全允臧爲交州道都巡問使, 令檢括雙城人口.

[某日, 以李培中爲慶尙道按廉使:慶尙道營主題名記].

二月[甲戌朔小盡,癸卯], 丙子[3日], [春分]. 以平壤尹尹之彪爲西北面存撫使.

[某日, 前政丞王煦·左政丞金永旽, 還自元, ~~奉帝旨~~告王曰, "帝問先王失德, 臣等奏, 先王初不若是, 但小人導之耳, 其徒尙在不去, 亦誤今王矣. 帝然之, 勑臣等曰, 汝其往治之". 大妃[太妃]聞之泣下, 賜酒慰謝. 永旽傳帝密旨曰, "可復以王煦爲政丞". 時右政丞盧頙在側, 慚報而退, 稱疾不出:節要轉載].[187)]

庚辰[7日], 盜入太廟.

[辛巳[8日], 太白犯昴:天文3轉載].[188)]

[壬午[9日], 太白與昴同舍:天文3轉載].

甲申[11日], 元使阿丹不花奉詔來, 王出迎于郊.

[乙酉[12日], 月犯大微[太微]端門:天文3轉載].

丙戌[13日], 燃燈, 王如奉恩寺.

---

186) 이날 中原에서도 일식이 있었는데(『원사』 권41, 본기41, 順帝4, 至正 7년 1월 甲辰), 일본의 京都에서는 일식에 대한 기록이 찾아지지 않는다(日本史料6-10册 454面). 이날은 율리우스력의 1347년 2월 11일이고, 開京에서 일식 현상이 심했던 시간은 13시 40분, 食分은 0.18이었다(渡邊敏夫 1979年 312面).
- 『師守記』, 貞和 3년 1월, "一日甲辰, 天陰, 雨降, 自未斜雖聊止, 猶徵雨下".

187) 太妃는 忠惠王妃인 德寧公主를 가리킨다. 또 이 기사는 열전23, 王煦에도 수록되어 있는데, ~~添字~~는 이에 의거하였다.

188) 이와 같은 천문현상이 교토에서도 2일(乙酉)에 있었던 것 같다.
- 『續史愚抄』22, 貞和 3년 2월, "二日乙亥, 今夜戌剋, 太白犯昴星一尺一村可".

己丑[16日], 置整治都監, 以雞林郡公王煦·左政丞金永旽·贊成事安軸·判密直司事金光轍爲判事, 鄭珚等三十三人爲屬官.[189)]

辛卯[18日], [清明]. 分遣李敏·金玔于楊廣, 李元具·[前雞林府判官]金英利于全羅,[190)] 南宮敏·李培中于慶尙, 朴光厚·崔元祐于西海, 鄭珚于平壤, 金君發于江陵, 郭珚[~~郭珚~~]于交州道, 令度民田[~~量諸道田~~],[191)] 並兼按廉存撫使.[192)]

甲午[21日], 以左政丞金永旽·贊成事李君侅·右代言鄭思度[鄭思道], 提調政房.[193)]

[某日, 元遣使□[来], 賜王煦·金永旽衣酒及鈔, 敦勸整治:節要轉載].

[是月頃, 以趙之輿爲雞林府司錄·參軍事兼掌書記:追加].[194)]

三月[癸卯朔大盡,甲辰], [戊申[6日], 月犯東井南轅:天文3轉載].

癸丑[11日], 親醮三界于康安殿.

乙卯[13日], 遣□[右]政丞盧頙如元, 賀聖節.

壬戌[20日], [立夏]. 幸外帝釋院.

戊辰[26日], 整治都監, 以奇皇后族弟三萬奪人田, 杖之下獄, 死.

[→倚勢奪人田, 恣行不法, 杖之下巡軍獄, 踰兩旬死:節要轉載].

[→轍族弟三萬, 亦倚勢, 恣行不法, 奪人土田. 整治都監杖下巡軍, 逾兩旬死:列傳44奇轍轉載].

[某日, 初, 利川縣吏, 以公田賂政丞蔡河中·理問尹繼宗. 至是, [楊廣道]按廉□[使]金

---

189) 이와 관련된 기사로 다음이 있다. 整治都監은 惠宗[順帝]의 命에 의해 整治가 이루어졌기에 成宗의 이름인 治를 避할 필요가 없었지만, 관례에 따라 避諱하기도, 時宜에 따라 避諱하지 않기도 하였던 것 같다. 그래서 治를 理로 고쳐 整理都監으로 稱하기도 하였으나 당시에 整治都監도 찾아지는데, 『고려사』를 편찬할 때 整治都監으로 일관되게 정리하지 못하였다. 또 이때 寃痛함을 呼訴하는 者가 1日에 千餘人에 달하였고, 訴訟이 벌떼처럼 많았다고 한다(金永暾墓誌銘 ; 王煦墓誌銘).

· 지31, 百官2, 整治都監, "忠穆王三年, 置. 判事四人, 判密直□□[司事]以上爲之, 使九人, 副使七人, 判官十二人, 錄事六人, 分遣諸道量田".

190) 金英利는 前年(충목왕2) 4월 版圖正郎·雞林府判官을 마치고 上京하였다(『동도역세제자기』).

191) ~~添字~~는 『고려사절요』 권25에서 달리 표기된 글자이다.

· 열전23, 王煦, "於是, 置整治都監, 以煦及永旽, 贊成事安軸, 判密直□□[司事]金光轍爲判事, 鄭珚·金玔等爲屬官, 分遣屬官, 量諸道田, 皆兼按廉□[使]".

192) 李培中은 이해의 慶尙道春夏番[春夏等]按廉使[提察使]였다(『경상도영주제명기』).

193) 이 기사는 열전24, 李嵒에도 수록되어 있는데, 이에서도 鄭思度로 표기되었다.

194) 이는 『동도역세제자기』에 의거하였다.

玙，截吏耳，將徇于道內，牒報督監．錄事安吉祥懷繼宗舊恩，不以告．煦·永旽，怒批其頰，鳴鼓黜之:節要轉載].[195]

[某日，以[書雲副正]鄭云敬爲成均司藝:追加].[196]

[春某月，以[密直提學]李仁復爲密直副使:追加].[197]

夏四月[癸酉朔小盡,乙巳]，[某日，整治都監杖奇皇后族奇杜[奇輈]，下巡軍．杜[輈]嘗席勢肆虐，中外苦之，及置整治都監，自知其罪，逃匿楊廣道．按廉□[使]金玙捕，送之:節要轉載].[198]

[→[德城府院君奇轍弟,] 輈肆暴，中外苦之．忠穆立，置整治都監，輈知其罪亡命楊廣道，按廉□[使]金玙捕送都監，杖之:列傳44奇轍轉載].

[辛卯[19日]，命參理安子由，攝事于太廟，子由，不宰犧牛，以與願刹僧，糾正白元石不據禮，以爭．時人非之:禮3吉禮大祀轉載].

[→參理安子由，攝事于大廟，憫牛之死，不殺牲．糾正白元石不據禮，以爭．時人非之:節要轉載].

[某日，□[行]省理問所囚整治都監官·佐郎徐浩，[典校]校勘田祿生．初，前忠州判官崔純寶，告奇三萬之事及三萬死，其妻訴行省[~~理問所~~]．行省白王，囚浩·祿生于獄，[~~判都監事·政丞~~]金永旽曰，“殿下何囚整治官”，王曰，“三萬奪人田五結，何至於死?”．永旽曰，“三萬怙勢恣惡，奚止奪人田五結哉．召理問河有源對辨”，永旽曰，“我等親奉帝命，先治元惡，浩·祿生奚罪焉”，乃自繫行省獄．王命出之:節要轉載].[199]

辛丑[29日晦]，以旱禁酒．

[→監察司，以旱禁酒:五行2轉載].

[是月，□[右]代言鄭思度[鄭思道]，□□□□[掌擧子試]，取詩賦朴形等五十二人，十韻詩金得齊等四十六人:選擧2國子試額轉載].[200]

---

195) 이 기사는 열전23, 王煦에도 수록되어 있다.

196) 이는『삼봉집』권4, 鄭云敬行狀에 의거하였다.

197) 이는「李仁復墓誌銘」에 의거하였다.

198) ~~添字~~와 같이 고쳐야 옳게 될 것이고,『고려사』를 편찬할 當時에 輈와 같은 生僻字는 다른 字로 代替하였을 가능성이 많다.

199) 이와 같은 기사가 열전17, 金方慶, 永旽 ; 열전44, 奇轍에도 수록되어 있다. ~~添字~~는 후자에 의거하였다.

200) 이와 관련된 기사로 다음이 있는데 이때 廉興邦과 韓脩도 합격하였던 것 같다.

· 「鄭思道墓誌銘」, “又明年，試士成均，取今知密直□□[司事]朴形等九十二人，時稱得士”.

五月壬寅朔[大盡,丙午], 幸旻天寺.

[乙巳[4日], 降香, 祈雨於諸寺:五行2轉載].

[丙午[5日], 月犯軒轅右角:天文3轉載].

[□□[~~丙午5日~~?], 禁端午擲石戲:刑法2禁令轉載].[201)]

[丁未[6日], 設祈雨道場於內殿及福靈·禪源·王輪·興王等寺:五行2轉載].

[己酉[8日], 又禱於諸寺:五行2轉載].

癸亥[22日], <u>雨雹</u>, 大如梨.[202)]

[→雨雹, 大如梨, 大風飛瓦, 震人及木:五行1雨雹轉載].

丙寅[25日], <u>徙市</u>.[203)]

[丁卯[26日], 月與奎星犯畢[月犯奎·畢星], 月暈:天文3轉載].[204)]

[己巳[28日], 獐入城:五行2轉載].

[某日, [判整治都監事]王煦·金永旽, 呈書□[都]僉議府曰, "我等, 親奉帝命, 整治本國, 今行省理問所, 以奇三萬之死, 歸咎都監, 囚徐浩·田祿生. 而理問河有源, 挾私枉問, 必欲誣服, 自今不能整治, 冀轉達中書省":節要轉載].

[是月, <u>整理都監</u>[整治都監]狀□[于]行省, 巡軍·忽赤等, 以不緊公事, 乘馹橫行者, 收鋪馬文字, 職名傳報. 品官及僧俗雜類等, 多騎私馬, 以私事, 受公券, 村驛橫行者, 參上, 囚從人, 參外, 囚當身, 收所持私馬, 各驛定屬:兵2站驛轉載].[205)]

· 『목은시고』 권13, 二公丁亥同榜, 故因有此作. 여기에서 二公은 廉興邦과 韓脩이고, 丁亥는 1347년(충목왕3, 丁亥)이다.

201) 이날의 날짜[日辰] 比定은 端午에 행해지는 投石戲[石戰]에 대한 禁令이 當日에 내려지는 事例에 의거하였다(→고종 33년 5월 5일 ; 우왕 6년 5월 5일).

202) 이날 일본의 교토에서 陰晴이 불분명하다가 오후 5시 이후에 비가 많이 내렸던 것 같다.

· 『師守記』, 貞和 3년 5월, "廿一日癸亥, 陰晴不定, 申斜已後雨降, 畿內以外洪水云々".

203) 몽골제국의 河南地域에서는 1월부터 7월까지 비가 내리지 않아 많은 流民이 발생하였던 것 같다(陳高華 2010年 73面).

· 『夷白齋稿』外集卷上, <u>丁亥歲</u>[至正7年], 河南自正月至七月無雨, 流民相屬于道, 哭聲滿野, 不忍聞之, "慟哭秋原何處人, 哭聲直上澈蒼旻. …".

· 『원사』 권41, 본기41, 순제4, 至正 7년 6월, "[中書省,] 彰德路大饑, 民相食". 彰德路는 현재의 河南省 安養市 일대이다.

204) 奎星은 行星이 아니라고 하므로 月與奎星犯畢은 月犯奎·畢星으로 고쳐야 옳게 될 것이다(東亞大學 2011년 13冊 188面).

205) 이 整治都監의 狀啓는 위의 기록과 같이 整治事務가 제대로 추진되지 못하자 判整治都監事 王煦·金永旽 등이 중심이 되어 改革을 계속 추진하기 위해 몽골제국의 中書省에 제출하기 위해 作成된 것 같다. 이의 發給時期가 忠穆王元年 또는 忠穆王元年五月로 되어 있으나 元年은 三

[○整理都監狀□□□~~于行省~~, 外方官吏, 貪婪不公, 擾害百姓者, 令存撫·按察使, 糾理體察, 不能者科罪. 行省行移外方公事, 報都評議使□司, 使移文存撫·按廉使施行, 例也. 近年以來, 行省令宣使·螺匠等, 授牌字發送, 播擾民間, 今後, 稱宣使·螺匠, 作弊者, 械送于京:刑法1職制轉載].[206)]

[○整理都監狀□□□~~于行省~~, 宦官族屬, 及權勢之家, 於田地沃饒處, 爭設農莊, 奸吏因緣用事, 奪占人田, 劫取牛馬, 今後, 推考痛懲. 又招引流移人吏, 及官寺奴婢·驛子, 群聚作黨, 長利稱名, 借貸平民, 倒換文契, 利中生利. 今後, 將所納物色, 還其本主, 收文契, 依例決罪. 又憑依宿債, 怯良人爲奴婢使喚者, 依前判, 賤口役價, 一年, 五升布三十二匹半例, 計徵還償, 悉皆免役. 行省三所·忽只忽赤·巡軍·波吾赤投屬, 成黨橫行者, 推考收取差帖, 運本定役. 各衙門公廨田收取人等, 非處橫行作弊者, 收馬匹, 各驛定屬. 國制內乘·鷹坊投屬人, 並皆革罷, 令各縣別抄及貢戶定役. 今忽只忽赤等, 冒受賜牌, 遣無賴人, 將在逃人陳荒田, 計年徵之, 其弊莫甚, 今後禁之. 田地收租人等, 每年一田, 四五度徵歛徵斂, 使百姓失業, 流移者頗多. 今後窮推械送于京:刑法2禁令轉載].[207)]

[初~~先是~~, 貞和宮主兄僧, 住桐華寺, 冒良人爲隷, 蕃至千數百戶. 珛等世役之, 整治都監, 申理歸良. 珛挾憾, 欲訴于元, 過鴨綠江. 宰樞命忽赤等捕還:列傳4忠烈王王子江陽公滋轉載].

[□□~~是時~~, 右政丞盧頙性貪, 好奪人臧獲, 整治都監究治之, 錄事曹光乙掌其事. 頙恨之, 欲除名錄事籍, 乃不署五軍都目狀, 俟除光乙名, 然後署之, 人多譏議:列傳44盧頙轉載].

六月壬申朔小盡,丁未, [某日, 貶趙得球于耽羅. 初, 王煦之朝元也, 得球從焉, 煦與

年의 誤字일 것이고(蔡雄錫 2009년 252面), 月次는 위의 내용을 보아 五月로 類推하는데, 문제가 없을 것이다. 또 이 狀啓는 都僉議使司를 거쳐 征東行省에, 다시 元의 중서성에 보내어지는 절차가 있었다. 그렇다면 이 기사에서 ~~添字~~가 追加되어야 옳게 될 것이고, 여타의 자료도 마찬가지이지만, 原文에서는 冒頭가 생략되어 '一. 一.' 등이 붙어 있었을 것이다.

206) 이 기사의 原文에는 冒頭에 忠穆王元年로 되어 있으나 元年은 三年의 오자일 것이다. 또 이 기사에서 ~~添字~~가 추가되어야 옳게 될 것이다.

207) 이 기사의 원문에는 冒頭에 忠穆王元年五月로 되어 있으나 元年은 三年의 오자이다. 또 이 기사에서 ~~添字~~가 추가되어야 옳게 될 것이다. 또 波吾赤[Bayurchi]은 宿衛 중에서 肉類[肉饍]를 받들어 올리는 衛士이라는 의미를 지니고 있다(蔡雄錫 2009년 269面).

· 『세종실록』 권79, 19년 9월 9일(丙申), "國俗, 割肉者, 號波吾赤".

得球, 議整治事, 得球曰, “贊成事康允忠在幼主之側, 納君於邪, 苟欲整治, 宜先去之”. 允忠聞而銜之. 至是, 煦·永吨, 以□奇三萬之死, 不克整治, 欲如元, 奏帝. 允忠恐得球從煦圖己, 誘王貶之:節要轉載].[208]

甲戌3日, 遣都僉議參理安子由如元, 獻苧布.

○元遣中書省右司都事兀理不花, 賜王衣酒.

[乙亥4日, 月犯大微太微左掖門:天文3轉載].

[某日, 王煦·金永吨如元, 理問所累遣人, 追執煦·永吨以歸. 悉囚整治都監官, 問殺奇三萬之故. 適帝遣中書省右司都事兀理不花等, 賜衣酒于王. 及煦·永吨, 以賞整治. 煦·永吨至洞仙驛, 遇兀理不花, 乃還. 不花以帝命, 問整治幾何, 理問所聞之, 釋所囚官. 未幾, 徐浩誣服, 復囚整治官吳璟·陳永緖·安克仁·李元具·全成安于獄, 尋釋之:節要轉載].

丁亥16日, 元放□□徽政院使高龍普于金剛山. [龍普在帝側, 用事, 天下疾之. 御史臺奏曰, “龍普, 高麗煤場人, 席寵怙勢, 作威作福, 親王·丞相, 望風趍拜, 招納貨賂, 金帛山積, 權傾天下, 恐漢之曹節·侯覽, 唐之仇士良·楊復恭,[209] 復起於今日, 請誅之, 以快天下之心”. ○帝宥而放之:節要轉載].[210]

戊子17日, 王宴高龍普及諸元使于內殿.

○監察司論都僉議參理安子由, 攝事大廟太廟 不殺牲之罪, [請免其官:節要轉載]. 王以子由有功於父王, 且方奉使上國, 原之.

[史臣金仲鏴曰, “梁武□帝, 惑浮屠果報之說, 宗廟之享, 以麵代牲, 卒致臺城之餓, 今子由奉君命, 祭于大室, 擅不血薦, 其罪當誅. 王乃以姑息之仁, 不聽憲司之

---

208) 이와 같은 기사로 다음이 있다.

· 열전37, 嬖幸2, 康允忠, “忠穆朝, 拜贊成事. 初, 趙得球從王煦如元, 煦與得球議整治事, 得球曰, ‘允忠在幼主之側, 納君於邪, 苟欲整治, 宜先去之’. 允忠聞而嗛之. 及煦與金永吨, 以奇三萬死, 不克整治, 欲如元, 奏帝. 允忠恐得球圖己, 誘王貶于耽羅”.

209) 曹節(혹은 曹騰, ?~181)은 後漢의 宦官으로 靈帝의 推戴에 공을 세워 封侯되었고, 大長秋(後世의內侍監), 尙書令에 된 인물로서 魏武帝 曹操의 祖父이다. 侯覽(?~172)은 後漢의 宦官으로 桓帝의 在位時에 中常侍에 이르러 黨錮의 禍를 일으킨 인물로서 탄핵을 받아 自殺하였다(『후한서』 권78, 宦者列傳第68, 侯覽, 曹節 ; 『三國志』 권1, 魏書1, 武帝紀1). 또 仇士良과 楊復恭(?~891)은 唐末의 宦官으로 兵馬權을 장악했던 인물이다(『구당서』 권184, 열전134, 楊復恭).

210) 이때 監察御史 李稷이 高龍普를 탄핵하였던 것 같고, 이와 같은 기사가 열전35, 宦者, 高龍普에도 수록되어 있다.

· 『원사』 권185, 열전72, 李稷, “… 又入爲監察御史, 劾奏閹宦高龍卜高龍普之賴恩私, 侵撓朝政, 擅作威福, 交通時相, 請謁公行, 爲國基禍, 乞加竄逐, 以正邦刑. 章上, 流高龍卜于征東□□行省”.

請, 其享年不永, 宜矣":節要轉載].

丙申[25日], 遣三司右使廉悌臣如元, 謝賜衣酒.

[○亦如之[月犯太左掖門]. 太白犯井. 熒惑犯東井·鉞:天文3轉載].

[丁酉[26日], 月入東井:天文3轉載].

[○彦陽府院君金倫妻崔氏卒, 年六十九, 贈卞韓國大夫人:追加].[211)]

[某日, 以趙文衡爲慶尙道按廉使:慶尙道營主題名記].

[夏某月頃, 忠烈·忠宣·忠肅實錄旣成, 命春秋館修撰柳淑, 馳馹藏之海印史庫:追加].[212)]

[○以[右代言]鄭思度[鄭思道]爲知申事·知典理司事:追加].[213)]

秋七月[辛丑朔大盡,戊申], 癸卯[3日], 以星變, 設祈禳道場于內殿.

丙午[6日], 夜, 天霓自東起, 墜于男山, 俄而復起爲二, 分向南北.[214)]

[某日, 有人貼匿名牓[于監行領]云, 贊成事康允忠, 以一宦者與一侍女, 通媒君母, 恣行淫亂, 得寵于內. 今沮整治都監, 專是允忠, 與河有源之謀也. 若誅此兩人, 國無患矣". 先是, 前密直□[使]印璫·前贊成事權謙·李壽山, 言於[院使]高龍普曰, "允忠通乎君母, 罪惡貫盈. 今允忠聞院使來, 白王曰, "龍普謀陷先王, 薨于岳陽, 今得罪而來, 王何必待以厚禮?". 龍普聞而憾之, 謂允忠曰, "爾爲內臣, 恣行無禮, 何哉, 自今毋昵于內". 允忠懼, 謝病不出數日, 賂龍普母以請, 龍普對允忠, 語璫等曰, "今欲辨康贊成事, 公等毋隱前言". 璫等, 相視默然, 龍普陽詰之, 顧謂允忠曰, "公宜復視事". 會元使來, 王率百官迎詔于郊, 允忠遂扈從:節要轉載].[215)]

[某日, 理問所鞫整治都監官, 欲誣加枉殺三萬之罪, 不服, 皆下獄:節要轉載].

[某日, 元遣工部郎中阿魯·刑部郎中王胡劉等來, 鞫奇三萬之事. 阿魯等坐征東

---

211) 이는 「金倫妻崔氏墓誌銘」에 의거하였는데, 이날은 율리우스曆으로 1347년 8월 2일(그레고리曆 8월 10일)에 해당한다.

212) 이는 다음의 자료에 의거하였다.
· 「柳淑墓誌銘」, "明年丁亥[忠穆3年], 忠烈·忠宣·忠肅實錄旣成, 命公馳馹藏之海印史庫. 秋遷三司都事, 卽棄, 去如京師".

213) 이는 「鄭思道墓誌銘」에 의거하였다.

214) 이 기사는 지7, 오행1, 水, 虹霓에도 수록되어 있다.

215) 이 기사는 열전37, 康允忠에도 수록되어 있는데, ~~添字~~는 이에 의거하였다. 이에서 監行領은 開城府의 각종 시설에 배치되어 巡檢의 임무를 담당하고 있던 點檢軍을 統制하던 機關으로 추측된다(→명종 26년 4월 9일 ; 東亞大學 2006년 27책 243面).

省, 欲訊整治都官, 徐浩鎖頸而來, 三萬弟善財, 罵浩曰, "我兄幾奸汝妻, 懷恨打殺乎". 浩曰, "我妻士族, 安有醜聲寧有是耶, 若婢妾, 必有穢行". 蓋善財母賤, 故浩云然:節要轉載].[216)]

[己未19日, 市邊行廊, 自頹:五行2轉載].

辛酉21日, 元使阿魯欲自濯衣, 索米屑, 左右曰, "國家待帝使, 有禮, 豈宜親澣". 强之乃進, 償以鈔五兩.

壬戌22日, 親設星變祈禳道場于內殿.

[丁卯27日, 月與太白同舍:天文3轉載].

[己巳29日, 松岳鳴:五行1鼓妖轉載].

[某日, 以密直副使李仁復爲知密直司事, 監察大夫李公遂爲密直副使:追加].[217)]

八月辛未朔小盡,己酉, 乙亥5日, 以星變, 設祈禳道場于內殿.

丁丑7日, 阿魯等還, 王宴于內殿.

戊寅8日, [秋分]. 元太僕寺遣李家奴帖木兒·安伯顔不花來, 取耽羅馬.

[癸未13日, 月犯鎭星:天文3轉載].

[丙申26日, 鵂鶹鳴于延慶宮東西隅:五行1轉載].

九月庚子朔小盡,庚戌, [某日, 囚監察持平金漢龜, 初, 尙書判書高信, 通益興君琚妻朴氏, 漢龜驗治朴氏, 具獄. 益興君訴于王, 德城府院君奇轍又請勿問, 王不得已, 反罪之:節要轉載].[218)]

丁未8日, 親設藏經道場于康安殿.

[庚申21日, 有雙稚, 墮于迎慶宮:五行1轉載].[219)]

丁卯28日, 飯僧四千一百于旻天寺.

[是月頃, 以秦冲吉爲雞林府判官, 尋冲吉遞職, 同月承奉郞·版圖正郞 兪碩代之, 通直郞崔安沼爲福州判官:追加].[220)]

---

216) ~~添字는~~ 열전44, 奇轍에 의거하였다.

217) 이는「李仁復墓誌銘」;「李公遂墓誌銘」에 의거하였다.

218) 尙書는 判書로 고쳐야 옳게 될 것이다.

219) 原文에서 庚申 앞에 九月이 탈락되었다.

220) 이는『동도역세제자기』;『안동선생안』에 의거하였다.

[秋某月, 以趙瑋爲平壤府院君, [贊成事]安軸爲興寧君. 時執事者不喜儒士, 故有是命:追加].221)

[○以[知申事]鄭思度[鄭思道]爲典理判書, 尋爲密直提學, 時思度年三十:追加].222)

[○以[春秋館修撰]柳淑爲三司都事. 淑尋辭, 如元:追加].223)

[○設行征東行省鄉試, 取尹安之·白彌堅·朴仲美等三人:追加].224)

冬十月[己巳朔大盡,辛亥], 壬申[4日], 理問所以撤官者及豪强田庄, 囚密城副使李孫慶·驪興副使李蒙正·西州副使[舒州副使]趙冬暉.

[→理問所囚密城副使李孫慶·驪興副使李蒙正·西州副使[舒州副使]趙冬暉, 以承整治都監牒, 撤官者及豪强田莊也:節要轉載].

甲戌[6日], 賜金仁琯等及第.225)

[□□[是時], 金仁琯連魁三場, 賜馬紅鞓, 許着金花帽. 王親授紅牌, 寵渥尤厚. ○是月, 命新及第四日成行, 尋令六日成行. 國制, 凡登科者, 特賜藍袍犀帶, 戴花張盖, 以榮之:選擧2崇奬轉載].

庚辰[12日], 遣蘇復別監于諸道.

辛巳[13日], 以平壤尹金用謙兼西北面都巡問使.

---

221) 이는 다음의 자료에 의거하였다.
- 「趙瑋墓誌銘」, "[前贊成事趙瑋], 丁亥秋, 進封[平壤]府院君, 以病不謝".
- 「安軸墓誌銘」, "盖執事者不喜吾儒, 故有是命".
- 열전22, 安軸, "執事者不喜儒, 罷封興寧君, 已而復職".

222) 이는 「鄭思道墓誌銘」에 의거하였다.

223) 이는 다음의 자료에 의거하였다.
- 「柳淑墓誌銘」, "[丁亥]秋遷三司都事, 卽棄去如京師".
- 열전25, 柳淑, "… 轉三司都事, 棄官如元".

224) 이는 征東行省의 鄉試가 明年의 會試, 廷試에 앞서 실시됨을 감안하여 추가한 것이다.

225) 이와 관련된 기사로 다음이 있다. 이때 金仁琯·白璘(白氏傳)·[別將]韓脩墓誌銘·[幞頭店錄事]李綱(改岡)·李誠中·李茂芳(李釋之, 南谷記)·金可久·吳奕臨(『목은시고』 권29) 등이 급제하였다(『등과록』, 朴龍雲 1990년 ; 許興植 2005년).
- 지27, 선거1, 科目1, 選場, "忠穆王三年十月, 陽川君許伯知貢擧, 韓山君李穀同知貢擧, 取進士, [甲戌], 賜金仁琯等三十三人及第".
- 열전22, 李穀, "與陽川君許伯掌試, 取金仁琯等, 穀·伯徇私, 多取世家不學子弟, 憲司彈之, 不出新及第". 이에서 及第者를 선발하지 못했다는 것은 잘못인 것 같다.
- 『가정집』 연보, "至正七年, 冬, 知貢擧, 取金仁琯等三十三人".
- 「韓脩墓誌銘」(『목은문고』 권15), "歲丁亥, 吾先君知貢擧, 文敬[韓脩]果中高第, 時年十五歲也. 落第者服其才, 皆曰, 韓生非僥倖也 …".

癸未[15日], 親設靈寶道場于康安殿.

○置孩兒都監.[226)]

[甲申[16日], 雷:五行1雷震轉載].

乙酉[17日], 元召還高龍普.

[□□[是時], 宦者高龍普, 以銓注不公白王, 流嵒[李君侅]于密城, 思度[鄭思道]于光陽, 既而免之:列傳24李嵒轉載].

癸巳[25日], 遣益城君諝如元, 獻童女.

甲午[26日], 元以□[奇]三萬之死, 遣直省舍人僧家奴□[來], 杖整治官白文寶·申君平·全成安·河楫·南宮敏·趙臣玉·金達祥·盧仲孚·李天伯·許湜·李承閏·安克仁·鄭光度·吳璟·徐浩·田祿生. 唯安軸·王煦,[227)] 以聖旨原之, 前判密直司事金光轍·前大護軍李元具, 以病免□[杖].[228)] 帝仍降璽書, 復置整治都監, 令王煦判事. [時金永旽執已見, 煦恥與較, 故帝詰之, 委煦治之:節要轉載].[229)]

丙申[28日], 遣[征東]行省郎中李壽山如元, 獻童女.

[是月頃, 以金君發爲福州牧使:追加].[230)]

[是月甲申[16日], 入元僧普虛從湖州至大都. 是時, 永寧寺長老如鐵舡·太醫院使郭木的立請住永寧寺:追加].[231)]

十一月[己亥朔小盡,壬子], [丁未[9日], 牛臺, 自頹:五行2轉載].

壬子[14日], 以王煦△[爲]領都僉議司事.

[先是, 改判都僉議使司事, 爲領都僉議使司事:百官1門下府轉載].[232)]

[是月辛丑[3日], 元監察御史曲曲, 以宦者隴普[高龍普]憑藉寵幸, 驟陞榮祿大夫, 追封三代, 田宅踰制, 上疏劾之:追加].[233)]

---

226) 이와 관련된 기사로 지31, 百官2, 孩兒都監, "忠穆王三年, 置"가 있다.

227) 安軸과 王煦는 기재 순서가 바뀌었을 것이다.

228) 添字는『고려사절요』권25에 의거하였다.

229) 이 기사는 열전44, 奇轍에 매우 압축되어 있다("元復遣直省舍人僧家奴, 杖浩等"). 또 이상과 같은 整治都監[整理都監]에 대한 기사는 열전23, 王煦에 압축되어 있다.

230) 이는『안동선생안』에 의거하였다.

231) 이는『太古和尙語錄』卷下, 행장에 의거하였다.

232) 判都僉議使司事가 領都僉議使司事로 改稱된 것은 1327년(충숙왕14) 12월 2일에서 1334년(충목왕3) 11월 14일 사이이다.

233) 이는『원사』권41, 본기41, 順帝4, 至正 7년 11월 辛丑에 의거하였다.

十二月[戊辰朔大盡,癸丑]，丙子[9日]，遣天水郡公康伯[~~姜仁伯~~]·贊成事康允忠如元，賀正.[234]

[○雷:五行1雷震轉載].

[某日，以[知密直司事]李仁復爲三司左使，[成均司藝]鄭云敬爲奉常·典校副令·直寶文閣·知製教:追加].[235]

[冬某月，以衆論紛騰，復興寧君安軸爲都僉議贊成事:追加].[236]

[是年，以安御胎，陞知興州事官爲順興府:追加].[237]

[○以[平壤尹]尹之彪爲知密直司事. 時之彪年三十八:追加].[238]

[是年末，中瑞司典簿李穀還京師:追加].[239]

戊子[忠穆王]四年，元至正八年，[西曆1348年]

1348년 1월 31일(Gre2월 8일)에서 1349년 1월 18일(Gre1월 26일)까지, 354일

[春正月[戊戌朔大盡,甲寅]，某日，王及德寧公主，召彥陽府院君金倫，問請謚事. 對曰，"先王不返，徒以親近憸壬，歛[斂]怨累德，今其禍首猶在，必先正其罪，以明先王非辜，然後可請". 倫遂與[判三司事?]李齊賢·[前判三司事]朴忠佐等耆老，上疏曰，"~~孟子~~曰，不仁者，可與言哉. 安其危而利其災，樂其所以亡者不仁，而可與言，則何亡國敗家~~之有~~.[240] 其有欺君罔民，不憚天下之公論，不畏天下之大法，則不仁之大者也. 與之言尙不可，況信之任之乎?. 竊見康允忠，起自賤隷，得幸先王，姦諂荒滛[荒淫]，旣經杖斷，宜畏法以退藏，猶匿過名，復貪榮而冒進，百端逞欲，一代肆

---

234) 康伯이 띠고 있는 天水郡公은 몽골제국으로부터 받은 勳爵으로 추측된다. 그렇다면 康伯은 姜仁伯의 오자일 것이다(→충목왕 4년 10월, 是月頃, 공민왕 3년 12월 27일, 4년 5월 13일).

235) 이는「李仁復墓誌銘」;『삼봉집』권4, 鄭云敬行狀에 의거하였다.

236) 이는「安軸墓誌銘」에 의거하였다.

237) 이는 다음의 자료에 의거하였다.

· 『경상도지리지』, 安東道, 順興都護府, "忠穆王代, 至正丁亥, 又安胎, 升爲順興府".

238) 이는「尹之彪墓誌銘」에 의거하였다.

239) 이는『가정집』年譜, "至正七年, 還京師"에 의거하였다.

240) 이 구절은 다음의 자료를 인용한 것인데, 菑는 災와 같은 글자로 災害를 가리킨다.

· 『맹자』, 離婁上, "孟子曰, 不仁者可與言哉. 安其危, 而利其菑, 樂其所以亡者. 不仁而可與言, 則何亡國敗家之有".

凶. 先王, 所以詔獄就徵, 岳陽返葬, 允忠一賊, 實是根株, 閔渙□[等]九人, 只爲枝葉. 積釁專歸於上, 狡謀獨免其身, 斯則一國之痛心, 而疾首者也. ○臣倫等, 俱抱願忠之志, 不勝疾惡之心, 謹疏其罪以聞. 伏乞轉呈上國, 以明前代之事, 非先王之過, 皆允忠所爲, 加此賊兩觀之誅, 雪先王萬世之恥. 蓋允忠者, 强奸金南寶之妻, 又奸白儒之妻, 累經杖斷, 身帶瘢痕, 冒受征東員外□[郞], 仍兼□[都]僉議贊成□[事], 豪横不法. 現有三妻, 又娶故密直□□[副使?]趙石堅服喪妻,[241] 據有石堅家產. ○又至正六年[忠穆2年], 天子, 命王脫歡[王煦]·金那海[金永旽], 整治本國弊政, 脫歡因言, '前代之事, 允忠實爲禍根, 當先黜退, 可以整治'. 允忠恐懼, 潛用譎謀, 給那海抑脫歡, 以誤整治之事. 又至正七年, 天子復命脫歡等整治, 殿下召脫歡等宰相·耆老, 議所以奉行者, 耆老以爲, '聽斷田民之訟, 只爲整治之一事, 必先整治選法, 中外之官, 各得其人, 令監察擧劾非違, 然後可以上副帝意'. 允忠方爲政房提調, 恐失其利, 且怨王脫歡前言, 作色拂袖而起, 不以衆論入白, 尋用所親安子由等, 不諳民事之人, 而爲整治都監官, 陞脫歡爲領都僉議□□[司事], 實奪其權. 脫歡不能擧行一事者, 實允忠所沮也. ○宗廟之事, 國之大事, 安子由攝事大廟[太廟], 擅以犧牛, 與願堂僧, 使血祀有闕. 監察劾論其罪, 以其壻李浥, 爲允忠門客, 百計營救, 反陞子由爲贊成事. 諫官宋天逢[宋天鳳]·李邦實·安元龍, 不署子由謝貼, 允忠朦朧君命, 召邦實等, 勒令請暇, 尋奪其職. 且允忠監傳之奴, 安知流品淸濁. 乃爲政房提調, 擅銓選之權, 與奪由已, 賄賂公行, 門戶如市. ○更念聖武皇帝, 肇基朔方, 忠憲王慕義先服, 世祖皇帝, 班師南國, 忠敬王冒險親朝, 賴及子孫, 世爲甥舅. 允忠屑屑小人, 專權於國, 流毒於民, 至使先王, 荐被譴訶, 沒稽贈謚, 若不擧正此賊之罪, 無以追明先王之忠. 請詳憤憤之詞, 以慰冥冥之恨. ~~伏乞, 轉呈上國, 以明前代之事, 非先王之過, 皆允忠所爲. 加此賊兩觀之誅, 雪先王萬世之恥~~". ○王及大妃[太妃]感悟, 轉呈于元, 授金倫改正, 請謚二表遣之. 倫謝曰, "臣桑楡之年, 七十又二, 恐顚隮道路, 以辱明命, 然喘息尙存, 敢不黽勉". 脫歡卽王煦, 那海卽金永旽□[世]:節要轉載].[242)]

[某日, 以[密直副使]李公遂爲判密直司事:追加].[243)]

---

241) 趙石堅의 妻에 대한 기사도 찾아진다.
- 열전27, 具榮儉, "初, 康允忠訪宰臣趙碩堅[趙石堅]與語, 碩堅[石堅]妻張氏, 窺而美之. 及碩堅[石堅]卒, 使婢請允忠, 允忠不應, 婢三反, 乃往通焉. 後復有醜聲, 允忠弃之".

242) 이 기사는 열전37, 康允忠에도 수록되어 있으나 자구에 출입이 있다. 또 이의 縮約된 것이 열전 23, 金倫에 수록되어 있다.

243) 이는 「李公遂墓誌銘」에 의거하였다.

春二月[戊辰朔小盡,乙卯], 己巳[2日], 彦陽府院君金倫卒,[244] [年七十二. 輟朝三日, 諡貞烈:追加].[245]

[→金倫將如元, 忽得風疾, 十日不飮水漿, 令左右扶起, 具衣冠端坐而逝. 倫, □[都]僉議參理賆之子, 嘗爲辨正都監副使, 及監察寺丞[~~監察司丞~~], 發姦擿伏, 應變如神, 人不敢欺. 其鎭合浦也, 卒乘精鍊, 號令嚴明, 元使來觀, 致敬焉. 喜觀書, 多識典故, 人有問者, 響應無疑:節要轉載].[246] [子可器·敬直·淑明·希祖·承矩, 二人出家:列傳23金倫轉載].[247]

[某日, 永山君張沆, 致書都堂曰, "主上, 隆師向學, 樂聞善道, 而憸邪弄權, 欺天罔上, 使刑政不平, 害及無辜, 致傷和氣, 天降旱灾, 餓莩載路, 烏鳶犬豕之所爭食, 不可忍視. 若悉掩埋, 且賑飢乏, 和氣可通, 豊稔可致也":節要轉載].[248]

辛未[4日], 遣使, 賑飢于西海·楊廣道.[249]

[某日, 置賑濟都監. 王減膳以充其費, 又發有備倉米五百碩, 令賑濟都監, 施粥餓人:節要·食貨3水旱疫癘賑貸之制轉載].

辛巳[14日], [春分]. 遣慶山府院大君盧頙, 請入朝.[250]

[乙酉[18日], 雉入市:五行1轉載].

---

244) 이날은 율리우스曆으로 1348년 3월 2일(그레고리曆 3월 10일)에 해당한다.

245) 이는 다음의 자료에 의거하였다.

- 「金倫墓誌銘」, "公主與嗣王訪公請謚事, 對曰, '先王不返, 徒以憸壬, 歛怨累德. 今其禍首猶在, 必先擧正厥罪, 以明先王非辜, 然後可請'. 因䟽其人罪惡, 上之. 兩官感悟, 轉呈朝廷, 授公改正贈謚二請表人奏. 謝曰, '臣桑榆之年七十又二, 恐顚擠道路, 以辱明命, 未死敢不勉'. 退而理裝行, 有日矣, 遽得風疾. 十日不飮水奬, 令左右扶起, 具衣冠趺坐, 而逝. 實至正八年戊子二月二日也".

246) 監察寺丞는 監察司丞의 오자이다.

247) 出家한 金倫의 두 아들은 3子와 4子로, 3子인 宗煊은 화엄종의 濟生君 友雲□珠(혹은 德泉大師)이고, 4子인 達岑은 조계종의 億政大禪師이다(『삼봉집』 권3, 送華嚴宗師友雲詩序 ; 「金倫墓誌銘」 ; 東亞大學 2006년 24책 360面).

248) 이 기사는 열전22, 張沆에도 수록되어 있다.

249) 이 기사는 지34, 食貨3, 水旱疫癘賑貸之制에는 "遣使, 賑西海·楊廣二道飢"로 되어 있다.

250) 盧頙의 貫鄕이 交河縣(現 京畿道 坡州市 交河面)이며, 그의 封君號의 대부분이 慶陽인 점을 보아 慶山은 慶陽의 오자일 가능성이 있다. 그렇지만 그의 後裔들이 慶山縣(옛 章山縣)에 거주하고 있었던 점을 고려하면, 緣故地로 인해 慶山府院君에 책봉될 가능성도 있다(→충혜왕 후1년 末尾, 金海君의 脚注).

- 열전44, 盧頙, "盧頙, 交河縣人, 娶平陽公昡女慶寧翁主, 以故驟貴. 忠穆時, 拜左政丞[~~右政丞~~], 封慶陽府院大君, 特許帶玉張盖, 以寵之". 여기에서 ~~添字~~와 같이 고쳐야 옳게 될 것이다.

[某日，征東省都事岳友章，從事·前員外郎石抹完澤·奉議等，上書于王曰，“竊念，民飢餓莩，蓋因歲否年凶．今高麗西海·楊廣·在城等三處，自去年，旱澇霜灾，百物枯槁，人民死者，甚衆，誠可哀憫．本國，已有選法，將比合元朝，入粟補官之例，賑恤飢民，似爲不負聖朝恤民之意．其補官，輸米者，白身，入從九品者米五石，正九品十石，從八品十五石，正八品二十石，從七品二十五石，正七品三十石而止，或有前職，輸米一十石者，陞一等，四品至三品以上，不拘此例”:食貨3納粟補官之制轉載].

[→征東省都事岳友章，從事·前員外郎石抹完澤·奉議等，上書于王，請入粟補官，以賑恤飢民:節要轉載].

[→征東省都事岳友□[章]上書請，行入粟補官之法，白身入從九品者，輸米五石，每級遞加五石，有前職者，米十石，陞一等:選擧3鬻爵轉載].

[某日，發全羅道倉米萬二千碩，以賑飢:節要·食貨3水旱疫癘賑貸之制轉載].

[某日，鷙城□□[府院]君君辛裔母，奪人奴婢，其主乞還，反歐之．主訴整治都監，遣吏捕其家人，又歐之．都監囚裔弟大護軍珣，杖之:節要轉載].

[→裔母，奪人奴婢，其主乞哀，反毆之．主訴整理都監，遣吏捕其家人，又毆之．都監囚裔弟大護軍珣，杖之:列傳38辛裔].

乙未[28日]，元中書省移咨云，“至正七年九月十四日，咬咬惕薛第三日，明仁殿內有時分，速古赤[速古兒赤]佛家奴云，都赤撒迪米失，殿中監·給事中燕古兒赤等有來，帖木兒荅失[鐵木兒塔識]左丞相,[251] 特奉聖旨，在前高麗百姓，未曾歸附的時分，他每倚本俗行來也者．托賴上天，屬了咱每的時分，昨前知道不荅失里[忠惠王]將那百姓好生殘害的．上明知道一介人害高麗百姓麽道，將不荅失里[忠惠王]罰去池南地面，爲他依勢力不依法度行來的勾當．已嘗命諳知彼中事體王脫懽[王煦]·金那海[金永旽]，敎正理去來，時下促急，便怎生正理的有?，如今交八麻朶兒赤[忠穆王]和王脫懽[王煦]等與省得的勾當的好人一同，不揀是誰，依勢力，欺壓百姓的，幷民間不事理，好生正理．奏將來者”.[252]

[○虎入城:五行2轉載].

[某日，以[典客副令]崔宰爲慶尙道按廉使，[典校副令]鄭云敬爲楊廣道按廉使:慶尙道營主題名記].[253]

---

251) 帖木兒荅失은 『원사』에는 鐵木兒塔識[Temur Tas]으로 표기되어 있다(권113, 표6하, 宰相年表2).

252) 이 기사를 면밀하게 검토하여 注釋을 붙인 주목되는 업적이 있다(權容徹 2019년).

253) 鄭云敬은 그의 行狀에 의거하였고, 月次도 이에 依據하였다(『삼봉집』 권4, 鄭云敬行狀). 또 崔

[是月, 奉善大夫金某等鑄成上元寺香垸一座:追加].[254)]

三月丁酉朔[大盡,丙辰], 以判三司事李齊賢·永山君張沆·密直提學安牧△[爲]提調經史都監,[255)] 又以張沆及□[都]僉議參理全允臧·軍簿判書李衍宗·前典法判書朴元桂·前成均祭酒李達衷·前右司議□□[大夫]尹禔等爲吏學都監判事, 典理揔郎[典理揔郎]安輯·[成均]司藝李允升爲副使,[256)] 典理佐郎成俊德·直講孫光嗣爲判官.[257)]

庚子[4日], 禁酒.

壬寅[6日], 遣寧川府院君李凌幹[·判密直司事李公遂:追加]如元, 賀聖節, 仍請忠惠王謚[諡], 帝不允.[258)]

宰(辛蕆의 壻)도 그의 묘지명에서 在任이 확인된다.

· 열전34, 鄭云敬, "歷按楊廣·交州道, 轉典法揔郞".

254) 이는 上院寺의 銘文에 의거하였다(許興植 1984년 1177面).

255) 이와 관련된 기사로 지31, 百官2, 經史教授都監, "忠穆王四年, 置提調三人"이 있다.

256) 李允升은 이보다 먼저 通直郎·典校寺丞으로 在職할 때, 몽골제국의 江南지역에서 여러 佛典을 印行하여 古阜郡 萬日寺에 기진하였던 것 같다(大谷大學圖書館 編 1997年 10面 ; 張東翼 2004년 719面).

· 『金剛薩埵說頻那夜迦天成就儀軌經』 권1(大谷大學圖書館 所藏) ; 『廣大寶樓閣善住秘密陀羅尼經』권上,中(京都大學 人文科學硏究所 所藏) ; 『佛說一切有部發智大毘婆沙論』 권141(龍谷大學 所藏), ""奉 三寶弟子高麗國通直郎·典校寺丞李允升,」 同妻咸安郡夫人尹氏,」 謹發誠心拾財,印成」 大藏尊經一藏,敬安于鄉邑古阜郡萬日寺,看」 誦流通,普利無窮,所集洪因,端爲祝延」 皇帝萬萬歲,」 皇后齊年,」 太子千秋,」 國王千年, 文虎協,朝野寧,」 佛日增輝, 法輪常轉, 四恩普報, 三有齊資,」 次冀追薦 先考通直郎李祚, 外考奉常大夫」 尹頎, 先妣光山郡夫人金氏, 洞州郡夫人金氏, 各離」 苦趣,俱成妙果,皆得樂方,兼及己身,合門眷屬,」 助善檀那,同增福智之願,法界有情,同霑利樂者,」 至正 年 月 日幹善比丘 法琪,」 同願比丘玄珠, 祖行, 承湛, 覺胡,」 同願善人奉翊大夫王承慶,」 奉常大夫許繕,」 檢校軍器監孫烈」 同願本寺住持比丘禪彦,」 同願大禪師 乃云」. 이와 같은 刊記가 수록되어 있는 大藏經에 대한 소개도 있다(大塚 鐙 1966年).

257) 이와 관련된 기사로 다음이 있다.

· 지31, 百官2, 吏學都監, "忠穆王四年, 置判事七人, 副使三人, 判官三人, 錄事四人".

258) 이때 判密直司事 李公遂도 함께 파견되어 4월에 元에 도착하였다. 또 李穡이 이 使臣團에 따라가 國子監에 入學하여 1351년(至正11, 충정왕3)까지 在學하였다. 그리고 高麗人으로 元의 國子監에 입학한 인물로는 李穡 외에 閔漬의 孫子 閔璿이 있었다(『목은시고』 권17, 讀書處歌幷序 ; 『목은문고』 권13, 跋仲玉還學詩卷 ; 『동문선』 권4, 送閔仲玉生員東觀西還, 권9, 送閔生員仲玉璿東觀親還學, 권20, 閔仲玉璿東觀西回亂道爲別).

· 「李公遂墓誌銘」, "戊子[忠穆4年]春正月, 進匡靖大夫·判密直司事, 四月, 入賀天壽聖節".

· 『목은시고』 권2, 歲戊子陪李政丞凌幹·李密直公秀[公遂]進賀天壽聖節 …. 添字와 같이 고쳐야 옳게 될 것이다.

· 『목은시고』 권17, 讀書處歌幷序.

· 『東人詩話』, "牧隱初入元朝, 文士稍輕之, 嘲曰, '持杯入海知多海', 牧隱應聲曰, '坐井觀天曰

己酉[13日], 遣三司右使金那海如元, 請改正先王之罪.[259)]

丙辰[20日], 幸妙通寺.

壬戌[26日], 親設三界大醮于康安殿.

[某日, 宰樞議請太史府庫米三十石, 黃豆五十石, 義成·德泉倉米一百石, 內府常滿庫布一百匹, 給賑濟色:食貨3水旱疫癘賑貸之制轉載].

[是月, 晉寧府院君姜融, 資政院使高龍普, 敬天寺居接僧省空等造成敬天寺十三層石塔於扶蘇山:追加].[260)]

[是月癸卯[7日], 帝親試進士七十有八人, 賜阿魯輝帖木兒·王宗哲進士及第, 其餘出身有差. 時尹安之及第:追加].[261)]

小天', 嘲者更不續".

259) 이때 金那海는 金永旽(金那海)과 同名異人일 것이다(→是年 1월 某日).

260) 이는 敬天寺十三層石塔(국보 제86호, 國立中央博物館에 위치)의 1층 塔身石에 刻字된 銘文에 의거하였다(高裕燮 1979년 128面 ; 朝鮮總督府博物館 1935年 第7輯 ; 中吉 功 1973年b 385面).

- 銘文, "大華嚴敬天□[寺]祝延皇帝陛下萬萬歲,皇后·皇太子千歲,文虎協心,奉□[壬]□□,調雨順□[風],國泰民安,佛日增輝,法輪相轉,□□□□,現獲福壽,當生□□[富貴],□□[同登]覺岸,至正八年戊子三月日,大施主三重大匡·晉寧府院君姜融,大施主□□[資政]院使高龍鳳,大化主省空,施主法山,山人六怡,□□普及於一切,我等與衆生,皆共成佛道". 여기에서 添字는 筆者가 實物에 접근할 수 없기에 銘文을 확인하지 못한 채 적절히 추측하였다.
- 『大東金石書』, 113面, 敬天寺石塔刻, "大華嚴敬天祝延」皇帝陛下萬歲」至正八年重大匡」晉寧府院君姜融」.
- 『신증동국여지승람』 권13, 豊德郡, 敬天寺, "敬天寺, 在扶蘇山, 寺有石塔, 十三層刻十二會相, 人物聳動形容森爽, 其制作精巧, 天下無雙, 諺傳元脫脫丞相, 以爲願刹, 晉寧君姜融募元朝工匠, 造此塔, 至今有脫脫·姜融畫像".
- 『瞻慕堂集』 권2, 遊天摩山錄(1570年), "… 八月八日癸卯, … 還踰倭峴, 過施食街. 夕到敬天寺, 寺在扶疏山, 卽奇皇后願刹也, 庭有巨塔, 至正八年, 所立制作, 極宏且巧, 連十三層閣, 刻十二會相, 而下作飛龍形, 片石合成, 斧鑿無痕, 妙若天成, 殆非人造也. 噫, 大元施舍, 遍及海外, 宜賴佛力, 致祥延曆, 而曾不數歲, 奄就滅亡, 玆足爲後人之殷鑑, 而後人不之鑑, 又爲鑑於後人者, 何哉".
- 『農巖集』 권23, 游松京記(1671年), "… 歲辛亥[顯宗12年], 與舍第昌翕, 往省仲父于江都留衙, 因留讀書三月, 將同返京師, 謀取道松京, 以償宿願. … 初四日乙卯昧爽, 出東門, 細雨乍作乍止, 雲霧四塞, 不見數十步外人物, … 迤入敬天寺, 寺在扶蘇山下, 庭除有十三級石塔, 石色晶熒, 類次玉, 高可十餘丈, 四圍鐫樓臺, 佛相, 以象十二會, 製作精巧, 人物森然, 若生動, 寺無他勝, 以獨以是名. [新增東國輿地]勝覽爲寺, 卽元丞相脫脫願刹, 而晉寧君姜融, 募元工造此塔. 蔡壽'松都錄', 謂爲奇皇后願刹塔, 亦中國人所作, 渡海來建. 二說牴牾, 不知孰是, 觀上面, 刻至正年號, 其爲順帝市所建, 則明矣. 寺屋陋甚, 不可坐, 設席塔下, 與從者攤飯, 日晡到松京". 여기에서 攤飯은 午睡를 意味한다.
- 『劍南詩稾』 권24, 春晚村居雜賦第5, "澆書滿把浮蛆甕, 攤飯橫眠夢蝶牀, 莫笑山翁見機晚, 也勝朝市一生忙[注, 東坡先生謂晨飮爲澆書, 李黃門謂午睡爲攤飯]".

[是月, 高麗僧惠勤, 至大都, 參指空堂下, 問答契合, 尋游江浙:追加].[262)]

[是月頃, 以都官佐郎南宮翊爲永州副使:追加].[263)]

[春某月, 以領都僉議司事王煦爲僉議政丞:追加].[264)]

夏四月丁卯朔大盡,丁巳, [立夏]. 封宗室譓爲德興府院君, 昛爲慶昌府院君, 元爲延昌君, 李廣爲宜春君. 白文擧爲□都僉議參理, △△仍令致仕.

[庚辰14日, 獐入城:五行2轉載].

癸未17日, 雨雹, 大如梅□子.[265)]

[乙酉19日, 大雷電, 震樹木:五行1雷震].

丁亥21日, 遣都僉議評理柳濯如元, 獻苧布.

是月, 京城大飢疫. [道饉相望, 漕運全羅道米一千四百石, 以六百石, 分賑忠淸·西海二道, 以八百石, 減價, 換布五部貧民:食貨3水旱疫癘賑貸之制轉載].[266)]

[是月, 遼陽行省?參知政事·三重大匡·德城府院君奇轍寫成'金字大方廣佛華嚴經':

---

261) 이는 『원사』 권41, 본기41, 順帝4, 至正 8년 3월 癸卯에 의거하여 추가한 것이다. 이때 尹安之는 大寧路 判官에 임명되었는데, 『고려사』에서 충정왕 元年(1349)으로 되어 있으나 충목왕 4년의 잘못이다.
- 지28, 選擧2, 科目2, 制科, "忠穆王三年九月, 遣尹安之·白彌堅·朴中美應擧, 忠定王元年四年, 安之中制科, 授大寧路判官". 여기에서 添字와 같이 고쳐야 옳게 될 것이다.

262) 이는 다음의 자료에 의거하였다.
- 『목은문고』 권14, 普濟尊者諡先覺塔銘幷序, "至正戊子三月, 至燕都, 參指空龕問, 契合. … 是春, 南游江浙".

263) 이는 『영천선생안』에 의거하였다.

264) 이는 다음의 자료에 의거하였다.
- 「王煦墓誌銘」, "戊子忠穆4年春, 復爲政丞".
- 열전23, 王煦, "忠穆四年, 復爲政丞".

265) 添字는 지7, 五行1, 水, 雨雹에 의거하였다.

266) 이 기사는 『고려사절요』 권25에 축약되어 있고("道饉相望, 漕運全羅道米一千四百碩, 賑京城及忠淸·西海二道"), 이와 관련된 기사로 다음이 있다. 또 中原에서는 이해의 8월 揚州城(維揚, 現 江蘇省 揚州市)에서 大疫이 있어 感染者는 갑자기 죽었다고 한다(龔勝生 2015年).
- 「王煦墓誌銘」, "戊子忠穆4年春, 復爲政丞, 京城大饑, 楊廣·西海尤甚, 公發廩賑濟, 所全活不可勝計".
- 열전23, 王煦, "忠穆四年, 復爲政丞, 京城大飢, 楊廣·西海尤甚, 煦發廩賑濟, 所全活甚衆".
- 『僑吳集』 권9, 越州守平反冤獄記, "… 王旼, 字季境, 其先閩人 … 至正八年八月十六日, 淮東府同知上任, … 時維楊大疫, 染者多暴亡, …".

追加].[267]

五月丁酉朔小盡,戊午, [辛亥15日, 以李子脩爲奉車直長:追加].[268]

癸丑17日, 海平府院君尹碩死,[269] [葬以庶人:節要轉載].[270] [碩, 忠宣時, 爲別將, 元使至, 以盞人立王前. 元使傳帝旨, 令兩王子入侍. 碩聞之, 默自念, 吾當從弟. 歸告其父, 父曰, "兒計失矣. 所以從王子者, 爲後日計, 兄在而弟先有國乎?" 碩曰, "吾亦知其然. 然吾見少則敬心生, 見長則否. 此所以決吾策也". 遂從之, 長早亡, 少卽忠肅也. 及忠肅卽位, 授護軍. 子之彪·之賢:列傳37尹碩轉載].

乙丑29日晦, 大雨, 松岳崩, 水溢, 飄沒人家, 甚多.[271]

六月[丙寅朔大盡,己未, 贊成事安軸以疾免, 封興寧府院君:追加].[272]

己巳4日, 以雨灾, 設消灾法席于內殿.[273]

丙戌21日, 興寧□□府院君安軸卒,[274] [年六十二~~六十七~~, 諡文貞:列傳22安軸轉載].[275]

---

267) 이는 다음의 자료에 의거하였다(김종민 2010년 ; 郭丞勳 2021년 400面).

· 『白紙金泥大方廣佛華嚴經』 권26, 末尾跋, "伏玆」 大乘功德恭願」 皇帝億載,」 皇后齊年,」 皇太子千秋,天下泰平,」 法輪常轉者.」 大元至正八年戊子四月 日,」 功德主 參知政事·三重大匡」·德城府院君 奇轍識」.

268) 이는 「李子脩政案」에 의거하였다.

269) 이날은 율리우스曆으로 1348년 6월 14일(그레고리曆 6월 22일)에 해당한다.

270) 尹碩은 후일 英毅라는 시호를 받았던 것 같다(『簡易集』 권9, 尹斗壽神道碑銘, "… 曰碩, 都僉議右政丞, 諡英毅公").

271) 이 記事는 지7, 오행1, 水, 水潦에도 수록되어 있다. 몽골제국에서도 이달의 1일(丁酉) 大都에서 大雨로 土城으로 築造된 京城이 붕괴되었고, 4일(庚子) 雲南行省 廣西(現 廣西壯族自治區, 越南과 인접한 지역, 北緯 29.5度線)에서, 16일(壬子) 湖廣行省 寶慶(現 湖南省 邵陽市, 北緯 29.8度線)에서 大雨가 있었다(『원사』 권41, 본기41, 순제4, 지정 8년 5월). 또 일본의 京都에서 28일(甲子) 洪水가 있었다고 한다.

· 『續史愚抄』22, 貞和 4년 5월, "廿八日甲子, 洪水".

272) 이는 「安軸墓誌銘」에 의거하였다(열전22, 安軸, "忠穆四年, 疾作乞致仕, 復封興寧君").

273) 이때 일본의 교토에서 6월 1일(丁卯, 高麗曆으로 5월 30일) 비로 인해 洪水가 있어서 橋梁이 流失되었다고 한다(日本史料6-12冊 381面). 또 이달에 元의 山東地域(北緯 30.6度線)에서도 大水가 있었다고 한 점(『원사』 권41, 본기41, 순제4, 지정 8년 6월)을 통해 볼 때, 6월 1일 이후 장마前線(梅雨)이 한반도로 북상하여 北緯 38.6度線에 머물었던 것 같다.

· 『斑鳩嘉元記』大和, 貞和四年戊子六月一日, 夜, 依雨大水, 富河橋·下河原橋·御輿河原橋流失了".

274) 이날은 율리우스曆으로 1348년 7월 15일(그레고리曆 7월 25일)에 해당한다.

275) 添字는 「安軸墓誌銘」에 의거하였는데, 安軸의 享年이 62歲가 아니라 67歲인 것 같다. 이는 열

[軸, 處心公正, 持家勤儉, 嘗曰, "吾平生無可稱, 四爲士師, 凡民之屈抑爲奴者, 必理而良之":節要轉載]. [父碩早沒, 軸敎二弟輔·輯, 俱登第, 輔·輯事之亦如父. 子宗基·宗源:列傳22安軸轉載].

壬辰27日, 慮囚.

[某日, 以判密直司事李公遂, 兼監察大夫:追加].[276]

[○以慶尙道按廉使崔宰, 仍番:慶尙道營主題名記].[277]

[夏某月, 以韓山君李穀爲都僉議贊成事·右文館大提學·監春秋館事·上護軍:追加].[278]

秋七月丙申朔小盡,庚申, [丁酉2日, 水口門外, 有一巫家, 井傍大樹, 老蟒蟠緣. 有人以木石亂投, 綴繩長竿, 鉤引棄之, 蟒發毒氣成火, 不雨而震:五行1龍蛇之孽轉載].

壬申壬寅7日,[279] 以天變, 宥二罪以下.

戊申13日, 上洛府院君金永旽卒, [年六十四. 謚文肅:追加].[280]

戊午23日, 貶監察掌令宋天鳳宋天逢, 爲[草島勾當, 天逢劾奏評理全允臧, 身爲輔相, 席寵恣橫, 不供其職, 交結饔人, 潛竊御膳, 皆歸其家. 又閔祥正訴先王于帝, 以爲不可君國, 而允臧黨於祥正, 欲除冢宰, 罪惡莫甚, 請加罷黜. 允臧反譖而貶之, 臺官皆辭職, 監察等詣闕, 請召還天逢天鳳, 政丞王煦救之, 不得, 不視事, 政堂文學辛孟·判密直司事李公遂亦詣闕, 請之. 乃改爲:節要轉載]光陽監務.[281]

전의 記事를 인용한 『謹齋集』 권4, 本傳(列傳22, 安軸)에도 67歲로 校正하였음을 통해 알 수 있다.

276) 이는 「李公遂墓誌銘」에 의거하였는데, 이 시기 이후에 征東行省官이 監察司의 官員에게 制動을 가하려고 하자 元의 官僚出身인 贊成事 廉悌臣이 撫摩시켰다고 한다.

· 열전24, 廉悌臣, "進贊成事. 征東省官, 以事欲問臺臣, 時李公遂爲大夫. 悌臣曰, '臺綱非所當撓, 李大夫一時之傑, 其可辱乎?', 事得寢".

277) 이때 崔宰가 慶尙道按廉使를 連任[仍番]하였음은 그의 묘지명에서도 확인된다(「崔宰墓誌銘」, "歲戊子按察慶尙道一年").

278) 이는 『가정집』 年譜에 의거하였다.

279) 壬申은 이달에 없고, 다음의 기사가 戊申(13일)이므로 壬寅(7일)의 오자로 추측된다.

280) 이는 「金永旽墓誌銘」에 의거하였다. 이는 「金永旽墓誌銘」에 의거하였는데, 이날(戊申)은 율리우스曆으로 1348년 8월 8일(그레고리曆 8월 16일)에 해당한다.

281) 이 기사는 열전24, 宋天逢에도 수록되어 있으나 字句에 出入이 있다.

八月乙丑朔大盡,辛酉, 壬申8日, [獻納元松壽·郭忠秀, 劾都僉議贊成事鄭天起, 告身未出, 而公然入政房, 題品人物, 疏棄正妻, 常在倡家. 王怒:節要轉載], 下獻納元松壽·郭忠秀于行省, 鞫之.[282]

[丙子12日, 二鹿入壽德宮:五行2轉載].

丙戌22日, 元松壽·郭忠秀罷, [宰相·臺諫, 詣闕營救, 不得:節要轉載].[283] 以鄭尙德爲持平, 鄭國鏡鄭國卿·曹淹爲左·右獻納.[284]

戊子24日, 元遣孫元之·帖木兒來, 求閹人.

[是月, 入元僧惠勤, 至杭州淨慈山, 謁平山處林禪師求法, 平山以及菴宗信所傳雪巖祖欽衣鉢·拂子, 表信:追加].[285]

[九月乙未朔小盡,壬戌, 丁巳23日, 鵬鳴于寢殿:五行1火行羽蟲孽轉載].

[是月頃, 以奉順大夫安輯爲福州牧使:追加].[286]

冬十月甲子朔小盡,癸亥, 丙寅3日, 王不豫, 放囚, 移御于乾聖寺. 自是, 數移御寺院及私第.

---

282) 이와 같은 기사가 열전20, 元松壽에도 수록되어 있다.

283) 이때 郭忠秀는 郭麟의 孫, 郭之泰의 子, 崔謁의 壻라는 責務[本分]를 잊지 않았던 것 같다. 이 책을 읽을 讀者께서는 아래의 文章 全體를 찬찬히 읽어 주셨으면 한다. 歲月은 流水와 같아도 훌륭한 행적과 아름다운 그 이름은 멀리 남아 있을 것이다.

- 『목은문고』 권4, 永慕亭記, "… 通憲公郭忠秀, 予同年也, 慷慨有志, 在法司, 則執法而已, 不畏强也, 在言官, 則敢言而已, 不避事也. 是以, 征東行省之詰, 而綱紀益振, 海島之竄, 而聲名益張, 持斧, 則嚴明而已".
- 『國語』 권21, 越語下, (冒頭에 있음), "越王句踐卽位三年, … 范蠡, 對曰, '四封之內, 百姓之事, 時節三樂, … 用力甚少, 而名聲章明, 種亦不如蠡也'. 王句踐曰, 樂, 令大夫種爲之".
- 『文選』 권44, 喩巴蜀檄(司馬相如), "檄曰, 告巴蜀太守, … 名聲施於無窮, 功烈著而不滅, 名聲은 後世에 길이 전해지고, 功績은 顯彰되어 그 자취가 없어지지 않는다". 이 글은 『사기』 권117, 司馬相如列傳第57 ; 『한서』 권57하, 司馬相如列傳第27下에도 수록되어 있다.

284) 이때 左獻納(정6품)에 임명된 鄭國鏡은 이보다 4년 5개월 후인 1353년(공민왕2)1월 起居郎에 임명된 鄭國卿의 오자일 것이다.

285) 이는 다음의 자료에 의거하였는데, 及菴宗信(生沒年 不明)은 臨濟宗 17世 雪巖祖欽(1214~12876)의 弟子이기에 兩者가 顚倒되었을 것이다. 또 表信은 認可, 許可와 같은 의미로서, 이 자료에서는 法脈을 이은 弟子로 確定한다는 것을 가리킨다.

- 『목은문고』 권14, 普濟尊者諡先覺塔銘幷序, "至正戊子, 秋八月, 參平山, 山, 問曾見何人, 曰, 西天指空, … 山, 以雪巖及菴所傳及菴雪巖衣□鉢·拂子, 表信".

286) 이는 『안동선생안』에 의거하였다.

[壬申[9日], 鵂鶹鳴于延慶宮東門:五行1轉載].

癸酉[10日], 德寧公主徙居于密直副使安牧第, 庶務皆決焉.[287]

[庚辰[17日], 月與歲星同舍:天文3轉載].

[辛巳[18日], 太白犯南斗:天文3轉載].

[○雷:五行1雷震轉載].

[甲申[21日], 霧, 七日:五行3轉載].

[丙戌[23日], 月入大微[太微], 犯屛星:天文3轉載].

[是月頃, 以資善大夫·江浙等處行中書省左丞·上護軍·天水郡公·匡靖大夫·僉議評理姜仁白[姜仁伯]爲雞林府尹, [承奉郞]吳承弼爲福州判官, [從事郞·藝文供奉]于時俊爲雞林司錄兼參軍事, [律學助敎]崔光祐爲法曹兼參軍事:追加].[288]

十一月癸巳朔[大盡,甲子], □□[德寧]公主以王疾, 遣前贊成事李君侅, 設水陸會於天磨山, 禱之.

○吳王[木南子]遣完者帖木兒來, 獻佛經·鷹犬.[289]

[乙未[3日], 大霧:五行3轉載].

[丙申[4日], 雨雹, 震雷:五行1雨雹轉載].[290]

[丁酉[5日], 霧:五行3轉載].

[戊戌[6日], 亦如之[霧:]五行3轉載].

[甲辰[12日], 暖如春:五行3轉載].

癸卯[乙巳13日], 平壤君趙瑋卒,[291] [年六十二, 諡莊景:追加]. [忠肅王倦勤, 委政宰

---

287) 이 기사는 열전2, 忠惠王妃, 德寧公主에도 수록되어 있다.

288) 이는 『동도역세제자기』; 『안동선생안』에 의거하였다. 또 姜仁白은 姜仁伯의 誤記일 것이고, 그가 띠고 있는 資善大夫(正2品)·江浙等處行中書省左丞·上護軍·天水郡公 중에서 上護軍을 제외하고 여타는 몽골제국으로부터 받은 官爵이다.

289) 吳王은 1330년(天曆3, 至順1, 충혜왕 즉위년) 3월 6일(丁巳) 濟陽王에서 吳王으로 昇格된 木南子[Mulanji]로 추측된다.(『원사』 권34, 본기34, 문종3, 至順 1년 3월 丁巳·권108, 표3, 諸王表, 吳王).

290) 이날 이루어진 震雷의 현상은 일본의 京都에서도 유사한 형태로 나타났던 것 같다(日本史料 6-12冊 381面, 4일(丁酉)은 高麗曆으로 5일에 해당한다).

- 『園太曆』 권12, 貞和 4년 11월, "四日, 天晴, 酉初許, 雷鳴雨下, 雷聲再三以外高鳴. 昔, 秦始皇之十一月雷鳴, 載史記歟如何".
- 『續史愚抄』 23, 貞和 4년 11월, "四日丁酉, 酉剋雷高鳴".

291) 平壤君 趙瑋는 이달 乙巳(13일)에 逝去하였는데(趙瑋墓誌銘), 『고려사』의 편찬자가 『충목왕실

相. 瑋, □[務]存大體, 不務[顧]細瑣, 發言侃侃. 人服其公, [謂有父風]:節要轉載]. [子興門[日新], 別有傳].[292]

[丙午[14日], 月犯畢星:天文3轉載].

十二月[癸亥朔小盡,乙丑], 乙丑[3日], 杖流僧宗範于濟州. 宗範, 判事任瑞生子, 欲刃其父, 其弟琦救之, 以劍擊割琦鼻.

丙寅[4日], 遣□[都]僉議評理孫洪亮·密直副使金仁浩如元, 賀正.

丁卯[5日], 王薨于金永旽第.[293] [時辛裔·田淑蒙等, 相繼用事, 雖汰去北殿[忠惠王]群小, 不數月間, 親姻故舊, 布列卿相, 代言鄭思度[鄭思道], 依阿進用, 久在政房, 中外輻湊. 時人, 目辛裔曰辛王, 且母妃盛年居中, 康允忠·裴佺, 出入得幸, 秉政權作威福, 王煦·金永旽, 奉帝命, 欲整理舊弊, 卒爲允忠等所陷. 識者惜之:節要轉載]. 在位四年, 壽十二. 忠定王元年三月丁酉[6日], 葬明陵,[294] 恭愍王六年閏九月癸亥[22日], 上尊謚[諡]曰顯孝大王, 十六年正月丁亥[10日], 元賜謚[諡]曰忠穆.[295]

[忠穆王 在位年間]

[某年, 判, 參外員, 身病告暇者, 令部審其虛實, 給暇, 外官身病者, 亦令界首官審之, 方許上京調理:刑法1官吏給暇轉載].[296]

[○判, 年六十以上, 父母有病長子, 給暇侍藥:刑法1官吏給暇轉載].

[○判, 外任父母, 欲見其子, 除程途, 二十日給暇:刑法1官吏給暇轉載].

록』을 축약하면서 날짜[日辰]를 제대로 點檢하지 못하여 癸卯(11일)에 編次하였던 것 같다. 이날(13日)은 율리우스曆으로 1348년 12월 3일(그레고리曆 12월 11일)에 해당한다.

292) 添字는 열전18, 趙仁規, 瑋에 의거하였는데, 그렇게 하여야 옳게 될 것이다. 또 열전의 '謂有父風'의 다음에 "子興門, 別有傳"이 추가되어야 할 것이지만, 기록되지 않았다(→충혜왕 후1년 3월 13일 脚注).

293) 이날은 율리우스曆으로 1348년 12월 25일(그레고리曆 1349년 1월 2일)에 해당한다.

294) 明陵은 開城市 開豊郡 煙陵里에 있다(보존급유적 549호, 洪榮義 2018년).

295) 忠穆王의 史贊은 『고려사』의 편찬자가 忠定王과 함께 修撰하였던 것 같다(→忠定王史贊).

296) 이에서 部는 王城開京府의 5部를 가리킨다(蔡雄錫 2009년 125面).

忠定王

忠定□[大]王,[1)] 諱<u>胝</u>, 蒙古諱<u>迷思監朶兒只</u>, 忠惠王庶子, 母曰禧妃尹氏. [忠肅王□[後]七年□□[~~六月~~]戊寅[16日]生:節要轉載].[2)]

忠穆王四年四月, 封慶昌府院君.

[十二月丁卯[5日]], 忠穆王薨, 德寧公主命德成府院君奇轍·政丞王煦, 攝行<u>征東省事</u>.[3)]

[辛未[9日], 虹貫日:天文1轉載].

丙子[14日], 遣護軍<u>申元甫如</u>元, 告哀.

[戊寅[16日], <u>月食</u>:天文3轉載].[4)]

己卯[17日], □□[政丞]<u>王煦</u>等遣<u>李齊賢如</u>元.[5)] 上表曰, "聖明在上, 曲垂丕冒之恩, 誠敬由中, 可格居高之鑑. 恭惟皇帝陛下, 繼天立極, 亘地稱王, 視遠聽聰, 察庶邦之情願, 仁滂施厚, 令品物以生成. 邊境乂安, 臣隣悅服. 伏念王氏, 自五代而爲國, 遇元朝而作臣, 列聖嘉內附之功, 累世被東漸之澤. 及嗣王之不祿, 愧陪臣之匪材. 一國遑遑, 惟恐人心之無係, 百寮拳拳, 竚聞俟命之有歸. 竊惟本國, 自太祖聖武皇帝以來, 擧國臣服, 而忠烈王尙世祖皇帝之女<u>忽禿愓烈迷實</u>公主, 生<u>益知禮不花</u>忠宣王. 忠宣王生<u>阿刺訥忒失里</u>[~~阿剌訥忒失里~~]忠肅王, 忠肅王生普塔失里王, 尙亦憐眞班公主, 而生<u>一子</u>,[6)] <u>八思麻朶兒赤</u>, 是爲先國王, 乃於近日, 得疾而薨, 擧國哀慟. 王年幼無後, 而本國隣於日本, 不庭之邦, 不可一日, 而無主. 今有<u>王祺</u>, <u>普塔實里</u>王之母弟, 已嘗入侍天庭, 年十九歲, 王胝普塔實里王之庶子, 見在本國, 年<u>十一歲</u>.[7)] 伏望陛下, 簡在帝心, 以從民望, 特降德音於繼絶, 得承制命以安邊. 則陪臣

---

1) 忠定王의 경우에도 忠惠王·恭愍王 등의 경우를 통해 볼 때, 王은 大王으로 고쳐야 옳게 될 것이다.

2) 이 기사에서 ~~添字~~를 추가하여야 옳게 될 것이다.

3) 이 기사는 열전2, 忠惠王妃, 德寧公主 ; 열전23, 王煦 ; 열전44, 奇轍에도 수록되어 있다.

4) 이날은 율리우스력의 1349년 1월 5일이고, 월식 현상이 심했던 때의 世界時는 11시 35분, 食分은 1.56이었다(渡邊敏夫 1979年 484面).

5) ~~添字~~는 『고려사절요』 권25에 의거하였다.

6) 一子는 延世大學本과 東亞大學本에는 十子로 되어 있으나 오자일 것이다.

7) 十一歲는 延世大學本과 東亞大學本에는 十二歲로 되어 있으나 오자일 것이다.

· 『고려사절요』 권25, 충목왕 4년 12월 17일, "政丞<u>王煦</u>等遣<u>李齊賢</u>如元, 上表曰, 國王乃於近日得

等, 敢不小舒戀主之憂, 益著勤王之節".[8)]

[壬午20日, 月入大微太微, 犯屛星:天文3轉載].

[是年, 陞安岳監務官爲知郡事官:轉載].[9)]

[○以洪彦博爲密直提學:列傳24洪彦博轉載].

[○前都僉議贊成事全英甫卒. 英甫, 嘗壓良人一百六十人爲賤, 事覺, 整治都監決還本籍:列傳37全英甫轉載].

[○以鄭天儒爲延安府使:追加].[10)]

[○以別將韓脩爲德寧府主簿, 尋爲政房秘闍赤:追加].[11)]

[○前贊成事尹桓與法蘊和尙, 將訖報法寺之工, 又謀曰, '大藏經不可無'. 於是, 印行於江浙行省, 移安本國:追加].[12)]

[○入元僧普虛歸還, 掛錫于三角山重興寺, 尋往龍門山結小庵, 額曰小雪:追加].[13)]

[○元監察御史李泌言, "世祖誓不與高麗共事, 陛下踐世祖之位, 何忍忘世祖之言, 乃以高麗奇氏亦位皇后. 今災異屢起, 河決地震, 盜賊滋蔓, 皆陰盛陽微之象, 乞仍降爲妃, 庶幾, 三辰奠位, 災異可息", 不聽:追加].[14)]

[○元監察御史劾奏右丞相別兒怯不花, 而徽政院使高龍普在帝側爲解, 帝邃不允:追加].[15)]

疾而薨, 擧國哀慟. 王年幼無後. 而本國隣於日本不庭之邦, 不可一日無主. 今有王祺, 普塔失里王忠惠王之母弟, 已嘗入侍天庭, 年十九. 王㫝, 普塔失里王之庶子, 見在本國, 年十一. 伏望陛下, 簡在帝心以從民望".

8) 이 기사에서 忠烈王妃인 忽禿恸烈迷實公主는 忽都魯揭里迷失公主의, 충선왕의 蒙古名인 益知禮不花는 益知禮普化의, 충목왕의 몽고명인 八思麻朶兒赤은 八思麻朶兒只의 다른 表記로서 일관성을 잃었다. 또 같은 문장 안에서 충혜왕의 몽고명인 普塔失里를 普塔實里로 잘못 표기하였는데, 『고려사절요』 권26에는 옳게 되어 있다.

9) 이는 지12, 지리3, 安岳郡, "忠穆王四年, 陞爲知郡事"를 전재하였다.

10) 이는 『연안부지』에 의거하였다.

11) 이는 「韓脩墓誌銘」에 의거하였다.

12) 이는 다음의 자료에 의거하였다.

・『목은문고』 권6, 報法寺記, "… 尹公桓與禪源法蘊和尙重營報法寺, 始於至正癸未, 工役將訖, 又謀曰, 大藏經不可無. 於是, 取諸江浙, 戊子歲也".

13) 이는 다음의 자료에 의거하였다.

・『박통사언해』 권上, "入元僧普虛, 戊子東還, 掛錫于三角山重興寺, 尋往龍門山結小庵, 額曰小雪".

14) 이는 『원사』 권41, 본기41, 順帝4, 至正 8년 是年에 의거하였다.

15) 이는 다음의 자료에 의거하였다.

[是年頃, 進士李穡契員某[混修]入曹溪山受戒. 先是, 李穡以儒者十八人結契爲睦, 其二人入山爲僧, 名天台了圓·曹溪混修:追加].[16]

己丑[忠定王]元年, 元至正九年, [西曆1349年]

1349년 1월 19일(Gre1월 27일)에서 1350년 2월 6일(Gre2월 14일)까지, 13개월 384일

[春正月壬辰朔[大盡,丙寅], 流星出奎南, 大如缶:天文3轉載].

[○木稼:五行2轉載].

[癸巳[2日], 亦如之[木稼]:五行2轉載].

[壬寅[11日], 月犯畢星:天文3轉載].

[己酉[18日], □[月]犯大微[太微]右掖門:天文3轉載].

[庚戌[19日], □[月]犯大微[太微]左掖門:天文3轉載].

[某日, 監察司, 復治益興君琚妻朴氏, 私高信之罪, 收鞫俱服. 朴在獄, 又與僧通, 沒爲新倉館恣女. □□□[新倉館], 諸國商客來往之處也:節要轉載].

[某日, 以李蒙正爲慶尙道按廉使:慶尙道營主題名記].

春二月[壬戌朔大盡,丁卯], 甲戌[13日], 前知都僉議□[司]事崔濡來自元, 帝命忠惠王庶子晊入

· 『원사』 권140, 열전27, 別兒怯不花, "[至正]七年, 進右丞相. 明年, 御史劾奏前右丞相別兒怯不花, 而徽政院使高龍普在帝側爲解, 帝遂不允. 乃出御史大夫亦憐眞班爲江浙□□[行省]左丞相, 中丞以下皆辭職".

16) 이는 다음의 자료에 의거하였는데, 縫掖(혹은 縫腋)은 儒者를 가리킨다.

· 『목은문고』 권4, 幻菴記, "… 稍長, 縫掖十八人, 結契爲好, 今天台圓公[了圓]·曺溪[曹溪]修公[混修]與言. 相得之深, 相期之厚, 復何言哉. 及予官學燕京, 修公亦立山, 今三十年矣".

· 『목은문고』 권8, 贈休上人序, "予[李穡]年十六七, 群縫掖游, 聯句飮酒, 今天台判事懶殘子愛吾輩, 招之同吟哦, 日不足則繼以夜, 酒酣, 高談戲謔".

· 「韓脩墓誌銘」, "予[李穡]年十六七, 喜從詩僧游, 至妙蓮寺, 儒釋雜坐, 啜茶聯句. 文敬公[韓脩], 年才十二三, 每有的對, 衆皆驚歎".

· 『禮記注疏』 권59, 儒行, "魯哀公問, …於孔子曰, '夫子之服, 其儒服與'. 孔子對曰, '丘少居魯, 衣逢掖[縫掖]之衣, 長居宋, 冠章甫之冠, 丘聞之也, …". [鄭]玄注曰, 逢猶大也, 大掖之衣, 大袂單衣也, 此君子有道藝者, 所服也".

· 『후한서』 권79下, 儒林列傳69下, 末尾, "論曰, 自光武中年以後, 干戈稍息, 專事經學. 自是, 其風世篤焉, 其服儒衣, 稱先王遊庠序, 聚横塾者, 蓋布之於邦域矣. 李賢注, 儒服爲章甫之冠, 縫掖之衣也. 禮記曰, 言必則古昔, 稱先王".

朝. 慶陽府院君盧頙·前判三司事孫守卿·前贊成事李君侅·閔評[~~驪興君閔思平~~]·尹時遇·崔濡等奉晅, 如元.[17] 臺諫·典法官會議, 欲沮其行, 不得.

丙戌[25日], [春分]. 遣安集別監于諸道.

丁亥[26日], 判密直司事薛玄固卒.[18]

三月[壬辰朔小盡,戊辰], 丁酉[6日], 葬忠穆王[~~大行王~~]于明陵.[19]

壬寅[11日], [清明]. □[遣]政丞王煦如元, 賀聖節.

[○月入軒轅:天文3轉載].

甲辰[13日], 遣上護軍趙得珪如元, 獻龍席及竹簟.

乙巳[14日], 日有五色重輪相貫.[20]

庚申[29日晦], 下羅州牧使韓光漢·知古阜郡事朴顯于監察司, 驗治贓罪. 光漢歛[斂]民布百匹·米二十餘石·魚塩等物, 不可勝計, 顯受盜所賂布千五百端[段]·馬一匹.[21]

[是月清明, 都僉議贊成事李穀撰'開京神孝寺常住寶記':追加].[22]

[是月戊戌[7日]頃, 尹安之, 中制科:節要轉載].[23]

---

17) 이때 참여한 인물과 관련된 기사는 다음과 같다. 먼저 閔評은 閔思平이 참여하였다고 되어 있음을 보아 脫字가 있는 것 같다.

- 열전21, 閔宗儒, 思平, "嘗從忠定, 朝于元, 及卽位, 以勞拜僉議參理, 賜輸誠秉義協贊功臣號".
- 「閔思平墓誌銘」, "越己丑[忠定1年], 聽陵入朝, 公從之. 旣踐位, 以其勞授僉議叅理·藝文館大提學·知春秋館事, 號輸誠秉義協贊功臣".
- 열전44, 崔濡, "[崔濡,] 奉忠定如元, 及忠定卽位, 封鷲城君, 賜誠勤翊戴協贊保定功臣號".

18) 이날은 율리우스曆으로 1349년 3월 15일(그레고리曆 3월 23일)에 해당한다.

19) 忠穆王은 大行王으로 고쳐야 옳게 된다. 忠穆이라는 謚號는 1367년(공민왕16) 1월 10일(癸亥) 元으로부터 下賜받았다. 또 明陵은 開城市 開豊郡 煙陵里에 있다(보존급유적 549호, 張慶姬 2013년).

20) 이때 일본의 교토에서 14일(乙巳)은 맑았으나 15일(丙午)에는 흐리다가 비가 내렸다고 한다.

- 『師守記』 권27, 貞和 5년 3월, "十四日乙巳, 天晴, … 十五日丙午, 天陰雨降, 申剋已後晴".

21) 段을 端으로 잘못 刻字한 것은 乙亥字本에서 같은 音의 活字를 잘못 採字했던 결과일 것이다.

22) 이는 다음의 자료에 의거하였는데, 淸明節(西曆4月5日 前後)은 冬至로부터 105日이 되는 날인 寒食보다 1,2日 이후에 설행되었다(→성종 1년 3월 寒食의 脚注).

- 『가정집』 권5, 神孝寺新置常住記, "至正己丑[忠定1年]春, 神孝法師修公謁予曰, 吾自幼託迹于玆, 今已老矣, 昔我忠烈王重興是寺, 於斯時也, 田租之歲入不貲, 檀家之日施相繼. … 余[李穀]笑而諾, 於是乎書, 是年淸明節記".

23) 『원사』에는 이해의 廷試에 대한 기사가 탈락되었으나 廷試에서 及第의 下賜는 3월 7일에 이루어진다.

夏四月辛酉朔大盡,己巳, [癸未23日, 前典法判書朴元桂卒, 年六十七:追加].[24]

己丑29日, 雨雹.[25]

[己亥某日, 月犯大微太微右執法:天文3轉載].[26]

[是月, 廣州牧使白文寶招致李穀于管內樂生驛, 請'淸風亭記文':追加].[27]

五月辛卯朔小盡,庚午, 戊戌8日, 帝命元子昕, 嗣王位.

丁未~~戊申~~18日, □都僉議贊成□事致仕柳瞰柳墩卒, [年七十六. 後謚章景:追加].[28] [□墩, 嘗鎭合浦, 苛酷少恩, 民甚苦之:節要轉載].

六月庚申朔大盡,辛未, 戊辰9日, 王命鐵城君李君侅, 聽斷國務.[29]

丙子17日, 化平君金光轍卒,[30] [謚文敏:追加].[31]

[某日, 以李偉爲慶尙道按廉使:慶尙道營主題名記].

秋七月庚寅朔大盡,壬申, 辛卯2日, 母后禧妃尹氏·公主德寧公主兩殿及皇后奇皇后母李氏, 令義

---

24) 이는 「朴元桂墓誌銘」에 의거하였는데, 이날은 율리우스曆으로 1349년 5월 10일(그레고리曆 5월 18일)에 해당한다.

25) 이와 같은 기사가 지7, 五行1, 水, 雨雹에도 수록되어 있다. 이날 일본의 교토에서 흐리다가 비가 내렸던 것 같은데, 이에서 ~~添字~~를 추가하여야 옳게 될 것이다.
· 『師守記』 권28, 貞和 5년 5월, "廿九日己丑, 天陰□□~~雨降~~, 申剋聊休, 酉剋猶雨降".

26) 4월에는 己亥가 없다.

27) 이는 다음의 자료에 의거하였다.
· 『신증동국여지승람』 권6, 廣州牧, 樓亭, "淸風樓, 在客館東北. 古淸風亭, 牧使洪錫改構爲樓. 李穀亭記, 至正己丑忠定1年夏四月, 覲省還鄕, 行次樂生驛. 廣牧白君和父白文寶走書而邀之, 且曰, 官舍之北, 得古淸風亭, 作四柱屋, 實一州之勝, 請記之. 余李穀行忙, 姑復之曰, 後當如京, 可一至而寓目焉, 爲記未晩也. …".

28) 柳瞰은 柳墩의 오자인데, 『고려사절요』 권26에는 옳게 되어 있다. 또 그의 묘지명에는 5월 戊申(18일)에 病死[病卒]하였다고 하였는데, 『고려사』에는 丁未(17일)로 되어 있다. 이는 『고려사』의 편찬자가 『충정왕실록』을 제대로 축약하지 못한 결과일 것이다. 이날은 율리우스曆으로 1349년 6월 4일(그레고리曆 6월 12일)에 해당한다.
또 柳墩이 諡號를 받은 것은 그의 壻인 李夢正이 典法摠郞(정4품)에, 金仁琯이 典客寺丞(종6품)에 승진했던 공민왕대의 初期로 추측된다. 그리고 열전18, 柳墩, 墩에는 "忠宣~~忠定~~元年, 以僉議贊成□□□事致仕·始寧君卒, 諡章敬"으로 되어 있으나 ~~添字~~와 같이 고쳐야 옳게 될 것이다.

29) 이 기사는 열전24, 李嵒에도 수록되어 있다.

30) 이날은 율리우스曆으로 1349년 7월 2일(그레고리曆 7월 10일)에 해당한다.

31) 이는 「金台鉉妻王氏墓誌銘」에 의거하였다.

城·德泉兩倉供膳.[32)]

[○熒惑入東井:天文3轉載].

癸巳4日, 政丞王煦[自元還, 道:節要轉載]卒, [年五十四:追加].[33)] [忠宣王愛煦, 出入常同車. 及竄于吐蕃, 煦, 欲以身代, 帝聞而憐之, 及薨, 煦, 服喪奉柩東還. 既葬, 每月朔望, 私祭陵下至沒身. 煦, 剛正莊重, 稍讀書, 通大義, 再爲相, 以興利除害爲心. 及卒, 政丞盧頙, 憾整治之事, 沮官葬, 又令沿路諸驛, 禁置柩正廳, 驛吏望柩號泣, 迎入祭之如父母. 後諡譴正獻, 配享恭愍廟庭:節要轉載].[34)]

[→忠定元年, 入賀聖節東還, 至昌義縣以疾卒. 遼東部使者, 傳歸其柩, 年五十四. 爲人剛正莊重, 魁顏脩幹, 望之毅然, 平生不妄言, 稍讀書, 通大義, 能言先賢事. 好接賓客, 雖下士必待之盡禮. 再爲相, 以興利除害爲心. 及卒, 盧頙憾整治時究治已事, 沮官葬, 又令沿路諸驛, 禁置柩正廳, 驛吏望柩號泣, 迎入祭之如父母. 恭愍元年, 教曰, "予十年于朝, 從臣終始一心功力尤著者, 頗已官賞. 政丞王煦不幸先歿, 予甚悼之, 宜加贈諡, 錄其子孫". 諡正獻, 後配享恭愍廟庭. 子重貴:列傳23王煦轉載].

癸卯14日, [立秋]. 月城君李蒨卒.[35)]

[○震樹木:五行1雷震轉載].[36)]

甲辰15日, 杖流前密直□□副使金敬直于島, 貶前密直□使李承老爲宣州勾當, 前代言尹澤爲光陽監務. [敬直, 嘗毁王,[37)] 澤·承老, 以民望歸于江陵大君祺, 乃獻書中書省言, "本國兄弟叔姪相繼之故, 幼君不堪保釐之狀". 王恨之, 故有是命. 初, 忠

---

32) 이 기사는 "令義城·德泉兩倉, 供膳母后·公主兩殿及皇后母李氏"로 고쳐야 옳게 될 것이다.

33) 이는 「王煦墓誌銘」에 의거하였는데, 이날은 율리우스曆으로 1349년 7월 19일(그레고리曆 7월 27일)에 해당한다.

34) 政丞 王煦는 이해의 3월 11일(壬寅) 賀聖節使로 元에 파견되었는데, 이때 歸還하다가 遼陽行省 瀋州管內의 彰義縣[昌義縣, 章義縣, 彰義站, 現 瀋陽市 西南部에 위치한 于洪區 彰驛站鎭]에서 逝去하였다(王煦墓誌銘). 또 彰義站에는 1363년(지정13, 공민왕2) 10월 무렵 駿馬가 가장 많이 飼育되고 있었던 같다.
· 『목은시고』 권2, 彰義站有感一篇, "駿馬之多此第一, 遼西遼東無敢匹, …".

35) 李蒨은 李達衷의 父이다(열전25, 李達衷, "李達衷, 慶州人, 父蒨, 登第, 官至僉議參理, 封月城君"). 이날은 율리우스曆으로 1349년 7월 29일(그레고리曆 8월 6일)에 해당한다.

36) 이날(윤6월 14일) 일본의 교토에서 흐리다가 비가 조금씩 내렸다고 한다(『師守記』 권28, 貞和 5년 윤6월, "十四日癸卯, 天陰, 聊小雨降, 入夜晴").

37) 金敬直(金倫의 次子)에 관한 기사는 그의 열전에도 수록되어 있다(열전23, 金倫, 敬直, "累官至密直. 忠定初, 以毁辱王, 杖流海島").

肅在燕邸，尹澤上謁，一見器重，因有托孤之語，意在祺．後忠肅寢疾，復以燕邸所語，語澤，故澤於祺，素歸心焉:節要轉載].[38)]

[庚戌[21日]，熒惑犯歲:天文3轉載].

[某日，命置路次盤纏色，令百官，出紵布有差:食貨2科斂轉載].

[癸丑[24日]，月犯天關:天文3轉載].

[甲寅[25日]，□[月]入東井:天文3轉載].

[乙卯[26日]，□[月]又與熒惑同舍:天文3轉載].

丙辰[27日]，王至自元．帝遣翰林學士雙哥護行，雙哥授國印于王.[39)]

○是日，王卽位于康安殿.

[○月犯熒惑:天文3轉載].

閏[七]月[庚申朔小盡,壬申]，癸亥[4日]，王與德寧公主，宴雙哥于延慶宮.

[甲子[5日]，大風雨，城中屋瓦，皆飛．儀鳳樓頹，松岳·龍首兩山松，盡拔:五行3·節要轉載].[40)]

---

38) 이때 羅州牧使 尹澤이 江陵府院君 祺(후일의 恭愍王)의 承襲을 주창하였고, 李齊賢·權準·李穀 등이 同調하였다고 한다.

· 열전19, 尹諧, 澤, "忠穆初, 拜羅州牧. 王薨, 民望歸恭愍, 澤倡議, 與前密直□[使]李承老等, 獻書中書省言, 本國, 兄弟叔姪, 相繼之, 故少主不堪保釐之狀, 辭甚剴切. 忠定銜之, 及卽位, 貶光陽監務".

· 「李齊賢墓誌銘」, "未嘗去職, 唯忠定三年不與焉, 以公嘗奉表, 請立玄陵故也".

· 「權準墓誌銘」, "永陵復政, 進府院君, 開府置官. 明陵旣薨, 中外無所屬望, 公乃與耆舊大臣獻書宸極, 願奉今王爲君".

· 열전20, 權呾, 準, "忠穆薨, 準與耆舊大臣, 上書于元, 請立恭愍. 及卽位, 準有疾, 醫問不絶".

· 열전22, 李穀, "… 依牒復還于元, 中書差監倉, 本國拜都僉議贊成事, 尋還國. 忠定卽位, 穀以嘗請立恭愍, 不自安, 遊關東".

· 열전25, 柳淑, "忠穆薨, 耆老·百官上書中書省, 請立恭愍. 命將下, 淑聞母病, 卽日請歸. 或止之, 淑曰, '忠臣·孝子, 名異實同, 本末則有序. 況事君日長, 事親日短, 萬一不諱, 悔之何益'. 遂東歸, 母見淑喜, 病卽愈, 尋又如元".

· 「柳淑墓誌銘」, "明陵薨, 王政丞倡義上表, 請玄陵嗣位, 又以耆老·衆官書達中書省, 稼亭公實執其筆, 且夕命且下, 公聞母病, 卽日請歸, 或止之. 公曰, '忠臣·孝子, 名異實同, 本末卽有序焉, 孝之或廢, 忠將焉出, 又況忠之日長, 孝之日短, 萬一有不諱, 悔之何益', 遂歸. 母見公喜, 病卽愈. 又從先稼亭公, 游金剛山, 縱觀東海, 公曰, '今燕邸又如前日, 吾不可以久留', 遂如京師, 實聰陵元年己丑也".

39) 王字는 延世大學本과 東亞大學本에는 三字로 되어 있으나 오자일 것이다(東亞大學 2008년 9책 525面).

40) 이때 韓山郡의 馬山客館 남쪽의 廊舍가 붕괴되었던 것 같다. 또 일본의 교토에서는 이날[是日]

[某日, 王屢召義昌君孫守卿, 謝病不就:節要轉載].[41]

丁卯[8日], 以鐵城君李君侅·驪興君閔思平·代言洪峻, 提調政房.[42]

己巳[10日], 以盧頙爲□[都]僉議政丞·慶陽府院大君, [義昌君]孫守卿爲推誠宣力翊戴定遠功臣·判三司事·義昌府院君, 李君侅爲推誠守義同德贊化功臣·都僉議贊成事, 尹莘係爲都僉議贊成事, 孫洪亮爲推誠保節佐理功臣·都僉議贊成事, 金仁浩爲純誠翊贊保理[~~輔理~~]功臣·都□[都]僉議參理, 閔思平爲輸誠秉義協[協]贊功臣·都僉議參理,[43] 黃石奇爲都僉議參理, 李謙爲都僉議參理商議, [密直商議]金那海爲推誠翊戴功臣·三司右使,[44] 尹安淑爲推誠佐理功臣·三司左使, 陳斯文爲政堂文學, 李權△[爲]知都僉議□[司]事, 劉革△[爲]檢校□[都]僉議評理[~~參理~~]·平壤尹, 李公遂△[爲]判密直司事, 李峴爲密直司使, 黃河衍△[爲]知密直司事, 柳之淀·韓大淳·韓仲禮△△[~~並爲~~]同知密直司事, 尹佺·金用謙·黃順△[並]爲密直副使, 崔濡爲誠勤翊戴協[協]贊保定功臣·鷲城君, 尹時遇爲純誠協[協]德贊理功臣·杞城君, 洪峻爲密直司知申事, 李春富·崔源爲右·左代言,[45] 尹仁貴·尹時彦爲右·左副代言, 吳子淳爲典理判書, 盧永吉爲版圖判書.

[□□[~~是時~~], [前左政丞韓]宗愈以漢陽府院君, 退老其鄉, 非有事未嘗至京城:列傳23韓宗愈轉載].[46]

은 맑았으나 다음 달인 8월 5일(癸巳, 高麗曆과 同一) 京都와 伊勢에서 大風이 있었다고 한다(中央氣象臺 1941年 1冊 49面).

- 『가정집』 권6, 韓州重營客舍記, "至正己丑秋, 雨甚, 馬山客館南廊壞. 雨既霽, 農亦隙, 州人欲修之. 郡守朴君[時庸]曰, '非唯南廊, 雖廳廡幾圮陊, 盍一擧新之'. … 君名時庸, 字道夫, 密城人. 由科第任文翰, 拜監察糾正, 例出爲州云. 庚寅[忠定2年]三月日記"(『신증동국여지승람』 권17, 韓山郡, 宮室, 客館에 인용됨).
- 『師守記』 권29, 貞和 5년 7월, 8월, "[七月]五日甲子, 天晴, … [八月]五日癸巳, 時々雨降, 申剋以後吹風[風吹], 酉剋大風, 入夜甚雨大風, 民屋多以吹破云々, … 六日甲午, 天晴, 今朝吹破所々, 被加修理".
- 『續史愚抄』 권23, 貞和 5년 8월, "六日甲午, 大風發屋".
- 『史料綜覽』, 貞和 5년 8월, "颶風あり, 京都民屋被害多し, 豊水太神宮正殿瑞垣等亦壞る"(筆者 未確認).

41) 이와 같은 기사가 열전21, 孫守卿에도 수록되어 있다.

42) 이때 德寧府主簿 韓脩가 政房의 秘闍赤(必闍赤, Bichechi)이 되어 이에 참여하였던 것 같다.
- 「韓脩墓誌銘」, "… 聰陵襲位, 補德寧府主簿, 召置政房爲秘闍赤".

43) 이때 閔思平은 都僉議參理·藝文館大提學·知春秋館事에 임명되었다(閔思平墓誌銘).

44) 金那海(noqai, 金永旽과 別人)의 前職인 密直商議는 1349년(충정왕1) 10월 무렵 功臣都監이 左右衛保勝中郎將 宋允庶에게 발급하였다는 功臣錄券(抄錄)에 의거하였다(南權熙 2002년 411面).

45) 이 시기에 崔璟(崔安道의 次子)이 崔源으로 改名하였던 것 같다.
- 열전37, 崔安道, "源, 即璟也, 忠定時爲代言, 轉版圖判書".

丁丑[18日], 咸陽府院君朴忠佐卒,[47)] [年六十三, 諡文齊:追加].[48)] [忠佐, 嘗按廉全羅, 有嬖人稱內旨, 冒認良民爲隷. 忠佐執不許, 遂見譖, 杖流. 後召爲監察持平, 又爲藝文應教, 皆不就. 性溫厚儉約, 雖爲卿相, 居室·衣服, 如布衣時. 好讀易, 老而不輟:節要轉載]. [子玿·珽·瓊·璠·璵:列傳22朴忠佐轉載].

己卯[20日], 遼王遣使□[來], 享王及德寧公主.

○帝復以脫脫爲右丞相, 遣中書省宣使党忽歹·直省舍人定先等來, 頒詔,[49)] 王出迎于迎賓館.

[○鵂鶹鳴于延慶宮東城:五行1轉載].

[是月, 僧居悅·神佺等開板'大方廣佛華嚴經略神衆':追加].[50)]

八月[己丑朔大盡,癸酉], 辛丑[13日], 德寧公主享王.

癸卯[15日], 元遣使□[來], 求酥油于濟州.

[○鵂鶹鳴于延慶宮東:五行1轉載].[51)]

甲辰[16日], [寒露]. 罷整治都監.[52)]

乙卯[27日], 以盧頙爲右政丞, 孫守卿爲左政丞, 尹安淑爲贊成事, 崔天澤[崔天藏?]爲三司左使,[53)] 趙瑜△[爲]知都僉議□[司]事, [判宗簿寺事]李堅△[爲]同知密直司事商議,[54)] 洪法莊·

---

46) 原文에는 "忠定立, 權倖用事, 宗愈以府院君, 退老其鄕, 非有事未嘗至京城"으로 되어 있다.

47) 이날은 율리우스曆으로 1349년 9월 1일(그레고리曆 9월 9일)에 해당한다.

48) 이는 「朴忠佐墓誌銘」에 의거하였고(秦星圭 2012년), 이와 관련된 자료로 다음이 있다.

・『芝湖集』 권5, 恥菴朴公事實[注, 丁卯[肅宗13年]仲冬], "公諱忠佐, 字子華, 號恥菴, 咸陽人, … 贈諡文齊. 有五子二女, 子玿·珽·瓊左代言翰林提學·璠·璵知申事, 女適~~左贊成~~洪有龍·崔敦, 玿·珽·璠·崔敦官位, 俱未詳". 여기에서 洪有龍의 직책[左贊成]은 조선시대의 宰相職이지만, 實職은 아닌 것 같다(『태종실록』 권31, 16년 6월 丁卯[7日], 前全羅道水軍節制使 洪有龍이 南原에 安置됨).

49) 脫脫[Togto]은 이달 2일(辛酉)에 中書右丞相에 임명되었다(『원사』 권42, 본기42, 순제5, 至正 9년 윤7월 辛酉).

50) 이는 다음의 자료에 의거하였다(海印寺 所藏, 국보 제206-13호, 林基榮 2009년).

・『大方廣佛華嚴經略神衆』刊記, "至正九年閏七月日,」 □□庵散釋庵居悅 幹緣,」 同願入撰神佺刊」".

51) 原文에서 癸卯 앞에 八月이 탈락되었다.

52) 이와 관련된 기사로 지31, 百官2, 整治都監, "忠定王元年, 罷"가 있다.

53) 崔天澤은 이 시기 이전의 履歷이 찾아지지 않는데, 1324년(충숙왕11) 2월 11일 推誠佐命保節功臣·同知密直司事에, 같은 해 5월 密直司使에 각각 임명된 崔天藏의 改名으로 추측된다.

54) 李堅의 前職인 判宗簿寺事는 1349년(충정왕1) 10월 무렵 功臣都監이 宋允庶에게 발급하였다는 功臣錄券(抄錄)에 의거하였다(南權熙 2002년 411面).

吳子淳△[並]爲密直副使，尹桓爲輸誠亮節宣力保理[輔理]功臣·漆源府院君，尹莘係爲誠勤協贊[協贊]佐命功臣·鳳城君，黃石奇爲檜山君，李謙爲春城君，尹忱爲純誠輔理翊衛功臣·鈴原君，康之衍爲信原君,[55] 辛孟爲寧城君，印暉爲誠勤贊理功臣·陽原君，辛唐係·丘天祐·尹仁貴並爲典理判書，金光祚爲軍簿判書，康允暉·李英遠並爲版圖判書,[56] [李子脩爲承奉郎·試監察糾正:追加].[57]

丁巳[29日]，幸榮安王大夫人[奇皇后母李氏]第.

是月，立王母禧妃府曰慶順，[置丞·注薄各一，舍人二:列傳2忠惠王妃禧妃尹氏轉載].

九月[己未朔小盡,甲戌]，庚申[2日]，遣贊成事李君侅如元，謝襲位.

甲戌[16日]，元遣使來，推太史府田民兼刷御馬.

[丁丑[19日]，山羊及狐·獐入城市:五行2轉載].

戊寅[20日]，醴泉府院君權漢功卒.[58]

[→漢功，官至都僉議政丞，醴泉府院君，嘗受元命爲太子左贊善．忠定元年卒，諡文坦．子仲達，孽子仲和:列傳38權漢功轉載]，[仲達，官至判宗簿寺事，宣授宣武將軍·諸軍萬戶府萬戶，封花原君．子嗣宗判事，襲萬戶職．仲和，登至正癸巳乙科第三人，事恭愍王爲代言，遷知申事，掌銓選，謹愼周密，不私親舊，恭愍甚重之．以政堂文學，同知丁巳貢擧，門下多名士．恬靜自守，不附權貴，爲世所重，累官至門下贊成事．入我朝，以耆年宿德，拜判門下府事，封醴泉伯，以本官仍令致仕．通曉故事，凡有詳定，必就而咨之．年雖遲暮，精力不衰，醫藥地理卜筮，靡不通曉，尤長於大篆八分．平居不治生產，與人竝坐，捫蝨而談．其老也，只畜一疥馬，年八十七而終．輟朝三日，命中官弔祭，有司禮葬，贈諡文節．中宮亦遣內侍致祭．一子

---

55) 康之衍은 姜之衍으로 달리 표기되어 있는데, 이때 그가 信原君·信山君 등으로 册封되고 있음을 보아 信川을 本貫으로 하는 康之衍이 옳을 것이다.

56) 李英遠은 이보다 먼저 德寧府(忠惠王妃 德寧公主의 府)의 右司尹으로 재직하였던 것 같다.
· 『陶谷集』 권25, 伊川諸勝遊覽記, "… 遊古歸樂寺基，入菩薩寺．… 又蓮華經一帖，白質印本，筆法亦妙，末書施主奉翊大夫·前德寧府右司尹李英遠，同願善女趙氏妙淸，前郎將門碩琦[閔碩琦?]".

57) 이는 「李子脩政案」에 의거하였다.

58) 『고려사절요』 권26에는 醴川府院君으로 되어 있으나 誤字일 것이지만(盧明鎬 等編 2016년 660面), 이러한 誤謬는 『조선왕조실록』에서도 마찬가지이다. 이날은 율리우스曆으로 1349년 11월 1일(그레고리曆 11월 9일)에 해당한다. 또 權漢功에 관련된 자료와 後世의 意見, 評價에 대한 새로운 견해의 제시도 있다(張東翼 2011년b, c ; 李鎭漢 2019년a,b).

邦緯, 至都摠制:追加].[59)]

[己卯[21日], 唐店火:五行1火災轉載].

[某日, 初, 王之宴雙哥也, [德寧]公主南面, 王東面. 監察大夫李衍宗上書, 言其非禮, 因有譖之者, 下左右司責問, 衍宗引禮訟辨, 不屈:節要轉載].[60)]

[是月某日, 某人寫成'金字妙法蓮華經'一帖:追加].[61)]

[秋某月, 前都僉議贊成事李穀, 以嘗請立江陵府院君祺, 不自安, 游關東:追加].[62)]

冬十月戊子朔[大盡,乙亥], [都僉議右政丞]盧頙罷, 以孫守卿爲右政丞, [贊成事]李君侅爲左政丞,[63)] [都僉議贊成事]孫洪亮△[爲]判三司事, [僉議參理]廉悌臣·許伯△[並]爲[都僉議]贊成事, 柳濯·陳斯文△[並]爲都僉議參理, [判密直司事]李公遂爲政堂文學, 黃河衍△[爲]判密直司事, 趙雙重·金龜年△[並]爲密直副使, 崔源爲開城尹, 洪峻爲密直提學, 郭珚[郭瑂]爲知申事, 李春富·尹時彥爲右·左代言, 李培中·閔抃爲右·左副代言.[64)]

---

59) 仲達은 다음의 자료에 의거하였고, 仲和는 『태종실록』 권16, 8년 11월 丁卯(29일), 權仲和의 卒記를 轉載하였다.

- 『成化安東權氏世譜』, 宇字, "子漢功-[1]子仲達花原君, [2]子仲和領議政·呂川君[醴川君], 女夫李得壽檢□[校]侍中·後夫廉悌臣政丞". 子仲達[1]女夫全貴宰臣, [2]女夫柳惠芳□[知]郡事, [3]女夫閔瑾驪城郡, [4]女夫李穡韓山府院君, [1]子嗣宗判事, [2]子季容呂川君[醴川君], [5]女夫金允轍典書. 子仲和 [1]女夫韓寧錄事,贈判書見食字, [1]子邦緯都摠制. …". 여기에서 ~~添字~~와 같이 고쳐야 옳게 될 것이고, 韓寧은 仁粹大妃(韓確의 女, 成宗의 母)의 曾祖父이다.
- 『三灘集』 권13, 權噐(𨇾)墓碣, "權後, 諱噐(𨇾), 字彭叟, … 諱嗣宗, 官至宣授宣武將軍·諸軍萬戶府萬戶兼判宗簿寺事, 於侯爲曾祖".

60) 이 기사는 다음의 기사에도 수록되어 있으나 字句에 出入이 있다.

- 열전19, 李承休, 衍宗, "忠定初, 爲監察大夫. 王宴元使雙哥, 忠惠[德寧]公主南面, 王東面, 衍宗上書言其非禮. 因有譖之者, 下左右司責問, 引禮力辨, 終不屈". 여기에서 ~~添字~~와 같이 고쳐야 옳게 될 것이다.

61) 이는 다음의 자료에 의거하였다.

- 『陶谷集』 권25, 伊川諸勝遊覽記, "… 遊古歸樂寺基, 入菩薩寺. … 又蓮華經一帖, 以金字圖畫, 而下書經文, 其書似亦金字, 而色頗異, 心怪之. 見下端, 有刺血書及至正九年己丑九月日出血等字. 乃知和血, 故其色如許也".

62) 이는 다음의 자료에 의거하였다.

- 열전22, 李穀, "忠定卽位, 穀以嘗請立恭愍, 不自安, 遊關東".
- 『가정집』연보, "至正九年, 秋游關東".

63) 이 시기에 李君侅는 軍士를 거느리고 禮成江의 戰艦을 點檢하였던 것 같다.

- 열전24, 李嵒, "拜左政丞. 閱戰艦于江邊, 帶弓矢從者三十餘騎, 二騎前導, 觀者以爲僭".

64) 郭珚은 郭瑂의 오자로 추측된다.

[己丑[2日], 暴雨, 雷電:五行2轉載].

[庚寅[3日], 小雪. 風, 看樂樓頹:五行3轉載].

[甲午[7日], 雷:五行1雷震轉載].[65)]

丁酉[10日], 以[右政丞]孫守鄉[孫守卿]·[都僉議參理]閔思平·[杞城君]尹時遇·[右副代言]李培中, 提調政房.

癸丑[26日], 親設靈寶道場于康安殿.

○分遣察訪別監于諸道.[66)]

[某日, 典理判書尹仁貴率惡小[惡少]鄭都伊, 夜入廉孝臣家, 奪其妾. 鄭都伊, 又私卒江寧大君妻王氏. 監察司鞫之:節要轉載].

[某日, 江陵□□[府院]大君祺[恭愍王]在元, 尙衛王[魏王]女, 是爲魯國公主:節要轉載].[67)]

[某日, 以鄭云敬爲交州道按廉使:追加].[68)]

[是月頃, 以[正順大夫]張元碩爲福州牧使:追加].[69)]

[十一月[戊午朔小盡,丙子], 是月頃, 以河有圖爲永州判官, 律學博士安仁範爲雞林府法曹兼參軍事:追加].[70)]

[十二月丁亥朔[小盡,丁丑]:追加].

---

65) 이때 일본 교토의 날씨는 1일(戊子)은 陰晴이 불분명하였고, 2일(己丑)은 비가 개였고, 3일과 4일은 맑았고, 5일(壬辰)은 개였고, 6일은 맑다가 때때로 비가 뿌렸고, 7일과 8일을 맑았다고 한다.
· 『師守記』 권31, 貞和 5년 10월, "一日戊子, 陰晴不定, 時々小雨灑, … 二日己丑, 天霽, … 三日庚寅, 天晴, …四日辛卯, 天晴, … 五日壬辰, 天霽, … 六日癸巳, 天晴, 謚々小雨灑, … 七日甲午, 天晴, … 八日乙未, 天晴".

66) 이때의 察訪別監은 察訪使(3品官)보다는 品秩이 낮은 5~6品의 巡察官이었던 것 같다(→공민왕 11년 10월 7일).

67) 당시 魏王의 딸인 寶塔失里[Buda Siri] 公主는 西北地域의 먼 곳에서 居住하고 있다가 婚姻을 위해 다이두[大都]로 왔던 것 같다(세가38, 恭愍王, 總說). 이때의 魏王은 충숙왕비 金童(曹國長公主, 阿木哥의 女)의 형제인 孛羅帖木兒[Boru Temur]로 추정된다(『원사』 권107, 표2, 宗室世系表, 順宗皇帝, 魏王阿木哥位).
· 열전2, 恭愍王妃, 魯國大長公主, "徽懿魯國大長公主寶塔失里, 元宗室魏王之女. 王在元, 親迎于北庭, 元封承懿公主".
· 『목은문고』 권14, 廣通普濟禪寺碑銘幷序, "歲己丑, 尙宗親衛王[魏王]之女. 親迎于北庭數千里之地".

68) 이는 『삼봉집』 권4, 鄭云敬行狀에 의거하였다.

69) 이는 『안동선생안』에 의거하였다.

70) 이는 『영천선생안』 ; 『동도역세제자기』에 의거하였다.

[是年, 又置盤纏色, 令百官出苧布, 有差:百官2轉載].

[○遣德城府院君奇轍如元:追加].[71)]

[○前政丞姜融卒:列傳37姜融轉載].

[○以尹侅爲監察執義:追加].[72)]

[○以[資贍司使]崔宰爲知襄州事:追加].[73)]

[○以[前式目都監錄事]河允潾爲膳官署丞:追加].[74)]

[○以布帛一疋爲四十尺, 絹一疋直布四五疋:追加].[75)]

[○元以李仁復爲征東行省左右司都事, 罷本國任三司左使:追加].[76)]

[是年三月, 湖廣行省廣西道容州陸川縣達魯花赤高麗人剌馬丹卒:追加].[77)]

[是年頃, 開書筵, 以知密直司事金光載爲師, 固辭:列傳23金光載轉載].[78)]

庚寅[忠定王]二年, 元至正十年, [西曆1350年]

1350년 2월 7일(Gre2월 15일)에서 1351년 1월 27일(Gre2월 4일)까지, 355일

春正月[丙辰朔大盡,戊寅], 庚午[15日], 王以父王[忠惠王]忌日, 如神孝寺.

庚辰[25日], 曲宴師傅·[都僉議參理]商議閔思平·侍學申德隣·安吉祥·奉質·孫桂.

[○市邊行廊火:五行1火災轉載].

---

71) 이는『동문선』권85, 奇平章□[政]事奉使錄序(李達衷 撰)에 의거하였다.

72) 이는「尹侅墓誌銘」에 의거하였다.

73) 이는 다음의 자료에 의거하였다.
- 「崔宰墓誌銘」, "歲己丑, 出知襄州□[事], …".
- 열전24, 崔宰, "忠定時, 知襄州, 有使者降香, 淩辱存撫使, 宰曰, 將及我矣. 棄官歸".

74) 이는『동문선』권121, 河允潾神道碑銘에 의거하였다.

75) 이는 다음의 자료에 의거하였다(李宗峯 2016년 113面).
- 『목은시고』권30, 錄婦言幷序, "昔在獨七房, 以寢席一張, 五升布三疋買生絹廿四尺, 又五疋買絹一疋, 是至正己丑歲也. 若鄕綿紬四十尺, 直五升布四疋而已, 今則絹一疋, 直布七十疋, 綿紬四十尺, 直三十疋, 衣服安得如舊哉. … 至正己丑歲, 四海富布粟, 匹絹四五布, …".

76) 이는「李仁復墓誌銘」에 의거하였다.

77) 大都 宛平縣出身의 高麗人인 剌馬丹[Ramadan]은 3월 23일(甲寅)에 38歲로 逝去하였다고 한다(「剌馬丹墓誌」, 廣東省 廣州市 懷聖寺 所藏, 陸藝 2000年 ; 朴現圭 2004년).

78) 原文에는 "… 陞知司事. 忠定卽位, 開書筵, 以光載爲師, 固辭"로 되어 있다.

[某日, 以崔龍生爲慶尙道按廉使, 旣而遆, 以金有謙代之:慶尙道營主題名記].[79)]

二月丙戌朔小盡,己卯, [某日], 倭寇固城·竹林竹林·巨濟□□等處. 合浦千戶崔禪·都領梁琯等, 戰破之, 斬獲三百餘級. 倭寇之侵, 始此.[80)]

壬辰7日, [春分]. 以持平崔龍生爲慶尙道按廉使, 龍生疾宦寺恃寵上國, 流毒東民, 牓其惡, 以示國人. 御香使宦者朱完之帖木兒朱完之帖木兒,[81)] 訴龍生于王及德寧公主, 以金有謙代之.[82)]

○遣前贊成事權謙·密直副使?吳子淳如元, 賀聖節.

壬寅17日, 親設倭賊祈禳法席于延慶宮.

[是月, 優婆夷·延安郡夫人李氏慈行造成'紺紙金字華嚴經'·'銀字大方廣佛華嚴經世主妙嚴品':追加].[83)]

三月乙卯朔大盡,庚辰, 乙丑11日, 雲南王遣使來.[84)]

[○月暈軒轅, 入大微太微:天文3轉載].

---

79) 崔龍生은 是年 2월 7일에 의거하였다. 『경상도영주제명기』에는 春夏番[春夏等]按廉使 金有謙만이 기록되어 있고 崔龍生은 등재되어 있지 않다. 崔龍生은 1354년(공민왕3) 8월 中正大夫·典校令·晉州牧使兼管內勸農使로서 『졸고천백』을 간행하였다(권2, 刊記).

80) 竹林은 竹林의 오자일 것이다. 『고려사절요』 권26에는 옳게 되어 있는데, 等處도 이에 의거하였다. 또 竹林은 固城縣 동쪽 지역에 있던 竹林部曲(現 慶尙南道 統營市 光道面 地域)이며 고려 후기에 竹林戍가 위치해 있었다(蔡雄錫教授의 教示).
- 『신증동국여지승람』 권32, 固城縣, 古跡, "竹林部曲, 在縣東四十里".
- 『대동지지』 권10, 固城, 鎭堡, "竹林戍, 在竹林部曲, 高麗置戍".

81) 朱完之帖木兒는 『고려사절요』 권26에는 朱元之帖木兒로 되어 있으나 모두 朱完者帖木兒(朱完者鐵木兒, Öljie Temur)의 다른 表記일 것이다(盧明鎬 等編 2016년 660面→충혜왕 後4年 6월 24일의 脚注).

82) 崔龍生은 1354년(至正14, 공민왕3) 8월 晋州牧에서 改版된 『졸고천백』의 刊記에서 "牧使·中正大夫·典校令兼管內勸農使"를 띠고 있었다.

83) 이의 末尾는 義相和尙의 一乘發願文을 筆寫한 것인데, 題記는 다음과 같다(國立中央博物館 所藏, 朝鮮總督府博物館 1937年 第9輯 ; 中吉 功 1973年b 320面 ; 호암갤러리 1993년 166面 ; 文明大 1994년 2책 308面 ; 張忠植 2007년 210面).
- 題記, "… 至正十年庚寅二月 日誌,」 施主延安郡夫人李氏 慈行敬受,」 亡耦司卿 金碩,」 亡母秦氏,」 亡父宰臣 李思溫」. 여기에서 등장한 李思溫은 1313년(충선왕5) 1월에 다이두[大都]에서 密直使로 在職하면서 化平君 金深과 함께 충선왕의 歸國을 慫慂하다가 陝西行省 臨洮府에 安置된 인물이다(→충선왕 5년 2월 16일).

84) 이때의 雲南王은 孛羅(孛剌, 孛魯, 孛羅, 甫羅, Boru)로 推定된다(→공민왕 2년 2월 29일).

[丙寅[12日], 月與熒惑同舍, 又入大微[太微]:天文3轉載].

庚辰[26日], 以延城君李權爲慶尙·全羅道都指揮使, □[都]僉議參理柳濯爲全羅·楊廣道都巡問使,[85] 以備倭.

[是月頃, 以[通仕郞]許彥龍爲福州司錄:追加].[86]

夏四月[乙酉朔小盡,辛巳], 戊戌[14日], 雨雹, 大如李梅, 殺禾.[87]

○倭船百餘艘寇順天府, 掠南原·求禮·靈光·長興□[府]漕船.[88]

[某日, 以鄭云敬爲典儀副令:追加].[89]

[是月, 僧玄哲與冬排·万如·裴丁等造成'彌勒下生經變相圖':追加].[90]

五月[甲寅朔大盡,壬午], 丙辰[3日], 元遣使□[來], 頒赦, 王出迎于迎賓館.[91]

己未[6日], 王宴元使.

[己巳[16日], 月食:天文3轉載].[92]

---

85) 楊廣道는『고려사절요』권26에는 揚廣道로 되어 있으나 오자이다(盧明鎬 等編 2016년 661面).

86) 이는『안동선생안』에 의거하였다.

87) 이와 같은 기사가 지7, 五行1, 水, 雨雹에도 수록되어 있다.

88) ~~添字~~는『고려사절요』권26에 의거하였다. 또 이 기사를 글자 그대로 해석하면, "倭船 100餘艘가 順天府에 침입하여 南原·求禮·靈光·長興府 등의 漕運船을 노략하였다"라고 할 수 있다. 그렇지만 靈光이 順天灣에서 北西方으로 멀리 떨어진 지역인 점을 考慮하여 다음 자료에 따르면 "倭船 100餘艘가 順天, 求禮, 靈光, 長興의 沿海를 공격하여 해당 군현의 조운선을 노략하였다"라고 해석될 수도 있다고 한다(韓禎訓 2010년).

· 『동사강목』권14上, 庚寅, 충정왕 2년, "夏四月, 倭掠順天等地. 倭掠順天·南原·求禮·靈光·長興府漕船. …".

89) 이는『삼봉집』권4, 鄭云敬行狀에 의거하였다.

90) 이는 和歌山縣 高野町 大字高野山 親王院(五坊寂靜院)에 소장된「絹本著色彌勒下生經變相圖」의 畵記에 의거하였다(熊谷宣夫 1967年 ; 吉田宏志 1979年 單色圖版6 ; 百橋明穗 1980年 ; 菊竹淳一 1981年 ; 洪潤植 1995년 24面 ; 張東翼 2004년 738面).

· 畵記, "至正十年庚寅四月」日, 貧道玄哲, 謹發願」誠,同願法界檀邦, 同」龍華三會, 聽聞說」法, 廣度群生耳,」同願施主冬排,」万如, 裴丁, 玄杲,」賢漻, 戒如, 黃甫,」昇白, 金守, 尹子[于?], 金于,」金旦, 李松, 李守, 孫□,」裴仲, 裴同, 升守, 洪文[夫?],」尹仲任, 桂升, 戒洪,」畵手悔前」.

91) 몽골제국은 4월 13일(丁酉) 天下에 赦免令을 내렸다(『원사』권42, 본기42, 순제5, 지정 10년 4월 丁酉). 또 ~~添字~~는『고려사절요』권26에 의거하였다.

92) 이날 일본의 교토에서도 월식이 예측되었으나 비가 내렸다고 한다(日本史料6-13책 660面, 5월 15일). 이날은 율리우스曆의 1350년 5월 16일이고, 월식 현상이 심했던 때의 世界時는 17시 12분, 食分은 0.48이었다(渡邊敏夫 1979年 484面).

· 『祇園執行日記』, 觀應 1년 5월, "十五日 雨降, 一. 蝕子丑刻".

乙亥[22日], 以尹時遇爲都僉議□□□[~~贊成事~~],[93] 崔濡·趙瑜爲[都僉議]參理, 崔天澤△[爲]知都僉議□[司]事, 姜得龍[~~康得龍~~?]爲三司左使,[94] 韓仲禮爲政堂文學, 韓大淳△[爲]判密直司事, 尹侳·李堅·[密直副使]黃順並知密直司事, 吳子淳·金龜年△△[並爲]同知密直司事, 洪瑜·金承漢·金尙璘·[右代言]李春富·高忠並爲密直副使, 郭珚爲密直提學, 尹時彥爲知申事, 李居敬爲左代言, 尹陟·孫得壽爲右·左副代言.

[○[興海君·理問]裴侳謂崔濡曰, "爾爲~~六宰~~[~~參理~~], 我所薦也". 濡勃然曰, "吾顧因爾力乎?", 遂拳辱之[~~毆之~~]. 又言於王曰, "援立之功, 無出臣右, 然由知都僉議□□[~~司事~~], 纔陞參理. 尹時遇有何功, 以密直副使拜三宰?, 其父莘係, 叔父安淑, 亦皆嘗爲三宰, 豈彼傳家之職乎?". [都僉議參理商議]閔思平叱曰, "汝乃抄奴[~~抄大~~]之後, 六宰於汝極矣, 何不知足?". 濡怒歐思平. 王怒濡, 而不能斥. 時[尹]時遇在王側弄權, 人目之曰'尹王'. 侳亦猶在公主宮, 用事如舊, 干謁者, 不因時遇, 則必托于侳. ○監察司劾濡·思平相鬪, 遣所由, 執濡家婢以來, 濡使[遣]奴, 歐所由, 奪婢而去. □[都]僉議司亦劾之. [~~時,~~] 濡弟版圖判書源怨王, 有不遜語, 王下源于巡軍, 命右政丞孫守卿鞫之, 源不肯就獄, 守卿强致之, 令跪, 源不服曰, "政丞曾不知, 皇帝怯薛, 固不可罵辱, 亦不可鞫問耶? 罵辱自有邦憲". 拂袂而出:節要轉載].[95]

[→忠定時[~~先是~~], [興海君裵侳]爲行省理問, 元以侳及郎中金永煦·員外郎李元弼等, 受賕放倭賊, 囚鞫之. 會赦免, 侳猶在公主宮中, 用事如舊. 時都僉議□□□[~~贊成事~~]尹時遇在王側弄權, 人目之曰'尹王'. 干謁者, 不因時遇, 則必托侳:列傳37裵侳轉載].[96]

庚辰[27日], 倭船六十六艘寇順天府, 我兵追獲一艘, 斬十三級.

[是月, 成均祭酒全卿, □□□□[掌升補試], 取李玖等:選擧2升補試轉載].

[○元國子監生李穡, 分學上都, 秋歸覲高麗, 冬還大都:追加].[97]

---

93) 都僉議는 都僉議贊成事의 贊成事가 탈락된 것이다. 尹時遇는 1년 후인 1351년(공민왕 즉위년) 11월 29일(乙亥)에 贊成事로 角山(現 慶尙南道 固城郡)에 流配되었다.

94) 姜得龍은 『고려사』에서는 姜得龍과 康得龍으로, 『고려사절요』에서는 姜得龍으로 표기되어 있다. 어느 것이 옳은지를 판가름하기 어려워서 後者(神德王后 康氏의 오빠인 康舜龍과 관련이 있는 人物로 추측된다)를 채택하였다.

95) ~~添字~~는 열전44, 崔濡에 의거하였는데, 그 以外에도 字句에 出入이 있어 함께 살펴보아야 할 것이다.

96) 原文의 忠定時는 이곳에서는 先是로 고쳐야 옳게 될 것이다.

97) 이는 다음의 자료에 의거하였는데, 여기에서 夏分學上都는 皇帝가 避暑를 위해 上都로 행차할 때 國子監生들도 隨從하는 것을, 冬還學은 幸次가 耐寒을 위해 9월에 大都로 復歸할 때 監生들도 復歸하는 것을 가리킨다. 또 이해의 12월 20일 開京을 출발하여 明年 1월 國子監

六月甲申朔大盡,癸未, [某日, 僉議參理崔濡與其弟版圖判書崔源·崔有龍, 奔于元:節要轉載].[98)]

[丙戌3日, 暴風疾雨, 拔木損禾:五行3轉載].

丁酉14日, 倭船二十艘寇合浦, 焚其營及固城·會原諸郡.

辛丑18日, 倭寇長興府安壤鄕.[99)]

[→倭賊二十艘寇合浦, 焚其營, 又寇固城·會源會原·長興府:節要轉載].[100)]

[某日, 以宋光彦爲慶尙道按廉使:慶尙道營主題名記].

秋七月甲寅朔小盡,甲申, 庚申7日, 王以聖甲, 幸旻天寺, 行香.[101)]

[丁丑24日, 有星晝見:天文3轉載].

[戊寅25日, 亦如之有星晝見:天文3轉載].

[八月癸未朔大盡,乙酉, 壬辰10日, 兩虹見:五行1虹霓轉載].

[戊戌16日, 王以誕日, 宴群臣, 前贊成事尹桓·□□密直提學郭珚 以事相詰, 桓, 攘臂歐珚:節要轉載].[102)]

[己酉27日, 寒露. 淮陽□府大水, 漂沒官廨·民戶及金剛山諸寺:五行1水潦轉載].

九月癸丑朔大盡,丙戌, 以李凌幹爲川寧府院君, 僉議評理·提調銓選事金光載爲三司右使,

에 귀환하였다.

· 『牧隱集』年譜, "至正十年庚寅, 夏分學上都, 冬還學, 秋歸覲".

· 『牧隱詩藁』 권2, 出鳳城, "皇帝龍飛十八春至正十年, 赫然萬目俱更新. 夔皐稷契效寅亮, 躋世唐虞堯舜民. … 天敎小臣生東垌, 變化氣質希螟蛉. 負笈來游璧水下, 垂年聽癸絃誦聲. 今朝垂橐故山去, 騎馬悠悠出鳳城". 이 시문은 1350년(至正10) 날로 발전하는 몽골제국에서 李穡이 國子監에서 修學하다가 어떤 성취를 이루지 못하고 고향을 향하여 말을 타고 皇城[鳳城]을 나간다는 것을 서술한 것이다.

· 『목은시고』 권2, 十二月二十日, 發王京, 明年正月還學, 詩文省略.

98) 이 기사는 열전44, 崔濡에도 수록되어 있다.

99) 安壤鄕은 安懷鄕으로 表記되기도 하였고, 長興府의 동쪽 10里에 위치해 있었다고 한다.

· 『신증동국여지승람』 권37, 長興都護府, 古跡, "安壤鄕, 一作安懷, 在府東十里".

100) 添字와 같이 고쳐야 옳게 될 것이다(盧明鎬 等編 2016년 661面).

101) 聖甲은 皇帝가 태어난 해의 干支인데, 당시 몽골제국의 惠宗[順帝]은 1320년(延祐7, 庚申) 4월 17일(丙寅)에 출생하였다(『원사』 권38, 본기38, 순제1, 總論).

102) 忠定王의 誕日은 8월 16일이고(→忠定王 總論), 이와 같은 기사로 다음이 있다.

· 열전27, 尹桓, "王嘗宴群臣, 前贊成事桓詰政房提調郭珚, 以受賂事. 珚不應, 桓攘臂毆珚, 左右止之, 不得". 이때 郭珚은 密直提學으로 政房提調를 겸직하였던 것 같다.

孫洪亮爲福川府院君, 李台寶爲星山君, 陳斯文爲昌陽君,[103] 韓仲禮爲繼城君, 朴延俊爲淸原君. [時先是, 光載提調政房, 德寧公主頗多干預, 王不能制. 光載奮然而出, 公主再召, 竟不應:節要轉載].[104]

[某日, 設行征東行省鄕試, 取白彌堅·金仁琯·典校校勘田祿生等三人:追加].[105]

[某日, 遣左獻納白彌堅·前典客寺丞金仁琯, 應擧于元. 初, 田祿生亦在解額, 嘗爲整治都監官, 究治權豪, 故疾而沮之:節要轉載].

[→典校校勘田祿生, 中征東鄕試. 祿生嘗爲整治官, 究治權豪, 忤其意, 以故沮之, 未得應擧:列傳25田祿生轉載].

己未7日, 德寧公主如元, 王餞于金郊.[106]

乙丑13日, [霜降]. 遣蘇復別監于諸道.

[丙寅14日, 雨雹, □大如李:五行1雨雹轉載].

冬十月癸未朔小盡,丁亥, 庚寅8日, 親設靈寶道場于康安殿.

[壬寅20日, 故井邑監務李自成妻三韓國大夫人李氏卒, 年八十三. 李氏, 韓山君李穀之母也:追加].[107]

十一月壬子朔大盡,戊子, 日食.[108]

[丙寅15日, 冬至. 月食:天文3轉載].[109]

---

103) 陳斯文(?~1363)의 墓所는 京畿道 龍仁市 南四面 元岩里 38에 있다고 한다(龍仁市 2001년 432面).

104) 이와 관련된 기사로 다음이 있다.
- 열전23, 金台鉉, 光載, "… 拜僉議評理, 仍掌銓選. 時德寧公主, 頗干預政事, 王不能沮. 光載奮然而出, 公主再召竟不應. 俄遷三司右使, 白王曰, '文選吏曹主之, 武選兵曹主之. 摠于政房, 自權臣始, 非令典也, 請復舊制', 王從之. 然必欲用光載, 命兼典理判書". 여기에서 本文의 時는 先是로 고쳐야 옳게 될 것이다.

105) 이는 征東行省의 鄕試가 明年의 會試, 廷試에 앞서 실시됨을 考慮하여 追加한 것이다.

106) 이 기사는 열전2, 忠惠王妃, 德寧公主에도 수록되어 있다.

107) 이는『익재난고』권7, 李自成妻李氏墓誌銘에 의거하였다.

108) 이날 中原에서도 일식이 있었다(『원사』권42, 본기42, 順帝5, 至正 10년 11월 壬子). 그런데 이날(율리우스력의 1350년 11월 30일)의 일식은 북동아시아 3국이 中心食帶에서 벗어나 있었기에 몽골제국과 고려에서 관측될 수 없었다고 한다(渡邊敏夫 1979年 312面). 그래서 일본에서는 일식에 대한 기록이 찾아지지 않는 것 같다(高麗曆과 같음, 日本史料6-14책 1面).

109) 이날은 율리우스력의 1350년 12월 14일인데, 월식에 관련된 각종 정보가 없다(渡邊敏夫 1979年 485面).

己巳[18日], 倭寇東萊郡.

[是月丙辰[5日], 元以高麗瀋王之孫脫脫不花等爲東宮怯薛官:追加].[110)]

十二月[壬午朔小盡,己丑], 甲申[3日], 遣贊成事廉悌臣·前贊成事尹莘係如元, 賀正.

[是月頃, 水原府使吳軾招元國子監生李穡, 唱和詩文:追加].[111)]

[冬某月, [元使?]方朶兒赤[方節]造成金剛山長安寺鋺一座:追加].[112)]

[是年, 置麗水縣令:追加].[113)]

[○因倭寇, 遷珍島縣於靈巖郡管內昆湄縣:轉載].[114)]

[○全羅道都巡問使柳濯率麾下郞將金先致禦倭寇, 擊殺數十人:追加].[115)]

---

110) 이는 『원사』 권42, 본기42, 순제5, 至正 10년 11월 丙辰에 의거하였다.

111) 이는 다음의 자료에 의거하였다.

· 『목은시고』 권2, 用兪先生[思庵]韻, 呈[水原]府尹吳諫議[注, 諱軾], "平生久願識荊州, 傾蓋何期漢水秋, 拄笏山光滿簾額, 彈琴日影轉床頭, 淸心自對一盂水, 豪氣如登百尺樓, 記取朝天歸去後, 溪聲獨與政聲留".

112) 이는 長安寺鋺의 銘文에 의거하였는데(許興植 1984년 1187面), 鋺은 金屬製 작은 食器[주발, 碗, 椀]을 指稱하는 것 같다. 또 方朶兒赤(方朶兒只, 方Dorji)은 宦者로서 몽골제국에 들어가 太子詹事府 內詹事를 역임했던 內侍監 方節(蒙古名 朶兒赤帖木兒, Dorji-Temur)로 추측되는데(→공민왕 8년 6월 26일), 그는 이후 方都赤(方都兒赤의 缺字, 方朶兒赤→9년 7월 17일), 溫陽府院君 方節(12년 윤3월 11일)로 표기되었다.

113) 이는 다음의 자료에 의거하였는데, 十年은 二年의 오자일 것이다(東亞大學 2012년 15책 662面).

· 『세종실록』 권151, 지리지, 順天都護府, 麗水, "忠定王二年, 別置縣令".

· 지12, 지리2, 麗水縣, "忠定王十年[二年], 置縣令".

· 『신증동국여지승람』 권40, 順天都護府, 古迹, 麗水廢縣, "在府東六十里 … 高麗改今名, 忠定王十年[二年], 置縣令. 本朝太祖五年, 還來屬".

114) 이는 다음의 記事를 轉載, 利用하였다.

· 지12, 지리2, 珍島縣, "忠定王二年, 因倭寇, 遷內地".

· 『신증동국여지승람』 권35, 靈巖郡, 古跡, "昆湄廢縣, 在郡西三十里. 本百濟古彌縣, 新羅改今名來屬, 高麗及本朝因之. 古珍島, 在昆湄縣西, 高麗忠定王時, 珍島縣因倭寇失土, 僑寓於此. 今還本土, 邑基猶存".

115) 이는 다음의 자료에 의거하였다.

· 『태조실록』 권13, 7년 3월 己巳[22日], "前密直使金先致卒. 先致, 尙州人, 判宗簿寺事君實之子. 仕前朝, 初拜散員, 遷至郞將. 壬午[忠定3年], 從全羅道都巡問使柳濯禦倭寇, 擊殺數十人".

· 열전27, 金先致, "得培之弟, 以郞將, 從全羅道都巡問使柳濯擊倭, 手殺數十人, 累轉戶部郞中".

[○以監察執義尹侅爲奉順大夫·判小府事·知典法司事:追加].[116)]

[○以李承祐爲延安府使:追加].[117)]

[○以通直郞李稱爲福州判官:追加].[118)]

[○前密直副使王伯卒, 年七十四. 無子:列傳22王伯轉載].

[○僧粲英赴九山選, 登上上科:追加].[119)]

[○元以前中瑞司典簿李穀爲奉議大夫·征東行省左右司郞中:追加].[120)]

辛卯[忠定王]三年, 元至正十一年, [西曆1351年]

1351년 1월 28일(Gre2월 5일)에서 1352년 1월 17일(Gre1월 25일)까지, 355일

春正月辛亥□朔小盡,庚寅, [立春]. 贊成事李穀卒,[121)] [年五十四, 謚文孝. □穀, 性端嚴剛直, 人皆敬之. 所著'稼亭集'二十卷, 行于世. 子穡, 自有傳:列傳22李穀轉載轉載].[122)]

[癸亥13日, 狐入城:五行2轉載].

[丙寅16日, 雨水. 月犯大微太微:天文3轉載].

[己巳19日, 朝, 颶風暴作, 至翌日庚午20日, 乃止:五行3轉載].

---

116) 이는 「尹侅墓誌銘」에 의거하였다.

117) 이는 『연안부지』에 의거하였다.

118) 이는 『안동선생안』에 의거하였다.

119) 이는 「忠州億政寺故高麗王師謚大智國師塔碑銘」에 의거하였다.

120) 이는 『가정집』年譜에 의거하였다.

121) 이날은 율리우스曆으로 1351년 1월 28일(그레고리曆 2월 5일)에 해당한다.

122) 辛亥에 朔이 탈락되었다. 이 기사는 李穀이 逝去한 것을 기록한 것인데, 『가정집』年譜에 1월 1일로 되어 있다("至正十一年, 正月一日卒"). 또 이때 몽골제국에서 國子監生員으로 在學하고 있던 李穡이 1351년(충정왕3) 1월 29일[晦] 訃音을 듣고서 奔喪하였다.

- 열전28, 李穡, "穡, 以朝官子, 補國子監生員, 在學三年, 穀, 在本國卒, 自元奔喪". 몽골제국의 內外官은 朝官, 京官, 外任官, 無品으로 구분되지만 前二者는 그 性格이 비슷한 京官인 것 같고(『國朝典章』 권7, 吏部1, 官制1, 職品, 內外諸官員數), 이 기사의 朝官은 宋制와 같이 常參을 指稱하는 것 같다(→의종 5년 윤4월 17일의 脚注).
- 『목은집』 연보, 至正十一年辛卯, "正月, 稼亭先生訃至, 奔喪".
- 『목은시고』 권2, 旣還學之明年至正11年正月晦, 先考訃音至, 奔喪歸鄕, 侍慈堂終制, 歲癸巳至正12年春暮也, 朱同年印成有詩, 次其韻三首.

[丙子26日, 又犯房星:天文3轉載].

[某日, 以典儀副令鄭云敬爲典法摠郞:追加].[123)]

[○以河允源爲慶尙道按廉使:慶尙道營主題名記].[124)]

二月庚辰朔大盡,辛卯, 壬午3日, [驚蟄]. 祔忠穆王~~大行王~~于太廟.[125)]

[癸巳14日, 雨雹:五行1雨雹轉載].

三月庚戌朔小盡,壬辰, 乙卯6日, 幸廣明寺, 醮三界.

[是月丙辰7日, 帝親策進士八十三人, 賜朶烈圖·文允中進士及第, 其餘出身有差. 時白彌堅及第:追加].[126)]

[春某月, 入元僧惠勤, 抵江浙行省定海縣普陀洛迦山, 拜觀世音菩薩像:追加].[127)]

---

123) 이는 『삼봉집』 권4, 鄭云敬行狀에 의거하였다.

124) 이후 河允源은 諸道의 안렴사와 목사가 되어 善治하였다고 한다.

· 열전25, 河允源, "嘗出按慶尙·西海·楊廣·交州四道, 牧原·尙二州, 所至有聲績. 辛旽用事, 允源不諂附".

125) 忠穆王은 大行王으로 고쳐야 옳게 되는데, 『고려사절요』 권26에는 옳게 되어 있다.

126) 이는 『원사』 권42, 본기42, 順帝5, 至正 11년 3월 丙辰 ; 『金石鎖編未刻考』, 元辛卯會試題名記에 의거하였는데, 이때 高麗人 白彌堅이 廷試에서 第3甲으로 급제하였다(『고려사절요』 권26, 忠定王 2년 9월 ; 지28, 選擧2, 科目2, 制科). 또 이때의 시험과정에 대해서는 『近光集』 권2, 至正十一年歲己卯, … ; 『元詩選』初集52, 紀事二首에도 서술되어 있다.

현재 「辛卯會試題名記」는 北京市 東城區 國子監 孔子廟庭에 位置해 있고(池內 功 1995年), 이에 대한 검토도 있었다(蕭啓慶 1987年). 이 비문은 羅振玉(1866~1940)도 原本을 對照하지 못했다고[此本未對](『金石鎖編未刻考』소수) 하는데, 筆者가 京都大學 人文科學研究所에 所藏된 拓本을 살펴본 결과 向彌堅이 찾아지는데 白彌堅의 誤刻일 것이다. 곧 이 榜目 중에서 江西地域의 及第者를 다른 문헌과 비교해보면 오류가 많이 찾아진다(『江西通志』 권51, 選擧3, 「至正十一年辛卯文允中榜」; 『浙江通志』 권129, 選擧7, 至正十一年辛卯文允中榜).

그리고 當代의 문집인 『雪谷集』에 白彌堅이 至正年間에 급제하였다고 한 점, 당시의 廷試에서 人種 및 地域의 按配를 감안하여 每回 高麗人을 1~2人씩을 선발했던 점을 등을 감안하면, 向彌堅은 誤刻이 분명하다(張東翼 1997년 211面).

· 『雪谷集』卷上, 送白彌堅赴忠州幕[注, 彌堅, 字介夫, 至正中, 登元朝制科, 仕本國, 累官至右獻納]".

한편 1803년(純祖3) 초겨울(10月頃)에 「辛卯會試題名記」를 살펴보았던 謝恩使·禮曹判書 李晩秀(1752~1820)는 高麗人 白彌堅[向彌堅]을 認知하지 못했던 것 같다(『屐園遺稿』 권12, 進士題名碑).

127) 이는 다음의 자료에 의거하였다.

[夏四月己卯朔大盡,癸巳, 乙酉7日, 倭寇雞林府感恩寺, 竊取飯子·小鍾·禁口等, 而去:追加].[128]

[己丑11日, 月犯大微太微, 二日:天文3轉載].

[五月己酉朔小盡,甲午, 戊午10日, 鵂鶹鳴于紫門:五行1轉載].

[是月辛亥3日, 潁州妖人劉福通爲亂, 以紅巾爲號, 陷潁州. 初, 欒城人韓山童祖父, 以白蓮會燒香惑衆, 謫徙中書省廣平路永年縣. 至山童, 倡言天下大亂, 彌勒佛下生, 河南及江淮愚民皆翕然信之. 福通與杜遵道·羅文素等復鼓妖言, 同起兵爲亂:追加].[129]

[六月戊寅朔大盡,乙未, 甲申7日, 月犯大微太微:天文3轉載].

[庚子23日, 月犯鎭星:天文3轉載].

[某日, 元使丑驢, 道遇□右政丞孫守卿, 以館待之薄, 欲鞭之. 守卿走馬以免:節要轉載].

[→本國嘗受帝命, 使臣奉詔來, 則王出迎, 餘則否. 丑驢奉御香來, 侍學申德隣·侍學安吉祥等畏威, 使王出迎, 守卿爲相右政丞, 不能擧正. 有僧因訟奴婢, 辱丑驢, 亡匿, 丑驢怒取, 守卿辭. 一日, 丑驢道遇守卿, 以館穀之薄, 欲鞭之, 守卿走馬以免. 憲司劾以冢宰被辱, 時人譏之:列傳21孫守卿轉載].

· 『목은문고』 권14, 普濟尊者諡先覺塔銘幷序, "至正侍墓, 春, 抵寶陁洛迦山, 拜觀音".

128) 이는 「感恩寺飯子銘」에 의거하였다(國立慶州博物館 所藏). 이 飯子의 중량이 30斤이라고 되어 있는데, 이와 規格이 비슷한 반자의 경우 15斤 내외로 표기하였던 점을 보아 이 飯子와 함께 만들어진 반자(禁口로 달리 表記되었다) 小鍾의 무게를 合算한 것으로 추정된다(文明大 1994년 3冊 280面 ; 蔡雄錫 編 2013년).

· 銘文, "至正十一年辛卯十二月初三日,雞林府地感恩寺飯子,入重三十三斤,住持·大師□印□代飯子·小鍾·禁口等乙造成爲乎事叱段,倭賊人等亦同年四月初七日,右物□等?乙偸取持去爲良在乙造成".

129) 이는 『원사』 권42, 본기42, 순제5, 지정 11년 5월 辛亥에 의거하였다. 여기에서 潁州는 현재의 安徽省 阜陽市 潁州區 地域이고, 永年縣은 河北省 邯鄲市 永年縣 지역이다. 이보다 먼저 欒城人 韓山童이 白蓮會(白蓮教)를 중심으로 宋 徽宗의 8世孫이라고 自稱하며 擧兵하였으나 체포되었다. 이날 韓山童의 무리인 劉福通이 반란을 일으켜 潁州를 함락시켰다(『원사』 권42 ; 『庚申外史』, 至正11年). 이로써 紅巾賊의 叛亂이 시작되었다. 이때 궐기한 紅巾賊은 長江[揚子江] 以北의 農民들이 主軸되었고, 이보다 4년 후인 1355년(지정15) 2월에 정식으로 政權을 수립하였다.

[秋七月戊申朔小盡,丙申, 某日, 以洪仲元洪仲宣爲慶尙道按廉使, 前獻納元松壽爲西海道按廉使:慶尙道營主題名記].[130]

秋八月[丁丑□~~朔~~大盡,丁酉, 釋奠, 唐人林巨不知禮, 以祝板爲誤, 別取板, 使成均官書之, 不押于王, 而行之. 薛聰·崔致遠, 削去不享. 牲本牛一羊一, 去牛用羊二:禮4文宣王廟轉載].[131]

丙戌10日, 倭船一百三十艘□來, 寇紫燕·三木二島, 焚廬舍殆盡.

[→倭船一百三十艘來, 寇紫燕·三木二島, 焚其民舍殆盡:節要轉載].

戊子12日, 遣萬戶元顥于西北面, 令萬戶印瑺·前密直~~前知都僉議司事~~李權,[132] 屯西江以備.

己丑13日, 倭又寇南陽府雙阜縣.

[→又焚南陽府雙阜縣:節要轉載].

癸巳17日, 又命印瑺等, 入海捕倭. 李權還白王曰, 臣非將, 又不食祿, 不敢奉命. 固辭不行.

丙申20日, 以金那海△爲判三司事, 柳濯·金仁浩△並爲贊成事, 權適·崔天澤·趙瑜△並爲參理, 金光載·姜得龍~~康得龍?~~△並爲三司右·左使,[133] 韓大淳△爲知都僉議□司事, 李珍△爲知都僉議□□司事商議, 郭珚郭琠爲密直提學·監察大夫, 李成瑞·高董士△並爲密直副使.[134]

[戊戌22日, 月犯井星:天文3轉載].

[是月, 置松嶽山烽燧所:兵1五軍轉載].

[九月丁未朔大盡,戊戌, 庚戌4日, 鵂鶹鳴:五行1轉載].

[辛亥5日, 鹿入城:五行2轉載].

[乙卯9日, 熒惑犯大微~~太微~~·軒轅:天文3轉載].

---

130) 洪仲元은 洪仲宣의 初名이고(열전24, 洪仲宣), 元松壽는 열전20, 元松壽에 의거하였다.

131) 이날은 仲秋의 上丁(또는 初丁), 곧 첫 번째 丁日에 설행되었던 秋丁이다(→예종 3년 7월 某日의 脚注).

132) 前密直은 前知都僉議司事로 고쳐야 옳게 될 것이다. 李權은 1349년(충정왕1) 윤7월 10일(己巳)에 知都僉議司事에 임명되었다.

133) 姜得龍은 『고려사절요』 권26에는 康得龍으로 되어 있는데, 後者일 것으로 추측된다(盧明鎬 等 編 2016년 662面, 충정왕 2년 5월 22일의 脚注).

134) 郭珚은 郭琠(곽연)의 誤字일 것이다(→공민왕 7년 11월 20일).

[是月頃, 以具世珍爲雞林府判官:追加].[135]

冬十月[丁丑朔大盡,己亥], [戊寅[2日], 大雷雨:五行2轉載].

壬午[6日], 元以江陵□□[~~府院~~]大君祺爲國王, 遣斷事官完者不花, 封諸倉庫宮室, 收國璽以歸. 王遜于江華.[136]

恭愍王元年三月辛亥[7日], 遇鴆薨,[137] 在位三年, 壽十四, 葬聰陵.[138] 恭愍王十六年正月丁亥[10日], 元賜謚[證]忠定. 嘗夜, 王與近侍, 相戲謔達曙, 或以墨, 灑侍學官衣. 或有近女而行者, 便生妬心, 雖宰相, 至見撞擊, 往往以鐵椎, 擊人幾死, 或於冬月, 取冰雪水, 和凍飯食人, 狂悖類此.

史臣贊曰, "忠穆·忠定, 皆以幼冲卽位, 德寧·禧妃以母之尊, 用事於內, 奸臣·外戚, 用事於外, 二君雖有穎悟之資, 何能爲哉. 且當忠定之時, 江陵□□□[~~府院大~~]君親爲叔父, 得國人之心, 又有上國之援, 諸尹不此之顧, 朋比逞欲, 釀成禍胎, 卒使王不幸遇鴆, 悲夫".[139]

[忠定王 在位年間]

[○忠定時, [前代言田淑蒙,] 拜監察大夫, [監察]糾正申翼之取惡少輩馬, 付司僕寺, 淑蒙使人, 奪其馬以歸:列傳38田淑蒙轉載].

---

135) 이는 『동도역세제자기』에 의거하였다.

136) 이때 朴成亮·韓脩·李岡(李綱) 등이 충정왕을 隨從하였다가 공민왕에 의해 소환되었다(韓脩墓誌銘 ; 李岡墓誌銘도 같다).
- 『목은문고』 권12, 無能居士[朴成亮]讚幷序, "… 予[李穡]惟公之事 聰陵[忠定王]也, 甚見愛重, 及遜位江都, 跬涉不離側, 人服其義, 遇知」 玄陵[恭愍王], 爲喉舌臣, 以謹愼聞".
- 열전20, 韓康, 脩, "忠定王命爲政房必闍赤, 及王遜于江華, 脩從之, 由是名重一時. 恭愍王召復爲必闍赤".
- 열전24, 李嵒, 岡, "忠定時, 選充侍讀, 及王遜于江都, 岡[綱?]從之. 恭愍卽位, 召見奇之".

137) 이날은 율리우스曆으로 1352년 3월 23일(그레고리曆 3월 31일)에 해당한다.

138) 聰陵은 開城市 開豊郡 五山里에 있다(보존급유적 550호, 洪榮義 2018년).

139) 이 史臣의 贊은 고려시대 史官의 贊이 아니고, 太祖 李成桂의 命에 의해 鄭道傳·鄭摠·尹紹宗·李行 등이 고려왕조 말기의 실록을 편찬할 때에 만들어진 것으로 추측된다.
- 『태종실록』 권27, 14년 5월, "壬午[10日], 召領春秋館事河崙命竄定高麗史, … 李膺曰, 實錄宜於數世後修撰, 若然則必有公論矣. 臣聞, 太祖之時, 命鄭道傳·鄭摠·尹紹宗修撰前朝實錄, 諸史官皆改書史草, 而納之, 惟李行不然, 故未免囚繫".

[恭愍王 在位以前]

[→<u>具榮儉</u>, 初名貞, 綾城人, 居沔州. 性强狠, 喜殖貨, 官累典理判書. 嘗以私忿, 壞人廬舍, 肆侵暴, 繫行省獄, 對省官言又倨傲, 省官杖之:列傳27具榮儉轉載].

[仁同人 張東翼 校注, 增補].

新編高麗史全文

세가9책 충선왕-충정왕

초판 1쇄 인쇄 | 2023년 05월 23일
초판 1쇄 발행 | 2023년 05월 30일

지은이 | 張東翼
발행인 | 한정희
발행처 | 경인문화사
편집부 | 김지선 유지혜 한주연 이다빈 김윤진
마케팅 | 전병관 하재일 유인순
출판번호 | 제406-1973-000003호
주소 | 경기도 파주시 회동길 445-1 경인빌딩 B동 4층
전화 | 031-955-9300 팩스 | 031-955-9310
홈페이지 | http://www.kyunginp.co.kr
이메일 | kyungin@kyunginp.co.kr

ISBN 978-89-499-6714-1 94910
978-89-499-6754-7 (세트)
값 32,000원